A casa de chá
ELLIS AVERY

A casa de chá
ELLIS AVERY

Tradução de
KVIETA BREZINOVA DE MORAIS

EDITORA RECORD
RIO DE JANEIRO • SÃO PAULO
2010

CIP-BRASIL. CATALOGAÇÃO-NA-FONTE
SINDICATO NACIONAL DOS EDITORES DE LIVROS, RJ

Avery, Ellis, 1945-
A97C   A casa de chá / Ellis Avery; tradução de Kvieta Brezinova de Morais.
— Rio de Janeiro: Record, 2010.

Tradução de: The teahouse fire
ISBN 978-85-01-08029-5

1. Americanos — Japão — Ficção. 2. Cerimônia japonesa do chá — Ficção.
3. Ficção americana. I. Morais, Kvieta Brezinova de. II. Título.

                                            CDD: 813
09-3454   CDU: 821.111(73)-3

Título original em inglês:
THE TEAHOUSE FIRE

Copyright © 2006 by Ellis Avery

Texto revisado segundo o Novo Acordo Ortográfico da Língua Portuguesa.

Todos os direitos reservados. Proibida a reprodução, no todo ou em parte,
através de quaisquer meios.

Direitos exclusivos de publicação em língua portuguesa somente para o Brasil adquiridos pela
EDITORA RECORD LTDA.
Rua Argentina 171 — Rio de Janeiro, RJ — 20921-380 — Tel.: 2585-2000
que se reserva a propriedade literária desta tradução

Impresso no Brasil

ISBN 978-85-01-08029-5

Seja um leitor preferencial Record
Cadastre-se e receba informações sobre nossos lançamentos
e nossas promoções.

EDITORA AFILIADA

Atendimento e venda direta ao leitor
mdireto@record.com.br ou (21) 2585-2002

PARA

Sharon Marcus
Amanda Atwood
Elaine Solari Atwood

1

1856-1866

AOS 9 ANOS, na cidade hoje conhecida como Kyoto, eu mudei o meu destino. Entrei no santuário pelo arco vermelho e toquei o sino. Inclinei-me em reverência duas vezes. Bati palmas duas vezes. Sussurrei algo para a deusa estrangeira e fiz outra reverência. E então ouvi os gritos e o fogo. Qual fora o meu pedido? *Qualquer vida exceto esta.*

RECEBI O NOME de Aurelia por causa da minha avó, Aurélie Caillard, que era lavadeira em Paris. Ela teve dois filhos, meu tio Charles e minha mãe, Claire. Meu tio tinha jeito para os livros e ganhou bolsas de estudos em escolas jesuítas, onde o encheram, dizia minha mãe, com sonhos de poder e glória em terras distantes. Aos 20 anos, já ordenado padre, foi transferido pela Ordem para Nova York para atuar entre os imigrantes irlandeses e italianos do centro, usando a sala do diretor da escola como uma base para consolidar o voto católico. O cargo era inferior ao que tinha sonhado; ele solicitava transferência regularmente. Minha mãe permaneceu em Paris, trabalhando como empregada em um convento. Tio Charles disse que ela se envolveu com um homem mau, mas

— confesso o meu preconceito — eu acho que alguém da igreja a violentou: ela tinha 14 anos. Minha avó deu o dinheiro da passagem para Nova York e fechou suas portas.

Em 1856, quando minha mãe chegou à rua Mott para lavar o chão do irmão dela, meu tio Charles anunciou que ela era uma jovem viúva e deu ao falecido marido dela o sobrenome Bernard. Pouco tempo depois, em maio, eu nasci. *Aurelia*, insistiu tio Charles, não Aurélie. *Um nome americano.*

Nós morávamos na esquina da rua Prince com a rua Mott, eu e minha mãe, em frente ao adro da igreja, em um apartamento no sótão, em cima da Escola St. Patrick's. Minha mãe tinha cabelos e olhos negros como os meus; seu rosto redondo tinha uma covinha de um lado, formando um sorriso só seu. Todas as manhãs, antes mesmo de colocar água para ferver para tio Charles, ela costumava me levantar até o peitoril da janela da água-furtada. Eu adorava ver as folhas do grande sicômoro de perto e, bem embaixo, a parede de tijolos vermelhos em volta do adro; adorava colocar os braços e as pernas em volta dos ombros e da cintura dela. Ela era mais minha mãe nas extremidades do dia; era um manto radiante que me envolvia. Costumava pentear o meu cabelo para trás com os dedos e cantar uma canção alegre que ela amava: *Auprès de ma blonde, il fait beau, fait beau, fait beau.*

— Mas meu cabelo é preto! Ainda posso ser a sua *blonde?**

— Você é o meu pequeno corvo louro — ela costumava me responder.

— Sua bala de alcaçuz loura?

— A minha ameixa-preta mais loura.

E então ela baixava e mudava de música: *Frère Charles, Frère Charles, dormez-vous? dormez-vous?* E com isso ela guardava seu sorriso especial, dobrava o manto radiante e se tornava não a minha mãe, mas a empregada do irmão dela.

O escritório do tio Charles — que também lhe servia de apartamento — ficava no quarto andar, bem embaixo de nós. Ele tinha organizado nossos aposentos dessa forma, pois detestava os cheiros que vinham da cozinha. Também detestava subir escadas, mas morar abaixo do quarto andar o teria obrigado a ter contatos mais frequentes com os alunos do que gostaria. Os traços fisionômicos do tio Charles eram pequenos e suas mãos, grandes; seu crânio

---

*Loura, em francês. (*N. da T.*)

era conico como um chapéu turco na parte de trás da cabeça e ele corava facilmente. Falava apenas em francês com minha mãe e — para o meu próprio bem — apenas em inglês comigo, sua voz um oboé, contrastando com o violoncelo da minha mãe. Nos domingos à tarde, quando eu era pequena, depois de rezar a missa para as freiras e almoçar comigo e com minha mãe, ele costumava sair comigo pelos fundos de seu apartamento (quarto, sala de jantar, cozinha intocada) e me levar para o refúgio de seu escritório na parte da frente (centenas de livros, uma enorme poltrona). Sentado na cadeira de veludo vermelho-escuro, ele me colocava no colo e me ensinava a ler a Bíblia inglesa, do mesmo jeito que ensinara minha mãe a ler a francesa quando eles eram crianças. Ele cobria os tijolos de estreitas letras impressas com o mata-borrão de forma que apenas a letra, apenas a palavra, apenas a linha na minha frente ficasse visível: *O Céu e a Terra. Le ciel et la terre.*

Exceto por aquelas tardes de domingo, três vezes por dia nós arrumávamos a refeição do tio Charles em uma bandeja, colocávamos sobre uma mesinha ao lado de sua poltrona e comíamos sozinhas no andar de cima. Depois do café da manhã, retirávamos a bandeja, fazíamos compras — eu traduzindo entre um francês rápido e uma mistura de italiano e inglês de vendedor ambulante — e então voltávamos para casa para preparar o almoço do tio Charles, a refeição mais esmerada do dia. Quando o tio Charles queria ficar em casa à noite, servíamos uma sopa feita com os ingredientes do almoço, acompanhada de pão, queijo e vinho. Quando ele jantava fora, limpávamos o apartamento dele (rapidamente a parte dos fundos, demoradamente a parte da frente) e pegávamos livros emprestados. De noite, a minha mãe costumava ler para mim "A cigarra e a formiga" e quando eu já tinha idade suficiente, lia para minha mãe enquanto ela costurava: *Se cabelos são fios de ouro, então ouro negro cobre sua cabeça.**

De tarde, depois de lavar os pratos e deixar preparados os ingredientes da sopa, minha mãe costumava descansar até que a sineta da escola tocasse e os alunos fossem ruidosamente para casa, e então descia e limpava o chão das salas de aula com o esfregão. Tudo o que eu queria era ir atrás dela, então ela fez para mim um esfregão de brinquedo a partir do cabo quebrado de uma vas-

---

*Versos do Soneto 130, de William Shakespeare. (*N. da T.*)

soura e de um trapo, e juntas dançávamos com nossos amáveis e prestativos parceiros, ruidosamente nas salas de aula vazias, silenciosamente naquelas onde as freiras permaneciam, curvadas sobre os trabalhos de seus alunos.

Minha mãe, embora ocultasse muito bem delas, não gostava de freiras. Eu percebia isso na sua forma lúgubre de dizer a palavra *freira* e no desprezo quando cheirava os hábitos de lã molhados secando no telhado vizinho. *Les nonnes.* Eu nunca soube como fora a vida dela antes de eu nascer, quando ela fazia a limpeza no convento em Paris. Embora eu fosse batizada, sentasse no fundo da capela nas manhãs de domingo enquanto tio Charles rezava a missa e tivesse até mesmo feito a Primeira Comunhão com um arrepio sagrado, minha mãe nunca me acompanhava. Ela dormia ou costurava. Na manhã da minha Primeira Comunhão, quando pedi uma última vez que viesse, ela disse:

— Aurelia Bernard. Quem é esse tal de Bernard, diga-me? A Igreja odeia a verdade, e as freiras a odeiam mais que tudo.

— Você não quer mais que eu vá? — perguntei, confusa.

— Minha querida, você precisa da Igreja tanto quanto eu. Pelo menos até que esteja crescida. Você não precisa *morder a mão* — ela disse a expressão em inglês — mas também não precisa lambê-la. *Lick*, lamber em inglês, é *lécher* em francês; a palavra jorrou de sua boca como mel, obscena.*

Eu acho que ela detestava não ter nenhuma opção exceto sentir gratidão. Nós precisávamos da Igreja; ela nos alimentava e nos abrigava. Acabou provendo a minha instrução: minha mãe me deu uma medalha de Santa Clara e meu tio, um uniforme de tecido axadrezado; eu os vesti e juntei-me às meninas na Escola de St. Patrick's, ajudando minha mãe à tarde. Quando comecei a frequentar a escola, o francês se tornou para mim não metade da minha vida falada, mas uma linguagem secreta compartilhada apenas com minha mãe enquanto deslizávamos os esfregões pelos assoalhos.

Todas as meninas na minha sala eram irlandesas, exceto eu. Os pais de algumas delas tinham sido mortos na Guerra Civil Americana; alguns tinham matado policiais nos distúrbios de rua em Nova York contra o recrutamento militar obrigatório no verão, quando eu tinha 7 anos. Aquelas meninas eram fortes. Eu gostava delas: suas brincadeiras e a cadência do seu sotaque como

---

Lecher, em inglês, significa devasso, libertino. (*N. da T.*)

cavalos e o mar, como riam umas para as outras em segredo depois que as freiras batiam nelas. "Ela bateu na minha mão com a régua, aquela vaca."

Mas uma vez, quando eu tinha 9 anos, uma das freiras de outra turma veio mostrar-nos um livro com gravuras em água-forte do Vaticano. Ela perguntou o meu nome.

— Aurelia Bernard? Ah, eu não reconheci você sem a Claire — disse ela, segurando um esfregão imaginário nas mãos e gesticulando. — Por favor, transmita meus cumprimentos a sua mãe.

Não creio que ela quisesse me ofender, mas em uma carteira próxima vi uma das garotas irlandesas imitar o gesto e rir. E depois da escola, um coro de meninas ria atrás de mim, com os punhos um sobre o outro, os braços fazendo círculos enquanto gritavam: "Esfregona! Esfregona!" As nossas tardes de salão de baile soavam como algo sujo em suas bocas. Subi a escada constrangida, e uma última garota me chamou pelo nome. Voltei-me e vi Maggie Phelan cara de pastel rindo com as amigas dela.

— Por favor, transmita meus cumprimentos a sua *esfregona*!

— Deixe-me em paz! — gritei.

— *Deixemempaz!* — zombou ela enquanto eu saía de seu campo de visão, fazendo força para não correr.

Cheguei em cima e fui me esconder na cama da minha mãe. Apertei o rosto contra as costas quentes dela: era um consolo, seu cheiro de sabonete e limão, o ronronar de sua respiração. As sestas da minha mãe estavam durando cada vez mais, percebi, tentando ser paciente. Eu queria tanto contar para ela, ser consolada por ela, defendida. Minha mãe se mexeu, tossiu em um lenço e me acariciou.

— Você parece doente, *ma petite*, o que aconteceu?

Eu abri a boca para contar, mas não consegui. Em vez disso, me ouvi dizendo:

— Eu realmente não ajudo muito quando limpamos juntas lá embaixo. Que tal se eu fizer um pouco do seu trabalho da manhã durante a tarde, como trazer a água e o carvão?

— Hum, então talvez tivéssemos tempo para fazer compras de manhã antes da escola — e se pôs a devanear. — Eu acho que a Sra. Baldini está me enganando.

Eu queria proteger minha mãe de todos os Phelans e Baldinis do mundo; eu queria que as duras e ríspidas palavras inglesas fossem tão fáceis para ela como, milagrosamente, eram para mim. Ela pareceu relutante por um momento e então me abraçou firmemente.

— *Ma petite* — disse ela —, carregando coisas tão pesadas. Não é justo que uma criança trabalhe tanto.

— Eu não me importo — eu disse. — Farei várias viagens pequenas.

Enquanto ela concordava lentamente com a cabeça, senti como se tivesse me safado de algo: de não ter que ser envergonhada por ela e, ao mesmo tempo, não ter que magoá-la. O meu amor e o meu ardil formaram um bolo negro na minha garganta. Eu a abracei bem apertado e disse:

— Vou começar hoje.

DEPOIS QUE MINHA MÃE desceu para as salas de aula, troquei o uniforme escolar por um macacão e fiz a cama dela. Coloquei a água velha da chaleira dentro da bacia de lavar louça e trouxe a água fresca dos tonéis no telhado: tinha chovido recentemente, e o telhado era mais perto que a bica lá fora. Levei o balde para o porão e trouxe todo o carvão que consegui carregar. Levei os penicos para baixo e os esvaziei na latrina que ficava do lado de fora, lavei-os na torneira e os trouxe de volta, ofegando até o quarto e o quinto andares. Quando voltei com o penico do tio Charles, ele olhou para mim de sua poltrona e disse:

— Diga a sua mãe que eu gostaria que vocês jantassem comigo hoje à noite.

A urina dele cheirava pior do que a nossa, pensei a caminho do quinto andar; eu teria que perguntar a minha mãe por quê. Enquanto estava sozinha, explorei nosso apartamento: empurrando para o lado um punhado de lenços amassados, com manchas que pareciam ferrugem, peguei a cesta que minha mãe deixava escondida debaixo da cama. Dentro havia um lindo vestido marrom inacabado, descobri, exatamente do meu tamanho, com fitas de veludo marrom na cintura e nos punhos. Embaixo dele havia uma boneca de pano usando o mesmo vestido, feita de algodão branco, com os detalhes do rosto desenhados — olhos castanhos como os meus — e um lenço de veludo no lugar do cabelo. Excitada, coloquei o vestido e a boneca de volta em seu esconderijo, espalhando os lenços novamente para encobrir meus rastros.

Eu tinha acabado de rastejar de debaixo da cama quando ouvi passos lentos na escada e então minha mãe voltou, corada do trabalho lá embaixo.

— Você trabalhou tanto, minha querida — disse ela. — Vamos esquentar o jantar do seu tio?

Contei a ela sobre o estranho pedido de tio Charles e ela franziu os lábios, como quem acha a situação ao mesmo tempo divertida e esquisita.

— Será que o domingo chegou mais cedo esta semana? — ela olhou para a panela sobre o fogão. — Bem, sopa para todos, *quand même* — decidiu. — Ele devia ter nos avisado antes se queria algo mais. O que será que ele espera que vistamos?

SENTADAS À MESA pouco usada do tio Charles, eu usando meu uniforme axadrezado e minha mãe, seu vestido bom, ficamos de cabeça baixa, mas inquietas durante a demorada bênção. Então tio Charles começou a comer com o silêncio de quem mora sozinho, em ritmo metódico, e minha mãe fez o mesmo. Fiquei balançando na cadeira com uma curiosidade frustrada. Os dois encerrados no que se poderia chamar de disputa, não fossem a dignidade tonsurada do meu tio e a graça irônica de minha mãe. Quando tio Charles esvaziou seu prato, ele depositou a colher na mesa com uma pancada seca e breve, ao que minha mãe respondeu de imediato, e os dois passaram a estudar um ao outro com os braços cruzados sobre as barrigas.

— Bem, foi muito divertido, Charles; não sei como você aguenta comer sozinho todas as noites — disse minha mãe.

Meu tio fungou em resposta e começou a falar como se estivesse pregando.

— Como você sabe, há algum tempo solicito permissão para servir ao Senhor em uma função proporcional aos dons que Ele decidiu conceder a Sua criatura.

— *É para isso que eu falo quatro idiomas?* — zombou minha mãe. — Eu não esqueci.

Meu tio inspirou profundamente para prosseguir com o seu discurso, mas sua alegria jorrou em um expirar trêmulo.

— Esta manhã recebi uma carta — anunciou simplesmente.

— Você ganhou do irmão Michael, não foi? — provocou minha mãe.

— Eu fui escolhido — disse tio Charles, corando — para seguir os passos do bem-aventurado São Francisco Xavier. Para servir a um rebanho perdido. Para converter os pagãos em uma terra que finalmente abriu suas portas para o Ocidente. — Ele se recostou em sua cadeira e expirou. — Não cabe a mim dizer por que os pedidos do irmão Michael não foram ouvidos ao passo que os meus foram concedidos. — Enquanto ele olhava em direção aos céus, minha mãe sorriu para mim, mas o sorriso desapareceu de seu rosto quando ela começou a perceber que ele falava sério. — Esta tarde comprei passagens para nós três — disse ele. — Partimos para o Japão em seis semanas.

DEIXEI CAIR A COLHER. Japão? Minha mãe ficou branca. O que ela ia fazer, minha mãe, que não conseguia servir uma refeição de domingo em uma quinta-feira? Gritar com ele, xingá-lo? Jogar o copo de vinho no rosto dele? Em vez disso, ela lentamente franziu os lábios e balançou a cabeça, como se estivesse medindo a sua reserva de farinha — como se dissesse: "Com um pouco de sacrifício, vai dar." E com uma hesitação atípica, perguntou:

— Você acha que vai ser bom? Para a menina?

— O que poderia ser melhor do que servir ao Nosso Senhor? Aurelia tem o dom dos idiomas, e você tem — deteve-se, hesitante — o dom do trabalho doméstico.

Minha mãe, irritada, fechou os olhos e comprimiu os lábios, e tio Charles repreendeu:

— É uma bênção ser chamado para fazer o trabalho de Deus. — O rosto vermelho reluzia. Ele olhou para mim. — Bem, o mundo está cheio de pessoas que sabem falar francês e inglês, mas se Aurelia aprender japonês tão rapidamente...

— Você poderia se sustentar como tradutora — disse minha mãe.

Vi no rosto dela que estava aliviada por mim e um sentimento mais nobre que a inveja.

— A Igreja tem um lugar para todas as Suas filhas, até mesmo as mais desafortunadas — disse tio Charles, olhando para ela severamente. As narinas de minha mãe se alargaram. — Qualquer ordem pela qual Aurelia se sinta atraída será a mais proveitosa para a sua aprendizagem.

— Ou poderia se casar com um embaixador — ela devaneou.

— De qualquer forma — disse o tio Charles, — a Ordem, a meu pedido, nos deu outra cópia da gramática que me foi fornecida. Aprenda o que puder — disse ele, passando-me um livro preto e dourado com a palavra *Nippongo* estampada na capa.

— Aurelia, agradeça ao seu tio e suba — pediu minha mãe. — Vou conversar com ele um pouquinho. Aqui, tome uma vela.

PRESSIONEI O OUVIDO contra a porta fechada, e quase caí quando alguém a abriu.

— Vá — ordenou minha mãe, vigiando-me. — Já.

DEITEI-ME NA CAMA à luz de vela com o livro do Sr. Nippongo. Os blocos de texto estavam acompanhados de desenhos de sombrinhas, pagodes, homens em vestes chamadas quimonos, mulheres vestindo quimonos e faixas chamadas obi. As moças eram bonitas como pratos de porcelana pintada: quando fechava os olhos, podia vê-las em azul e branco. No nosso pagode, tio Charles iria morar no andar térreo e eu e minha mãe, no andar de cima, dormindo todas as noites embaixo do nosso pequeno telhado de várias camadas. Ah, morar a apenas um lance de escada acima — e nunca mais ver Maggie Phelan! Apertei o livro contra o peito, alegre e impetuosa.

Acordei de novo, parcialmente, quando minha mãe entrou. Ela farfalhou pelo quarto, me beijou e apagou a vela. Eu a ouvi tossir na cama e cuspir em um lenço, que caiu no chão com uma pancada suave, mas úmida.

SEIS SEMANAS depois eu estava à sua cabeceira.

— Olha só, botei meu vestido — eu disse.

— Você está muito linda — disse minha mãe letargicamente. — Você gosta do veludo?

— É macio — aprovei, inclinando a cabeça.

— Já arrumou um nome para a sua boneca?

— Clara — respondi, levantando-a para que minha mãe pudesse ver.

— Olá, Clara — disse ela, em inglês.

Lembro-me do sótão, do vento nos sicômoros, das luzes inconstantes vindas das janelas, da poeira pairando no ar luminoso. Uma colcha de retalhos que pertencia às freiras: quadrados vermelhos dispostos em listras diagonais em um campo de algodão branco e macio. Debaixo dela estava minha mãe.

— Pegarei o próximo navio — prometeu. — Estarei lá antes que perceba.

O rosto dela estava quente e vermelho; o corpo parecia tão enfraquecido, tão pequeno no mar de retalhos.

— Mas eu podia ir depois, com você — insisti.

Ela pareceu triste por um momento, e então alegre.

— Acho que seu tio precisa que vá com ele — disse ela. — Ele nunca vai admitir, mas acho que ele tem medo de não aprender japonês sem você — eu ri. — Não, é verdade: você é jovem, vai ter mais facilidade.

— Se você tivesse vindo para Nova York quando era mais jovem... — tentei.

— Eu não teria tido você, *ma blonde* — ela estendeu o braço com esforço e tocou os meus cabelos pretos com os dedos —, que é a melhor coisa que me aconteceu — disse ela. — O meu *bel accident*.

Ela sempre fora carinhosa comigo, mas nunca solene daquela forma. Cocei o nariz, inquieta.

— O tio Charles fez a coisa certa para nós duas — disse ela, inesperadamente. — Você sabia que ele reservou dois camarotes a bordo? Teria sido muito mais barato nos colocar na parte da frente do navio, onde todos os criados ficam alojados juntos. Foi assim que eu vim para Nova York. Pode ser penoso, para uma mulher sozinha; imagino que seu tio não quissesse mais *accidents* — ela riu, e eu ri também, com pouca determinação. — Então você vai ficar no camarote que nós íamos compartilhar. O que acha disso, ter um quarto só para você? — perguntou.

Ela fechou os olhos e permaneceu deitada em silêncio, e eu me aninhei sob a colcha vermelha e branca.

— Prefiro ficar aqui com você — eu disse.

— Meu amorzinho — minha mãe começou, suavemente, e então pareceu juntar forças; seus olhos negros se abriram e ela disse, com um sibilo: — Se alguma coisa acontecesse comigo, você ficaria à mercê das freiras. Não posso ter isso na minha consciência.

— Não entendo — eu disse, enterrando meu rosto no pescoço dela.

— Mas vai entender — ela suspirou. E então, muito séria, empurrou-me um pouco para trás para que pudesse olhar para mim e disse: — Existe alguma coisa que você queira me perguntar?

Eu a olhei nos olhos. Não conseguia pensar em nada. E então me aproximei e sussurrei uma pergunta; minha mãe riu e tossiu.

— Ah, meu Deus, minha Aurélie. É porque ele bebe café, querida — ela disse, enxugando as lágrimas provocadas pela risada e o sangue do canto da boca.

Quando ambas recuperamos o fôlego, ela deu tapinhas no ombro para que eu descansasse a cabeça nele enquanto ela me contava sua história.

— Quando eu estava vindo para este país — disse ela —, vomitei várias vezes por sobre o parapeito do navio. Todos os adultos vomitaram. Você sentia o estômago começar a revirar dentro de você e, rapidamente, corria para o parapeito. Enquanto isso, todas as crianças corriam e brincavam como se fosse Carnaval. *Viva!* — disse ela, com uma vozinha estridente. — "*O barco está balançando como um pônei*, e *nossos pais estão enjoados demais para nos manter na linha!*" — Nós rimos de novo; ela tossiu e disse: — É melhor desse jeito. Se fôssemos juntas, eu ia ficar com muita inveja, você, toda contente, saltitando, e eu vomitando, mas desse jeito eu vou poder ouvir tudo sobre as suas aventuras quando puder desfrutá-las devidamente. — Ouvimos os passos impacientes do tio Charles na escada; ela me envolveu em seus braços finos e me apertou tão forte que eu mal respirava. — Agora, *va-t'en*, xô — disse ela, empurrando-me para fora da cama. — Vou deixar seu tio fazer uma prece por mim e sei que você não vai parar quieta.

Aí, quem disse *xô* fui eu.

TANTAS PRIMEIRAS experiências de uma só vez! A minha primeira mala. O meu primeiro navio, *Lafayette*, exatamente como a rua em nosso bairro. O meu primeiro telegrama, antes mesmo de termos partido — na verdade, o telegrama era do tio Charles, mas eu nunca tinha visto um mensageiro de tão perto, nem sua pequena bolsa de couro. A primeira vez que vi a cidade de colunas onde nasci. A minha primeira visão do mar por todos os lados.

O meu primeiro quarto só para mim, como minha mãe tinha prometido: um cubículo sem janelas onde havia um beliche — duas camas uma sobre a outra com grades altas como as laterais de um berço. Eu nomeei a parte de cima meu quarto — minha primeira escada de mão! — e a de baixo minha sala de estar, como uma dama imaginária.

A primeira vez que comi refeições que minha mãe não preparara. Lembro-me de como meu primeiro dia na escola foi exótico, como me senti sofisticada em meu uniforme xadrez com a medalha de Santa Clara, comendo a maçã, o pão e o queijo que minha mãe tinha mandado comigo. (Ela dissera que não queria que eu comesse a comida das freiras. Fiquei grata; o que vi — e o cheiro que senti — do que as outras alunas comiam no refeitório da escola St. Patrick's foi um longo pesadelo de verduras ensopadas.) Ainda assim, como me senti mais adulta comendo frango assado em uma bandeja na sala de estar do meu beliche com Clara, enquanto tio Charles comia com os outros jesuítas no restaurante do navio. *Então assim é que as coisas funcionam para ele. A comida aparece, os pratos desaparecem.* Tão fácil. *Auprès de ma blonde*, cantei para a minha boneca com lenço na cabeça. Mais tarde, minha barriga doeu.

Talvez houvesse alguma verdade na crença de minha mãe de que as crianças aprendiam idiomas mais rapidamente. Quando os sete irmãos se encontravam todas as manhãs para estudar japonês, eu era sempre a primeira a levantar a mão — *isto, isso, aquilo; aqui, lá, acolá; ontem, hoje, amanhã* —, até que finalmente tio Charles me pediu que não comparecesse mais às aulas.

— A presença de uma criança nos distrai de nosso trabalho — explicou, e então passei a estudar sozinha na sombria biblioteca do navio, sabatinando Clara — *Eu dei o livro ao professor; o professor deu o livro para mim* — da mesma forma que tio Charles me sabatinava todos os dias.

Depois de sete dias e sete cartas para minha mãe no papel de carta da French Line, trocamos de navio em Southampton, na Inglaterra. Tomamos o *Poonah*, da P&O Line, com destino a Alexandria — exatamente o mesmo navio, contou-nos o capitão, em que o grande acrobata Blondin havia treinado para sua proeza nas cataratas do Niágara, caminhando sobre uma corda estendida entre o mastro principal e o da mezena. Uma gravura emoldurada do evento estava pendurada na biblioteca do navio: Blondin, de olhos vendados e descalço, na metade da travessia, fumando um cachimbo. No lugar dos solenes volumes de filosofia francesa do *Lafayette*, a biblioteca do navio britânico tinha Shakespeare e contos de fadas. Lembro-me de pensar, naquela primeira tarde quando balouçávamos no porto, que sorte eu tinha, sentada com a minha boneca e todos aqueles livros naquela janela banhada pelo sol, saboreando a promessa de uma carta da minha mãe quando distribuíram a correspondência de Southampton na manhã seguinte.

No fim do dia, eu estava deitada na minha nova cabine, essa ainda menor do que a outra, quando tio Charles veio com um lampião dizer boa noite.

— Só tem uma cama desta vez — eu disse, balançando contra os lados estreitos da nova cama-berço, testando-os. — Onde *maman* iria dormir? — bocejei.

Tio Charles piscou no escuro. Alguma coisa no rosto dele me despertou.

— O que foi? — perguntei, sentando-me para conseguir vê-lo sob a luz.

Uma irritação não revelada — ou pânico? — transpareceu no rosto dele. Ele se recompôs.

— As irmãs de Nova York mandaram um recado — disse ele. — Um dos irmãos de Southampton me contou.

Meu estômago se contorceu. É claro que eu sabia, mas eu queria fazer com que a minha ignorância durasse mais.

— Ela não poderá vir no próximo navio também, não é? — falei com uma vozinha estridente.

Não diga nada, tio Charles, pensei.

— Deus a levou logo depois que partimos.

Puxei as cobertas até o queixo e apertei os punhos contra os ouvidos.

— As irmãs a enterraram no adro em St. Patrick's.

— Não.

— Deus irá purificar a Sua serva dos pecados — disse ele — e trazê-la para o Seu lado no Céu.

— Não — insisti.

— Eu sei que está sentindo um pesar enorme, mas deve regozijar-se pela alma imortal dela.

— Boa noite — eu disse com um nó na garganta e fechei os olhos com força. Eu não os abri quando ele me abençoou.

EU SEI QUE LI, COMI, estudei e dormi no *Poonah*, mas me lembro de muito pouco. Sei que atravessamos o Mediterrâneo, pegamos um trem noturno, cruzando o deserto até Suez, tomamos outro barco a vapor, mas aqueles meses de inverno entorpecidos estão perdidos para mim. Tudo o que vejo é a gravura, a corda bamba e a venda. Nós não a mencionávamos, nem eu nem tio Charles.

Comecei a ficar mais à vontade no novo navio, o *Singapore*, navegando por longas e quentes semanas de um porto fragrante a outro: Aden, Galle, Madras, Calcutá, Penang. Havia apenas um japonês a bordo: um jovem e magro cozinheiro, o Sr. Ohara, que usava um uniforme muito engomado e afiava seus cutelos todos os dias. Era muito fácil aprender com ele, pois dizia as mesmas coisas todas as manhãs quando trazia comida da despensa: "Está sujo. Cheira mal. Não está fresco." Ele tinha um gato, Maneki-*san*, um caçador de ratos caolho que fui proibida de alimentar. O Sr. Ohara me dava pequenas xícaras de chá verde bem claro e me deixava praticar minhas palavras novas no começo do dia, e me expulsava quando, diligentemente, começava a preparar o almoço. Eu então ia ler contos de fadas ou brincava de escola no meu quarto estreito, ensinando *Nippongo* para Clara com minha gramática de couro, preta e dourada. Não existia nenhum Sr. Nippongo. A palavra significava *japonês*.

Meu nome é Clara. Sou uma boneca. Vim de Nova York. Vim de navio. Minha mãe é francesa. Minha mãe está em Nova York. Minha mãe está doente. Eu não falo japonês. Eu não estou entendendo. Eu não sei.

Eu me lembro dos braços macios do navio me embalando à noite enquanto eu rezava pela minha mãe: às vezes para que Deus a acalentasse como o navio me acalentava, às vezes para que ela se recuperasse e viesse logo. Que a jornada dela fosse segura. Que ela pudesse ser, em segredo, uma princesa élfica, e viesse até mim cruzando as águas em asas diáfanas. E a cada dia eu acordava mais longe dela, despertada pelo *umi, tori*: o oceano, vasto e ofuscante, salpicado de gaivotas.

2

1866

CHEGAMOS A YOKOHAMA EM ABRIL, depois de vários dias navegando em direção ao norte, vindos de Xangai, o mar ficando cada vez mais frio. Lembro-me de cambalear pelo convés, com as pernas trêmulas, dando adeus para o Sr. Ohara, embora ele não pudesse me ver. Os japoneses não tinham permissão para deixar o Japão, ele me dissera, confiando-me seu segredo, de modo que ele não queria subir ao convés antes de chegar a Edo, onde ele poderia deixar o barco desapercebidamente. Despedimo-nos na cozinha; lembro-me de chamá-lo de Ohara-*san* e de ter feito uma reverência, ao que ele respondeu com outra reverência, satisfeito. Enquanto os outros monges aguardavam suas ordens, um irmão francês bajulador, Joaquin, com a parte raspada da cabeça reluzindo, encontrou tio Charles e eu em meio a uma multidão silenciosa de chapéus redondos e pontiagudos e pernas marrons nuas.

— Sejam bem-vindos, sejam bem-vindos — disse ele. — Vocês estão agora no Japão, é dia 24 de fevereiro.

— Como assim? Estamos no final de março — protestou tio Charles.

— É claro que estamos. Mas os nativos ainda seguem o calendário lunar aqui — gracejou o monge. — O segredo é manter ambas as datas na cabeça ao mesmo tempo. Em Roma, faça como os romanos, *n'est-ce pas?* — Ele riu da

própria piada enquanto tio Charles segurava sua maleta nervosamente. —
Bem-vindos ao Japão — repetiu o monge, olhando para mim —, embora tivessem me dito para contar com a presença de uma criada adulta, não de uma
criança, *mademoiselle* — disse ele alegremente.

Ele providenciou para que a maioria das nossas outras coisas fosse envia-
da no próximo navio, e dois japoneses, usando chapéus de palha e sandálias de
madeira — e não muito mais que isso —, levaram o nosso menor baú sobre
varas atrás de nós. O irmão Joaquin nos conduziu por uma ruazinha cinzenta
de telhados cinzentos — ele e tio Charles pareciam enormes —, passando por
portas cinzentas cobertas por panos cor de índigo pintados com caracteres brancos fluídos. Passamos por um pórtico vermelho-vivo com duas vezes a altura
de um homem: dois troncos vermelhos com duas traves vermelhas no alto.

— Isso é um *torii* — disse ele. — Os pagãos o consideram uma espécie
de portão espiritual. Você vai vê-lo na frente de todos os santuários deles.

O *torii* vermelho dominava um lado da rua, enquanto um grandioso portão
de madeira emoldurava o outro: além de cada um deles vi um jardim, uma
construção alta, um cordão trançado de campainha bastante grosso.

— Templo budista — disse o irmão Joaquin, indicando com a cabeça o portão de madeira. — Santuário xintoísta — disse ele, dirigindo um olhar para o
torii. — Reencarnação e adoração à natureza, respectivamente — suspirou. —
Aparentemente os nativos seguem ambas as religiões e não creem em nenhuma.

Olhei através do *torii* quando passamos por ele e vi um mar de cores vivas,
não, uma mulher elegante envolta em brocado, puxando o cordão em um pequeno altar dourado. O irmão Joaquin prosseguiu:

— Certa vez, um deles teve a ousadia de me "ensinar" como "rezar" nos
santuários deles: jogue uma moeda, toque o sino, faça duas reverências, bata
palmas duas vezes, faça um pedido, faça outra reverência.

Enquanto nos afastávamos da baía, as quadras densas e frágeis de casas
cinzentas de telhas e madeira ficaram menos apinhadas; novos prédios de tijolos, como aqueles na rua Mott, surgiam aqui e ali, ainda em construção.

— "E por que vocês chamam essa bobagem de oração?" — O irmão
Joaquin continuou. — "O sistema dois-dois-um", disse o baixinho. Ele parecia
realmente muito feliz consigo mesmo, e deu um risinho de satisfação.

— "O sistema dois-dois-um" — disse tio Charles com um arrepio. — Enfeitar a idolatria com o refinamento da ciência.

Um homem vestindo quimono preto passou por nós com um olhar sutil de desgosto. Ele tinha um rabo de cavalo trançado, e engomado com óleo e preso no alto da cabeça, de forma que parecia que ele estava usando um cachimbo na parte de trás da cabeça. Ele estava usando o que pareciam ser dois bastões no cinto, um longo e outro curto.

— São espadas — disse o irmão Joaquin. — Ele é um *samurai*. Existem cinco castas aqui: os guerreiros, ou *samurai*, no topo, e, abaixo, os lavradores, os artesãos, os mercadores e os impuros. Todos têm de obedecer as leis das castas em relação a tudo: o tipo de roupa que podem usar, o tipo de telhado que podem colocar em suas casas. Preste atenção aos mercadores; eles estão sedentos por mudanças. Oficialmente, pertencem à casta inferior, o que significa que têm muito dinheiro, mas não têm permissão para gastá-lo em nada. "Todos os homens são irmãos em Cristo" atrai o interesse deles, pois os coloca em pé de igualdade com os samurais. Poucos samurais se convertem; são osso duro de roer.

Enquanto as ruas começavam a parecer menos estrangeiras e mais como Nova York, eu continuava a olhar de volta para o imponente portão *torii*. A viga mais alta tinha extremidades que se curvavam para cima, como a proa de um navio viking. Adorei a ideia de um barco, navegando pelo ar através de um portão vermelho.

— *Torii* é o mesmo que *tori*, pássaro? — perguntei.

— Quieta, Aurelia — repreendeu-me tio Charles.

— A Igreja do Sagrado Coração — anunciou o irmão Joaquin, parando e inclinando a cabeça em direção a três estruturas: uma igreja de tijolos nova, uma casa de tijolos nova e uma casa de tijolos enegrecida e sem telhado, metade em pé e metade em ruínas. — Fundada pelo próprio abade Girard. Para responder sua pergunta, minha jovem — disse ele —, todas as vezes que perguntei a um japonês algo assim, *torii*, portão, e *tori*, pássaro; *hana*, nariz, e *hana*, flor, só o que consegui foi uma estranha risadinha e uma reverência, e então o homem dizia: "Desculpe-me, padre, *kanji* diferentes." As palavras deles estão todas naqueles infelizes caracteres chineses, e duas palavras podem soar iguais e parecer completamente diferentes por escrito.

Eu tinha visto os difíceis caracteres chineses, os *kanji*, no meu livro de gramática, e tinha aprendido apenas alguns. Inclinei a cabeça, concordando.

— Bem, aqui estão os seus alojamentos, bem em frente ao prédio principal. Estilo japonês, receio. O dormitório estava quase pronto no último outono e então pegou fogo. — Ele inclinou a cabeça em direção às ruínas do outro lado da rua. — Incêndios acontecem aqui o tempo todo; eles constroem as malditas casas de papel *shoji*. Tivemos sorte de não termos perdido mais. — Dirigiu o olhar ao prédio em ruínas novamente com uma expressão de dor.

— Papel? — perguntou tio Charles.

Acompanhei o olhar pasmo dele, e pareceu-me que somente o prédio de tijolos sem telhado tinha pegado fogo — um fato notável se levarmos em conta os prédios adjacentes: sob telhados de tijolos pesados, frágeis armações de madeira serviam de moldura para portas de correr e paredes de papel. Eu era muito jovem para compreender o que estava acontecendo durante os distúrbios de rua em Nova York, mas sabia que tio Charles não estava preparado para eles.

— Aqui é seguro?

— Ah, o incidente com a Embaixada Britânica foi há muito tempo.

A garantia do irmão Joaquin teve o efeito oposto em tio Charles.

— Que incidente?

— Incêndio criminoso — disse o monge tentando mostrar indiferença. — Antes que alguém se mudasse para lá. Ninguém se feriu, não se preocupe. Ademais, isso foi há quatro anos, e os tempos mudaram. Foi um raio, não se preocupe.

Tio Charles não pareceu tranquilizado.

— Um malfeitor não poderia ter vindo escondido pela tempestade? — ele perguntou.

— O senhor não entende, padre. Aquilo foi em Edo, aqui é Yokohama. E nós contratamos nosso próprio vigia. Vai ouvi-lo à noite: eles ficam batendo dois bastões de madeira um contra o outro — ele bateu palmas duas vezes — para espantar os intrusos, eu acho.

Tio Charles parecia desconfiado enquanto o irmão Joaquin seguia em frente.

— Pois bem. Já estiveram em uma construção japonesa? Ótimo — ele riu com um certo sarcasmo —, bem-vindos; vejam. Vão precisar tirar os sapatos toda vez que entrarem na casa.

Ele abriu uma porta deslizante de treliça e mostrou-nos a escuridão dentro da casa de madeira. O chão de pedra do lado de dentro era simplesmente uma continuação do pavimento da rua. Depois do pequeno vestíbulo de pedra, a casa inteira estava erigida sobre estacas a meio metro do solo, com um estranho carpete claro no chão.

— Isto é o que os japoneses chamam de chão de *tatami*: tapetes grossos feitos de palha de arroz trançada. Os tatames são todos do mesmo tamanho, cerca de 180 por 90 centímetros. É assim que eles medem suas casas: "Eu moro em uma em casa de seis tatames", e assim por diante. Se você pisa no tatame de sapato, para eles é como se tivesse usado o poço como privada.

Fiz uma careta, imaginando a cena, e tio Charles olhou para mim com um ar zangado.

— Bem, vocês entram e, se estiver chovendo, deixam o guarda-chuva e as coisas cheias de lama aqui. — *Arigato*, disse ele enquanto contava a gorjeta dos carregadores que depositaram o nosso baú no chão. — Então se sentam neste degrau de madeira, tiram os sapatos e os colocam neste armário, entenderam? Sapatos sujos da rua na prateleira de baixo, sapatos limpos de usar em casa na de cima. Todos eles usam tamancos, assim não precisam passar o dia inteiro amarrando e desamarrando cadarços como nós. — O irmão Joaquin, percebi, também usava tamancos. — No banheiro, que fica dentro da casa, mas é limpo todos os dias, deve-se usar, prestem atenção, *sapatos diferentes*, de modo que, quando errarem o alvo, não saiam sujando o resto da casa. Aqui na missão todos temos um criado, um noviço, um dos nativos, inexistente, é claro, sob as leis japonesas. Enfim, o meu fez todo o tipo de estardalhaço quando usei os sapatos errados no lugar errado. — Tio Charles abriu a porta que o monge apontara e olhou para a privada horrorizado. — Pois é, é preciso ficar de cócoras para responder ao chamado da natureza no Japão; é preciso se acostumar — disse o irmão Joaquin. — Hoje à noite mandaremos um criado para tirar o seu futon para você; é a ideia deles de colchão: uma manta de algodão estendida no chão. Também poderão experimentar os travesseiros esquisitos deles — ele apontou para um canto vazio da parede de papel e treliça.

— O que é isso, irmão?

— Ah, perdão, é um armário embutido para o seu futon.

Como um mágico, ele abriu a parede (era uma porta de correr) e mostrou prateleiras cheias de colchas grossas. O quarto parecia tão estranho, tão vazio: paredes deslizantes de papel cercando pisos de tatames de palha. Junto a uma das paredes ficavam móveis de madeira escura que supus serem penteadeiras e armários, solenes com seus painéis deslizantes e encaixes de metal. Tio Charles também olhou ao redor e perguntou:

— Como este lugar é aquecido?

O irmão Joaquin apontou para um caldeirão de metal enegrecido ao lado dos armários.

— Fogareiros a carvão — disse ele. — O criado irá retirá-los hoje à noite e acenderá o fogo para vocês.

— Acho que posso fazer isso sozinho — disse tio Charles.

— Por favor, não — disse o irmão Joaquin. — São complicados, esses fogareiros. — O sino da igreja badalou cinco vezes. — Bom, há um sótão no alto da escada de mão, que com certeza desabaria se eu o mostrasse a vocês — disse o irmão Joaquin passando a mão na barriga para enfatizar. — E há um jardim nos fundos, muito curioso — acrescentou.

Ele e tio Charles estavam bloqueando a porta que dava para o jardim, por isso, examinei o quarto dos fundos: não havia nenhum móvel. Um tatame encostado na parede lateral do quarto estava pouco mais de 2 centímetros acima dos outros; tinha uma moldura de madeira crua e continha uma estátua da Virgem.

— O que é aquilo? — perguntei quando o irmão Joaquin se afastou do trecho ensolarado de musgo e cascalho atrás da casa.

— Silêncio, Aurelia — disse tio Charles.

— Nossa Senhora, ou sua alcova de exibição? O melhor quarto de todas as casas japonesas, geralmente aquele junto ao jardim — explicou o irmão Joaquin —, tem um nicho como este para exibir um ou dois tesouros de cada vez, em geral rolos de papel ou seda com algo escrito ou cerâmica. A estátua veio de Nantes, graças ao abade Girard. O que mais posso mostrar a vocês? Comeremos no refeitório, mas há uma cozinha nativa, se estiverem curiosos. É bem aqui. Um degrau abaixo e eis que estamos de volta no chão de pedra. — Ele deslizou, com uma elegância resultante de muita prática, para dentro de um par de tamancos que esperavam na prateleira. — Vocês podem entrar pela cozinha, se quiserem, há uma passagem lateral. Não me perguntem para que servem todas essas coisas; eu não sei. Exceto pela bacia; eu a enchi esta manhã. Há um poço bem em frente; hoje à noite o criado trará mais água para o banho. A não ser que queira experimentar uma das casas de banho locais... — ele riu. Tio Charles parecia horrorizado. — Tem um certo charme, tem sim, apesar de tudo: todos tiram a roupa que vestiram de dia e vêm pela rua usando roupões chamados *quimonos*, de algodão azul, como se todos vivessem debaixo do mesmo teto. Pensei que era algum tipo de rito bárbaro quando cheguei aqui. E então, lá dentro, segundo os simpatizantes deles, famílias inteiras tomam banho juntas, como Adão e Eva no Paraíso. — Tio Charles sacudiu a cabeça, arrasado. — Então, no refeitório às seis, certo? Vocês irão ouvir os sinos.

Antes do jantar, subi pela escada de madeira polida calçando apenas meias e olhei para dentro do sótão vazio: um quarto de três tatames, contei. Quando o sino anunciou seis horas, passamos pela procissão vespertina prometida pelo irmão Joaquin: uma rua cheia de tamancos barulhentos e roupões de algodão azul. Duas mulheres caminhando na direção de outras duas cumprimentaram-se com uma reverência e pararam para conversar: ouvi uma mistura de sílabas rápidas, o som, -*mashita*, -*mashita*, que significava que elas estavam usando verbos no passado, e então uma delas olhou para o bebê fofo que bocejava, carregado nas costas por uma delas.

— *Kawaii* — disse a mulher em um suspiro.

Eu compreendi! O bebê era gracioso! Também percebi que as bocas das mulheres eram estranhas, parecidas com o "O" escuro da boca do bebê: elas não tinham dentes. Não... uma delas estava em pé embaixo da lâmpada da missão, e eu pude ver — os dentes delas eram pretos.

Além disso, notei que as mulheres não tinham sobrancelhas. Aquelas que pareciam estar indo à casa de banho tinham sobrancelhas pintadas na testa; aquelas saindo da casa de banho, úmidas e rosadas, não tinham sobrancelha alguma. Segurei minha boneca com mais força e acelerei o passo para alcançar o tio Charles.

Ele olhou para mim na porta de entrada e parecia constrangido.

— Uma criança... — disse, com tristeza.

E então sentei-me em meu vestido bom na cozinha e comi o jantar em uma bandeja. De vez em quando, eu espiava para dentro da sala de jantar e assistia aos irmãos Yokohama, cerca de 15, entreterem seus convidados, se gabando de beterraba cozida e carne de frango dura. Lembrei-me não de minha mãe, mas das vagens no vapor que ela fazia, crocantes e macias, das batatas e do alho cozidos em vinho e creme, dos suspiros servidos com morangos em junho. Eu sentia muita falta deles. Os irmãos ficavam sentados, falando, falando, e sugando os ossos de galinha. Um padre de barba grisalha fez com que tio Charles se levantasse com a cabeça baixa enquanto dizia:

— Miyako, a antiga capital do Japão, imersa na ignorância, de difícil acesso, a cidade mais mergulhada na escuridão pagã, residência do Imperador Komei, que eles veneram como um descendente da deusa do sol. Nosso filho Charles, com o dom dos idiomas, foi escolhido, assim como nosso filho Joaquin, para abrir uma brecha na cidade de Miyako. Que eles possam trazer luz à escuridão.

Tio Charles corou de modéstia e alegria.

— Mas cada coisa a seu tempo — advertiu o irmão Joaquin. — Nós não deveríamos estar na capital do Imperador, não como ocidentais, e certamente não como missionários. Mas um grupo de cristãos que vêm trabalhando em segredo desde a época de São Francisco Xavier nos pediu para vir. Seremos hóspedes de um dos senhores feudais, que tem uma residência em Miyako. O senhor conhecerá o padre Damian quando chegarmos lá; iremos prestar-lhe assistência. Ele nos acomodará em casas onde poderemos oficiar clandestinamente, ao menos até que as leis mudem.

— E nesse dia — o padre continuou —, construiremos uma catedral em nome de Nosso Senhor e reuniremos um novo rebanho. Não usaremos a violência, mas exortaremos por meio da palavra, do batismo, do exemplo, até que eles queimem os próprios templos, a melhor maneira de seguir o correto caminho para Cristo.

Lembro-me de ter apoiado a cabeça na parede por um momento enquanto escutava os irmãos, e então tio Charles me pôs sobre uma colcha macia. Ele escorou o meu pescoço com um caixote de madeira com uma almofada de pano em cima. Eu abri os olhos, meio acordada.

— Nós estamos na casa japonesa? — perguntei em francês.

— Sim, você está no andar de cima — ele respondeu em inglês. — Aqui está sua camisola.

Então a coisa incômoda sob a minha cabeça era um travesseiro japonês. Afastando-o, pisquei e vi uma suave luz de vela no piso de tatame.

— *Tatami* — falei, apontando para o chão. Futon. Papel *shoji*. Portões *torii*. Palavras *kanji*. Tantas coisas novas — bocejei. — Como é que a *maman* vai aprender tudo isso?

— Aurelia — disse tio Charles rispidamente.

Engoli com força, meu rosto em chamas. Minha boca tinha um gosto desagradável de beterrabas azedas e galinha.

— Nada, deixe para lá — falei secamente. — Boa noite. Durma bem.

— Que o Senhor a proteja — disse ele, como sempre.

Eu não precisaria do Senhor se minha mãe estivesse aqui, pensei no escuro e comecei a chorar. Mas ninguém me puniu com um raio, tão sozinha eu estava.

Escondidos no ventre de um cargueiro japonês, comendo o pão e a carne salgada dos monges, navegamos durante uma semana costa abaixo e rio acima para a grande Osaka. Na sétima noite, ocultos em caixas laqueadas, parecidas com jaulas, tomamos uma embarcação achatada feita de troncos até Fushimi, o porto da cidade do Imperador. Com a chegada da manhã, um grupo de homens japoneses — provavelmente criados dos cristãos do padre Damian —, nos transferiram, com as caixas e tudo, para um terceiro barco, ainda mais estreito, que nos levou até Miyako. Durante essas viagens, eu sentava com minha boneca no colo, sem falar, dormindo a maior parte do tempo. Mamãe,

mamãe. Eu não sentia nada. Não o vazio distraído, evasivo, ilusório dos últimos dois meses, quando minhas orações eram, na verdade, histórias que eu contava a mim mesma, mas um vazio completo, um oco dentro de mim. O meu corpo chorava e eu não sentia nada.

Na viagem de Fushimi para Miyako, invisível em minha gaiola laqueada, eu espiava através da grade o mundo lá fora e a cadeira do tio Charles, atada à gaiola, vazia, balançando, semicoberta com um pano grosseiro. A parte de veludo vermelho da cadeira saía do envoltório frouxo, emoldurada por uma madeira escura trabalhada: conchas e querubins em relevo, e no alto um arco de madeira entalhado em forma de laçarote. Através daquele arco eu via o céu, as distantes montanhas selvagens, as encostas próximas que davam para lagos; eu vi brotos verdes, como cílios, espreitando para fora das lâminas de água. Vi árvores entre rochas, desprovidas de folhagem, algumas agitando-se com flores brancas. Vi pessoas nas margens do canal: chapéus de palha, tamancos e muitos quimonos. Eles usavam roupas cor de índigo na maioria, mas também marrom, cinza e preto, rosa-acinzentado, verde-acinzentado e dourado-acinzentado. Vi azuis de todos os tons e listras de todos os tipos; as mulheres usavam faixas largas atadas nas costas com todos os feitios de nó. Crianças se precipitavam pela moldura do arco de madeira, para a frente e para trás, como borboletas, da mesma forma que minha mãe prometera que um dia eu faria.

O céu emoldurado pela cadeira do tio Charles era branco, uma névoa, uma sombria ausência de cor. E eu era um céu vazio também, uma árvore nua. As outras pessoas conversavam, riam e comiam — até mesmo aqui, tão longe de casa, com agulhas de tricô e lancheiras de laca preta, comiam. Eu não tinha fome alguma.

No fim do dia, o nosso barco de madeira, fundo chato e com poucos metros de largura, tinha avançado com dificuldade através de um canal raso tão estreito que dois barcos como aquele mal podiam passar um pelo outro.

— Este é o rio Kamo, que atravessa a cidade? — perguntou tio Charles, surpreso com o tamanho diminuto do rio.

— Estamos navegando paralelamente a ele — tranquilizou-o o irmão Joaquin. — O Kamo é pedregoso e muito raso, exceto quando está cheio; não é possível navegar nele. Este é o canal Takase. Escavado há mais de duzentos anos — acrescentou.

— Os nativos são espertos — murmurou tio Charles.

EMBORA UMA VIDA INTEIRA já se tenha passado desde então, lembro-me de ver o rio de relance além do canal quando os homens levantaram nossos palanquins: uma faixa tremeluzente salpicada de pontes e línguas de areia, flâmulas compridas de tecido recém-tingido sendo enxaguadas em suas águas. Na margem mais próxima, vi a cidade achatada de madeira; na margem mais distante, três montanhas: uma verde e baixa, mais próxima, coberta de pequenas casas; uma a meia distância, com uma faixa lateral desprovida de árvores. Esculpido naquela encosta nua, vi um dos poucos caracteres chineses que eu conhecia: "grande", pronunciado *oh* ou *dai*. Bem mais longe e ao norte ficava a montanha mais alta, solene como uma sentinela, liderando uma frota de montanhas azuis menores atrás dela; elas enchiam o céu como montes de tiras de papel rasgado. Uma revoada de gaivotas planava sobre o rio e senti, apesar da tristeza, uma sensação de leveza quando nos afastamos.

Lembro-me da cadeira do tio Charles, transportada por dois carregadores, encabeçando uma procissão de homenzinhos fortes carregando-nos e aos nossos baús. Parecíamos um grupo de carregadores de caixão, um desfile conduzido por uma cadeira. Lembro-me de vê-la sacolejar solenemente pelas ruas cinzentas e estreitas como uma relíquia sagrada, emoldurada, em um certo momento, por um pórtico *torii* vermelho. Quando chegamos à casa nova e descemos com dificuldade de nossas gaiolas laqueadas, os dois homens, descalços, levaram a cadeira para cima, por um estreito lance de escadas. Ela abriu caminho pelo apertado vão da escada, como se tivesse acabado de nascer, um querubim de madeira irrompendo através de uma parede de papel no caminho, e finalmente se postou imóvel, gigantesca no estéril aposento de três tatames. Olhamos para ela, constrangidos.

— Bem, com um tapete... — disse tio Charles.

Dois homens apareceram com uma mensagem e comida de presente, e o irmão Joaquin falou com eles, alternando japonês e inglês a fim de traduzir para o tio Charles.

— Fique aqui — disse meu tio com a voz cheia de entusiasmo. Eu nunca o tinha visto tão feliz de conhecer alguém. — Ponha o seu vestido bom, para o caso de o padre Damian pedir para falar com você também. Esteja preparada, caso mandem buscar você.

— Tome, se ficar com fome — disse o irmão Joaquin, entregando-me um pacote amarrado com um cordão. — O gosto não é mau; só não coma as folhas.

Tio Charles e o irmão Joaquin se meteram de volta em seus palanquins e eu fiquei sozinha. A casa era bem parecida com a de Yokohama: a entrada e a cozinha no nível da rua, uns poucos quartos de tatame desertos um degrau acima, um quarto extra no segundo andar — ao qual se chegava subindo alguns degraus em vez da escada de mão. Tio Charles atribuiu nomes a todos os aposentos: *sacerdócio, quarto de dormir, sala de estar, área de serviço* e, no andar de cima, *gabinete*. Foi-me destinado um quarto de um tatame embaixo da escada até que eu assumisse os deveres do irmão noviço, disse tio Charles, quando então eu seria promovida à *área de serviço*.

Com frio, levei o casaco do tio Charles para cima e me aconcheguei com minha boneca no enorme assento vermelho da cadeira dele. Nunca tivera permissão para sentar nela em casa, exceto no colo dele durante as aulas de leitura quando eu era muito pequena. Tio Charles lia na cadeira, comia na cadeira, tirava sonecas nela, com certeza. Tinha um cheiro forte de fumaça de cachimbo e um cheiro leve de suor acre.

— *Claire* — eu disse, imitando a voz dele e chamando minha boneca com um gesto. — *Un petit café.* — Coloquei o casaco dele sobre os meus ombros. — Diga a sua mãe para colocar um pouco mais de carvão na lareira — murmurei, a ponto de chorar. Ao apertar o casaco contra o corpo, senti moedas nos bolsos. Encontrei três moedas de cinco centavos, um terço e um envelope no qual constava *Escritório do Telégrafo, Porto de Nova York*. Abri e li a mensagem.

DE REPENTE A FOME se apossou de mim. Senti um oco entre os olhos. Peguei o pacote do irmão Joaquin e desamarrei o laço. O pacotinho parecia bem simples à primeira vista, mas na luz fraca, aparecendo por baixo da textura sutil da embalagem marrom, vi uma folha de papel branco. As duas folhas de papel escondiam uma caixa de madeira amarrada com um fio verde, parcialmente coberta por outra folha de papel com uma pintura vibrante e rústica de uma árvore em flor. Arrebentei o fio e raspei a pequena pintura, removi uma tampa escondida e descobri seis pacotinhos arrumados bem juntos dentro da caixa, cada um embalado em uma folha. Uma vez toquei em uma cobra em uma feira de rua: era fria e seca, acetinada e ligeiramente arestada, como aqueles pacotinhos embalados em folhas. Peguei um deles e desembrulhei: era um cubo perfeito, peixe rosado sobre arroz branco salpicado com ervas. Eu mordi um pedaço para experimentar: ligeiramente doce, ligeiramente acre, ligeiramente salgado. Comi todos os seis. Quando tio Charles subiu com uma lamparina, corado, não me senti nem um pouco oca; o que eu tinha a dizer era um badalar claro e vigoroso dentro de mim.

— Está gelado aqui dentro — resmungou, estranhamente jovial. — Eles prometem: "Alguém vai preparar o seu futon. Alguém vai acender o fogo." Você viu esse *alguém*?

— Não — respondi.

— Acho que consegui acender um desses braseiros lá embaixo — disse ele. — Encontrei madeira por aí. Não que isso vá ajudar aqui em cima — mencionou, esfregando as mãos. — O padre Damian é um homem extraordinário. Uma inspiração. Ele verá você amanhã, não hoje — acrescentou. — Não há necessidade de ficar acordada esperando.

Seu jeito de falar era vagaroso e indolente; ele não era ele mesmo. Olhou para mim de repente, como se tivesse acabado de me ver.

— Na nossa cadeira com a bonequinha, não é? Usando nosso casaco? Estendi o envelope do telegrama. Tio Charles recuou. Eu disse:

— Poderíamos tê-la enterrado.

— Minha menina — disse ele, um pouco mais sóbrio —, se tivéssemos esperado pelo próximo navio, o padre Damian teria chamado outras pessoas. O irmão Michael, aquela víbora, estaria aqui no meu lugar. E então onde estaríamos?

— Em Nova York — respondi friamente. E então comecei a dizer: — Eu poderia tê-la visto... — tentei, começando a chorar de novo.

— Minha querida Aurelia — disse tio Charles.

Eu esperava um sermão, mas ele sentou-se na cadeira e me pôs no colo. Ele cheirava a bebida alcoólica.

— Minha menina — disse, abraçando-me enquanto eu chorava, desamparada e fungando.

Eu sentia tanto a falta dela, e tudo o que eu tinha era o tio Charles, sentado ali, dando-me tapinhas desajeitados e pesados no ombro. No começo, saber que a intenção dele era me consolar já era um consolo, minha boneca no meu colo e eu no dele, os braços desastrados movendo-se desajeitadamente em volta de mim; mas então ele me segurou com mais força.

— Minha menina — repetiu num sussurro, seu hálito desagradável.

As mãos dele agarraram minha cintura enquanto falava. Olhei para ele desconfiada; seus olhos se estreitaram como se estivesse se concentrando. Ele ficou me levantando do colo e me pondo de volta, suave e ritmadamente, mas de forma solene. Esse era o único ritmo de que ele era capaz.

— Minha menina, minha menina — disse, com as mãos grandes tremendo e me puxando cada vez mais para o colo dele, repetidamente; eu era um trapo, uma boneca. E então parou, gemeu e me deixou cair, e minha boneca também caiu no chão.

Não chorei quando caí porque não queria que ele me consolasse. Levantei-me, ajeitei o vestido e olhei para ele, jogado na cadeira. As pálpebras dele tremiam, o rosto redondo, de pêssego, estava totalmente corado, veias saltavam na testa.

Um pensamento me ocorreu: *Eu não gostava do tio Charles*. Peguei minha boneca pelo braço e desci. Os últimos vestígios do entardecer iluminavam as botas grandes do meu tio, largadas no chão onde ele as tinha jogado, e as minhas pequenas botas também, juntas num canto. Sentei-me no degrau da entrada e fiquei escutando. Lá fora, bem longe, ouvi uma voz rouca gritando uma pequena frase repetidamente — um vendedor ambulante talvez — e de todas as direções o ruído maçante de tamancos. Perto de mim ouvi o estalar da madeira queimando no braseiro. No andar de cima não se ouvia nada. Será que ele estava juntando forças para se lançar sobre mim? Sem fazer barulho, calcei uma de minhas botas e amarrei o cadarço. Um som alto vindo do quarto dele cortou o ar: agarrei a outra bota. Era um ronco. *Eu não gostava dele.* Amarrei o cadarço da outra bota, peguei minha boneca e saí. Era tão simples. Olhei de volta através da treliça para as botas largadas do tio Charles e caminhei na direção da noite, um pé na frente do outro.

Vi a ponta curvada do *torii* vermelho se elevando atrás de uma casa do outro lado da rua; caminhei em sua direção e vi um santuário cintilando cheio de velas. Luzes e flores rodeavam a estátua dourada de uma mulher com uma pinta na testa. Ela não era Deus, mas onde estava Deus?

Eu iria rezar para ela. Tinha decidido. *Dois-dois-um.* Eu não tinha nenhuma moeda, mas podia dar a minha boneca. Atravessei o pórtico e puxei o cordão do sino. Fiz as reverências, bati palmas e fiz meu terrível pedido.

3

1866

E U NÃO TINHA CERTEZA do que fazer em seguida. Fiquei sentada ali mesmo, ao pé da deusa dourada, embaixo do cordão do sino, observando as pessoas, jovens e velhos, passarem com seus tamancos barulhentos. Carregando toalhas, usavam quimonos simples em diferentes tons de azul, e um deles caminhava com uma lanterna na noite escura: um bonito globo de papel com uma vela dentro, pendendo da ponta de uma vara. As pessoas conversavam, e da melodia em *staccato* da fala delas emergiam, para minha surpresa, palavras da minha gramática: mãe, pai, bonita, perdão. Fiquei sentada em silêncio, e conforme a noite avançava, mais lanternas apareciam, passando calmamente de um lado para o outro, clope, clope, clope. Eu estava hipnotizada pelas luzes; não queria me juntar a nenhuma pessoa iluminada pelas lanternas em particular, mas à rua inteira, a toda a teia de luzes encantadas que se moviam na escuridão.

Então, de repente, as lanternas pararam de se mover e todas vagaram na mesma direção. A batida uniforme dos calçados de madeira tornou-se uma chuva de granizo, e então começou a gritaria e eu senti o cheiro de fogo.

Tio Charles tinha deixado madeira queimando sozinha no braseiro de carvão em uma casa de papel. Poderia o incêndio ter começado em algum outro lugar? Talvez.

DOIS HOMENS EM roupas sacerdotais agitadas surgiram da parte de trás do santuário e arrebataram a deusa tranquila para dentro do rio de pessoas apavoradas; ela reluziu em ouro e desapareceu. Eu me arrastei na direção oposta a tempo de ver, sob a luz do fogo, nossa nova casa cinzenta, intacta (eu podia ver, através da porta da frente, as botas do tio Charles jogadas onde ele as tinha deixado) mas brilhando intensamente como uma lanterna de papel, escavada por dentro pelas chamas. Enquanto eu recuava, a casa tremeu e então, com um estrondo, expeliu uma bola de fogo quando o telhado desabou e arrastou consigo o segundo andar. Então o fogo espalhou-se pelo quarteirão, e eu comecei a correr.

Não sei se o tio Charles acordou e fugiu por uma janela ou se cambaleou pela passagem próxima à cozinha. Sessenta e três anos se passaram desde aquela noite. Bem mais tarde eu soube que na mesma primavera em que cheguei ao Japão, a Igreja de St. Patrick, na rua Mott, pegou fogo. Enquanto o cemitério onde minha mãe estava enterrada escapou ileso, a igreja ficou completamente destruída pelo fogo. Ninguém soube dizer como o incêndio começou.

O FOGO ERA UM animal barulhento. Deixou-me sem fôlego. Eu tateei e cambaleei para a frente, para longe, em meio aos gritos das pessoas e aos lamentos das construções. Os homens buscavam água para salvar suas casas. Mamãe! Mamãe!, gritava a voz fina de uma criança. Uma carroça passou por mim, e pensei: Eu podia ter subido nela. Eu tinha certeza de que tinha perdido minha oportunidade, mas então um dos cavalos se assustou, relinchou sobre as pernas traseiras, e o condutor bateu perto da cabeça do animal com uns trapos molhados para protegê-lo das fagulhas que caíam. Agora, sussurrei; toquei minha medalha de Santa Clara para reunir coragem e corri em direção aos cavalos, pulei para dentro da carroça e me deitei sobre um carregamento de seda. Enquanto nos afastávamos, mordi o lábio: será que aquela criança tinha conseguido encontrar sua mãe? Quando conseguimos nos livrar da fumaça e do tumulto de pessoas apavoradas, saltei para fora da carroça e corri, corri para a escuridão.

CORRI E ENTÃO ANDEI, sem enxergar nada. Os meus pulmões queimavam. Um sopro eventual de incenso conseguia transpor os meus soluços, portanto talvez eu tivesse passado por templos. Andei e andei até que a minha respiração lixasse a minha garganta. Eu estava com tanta sede. Depois de uma frágil cerca de bambu, vi, num trecho de pedra, o reflexo molhado da lua. Pulei a cerca: nada de água. Passei por uma pedra amarrada com um cordão — uma divisa, eu saberia depois — e vi que por trás dele havia um pilar rústico de pedra. O topo liso, gasto pelo tempo, formava uma taça, cheia de água. Ai. Inclinei-me sobre ela e bebi como um animal. Quando enxuguei a boca, havia muco grudado ao meu pulso de tanto chorar.

Eu estava em um jardim de musgo e pedras. Vi uma pequena casa de madeira com um buraco quadrado no lado, como uma porta para criancinhas. Uma pedra irregular formava um degrau na frente da entrada quadrada; subi o degrau e olhei para dentro.

— Olá?

Nada. Engatinhei para dentro. Senti palha trançada embaixo das mãos, um piso japonês, então desamarrei minhas botas e chutei-as para trás de mim, no jardim de pedra.

E foi assim, fedendo a fumaça, muco secando no meu rosto, que entrei pela primeira vez na casa de chá Baishian. Joguei-me no chão e adormeci.

QUANDO ME SENTEI no escuro, o incêndio parecia pequeno e remoto como uma história. Eu era real. Esta casa era real, toda feita de madeira prateada e de luz da lua: o lugar mais lindo que já tinha visto.

O aposento era pequeno e austero, dois tatames claros com um largo assoalho, lustroso e escuro, entre eles. No centro do aposento, vi uma abertura no assoalho, um buraco perfeitamente quadrado como a porta pela qual eu tinha me arrastado, mas menor. A luz da lua penetrava através das várias janelas, tornava o piso de palha branco, fazia o assoalho brilhar, mas deixava um quadrado perfeito de noite, intocado, no centro. Ele me assustava; voltei-me em outra direção. No canto ao meu lado, um pouco acima do piso de tatame, vi uma alcova, com cerca de 1 metro de largura e uns 70 centímetros de profundidade. Um feixe de luz da lua caía sobre o chão da alcova: um lindo pedaço de madeira, um marrom quase negro, com um fio de branco atravessando-o como um veio de mármore polido. O aposento era um espelho para a lua. Parecia estar prendendo o ar que ela respirava.

A única coisa que faltava era seu habitante de contos de fadas, uma princesa-fada para quem o pequeno buraco pelo qual eu tinha me esgueirado era um portão largo, para quem 1 metro por 70 centímetros era o suficiente para um palácio. Talvez ela vivesse nas profundezas da terra e flutuasse como fumaça através do quadrado escuro no chão. Será que ela se sentiria aquecida o bastante aqui dentro? Deitei-me, com frio, e me encolhi, os joelhos quase encostando no queixo.

Alguém estava andando do lado de fora. Era estranho ouvir passos sem o *toque-toque* dos tamancos, mas eu não estava enganada: *shff, shff, shff*, como se alguém estivesse caminhando descalço, um passo leve, rápido, deliberado. A pessoa que estava andando parou, talvez alarmada, do lado de fora da casa onde eu estava. Uma voz de mulher sussurrou uma palavra em japonês: *Irmão Mais Velho?*

Ouvi uma pausa longa, e então uma cabeça apareceu na entrada quadrada. Fechei os olhos e respirei lentamente, fingindo que dormia. *Uma pequena estrangeira*, disse a voz.

Olhei de novo: a cabeça tinha sumido. Algo grande tinha surgido em seu lugar. Era escuro, uma criatura, um cão morto e rígido, e então distingui com clareza o que era: um travesseiro japonês, um caixote de madeira com uma almofada de pano em cima. Em seguida surgiu um pano fino, e então ouvi alguém pegar meus sapatos, tudo em um movimento resoluto, e colocá-los em cima do pano dentro do aposento. As costas de uma mulher adulta apareceram na entrada, os ombros se movendo; ela estava tirando as meias. Vi o braço dela entrando e colocando as meias sobre o pano onde estavam meus sapatos. Finalmente, a própria mulher rastejou para dentro pela portinha, endireitou-se e inclinou-se sobre mim. Apavorada, fechei os olhos novamente.

Koneko, disse ela a meia-voz. Uma palavra que eu conhecia, menos afetuosa do que ela soa em inglês. Gatos e filhotes de gatos são sujos em japonês e, por definição, de rua, e por isso apenas tolerados — como no caso do caçador de ratos do Sr. Ohara — se ganham seu sustento.

E ainda assim ela hesitou e se abaixou. Senti o rosto dela perto do meu. Uma mecha úmida dos seus cabelos molhados tocou o meu braço. Tentei desesperadamente não mudar o ritmo da minha respiração. Por que ela não gritou comigo?

E que tipo de pessoa, claramente não pobre, andava descalça? Ouvi um *toque-toque* lento e distante: um vigia noturno caminhando com o seu bastão de madeira. Finalmente entendi. A mulher também estava se escondendo. *Irmão Mais Velho*, ela tinha dito: onde ele estava?

Abri os olhos. Um rosto branco e severo estava olhando bem para mim, um monstro sem sobrancelhas. Estremeci. *Boo*, disse ela. Um som japonês, *ba*. Encolhi-me e fiquei paralisada de medo. O rosto de fantasma abrandou e transformou-se em um leve sorriso; eu me desencolhi e simplesmente fiquei olhando para ela também, meu coração batendo alto na garganta.

Vi uma mulher jovem, talvez 16 anos em contraste com os meus quase 10, olhos compridos e alertas e um nariz estreito. Um rosto branco e longo, ainda mais longo pela ausência de sobrancelhas. Ela era como a lua, como madeira negra permeada de branco. Seus longos cabelos que secavam eram um rio de seda. Seus olhos eram luzes. Tremi por causa do frio e por causa da beleza dela.

Suas belas narinas se alargaram. O lindo rosto enrugou-se de nojo. *Kusai*, disse ela. *Você está fedendo*. Cobri o rosto com as mãos, envergonhada. Ela insinuou uma risada, pequena e seca, e virou-se para o outro lado. Abri os olhos e a observei. Ela estava usando duas túnicas, uma escura sobre outra clara. Ela se ergueu, como se dispensasse uma interrupção, e tirou a túnica externa. Deitou-se de lado, de costas para mim, no tatame claro entre mim e o buraco no chão, acomodando seu travesseiro sob o pescoço. Ela suspirou e novamente ouvi um riso sutil. Então ela estendeu seu quimono de forma que cobrisse nós duas.

Meus olhos pareciam nus, arregalei-os de choque e gratidão. *Estrangeira. Pequena gata. Você está fedendo*. Até minha mãe espantava gatos de rua para fora do telhado com uma vassoura. Ela não estendia suas roupas sobre eles para mantê-los aquecidos.

Minha mãe estava morta em Nova York. Não. Minha mãe estava viva; ela estava salva e longe de tudo. Uma princesa-fada, ela tinha desaparecido no buraco quadrado no chão sob sua cama, deixando um corpo falso no lugar. Pus a mão sobre a medalha de Santa Clara. Não conseguia pensar.

Os cabelos da mulher tinham tocado meu braço. A mão da mulher, o dorso da mão, me tocou quando ela estendeu a túnica sobre nós. Quem tinha me tocado desde que deixara minha casa? Apenas o tio Charles. Também não conseguia pensar naquilo. O algodão do quimono da mulher pousava sobre a minha bochecha; cheirava a incenso velho, escuro e doce. Observei-a respirar. Suas costas estreitas eram um grande navio alto se elevando suavemente sobre as ondas. Ela era uma princesa lunar. Ela era um veio claro em madeira escura. Adormeci.

AO AMANHECER DE UM DIA cinzento a mulher sentou do meu lado e apontou para o nariz, da forma que os norte-americanos apontam para o coração para falar sobre si mesmos.

— *Você* — disse ela. Ela estava falando o meu idioma? Eu sou você? Você é eu?

Ela pegou minha mão, segurou meu dedo indicador, que eles chamam de dedo que aponta para as pessoas, e apontou-o para o meu nariz.

— Eu — eu disse, não entendo o que ela queria. — Você. Eu. Você. Não estou entendendo. Aurelia?

— U ra ia — repetiu.

— U ra ia — concordei.

— *Ura-ia* — disse ela desconfiada, como se eu tivesse dito que meu nome era Pedágio de Estrada ou Esfregão Molhado. O rosto dela se iluminou e ela ergueu minha mão na minha direção mais uma vez, gentilmente. — Urako — disse suavemente, satisfeita consigo mesma. — *Senhorita Urako.*

Então aquilo era um nome, Urako, um nome com o mesmo acento tônico de Érico ou Bárbara. Naquela manhã ele era meu.

Eu era a última coisa que ela esperava encontrar aqui, seu rosto me dizia, enquanto ela examinava meu vestido, minhas meias de lã, meu colar. Por que ela veio aqui na noite passada, descalça e em segredo?

— *Irmão Mais Velho?* — perguntei, lembrando-me.

Ela olhou para mim por um momento, em seguida percebeu que eu tinha tentado dizer uma palavra em japonês, e finalmente entendeu o que eu tinha dito. Arregalou um pouco os olhos. Ela disse algo e, como ela, eu tive que pensar a respeito durante alguns minutos. *Morto.*

Havia tanta coisa que eu não tinha aprendido, mas lembrei-me de uma palavra da minha gramática.

— *Triste* — eu disse.

— *Triste* — repetiu ela. E olhou para baixo e em outra direção.

Para alegrá-la, toquei meu nariz para ela de novo.

— Urako — eu disse.

O rosto dela ruborizou-se.

ACORDEI COM O VERDE: um quadrado de sol radiante e musgo verdíssimo. Abri bem os olhos: não em um cubículo escuro em um navio, não na rua Mott, mas em um aposento japonês, simples e belo, como uma concha perfeita trazida pelo mar. Eu estava sozinha.

Embora o dia estivesse frio, o aposento tinha uma aparência calorosa proporcionada pelos diferentes tons de marrom, da palha clara do tatame ao negro profundo e cálido do chão da alcova, com um fio de ouro branco, como o clarão de um relâmpago. As paredes de argila eram providas aqui e ali de janelas de treliça de bambu. Quando olhei para o teto baixo e inclinado, senti-me como se estivesse em uma pequena cesta feita com muita habilidade: vi ripas de madeira e uma estrutura de bambu entrelaçadas.

No centro do aposento, interrompendo o assoalho de 30 centímetros de largura entre os dois tatames, estava o estranho buraco da noite passada, menos sinistro, mas não menos misterioso. O assoalho lustroso, o seu veio de madeira brilhando como óleo na água, era na verdade dois pedaços de madeira, perfeitamente encaixados, em cada lado do buraco quadrado de 30 centímetros. O buraco — inclinei-me nervosa sobre ele — era um cubo perfeito, com 30 centímetros de profundidade, e revestido de metal em todos os lados. Aquilo era tudo? Aventurei-me a tocar o chão frio do buraco e as pontas dos dedos voltaram cobertas por uma fina camada de preto: fuligem?

Ouvi um ruído de passos suaves e rápidos do lado de fora e reconheci os passos da noite anterior. Aproximaram-se da casinha onde eu estava agachada, pararam com uma leve pancada como um livro fino que cai sobre a mesa e retrocederam igualmente rápido. E lá, entre mim e o jardim de musgo lá fora, vi dois círculos marrons aparecendo no pequeno quadrado da porta: os canos de um par de botas de couro. Meus sapatos! Por que ela os levara? E por que os trouxera de volta?

No degrau de pedra entre o jardim e a casa, estavam meus sapatos, juntos, virados para fora, como se estivessem apontando para mim a direção de casa. Casa? Duas botas iluminadas por uma casa em chamas. O adro de uma igreja. Uma mulher tossindo sangue na rua Mott. Eu me encolhi.

Quem estaria me procurando? Será que o irmão Joaquin tinha escapado do fogo? Será que ele sequer imaginava que eu estava viva? E com quem, se ele me achasse, eu iria viver? Freiras, concluí. Eu tinha pela frente uma vida de lã e verduras fervidas, sabão e trabalho duro e mãos frias e oleosas. Anos sem o alívio do pensamento: *Eu tenho o direito de estar aqui.* Uma vida inteira entoando a gratidão tristonha de minha mãe por cama e comida. Que outro lugar havia para mim?

Talvez aqui, decidi: este aposento, esta casa tão simples como o amanhecer. A mulher tinha colocado as minhas botas uma do lado da outra, fora da casa de chá, e eu decidi não amarrar os cadarços. *Não até ser mandada embora.*

Ouvi tamancos se aproximarem e então vi uma figura em um quimono de listras rosas parar do lado de fora da porta. Não era esta a mulher da noite passada? Esta mulher, entretanto, deu um suspiro bem alto, quase operístico, soltou um gritinho e fugiu fazendo um barulho de madeira na pedra. Uma hipótese: eu não devia estar ali na noite anterior, mas ela também não devia. A fim de me expor, ela precisava esconder seus rastros: mover meus sapatos era uma forma de controlar o momento em que eu seria descoberta, e por quem. Mas se eu pudesse perguntar-lhe, o que eu diria? *Eu não aqui; você não aqui também?*

Ouvindo o ruído dos tamancos se afastando, eu não acreditava que teria permissão de ficar naquela casinha perfeita. Sentei-me na entrada, com a minha cabeça encostando no alto da estrutura de madeira, meus pés descansando na pedra embaixo, e olhei relutantemente para o pilar de pedra onde tinha bebido na noite anterior. O caminho que conduzia para fora — ardósia cinzenta e lisa enterrada em musgo verde esponjoso — parecia uma série de lagos distantes. Uma viagem pela água. O que ia acontecer? Eu não queria fugir, mas também não queria enfrentar meu destino descalça.

Enquanto eu amarrava o cadarço da primeira bota, ouvi novamente o ruído de tamancos: *dois* pares de calçados japoneses. A jovem reapareceu, quase correndo, conduzindo uma mulher mais velha, de rosto redondo, vestindo um quimono azul-escuro, que levantou as mãos quando me viu.

— *Ara!* — gritou, que é o que mulheres japonesas dizem quando estão surpresas, o rosto robusto se contorcendo de desgosto e horror.

Ela falou; a jovem falou. Seriam elas mãe e filha? Elas não se pareciam nem um pouco, e a mulher mais velha estava usando algodão enquanto a mais jovem vestia seda; a mulher mais velha estava usando tamancos rústicos enquanto as sandálias da mulher mais jovem eram revestidas com uma camada de couro pintado. A mulher mais velha apontava para mim; a mais jovem, falando sem parar, olhava para mim e apontava com reserva para o seu próprio nariz. Enquanto eu calçava a outra bota, a mulher mais velha se aproximou de mim. Como se agarrasse uma galinha pelo pescoço, ela pegou o meu braço e me suspendeu por um momento; toda a massa de sua carne era músculo. Enquanto eu estava pendurada, a bota desamarrada escorregando do meu pé, pude ver claramente as finas listras vermelhas no seu quimono cor de índigo, o seu braço grande, o rosto gordo e os olhos pequenos, os pentes de madeira eriçados embaixo de um lenço azul. A jovem olhava para mim com uma mistura de pena e graça; eu estava envergonhada. Meu braço doía na articulação. Choraminguei, a jovem chiou e a mulher mais velha me pôs no chão.

Elas me pegaram pelos pulsos e começaram a falar rapidamente, discutindo, enquanto me arrastavam pelo caminho. Entrei em pânico, tropeçando nos cadarços enquanto as vozes delas se elevavam como seixos rolando. *Três*, *três*, compreendi, e *hoje*, e *boneca*, e as duas palavras — completamente diferentes — para *seu pai* e *meu pai*. Vi um borrão de outros jardins e mais caminhos de pedra, vislumbrei os telhados de colmo e as treliças de outras casinhas, tropecei nas pedras arredondadas sob meus pés. Hoje o *pai* de alguém ia me cortar em *três* pedaços e transformar meus ossos em *bonecas*. Fazia sentido: eu estava vendo delicadas casas de boneca feitas para monstros crianças; o buraco quadrado no chão era um poço para o sangue. Elas me levaram em direção a uma construção maior e suas vozes foram ficando mais suaves, embora não menos veementes. *Kekkon*, chiou a mulher mais velha — o que eu viria a saber que significa *casar*. E ouvi a jovem murmurar uma palavra: *Baishian*.

Elas me conduziram através de uma porta escura e me largaram sobre um degrau de madeira entre um aposento com chão de pedra e um com tatames. O sapato que não estava amarrado caiu do meu pé e a mulher mais velha puxou o outro com força.

— Pare, está me machucando — protestei em francês. — Este está amarrado!

Ela largou o meu pé, surpresa com a minha voz, e as duas mulheres ficaram me observando — com curiosidade, percebi — enquanto eu desamarrava a outra bota. Com esperança de surpreendê-las em um momento em que parecessem menos inclinadas a me cortar em pedaços, fiz uso mais que atrasado da frase mais comprida em japonês que havia aprendido: *Com licença, por favor, onde fica o banheiro?*

A mulher mais velha sobressaltou-se, e então soltou um grito agudo, provocando um acesso de riso na jovem. Elas procuraram rir mais baixo, a jovem cobrindo a boca, e a mais velha jogando a cabeça para trás silenciosamente, as bochechas se agitando. A jovem, com lágrimas nos olhos, me pegou pela mão e me levou até um cubículo onde eu, que estava usando meias, pude calçar um par de sandálias para usar no banheiro e me agachar, aliviada, sobre um buraco em uma tábua lustrada (será que eu tinha acabado de passar a noite em uma dependência muito chique?), e então lavar as mãos com uma concha de água de uma jarra de barro. Eu não estava mais apavorada; estava envergonhada, o que era pior, ouvindo os risinhos próximos da jovem e as risadas mais distantes da mulher mais velha do lado de fora. O banheiro de madeira era muito limpo e eu queria ficar lá até que elas parassem de rir de mim, mas um odor sutil mas irritante me empurrou para fora novamente — exceto pelas sandálias de banheiro — em direção à jovem, que me levou de volta ao aposento com chão de pedra, onde calcei outro par de sandálias. A mulher mais velha olhou para mim e começou a rir outra vez. "Com licença, por favor, onde fica o banheiro?", perguntou. Foi a forma como perguntei, ou simplesmente o fato de ter sido eu?

— *Agora* — disse a mulher mais velha em japonês, abaixando-se para me encarar com seus olhos pequenos —, *seu pai?*

— *Não tenho* — respondi, não que eu soubesse.

A mulher ficou meio pálida e insistiu.

— *Sua mãe?*

Hesitei. Eu não queria dizer.

— *Não tenho* — repeti.

As duas se entreolharam. Senti-me estranhamente translúcida. Dizê-lo pela primeira vez tornou-o mais real, mas dizê-lo naquele idioma abstraiu-o de mim, como se aquele momento estivesse acontecendo com outra pessoa.

— *Família?* — perguntou a jovem.

— *Não tenho* — respondi, piscando lentamente os olhos para afastar a emoção.

As mulheres se entreolharam novamente e, conversando, pareceram concordar sobre uma coisa. Falaram comigo em japonês, rápido e lentamente, os dentes escuros da mais velha e os dentes brancos da jovem claramente visíveis, mas tudo o que consegui entender foi a palavra *arau*, lavar. Observei-as esperançosa, mas nada fazia sentido, e então a mulher mais velha começou a tocar o meu vestido e a jovem trouxe panos molhados. Eu não entendia o que a mulher mais velha queria com minhas roupas, mas se tornou óbvio que meus botões eram completamente desconhecidos quando ela trouxe uma tesoura japonesa — cabo em forma de borboleta e lâminas minúsculas — e eu a impedi antes que cortasse o vestido.

Uma coisa era usar meu vestido de Nova York enquanto elas usavam seus quimonos — meu corpo inequivocamente em meu mundo, e os delas no seu —, outra coisa era desabotoar o meu vestido no escuro e deixar que a mulher mais velha me lavasse com os panos molhados. Senti-me tão nua.

— *Kusai kusai kusai!* — gritou a mulher mais velha.

É verdade: eu estava exalando um cheiro horrível. Algo relacionado com a mistura da água com a fumaça na minha pele fez com que eu fedesse ainda mais que antes. Ela umedeceu uma pequena bolsa de pano cheia, eu soube mais tarde, de farelo de arroz, massageou-a até formar espuma, e trabalhou ativa e meticulosamente, esfregando entre os meus dedos, atrás das orelhas, e até mesmo meu cabelo. A bolsa de pano era áspera e fria, e as suas aplicações alternavam-se com baldes de água fria. O chão de pedra se inclinava em direção à porta e formava uma valeta, escoando para longe a água, a espuma, a fumaça, o fogo, o tio Charles, o oceano e a rua Mott enquanto eu tiritava, os braços cruzados em volta do peito.

Meus dentes batiam enquanto a mulher mais velha me secava. Estávamos em uma cozinha: vi um poço coberto, uma parede com fogões, uma fileira de jarros. Em uma prateleira no canto estava a única fotografia que eu tinha visto desde a minha chegada, de um jovem japonês em um quimono preto, uma expressão austera em seu rosto de criança. Pisquei, surpresa com as letras romanas gravadas na extremidade inferior do daguerreótipo — ESTÚDIOS PERKINS, YOKOHAMA — e olhei em direção à mulher mais velha com curiosidade.

— *Meu filho* — disse em tom alto e claro. — *O pequeno Nao.*

O nome dele soava como a palavra inglesa *now*.

A jovem surgiu com os braços cheios de seda reluzente: um quimono de criança! Ela me envolveu com uma roupa de baixo branca, amarrou o quimono com uma larga faixa *obi* e olhou para mim, satisfeita. Então enfiou meias brancas nos meus pés: meu dedão mergulhou em um espaço separado dos outros dedos, o que fez sentido quando ela colocou pequenas sandálias vermelhas de madeira nos meus pés: eu conseguia segurar a correia entre meus dedos.

"Lindo, lindo", entendi elas falando: tantas cores bonitas e tantos formatos! Leques, flores, laços, pontes, ondas do mar, baús de tesouro, bebês gordos — fiquei meio tonta com tudo aquilo.

— *Lindo!* — repeti, atrapalhada em meu novo e desconfortável traje.

Elas riram de novo, pedindo ocasionalmente uma à outra que ficasse quieta, e a mulher mais velha me fez imitar sua forma de andar, um arrastar com as pontas dos pés virados para dentro que impedia que a túnica dela se abrisse e que seus sapatos caíssem. As mulheres mal conseguiam conter o riso, mas ficaram imóveis quando uma sombra humana parou na janela e relaxaram quando ela desapareceu. A mulher mais velha meteu um lenço de papel na gola do meu quimono, pegou algo de um recipiente e jogou em uma tigela, derramou chá verde dentro dela e misturou o líquido. Então as mulheres se sentaram junto a mim, uma de cada lado, no degrau entre a cozinha de pedra e a casa de tatame.

Eu estava com muita fome. Se elas tivessem envenenado a tigela de arroz ensopado, cevada, picles, e o chá que bebi, pouco me importaria.

MAIS UMA VEZ EU ME agachei na portinhola quadrada da casinha, só que dessa vez eu estava do lado de fora, olhando para a jovem do lado de dentro como ela tinha olhado para mim quando eu estava lá. Em seu quimono cor-de-rosa atado com uma *obi* dourada, ela se ajoelhou com serenidade e sentou-se sobre os pés, com as mãos no colo e as costas retas. As sobrancelhas pintadas formavam um arco negro e alto. O rosto longo e o cabelo preso no alto lhe davam uma aparência austera, como um rosto cunhado em uma moeda. Ela olhou para mim e cruzou as mãos sobre a boca: Quieta! A mulher mais velha estava do meu lado, com uma mão apertando o meu braço.

O aposento parecia o mesmo — dois tatames de cada lado de um assoalho e um buraco quadrado — mas dramaticamente alterado. A alcova, situada à direita da jovem e, portanto, à minha frente, uma vez que eu a via de perfil, não estava mais vazia. Em vez disso, a jovem sentada estava emoldurada por folhas verdes e cores esmaecidas na parede. Em um gancho na haste de madeira crua que emoldurava a alcova havia um vaso de argila pendurado do qual ramos de salgueiro caíam em cascata, reluzindo no disco frio de sol que entrava através de uma das janelas: um vitral de folhas verde-douradas. Vi um ramo de botões cor-de-rosa no vaso também. Na parede dentro da alcova havia um pergaminho, debruado com brocado, com a imagem de uma boneca japonesa, lisa e sem braços, coberta que estava por camadas de quimono. Envolta em cor e luz, a jovem poderia ter sido uma princesa em uma pintura.

Um repentino estalar de madeira: a jovem olhou para nós, alarmada, e a mulher mais velha me arrastou para longe da porta. Apertei o rosto contra uma janela de treliça de bambu, e a mulher mais velha me deixou ficar. Espiei na direção da esteira vazia em frente à princesa-fada com suas flores e seu pergaminho. Diretamente à minha esquerda, vi uma modesta porta corrediça de papel, que de repente se abriu um pouco. Uma mão penetrou no pequeno vão — as pontas dos dedos de uma mão grande e áspera — e abriu a porta até a metade.

Por trás da porta, em uma parte da casa que eu ainda não tinha notado, estava sentado um homem que parecia uma montanha, a grande montanha sentinela que vi quando olhei para além do rio Kamo. Com cabelos grisalhos mas forte, uma cabeça redonda e sólida e sobrancelhas espessas, ele olhava para a jovem com uma expressão de absoluta serenidade. Se estivesse chovendo torrencialmente através do teto, pensei, ele continuaria imóvel da mesma forma. Se a jovem estivesse apontando uma arma para ele, ele continuaria olhando para ela com a mesma calma. Ele deslizou a porta até o fim, levantou-se e entrou no aposento; ajoelhou-se diante da jovem, colocando uma grande cesta diante dela. Ele fez uma reverência, ela pôs as mãos diante dos joelhos e retribuiu com outra reverência.

Sentado na entrada, o homem parecia um sacerdote ou um rei, e ainda assim o que fez era tão despretensioso. Seria ela uma princesa de verdade, servida por homens poderosos? Uma sacerdotisa pagã em um ritual secreto? Será que eu era um sacrifício? Um vapor elevou-se do buraco no chão; cerrei os punhos, amedrontada, e a mulher mais velha apertou meu ombro ainda mais.

O Montanha fez uma reverência na entrada, o vaso de argila ao seu lado, e entrou, colocando o vaso sobre o tatame diante daquele onde estava sentada a Princesa. Ele entrou mais duas vezes, com movimentos precisos, controlados, colocando no chão primeiro uma tigela de barro e uma caixa redonda reluzente, e então — parando para fechar a porta — uma tigela de metal com uma concha de bambu deitada sobre ela. Ele e a jovem ficaram ajoelhados em silêncio, olhando um para o outro por sobre o assoalho e o vão fumegante. O homem rapidamente retirou um pedaço curto e redondo de bambu da tigela de metal e colocou-o diante de si, então depositou a concha sobre ele com um ruído deliberado de madeira sobre madeira. Ele ajeitou a tigela de metal junto a si, esticou a sua túnica a fim de alisá-la e parou, como se estivesse juntando forças.

— *Pai!* — A voz da jovem me espantou. Era verdade mesmo? Dava para ver nas bochechas, um pouco.

— *Sim?* — perguntou ele, como se ela não tivesse interrompido.

Será que era o aniversário dela e por isso é que ele a estava tratando com tanta cerimônia?

A Princesa pôs as mãos diante de si, fez outra reverência e por fim falou, primeiro com humildade, depois com amargura, e então sedutoramente, sem mudar de posição uma única vez. O Montanha escutou, impassível, as mãos descansando serenamente sobre os joelhos. Em um dado momento ele a interrompeu rapidamente, com algumas frases curtas que incluíam o nome de um homem — um tal Sr. Akio — e a mão da mulher mais velha apertou ainda mais o meu ombro, surpresa. A Princesa ofegou e então prosseguiu sem se deixar influenciar. Os dois estavam imóveis, o corpo da mulher tenso, o do homem relaxado. Quando ela se calou, ele perguntou:

— *Então é assim?* — e ela olhou para a portinhola. A mulher mais velha segurou meus dois ombros. Eu? Meu coração batia apavorado enquanto ela me empurrava pela pequena entrada, arrancando minhas sandálias enquanto eu rastejava para dentro. Tentei pegar minha medalha de Santa Clara para me acalmar: tinha sumido.

Eu estava transtornada demais para ficar de pé. O pai e a filha me fitaram e eu fiz reverência onde estava sentada; parecia a coisa segura a se fazer. Ouvi a Princesa dizer:

— *Nem pai, nem mãe.*

E então eles falaram para cá e para lá, pássaro e trovão, e finalmente o Montanha me perguntou em japonês, clara e lentamente:

— *De onde você é?*

Eu soube, naquele momento, enquanto me inclinava em um quimono de seda sobre o chão de palha trançada, que eu estava trapaceando o futuro que deveria ter: a freira de dedos frios com suas ceias fervidas e sua régua de madeira. Eu pretendia enganá-la por tanto tempo quanto pudesse. Se eu dissesse uma palavra sobre Nova York, sobre meu tio, sobre a missão ou sobre o incêndio, tinha certeza de que ela ficaria comigo. Eu sentia falta da minha medalha de Santa Clara, mas enchi-me de coragem. Se eu a tinha perdido, então talvez sua perda me protegesse do destino que eu temia. Eu não tinha mentido quando a mulher mais velha me perguntou sobre minha família, mas dessa vez eu disse:

— *Koko* — aqui. *Eu sou daqui.*

— *Mas antes, de Ezo?* — perguntou ele, citando a ilha mais setentrional do Japão.

Eu tinha ouvido algo a seu respeito por intermédio do capitão britânico do *Singapore*: ele disse que Ezo era habitada por uma tribo de pessoas com muito pelo chamadas ainos, mais russos do que asiáticos.

— *De Miyako* — insisti.

Ao meu lado a jovem se retesou, como se quisesse me corrigir, como se quisesse perguntar: *Mas e o seu vestido estrangeiro? Por que você não fala japonês?*

— *E antes?* — insistiu o homem.

— *Não sei.*

Ele não acreditou em mim, mas não sabia bem no que acreditar, era o que parecia.

— *Qual é o seu nome?* — perguntou.

— *Urako* — eu disse, e senti que a jovem relaxou de satisfação.

O Montanha olhou para mim, pensando calmamente.

— *Un* — disse finalmente, um grunhido que parecia me aceitar.

E então eles discutiram novamente e a jovem pareceu, por fim, desconsolada: "Irmão Mais Velho", ela disse, e "Mãe". O pai dela compadeceu-se, visivelmente, e disse algo com um suspiro. A mulher mais velha, que continuava ajoelhada do lado de fora, perguntou:

— *Eu?*

No que o Montanha consentiu, ela reuniu-se a nós na casa, desculpando-se e agradecendo ao mesmo tempo, com as mãos entrelaçadas incomodamente na sua frente. Sentei-me entre as duas mulheres na esteira com a alcova, enquanto o homem sentou-se na nossa frente, com uma reverência curta.

— *Eu sou Shin Sokan* — disse ele —, *e esta é Shin Yukako.* — A jovem cumprimentou com uma reverência. — *E esta é Chio* — disse ele, e a mulher mais velha também se inclinou, sem olhar para o Montanha uma única vez.

— *E esta é Shin Urako* — disse a jovem, Yukako, fazendo um gesto em direção a mim.

A mulher mais velha segurou a respiração. Pensando rápido, lembrei-me dos monges dizendo que as pessoas mais refinadas no Japão tinham sobrenomes, mas seus servos, não. O Montanha e a Princesa, parecia, tinham um sobrenome, *Shin*, enquanto Chio, ao meu lado, não tinha. Quando Yukako perguntou se meu nome seria Shin Urako, ela estava forçando o pai a dizer que tipo de pessoa eu ia ser, e qual seria o meu lugar. Na respiração suspensa de Chio ouvi perguntas: Será que eu estava acima ou abaixo dela? Será que eu era uma Shin?

52

— *Não Shin* — advertiu o Montanha. Mas fez uma reverência e disse: — *Srta. Urako, seja bem-vinda.*

Enquanto Chio respirava de novo, fiz uma profunda reverência e agradeci-lhe, e também à jovem, e então a Chio. Os outros dois riram de mim, como se fosse uma tolice agradecer a Chio, mas a mulher mais velha fez um gesto afável com a cabeça, como se, na verdade, fosse a coisa mais certa a se fazer. O pai de Yukako alisou ainda mais a túnica que já estava lisa e continuou de onde tinha parado.

Eu não entendi seus movimentos lentos, mas fiquei fascinada com sua elegância. Ele dobrou um lenço de seda. Tirou objetos lindos de sua tigela de barro. Estendeu o braço até o coração fumegante da sala e retirou algo — um animal esfolado? Um coração pulsante? Uma tampa de bule de metal. Exatamente como na cozinha da minha mãe, uma onda de vapor irrompeu em seguida. E então compreendi, finalmente, o que eu estava vendo: o buraco no chão era um pequeno fogão — havia um caldeirão de água fervendo sobre carvão. Ele enfiou a concha de bambu no caldeirão e retirou-a, uma bola de vapor na extremidade de uma vareta, como as lanternas de papel da noite anterior.

Fechei meus olhos lutando contra essa lembrança. Porque eu estava a salvo, comecei a suar de medo enquanto a boca rubra do fogo se abria sobre mim: lembrei-me da serenidade das botas caídas de tio Charles na luz quente, e então os caibros que soltavam gritos penetrantes e as chamas, as telhas que ruíam, os cavalos apavorados.

Abri os olhos e olhei para meu quimono multicolorido. Eu estava viva; eu tinha sorte. Estava tão longe de casa. Senti a imensidão do mundo e a insignificância da minha vida. Eu era uma bolha no oceano. Era uma pequena nuvem de vapor. Sentia tanto a falta da minha mãe. Suspensa nos gestos lentos do Montanha, na concentração que emanava das duas mulheres ao meu lado, senti-me como um pontinho de luz na casca de uma laranja, este planeta. A casinha, tão linda e despojada, era um palco, compreendi, para aquela dança silenciosa.

O Montanha e a Princesa conversaram, as vozes exauridas da discussão. Olhei para os retângulos do piso de tatame com o seu fumegante caldeirão embutido, os retângulos das janelas de papel. As armações das janelas, as paredes e o chão emolduravam as formas suaves de coisas naturais: os ramos curvados de salgueiro, as colinas suaves dos nossos corpos. Yukako ergueu a grande cesta diante dela e fez uma reverência. Em um prato dentro da cesta havia uma pirâmide de bolinhos cor-de-rosa em forma de flor feitos, eu soube depois, de feijões-brancos tingidos e açúcar: doçura suspensa em textura pura, saborosa e densa, os feijões uma matéria-prima ainda mais discreta que a nata. Ela retirou um maço de papel de seu quimono e colocou-o no chão; depois pegou um bolinho na cesta, depositou-o no papel e comeu. Então o Montanha depositou a pequena tigela diante de Yukako, que a levou aos lábios.

Depois que cada um de nós comeu e bebeu, o Montanha guardou seu pano de seda, juntou solenemente seus instrumentos e fez uma reverência de despedida, deixando que nós saíssemos pela portinhola. Eu não tinha ideia de que estava assistindo ao ritual conhecido em japonês como *Chanoyu*, Água Quente para o Chá; ou *Chado*, O Caminho do Chá; ou *Ocha* simplesmente, Chá. Eu não tinha ideia de que a família Shin vinha ensinando a cerimônia do chá aos homens mais poderosos do Japão havia trezentos anos. Eu só via o pergaminho com a boneca e os ramos de salgueiro. Provei somente o bolinho de feijão frio e úmido e o chá verde fumegante, doce misturado com amargo. Sabia apenas que havia espaço naquela pequena casa para pai e filha, uma serva e uma estrangeira.

4

1866

DOIS MESES DEPOIS QUE YUKAKO me aceitou em sua casa, o Montanha recebeu o sobrinho do Imperador para tomar chá.

O pai de Yukako, aprendi aos poucos, era o patriarca adotado de uma família de mercadores que tinha servido por 12 gerações como consultor de chá a três senhores feudais a serviço do Xogum. O cargo, como o de encarregado da adega do castelo, fez dos Shin tanto servos de seus senhores quanto mestres de um tipo de arte. O patriarca anterior da família, Gensai, tivera sete filhos, seis meninos e uma menina. Epidemias de cólera mataram todos os seis filhos homens de Gensai, depois sua mulher e então o próprio Gensai. Em seus últimos dias, Gensai adotou um de seus aprendizes, o Montanha, para que se casasse com sua filha Eiko, que morreu dando à luz Yukako, a segunda dos filhos deles. O primogênito, Hiroshi, morreu de cólera aos 16 anos.

Yukako e seu pai, os últimos de sua linhagem, viviam com pouco mais de uma dúzia de criados e oito rapazes que andavam em bandos em volta do Montanha como morcegos em suas túnicas de seda preta: quatro estudantes e quatro aprendizes. Os estudantes eram filhos de senhores para quem um ano ou dois de estudo sobre chá era educação social suficiente para que fizessem uso das casas de chá e dos jardins que iriam herdar, enquanto os aprendizes eram rapazes abastados e de boas famílias que depois de um longo estudo esperavam oferecer seus serviços a senhores ocupados demais para cuidar daquelas mesmas casas e jardins. Por mais orgulhosa que fosse a linhagem do Montanha, e por mais bem-nascidos que fossem seus discípulos, nenhum deles tinha se encontrado com alguém de posição social tão elevada como o sobrinho do Imperador. Um favorito na corte, o jovem era conhecido por sua pintura, por sua poesia e pelo domínio dos clássicos chineses, assim como pela alta estima em que era tido pelo Imperador e pelo Príncipe Herdeiro de 14 anos.

A aceitação do Augusto Sobrinho ao convite do Montanha lançara a casa toda em uma nuvem de expectativa. Todo lugar onde o hóspede imperial pudesse pôr os olhos foi reformado, todo lugar onde os pés dele pudessem pisar. Chegaram novos tatames, verde-claros e com um cheiro penetrante, e as costureiras levaram as esteiras velhas para casa de presente: um dia os pais e os maridos delas se reuniram do lado de fora da cozinha para carregá-los, com faixas de pano amarradas na testa. As esteiras compensaram, de alguma forma, as horas extras que as mulheres empregaram nas duas dúzias de rolos de tecido que haviam chegado, cada um com a quantidade exata de pano necessário para um quimono, cada qual em sua própria caixa de madeira. Sob a supervisão do marido de Chio, Matsu, os jardineiros, estudantes e aprendizes refizeram o emboço das paredes externas, recobriram de colmo o portão de entrada e as casas de chá, e trocaram o papel *shoji* de todas as paredes e janelas.

DOIS DOS APRENDIZES do Montanha eram da casta dos mercadores, um sujeito jovial e sem pescoço que eu chamava de o Urso e uma criatura desastrada que chamei de Menino Vara: durante a primeira lição de chá à qual assisti, uma tigela quebrou-se por iniciativa própria nas mãos longas e nervosas do menino. O Montanha tinha dois outros aprendizes que, como os seus alunos de um ano, eram da casta dos samurais, eles mesmos jovens senhores, um dos quais não pude evitar de chamar de o Botão, pois seus traços fisionômicos pareciam estar perfeitamente distribuídos no rosto moreno arredondado. O outro era um jovem compactamente bonito chamado Akio. Embora ele fosse o melhor nas aulas, com os cabelos mais negros e os olhos mais rápidos, havia algo a respeito dele que me deixava desconfiada.

Akio era noivo de Yukako, e já teria se casado com ela se não tivesse ficado doente. No meu primeiro dia com os Shin, o Montanha informara Yukako do compromisso de casamento — quando ele disse *Sr. Akio* e Chio, surpresa, apertou o meu ombro — e naquela noite testemunhei o Encontro deles, uma reunião formal entre os pais interessados e seus filhos, os pretendentes. Chio me deixou espiar com uma bandeja nas mãos enquanto Yukako permaneceu diante de Akio e do pai dele, o Lorde Ii de Hikone, uma cidade-castelo ao norte de Miyako, do outro lado do amplo lago Biwa. Chio o chamava de Lorde Cavalo, pois era conhecido por seus estábulos, e pelo modo como o velho ficou sentado durante o Encontro — costas alongadas e pernas arqueadas — eu conseguia imaginá-lo mais confortável sobre a sela do que na sala do chá. Yukako estava ajoelhada, vestia uma túnica azul-esverdeada escura pintada e com ramos de flores brancas, e manteve os olhos voltados para baixo durante toda a refeição que serviu. Em um dado momento, no entanto, enquanto servia vinho de arroz, uma gotícula iluminada pela lâmpada caiu no tatame e os olhos dela e de Akio se encontraram: percebi a visível curiosidade entre os dois.

Durante dois meses depois do Encontro, era meu trabalho levar as refeições para Akio no Anexo Árvore Curvada, uma pequena ala da extensa Casa Shin que servia de enfermaria para ele. Todos os dias, quando ouvíamos uma conjunção de retinir de metal e pancadinhas de laca vindas da cozinha, o rosto de Yukako se iluminava. O som significava que Chio, com as mangas do quimono arregaçadas e atadas e a papada embaixo do queixo balançando enquanto ela erguia as caçarolas de ferro de suas bocas no fogão a carvão, tinha feito os almoços, as mãos rechonchudas delicadas enquanto colocava comida dentro das caixas *bento*, arrumando com rapidez e exatidão cada mosaico de legumes, picles e arroz. Depois que Chio saía da cozinha com a bandeja de tigelas de sopa e a pilha de almoços para os estudantes, Yukako costumava incrementar as refeições de Akio às escondidas, imaginando-se no lugar dele enquanto segurava a caixa *bento* preta. Uma vez a vi remover a tampa gentilmente com um som oco do laqueado, colocá-la à parte e examinar a refeição espartana: uma concha de arroz, um montículo de espinafre coberto com molho de gergelim, alguns cubos de batata-doce. Então a vi sorrir demoradamente enquanto o imaginava descobrindo a fatia de cavalinha, azul e brilhante, escondida sob o montinho de arroz. Assim, durante aquelas semanas, transportei pétalas de atum gordo, castanhas inteiras descascadas, ovas de salmão alaranjadas que pareciam joias e alegres feijões-vermelhos para a enfermaria de Akio, tudo adquirido por Yukako durante nossas compras da manhã e guardado dentro da sóbria caixa *bento* de estudante dele. Eu tinha instruções específicas para inspecionar cada caixa vazia antes de devolvê-la a Chio: era como se minhas mangas estivessem queimando com as tirinhas de lenço de papel que eu enfiava nelas quase diariamente, cada uma dobrada delicadamente e atada com um nó. Eu era testemunha de que ele havia comido cada pedaço.

YUKAKO VIU EM MINHA necessidade de aprender japonês uma oportunidade para falar, longa e repetidamente, sobre Akio, o que por sua vez significava falar sobre o irmão dela, Hiroshi, e sobre o filho de Chio, Nao, o rapaz dos Estúdios Perkins Yokohama. Ele podia ser filho de criados, mas Nao era um ano mais velho que Hiroshi, robusto e bonito enquanto o irmão de Yukako era magro e desajeitado. Uma das primeiras expressões que me ensinou foi naquele verão: referia-se ao verão quando ela tinha 12 anos e Hiroshi 15, quando o pai deles recebeu Akio. O irmão de Yukako tinha um tipo de doçura encantadora que fazia com que todos que conhecesse quisessem agradá-lo, mas até aquele verão, Nao não tinha tido nenhum concorrente sério pela idolatria de Hiroshi: os alunos do Montanha, todos bem mais velhos, sempre vinham para ficar por um ano apenas e depois partiam. Até então, era Hiroshi quem entregava seus doces e sua sombrinha quando não havia adultos presentes, e Nao era quem escolhia que jogo jogar. Naquele verão, entretanto, Akio tinha apenas um ano a mais que Nao, e havia rumores de que ele iria ficar mais tempo como aprendiz.

Os três meninos logo se tornaram uma unidade coesa, ainda mais unida pela rivalidade que se desenvolveu entre Nao e Akio. Nao conhecia todos os lugares bons para nadar; Akio tinha dinheiro para levá-los ao teatro. (Yukako teria que me levar para assistir a uma peça antes que eu pudesse entender a palavra para *teatro*.) Akio tinha roupas mais elegantes, mas Nao era mais forte.

Nao ensinou Hiroshi a fumar cachimbo; Akio o deixava bêbado com saquê, um vinho forte de arroz. Akio, um *samurai*, podia andar com espadas, mas Nao tinha aprendido a fazer velas romanas.* Naquele verão, *naquele verão*, eles levavam bolinhos de arroz para o rio e acendiam fogos de artifício a noite toda. Hiroshi tocava flauta; Nao e Akio batucavam nas pernas. Yukako seguiu o rastro deles uma noite e os viu tomando banho nus, urinando no rio, acendendo fogos de artifício com as próprias mãos. Do outro lado do rio viram um desfile tumultuado de homens com tochas, nus até a cintura, entoando cânticos. Foi difícil visualizar a cena até que eu mesma a testemunhei: uma vez por ano cada bairro entretinha o seu deus local carregando-o pela rua em um palanquim dourado. Bêbados de tanto saquê, Nao e Akio ergueram Hiroshi e o carregaram até a beira do rio, gritando sob o luar, os corpos brilhando como chamas.

Em apenas um ano, Akio tinha ido para Edo a mando de seu pai, para servir ao Xogum. Nao tinha fugido de casa, ato proibido por lei. E Hiroshi tinha morrido. Quando Akio voltou, sua impetuosidade arrogante deu lugar ao silêncio e à rapidez — ele era um aprendiz entre quatro. Yukako disse que na noite em que me encontrou, tinha ido dormir na casa de chá sabendo que o Montanha planejara um Encontro com o pai de um de seus aprendizes, mas sem saber quem: diante da perspectiva de que outros escolhessem uma família para ela, aquela noite me escolheu para si.

UM DIA, EM VEZ DE COMIDA, Yukako me mandou para Akio com uma flauta rachada feita de bambu com pintas. Tinha sido de Hiroshi: por Akio, ela tinha desenrolado o peso solitário da morte do irmão em uma corda que duas pessoas podiam segurar. Eu a vi na manhã seguinte com o pai, friccionando uma barra de tinta seca na pedra para o preparo de tinta, sem se lembrar de adicionar água, olhando pasma para o jardim.

Algumas noites depois, Yukako ficou boquiaberta ao desembrulhar o conteúdo da caixa *bento* vazia de Akio. Eu lhe entreguei o embrulho quando

---

*Tipo de fogos de artifício. (*N. da T.*)

estávamos deitadas sobre o futon, no quarto que compartilhávamos em cima da cozinha. O objeto era longo e fino, do tamanho de uma caneta: Akio o tinha envolvido em um de seus lenços de papel e amarrado o embrulho firmemente com um fio vermelho. Dentro havia uma concha de chá que ele fizera da flauta de Hiroshi: reconheci o bambu com pintas. Uma varinha curta e plana com uma extremidade em curva para reter chá — era um objeto lindo, humilde mas gracioso, com pintas, lustroso, simples. *Como foi que o entalhador conseguiu dar forma curva ao bambu?* Pensei, perguntando a Yukako "Como?" e curvando meu dedo.

— *Com fogo,* disse.

Ela envolveu a concha afetuosamente no papel novamente e escondeu-a na base oca de madeira de seu travesseiro, onde guardava os bilhetinhos amarrados de Akio. Ela se curvou em forma de bola sobre o futon em seu quimono noturno, a cabeça escondida nos braços e os joelhos pálidos expostos. Eu toquei as costas dela, quentes do banho, fazendo círculos no algodão azul e macio com a palma da minha mão.

— *Obrigada* — disse ela.

Yukako estava chorando. Comecei a chorar também e ela parou.

— *Sua mãe?* — perguntou, e eu fiz que sim com a cabeça. — *Entendo.*

Sentada bem perto dela, eu podia ouvir seu coração batendo no corpo curvado da mesma forma que o bambu se curvava sob a ação do fogo.

Eu tinha começado a aprender a história da família de Yukako na Baishian, a casa de chá onde ela me achou. Embora os Shin já tivessem vários aposentos para a cerimônia do chá, o avô de Yukako, Gensai, falara de construir uma casinha independente chamada Baishian: Casa Fio Cor de Ameixa. Dezesseis anos antes da minha chegada, quando um príncipe imperial aposentado, agora falecido, concordara em vir para a cerimônia, o Montanha construiu uma nova casa de chá para a visita dele, dando-lhe o nome de Baishian em memória de seu pai adotivo. Quando a morte da mãe de Yukako tornou a casa Shin impura, o chá do príncipe foi cancelado, mas o Montanha nunca desistiu do sonho de expandir sua rede de aliados ao receber um membro da linhagem do Imperador. Então manteve a Baishian vazia, exceto para pequenos eventos familiares, como o chá com Yukako na manhã em que ela me achou. Quando eram crianças, Yukako e seu irmão se apropriaram da casa de chá e passaram a usá-la como um lugar secreto para brincar. Um dia encontraram um aposento oculto na casa de chá, disse, de onde guarda-costas podiam espreitar.

— *Você me mostra?* — pedi.

— *Não* — disse.

O irmão dela nunca mostrara a nenhuma outra pessoa e a fizera prometer o mesmo.

— Nem mesmo Akio ou Nao?

— *Nem mesmo Akio* — garantiu. — *Nem mesmo Nao.*

Embora eu fizesse cara de amuada, não me sentia excluída. Apenas algumas noites depois que cheguei, Yukako me levou silenciosamente até a Baishian. Ela colocou um ramo de florezinhas brancas chamadas buquês-de-noiva em um buraco na flauta do irmão e pendurou-a na alcova com piso de madeira. Acima da flauta ela pendurou outro tesouro, um rolo de papel montado pelo avô: a primeira tentativa da mãe, ainda pequena, de escrever o nome de família, *Shin,* três borrões de tinta acima de uma única linha curvada. Yukako apontou para as pinceladas espessas e toscas — *da mamãe* — e, ao lado delas, linhas parecendo nuvens de fumaça: *do meu avô. Meu irmão,* disse ela. *Minha mãe,* respondi e acenei com a cabeça. (*Você viu a minha medalha de Santa Clara?*, quis perguntar, mas consegui apenas tocar meu pescoço e dizer: *Onde?*) Ficamos sentadas juntas ali, tristes. Quando abracei Yukako, ela ficou desconcertada, claramente surpresa, e então, desajeitadamente, deu palmadinhas nas minhas costas. Eu me afastei, confusa e constrangida. Logo percebi que embora ela tivesse me envolvido enquanto eu dormia, Yukako nunca me abraçara, da mesma forma que via pais carregarem os filhos carinhosamente, sem nunca os abraçar.

— Desculpe — eu disse.

Yukako, de brincadeira, colocou os braços em volta dos meus ombros e experimentou me dar um apertão. Então me fez beber formalmente saquê com ela de três tigelas vermelhas laqueadas: senti-me abençoada e tonta. Na casa de chá naquela noite, enquanto tomávamos goles atordoados e solenes de vinho de arroz, ela me pediu para chamá-la de Irmã Mais Velha quando estivéssemos sozinhas.

PARA TODAS AS OUTRAS pessoas, no entanto, eu era a serva dela. Durante o dia, enquanto ela cumpria tarefas e fazia visitas, eu ia atrás como carregadora e dama de companhia: sem tirar meus tamancos desajeitados, eu esperava em bancos em vestíbulos gélidos com o piso da mesma pedra ou terra que a rua do lado de fora, enquanto ela descalçava seus elegantes tamancos de couro e entrava em aconchegantes salas de tatames macios. De noite eu saía para tomar banho com Chio e com os outros, enquanto os estudantes requintados se banhavam em banheiras só para eles e Yukako se banhava em água que apenas seu pai tinha usado. Quando a água deles já tinha alguns dias, Chio a fervia e usava o líquido que sobrava para lustrar as varandas e corredores de madeira: assim, cada centímetro da casa do Montanha era polido com a pele dele.

A casa de banho pública dos criados me deixava angustiada no começo: havia uma garota chamada Hazu que teve uma antipatia imediata por mim quando Chio fez com que eu desse a ela doces que eu acreditava serem meus.

— *Mas você deu para mim* — queixei-me.

— *Para carregar* — Chio falou asperamente.

Ela me puxou para um canto e me obrigou a desfazer a carranca. Eu entreguei os doces, mas o mal já estava feito: Hazu fez caretas e me mostrou a parte vermelha das pálpebras. Mesmo sem a pirralha da Hazu, não teria sido fácil sentar nua em um aposento cheio de homens e mulheres nus que perguntavam admirados se eu era um dos peludos ainos do norte. Quando Chio contou-lhes que eu era uma estrangeira, literalmente, uma *pessoa de fora*, os outros simplesmente olharam espantados, até que um velho na banheira, com uma mandíbula tão comprida que quase perfurava a garganta dele — eu acabaria reconhecendo-o como o homem que vendia tofu de porta em porta na vizinhança —, proferiu seu veredito:

— *Ela não é uma estrangeira.*

Os outros concordaram. (Ninguém acreditou em Yukako tampouco: depois de uma tentativa constrangedora, ela deixou que pensassem o que quisessem.)

— Afinal de contas, nunca tínhamos visto um estrangeiro de verdade antes — Chio me contou alguns anos mais tarde. — Mas tínhamos visto gravuras e *todo mundo* sabia que os estrangeiros eram pessoas enormes e gordas com narizes compridos, cabelos bem vermelhos e olhos bem verdes, então é claro que você não era uma estrangeira. Alguém obviamente estava pregando-nos uma peça com aquela roupa.

— Bem, então, o que eu era?

— Pensamos que talvez você fosse de Ezo ou talvez fosse filha de alguma garota no ramo da água. — Ela se referia a uma prostituta ou cantora. — Talvez, quando estava grávida, sua mãe tenha tentado se livrar de você, mas acabou tendo-a de qualquer forma, e é por isso que o seu rosto ficou assim. Tão triste. Então quando ela não pôde mais esconder você na casa, ela comprou roupas estrangeiras em uma loja de curiosidades, vestiu você e a abandonou, esperando que alguma pessoa boa a encontrasse, da mesma forma que os pescadores puxaram para fora d'água a estátua da deusa Kannon.

— Eles achavam que minha mãe era uma prostituta mas não pensaram que talvez meu pai fosse um estrangeiro?

— Não seja boba; mesmo uma prostituta não iria se rebaixar tanto. Além disso, nós sabíamos como eram os estrangeiros. Você apenas parecia meio deformada. Todos sabíamos que os estrangeiros não sabiam falar japonês. Você sabia; você só soava como se tivesse caído de cabeça no chão quando era pequena.

— Ah — eu disse, desejando não ter perguntado. — E você acreditou neles?

— Sim e não. Quero dizer, você não conseguia nem comer como um ser humano quando a encontramos. Mas foi você que disse que vinha de Miyako — disse com desdém.

Eu não entendia o que diziam a meu respeito na casa de banho. O que entendia era a ideia de "proteção ou sombra". Quando os japoneses acham que você deve procurar uma pessoa importante para protegê-lo, eles dizem: "Procure a sombra de uma árvore grande." Quando alguém te faz um elogio você deve, se é que isso faz algum sentido, responder dizendo: "Oh, é graças a você", literalmente: "É graças à sua proteção." E o que sentia no começo, nua e encolhida na extremidade da banheira de madeira com os braços em volta dos joelhos, era que estava "protegida" dos homens e mulheres que me fitavam pela indulgência de Chio, seu bom humor, seus ocasionais tapinhas protetores, ainda que compassivos, no meu braço com a mão quente pingando, enrugada pelo banho. E se ela em algum momento ficou com medo das críticas deles, se protegeu no "abrigo" dos nomes que repetia: *Jovem Patroa Shin Yukako, Patrão Mestre Shin*. Se eles tinham me aceitado, quem era ela para me recusar?

O QUE EU MAIS GOSTAVA sobre as idas até a casa de banho — até me acostumar com a água escaldante, que eu amava acima de tudo — era a caminhada de volta para casa em uma fila única com nossas lanternas, carregando em nossos corpos o calor do banho. Eu adorava o balanço do globo da lanterna que eu segurava enquanto serpenteávamos por filas de outros banhistas. Quando passávamos pelo portão do templo da nossa vizinhança, eu pensava com espanto na noite em que Yukako me encontrara, como eu observara a rede de lanternas cruzando a minha frente na rua escura. Agora eu fazia parte daquela rede. Eu costumava olhar para o portão *torii* da vizinhança enquanto passávamos por ele, como se pudesse haver outra menina embaixo dele, com os olhos arregalados e cheios de incerteza. Tudo o que via, lá no fundo do templo, era o reluzir de ouro sob a luz de velas.

5

1866

NORMALMENTE PASSAVAM-SE cerca de vinte minutos entre a minha volta da casa de banho dos criados e a chegada de Yukako ao segundo andar, vinda da banheira da família. Uma noite, no entanto, uma semana antes da visita do Augusto Sobrinho, ela veio para casa muito mais tarde.

Naquela época, eu e minha Irmã Mais Velha transformamos nossas atenções — a minha em relação a Yukako e a dela, quando não estava fixada em Akio, ao chá — em uma religião: eu gostava de passar o tempo antes que Yukako subisse de noite brincando com seus instrumentos da cerimônia do chá, tentando imitar o que vira quando espiávamos as lições do Montanha. O chá era como a igreja, tedioso e hipnótico, uma pequena refeição envolta em solenidade. Isso era o que os adultos faziam. Yukako já estava me ensinando como ser uma convidada formal: como entrar, como se sentar (como era doloroso), como usar o maço de papel carregado na dobra do meu quimono na altura do esterno, como usar o leque guardado na faixa na minha cintura. (Nunca o utilize para abanar a si mesma, aprendi: é um marcador de lugar silencioso.) Como fazer reverência, como aceitar doces e chá e agradecer: *Humildemente recebo o que você fez*. Yukako não usava as palavras *fazer chá* quando falava a respeito do ritual coreografado — a *cerimônia* no que chamamos de cerimônia do chá

— ela, na verdade, usava uma palavra que soava como *mão* e *antes* — *te* e *mae*, *temae*. *Eu preciso praticar o temae. O temae dele está um pouco duro*. Significava *o próximo item*, como em uma lista, ou talvez *procedimento*, mas sem a frieza burocrática que a palavra em inglês carrega.

Da mesma forma que havia uma maneira exata de se mover em cada estágio do *temae* no papel de anfitriã, havia uma maneira exata de fazer cada uma das coisas que Yukako queria de mim no papel de convidada. Eu gostava de como ela colocava os braços em volta de mim para levantar a bandeja de doces comigo, *apenas o suficiente*. Eu gostava quando ela se sentava ao meu lado, com os lenços de papel na mão, dobrando um lenço usado três vezes, o que eu repetia em seguida. *Com cuidado*. Tudo o que eu fazia era importante. Eu me sentia tão observada. Mas se o papel de convidada já era tão difícil de desempenhar, eu receava que Yukako jamais me ensinasse como desempenhar o papel de anfitriã e fazer chá.

E assim, à noite, quando tinha o quarto dela só para mim, eu tentava dobrar seu pano de limpeza de seda vermelha para que formasse a almofada justa que ela usava para limpar a caixa de chá, tentava retirar água imaginária do jarro com os mesmos movimentos de garça que ela fazia com a concha. Recentemente, Yukako vinha praticando um estilo de chá — um *temae* — que exigia um pequeno bule de ferro em vez de uma concha e um jarro de água; ela trazia todas as suas ferramentas de uma só vez em uma bandeja laqueada em vez de fazer várias viagens para dentro e para fora do aposento. Eu gostava desse *temae*: o bule, pequeno e sério, a forma como tudo — até mesmo a bandeja — cabia em uma bolsa de brocado de seda, como se fosse ser usado em um piquenique extravagante. Tudo acontecia rapidamente, e assim eu logo recebi o doce. A única coisa de que eu não gostava era que Yukako às vezes fechava a bolsa amarrando-a com um nó ornamentado, pois somente quando ela deixava de fazer isso eu podia passar os dedos sobre a caixa de chá laqueada vermelha, pela tigela preta rústica, pela concha de bambu com pintas de Akio.

Na noite em que Yukako voltou tarde, quando procurei a bolsa de brocado, ela tinha desaparecido. Será que alguém a roubara? Será que eu devia contar a Yukako enquanto ela tomava banho? De qualquer forma, eu precisava usar o banheiro. Desci. Na maioria das noites uma pequena luz da lâmpada da casa de banho da família passava através da janela do banheiro, mas naquela noite a sala estreita estava escura, exceto pela lua. Então onde ela estava?

No alto da escada da cozinha, sentei-me, apoiando os cotovelos nos joelhos. Lancei uma linha de dentro de mim em direção à escuridão — *Yukako!* — e não peguei nada. Dava para ouvir os ratos no telhado, como em Nova York, o farfalhar da cerca viva de bambu lá fora, e o som da água no riacho Migawa, próximo dali. Fiquei escutando. A distância dos outros prédios do complexo, o Migawa serpenteava por uma torre branca de dois andares com paredes de argamassa à prova de fogo em vez de papel: era ali que os Shin guardavam seus tesouros. Depois de passar pela torre-depósito e por uma queda borbulhante, o riacho seguia lentamente pelo jardim, então encontrava a linha reta da rua Migawa e deslizava em uma valeta pelo portão Shin. Enquanto eu escutava o riacho, um barulho suave e uniforme, quase imperceptível, vinha da cabana de Chio junto à cozinha: o ronco do marido Matsu.

Chio e Matsu tinham um filho, Nao, que eu conhecia das histórias de Yukako e do daguerreótipo que Chio tinha na cozinha, onde ela também guardava um maço de cartas dele, enviadas a cada ano-novo, sempre com os mesmos votos. Eles também tinham uma filha melancólica chamada Kuga. Ela se casara com um homem chamado Goto: quando ele arranjou uma amante bonita, ela ficou aborrecida e ele divorciou-se dela por isso. Kuga chegou à casa Shin pouco depois de mim, trazendo o filhinho, Zoji, que eu acariciava, carregava e imitava enquanto ele aprendia a falar, repetindo as palavras japonesas com ele. Naquela mesma noite, enquanto eu esperava Yukako voltar, esfreguei uma das manchas de leite de Zoji do meu quimono de algodão, ajoelhada junto ao jarro de água na varanda.

Desde que Kuga chegara, os quatro membros da família passaram a dormir na mesma cama na cabana junto à cozinha. Eu os vi lado a lado uma noite quando fiquei protelando após nossa ida à casa de banho: Matsu junto à parede, já adormecido, ao seu lado Chio, então Zoji e, por último, a magricela Kuga, mais próxima do úmido ar noturno. Fiquei pensando se Matsu sempre fora tão barulhento, ou se o fazia de propósito para punir Kuga por envergonhá-los voltando para casa. Contudo, ele parecia ter um fraco pelo menino. Como jardineiro-chefe, Matsu também cortava o carvão vegetal, serrando cada galho carbonizado nos tamanhos exatos exigidos pela arte do Montanha, lavando cada pedaço de carvão vegetal e secando-o ao sol para reduzir a produção de centelhas na sala do chá. Lembro-me de Matsu ensinando Zoji como fazer pequenas bolas de combustível caseiro a partir da poeira e dos restos de carvão, esferas que eram unidas com algas úmidas. Ele parecia feliz como uma criança, construindo um arsenal de bolinhas negras, enquanto Zoji preferia comer ou se pintar com a pasta escura e molhada. Matsu era muito cuidadoso e minucioso quando lavava as mãozinhas e o rosto sujos de fuligem do neto.

De repente, eu me sobressaltei, alerta por causa de um barulho: um fungar, próximo demais para ser da criança. E então, porque já havia escutado aquele ruído antes, reconheci os passos suaves de uma mulher descalça.

Vi uma figura passando pela cozinha, parando no degrau que levava para a parte de tatame da casa, vi vários movimentos rápidos enquanto ela despia as meias com espaços separados para os dedões, vi seu quimono, esbranquiçado pelo luar enquanto ela vinha na minha direção, o retângulo do painel frontal dobrado em forma de diamante enquanto ela subia os degraus. Não era o quimono de banho dela.

— *Pequena Ura* — murmurou Yukako.

— *Irmã Mais Velha* — eu disse, levantando-me para deixá-la entrar em seu quarto.

— *Por que você está acordada?*

— *Por que você está acordada?*

Em vez de responder, Yukako jogou a bolsa de brocado em minhas mãos, atirou-se de bruços sobre o futon e começou a chorar.

Eu a vira chorar uma vez antes, quando ela desembrulhou a concha de chá de Akio, ou, melhor dizendo, *senti* que estava chorando, seu respirar silencioso mas úmido. Mas naquela noite ela chorou abertamente, esfregando o rosto na colcha, manchando o algodão claro com a pintura das sobrancelhas enquanto arquejava e soluçava. Eu nunca a tinha visto com sobrancelhas após o banho. Era assustador: os lamentos, estranhos para mim, o rosto borrado e contorcido sob o penteado perfeito.

— *O que aconteceu?*

— *Nada.*

— *Você foi ver o Sr. Akio?* — Nesse momento ela caiu em pranto novamente, afastando-me quando tentei tocar no braço dela.

Eu queria ajudar de alguma forma, ou talvez tivesse medo de que ela não me quisesse por perto. Levei um pano macio até o jarro de água na varanda e umedeci-o.

— *Suas sobrancelhas* — eu disse, apontando.

— *Obrigada.* — Ela respirou profundamente. Foi silenciosamente até o espelho com a vela e limpou a pintura do rosto com dois movimentos lentos e hábeis. Então, depois de dobrar a coberta manchada, ela deitou-se sobre o futon em seu quimono bom, ajeitou o travesseiro de madeira sob o pescoço e começou a falar, as palavras pontuadas de suspiros.

Normalmente quando Yukako me contava algo, ela parava primeiro, isolava uma ou duas palavras essenciais, e falava em jorros claros e curtos. Normalmente eu conseguia entender o que ela dizia. Naquela noite as palavras jorravam como água, rápidas, sem pausas. Eram suas palavras, da forma que ela pensava, e não as bandeiras de sinalização que ela geralmente acenava para mim. Ela estava me contando outra história sobre Akio. Ouvi apreensão e hesitação em suas frases, expressões repetidas, como se ela estivesse esclarecendo para si mesma o que tinha acontecido. E quando estava chegando ao final, pude entender melhor: as palavras *minha esposa, não, anfitriã*.

Yukako tinha ido executar a cerimônia do chá para Akio, foi o que entendi, juntando as palavras à bolsa de brocado — e ele a rejeitara. "Você não é uma anfitriã", tinha dito a ela. Era outra palavra que tive que aprender mais tarde. Mulheres no ramo da água faziam o *temae*, acabei descobrindo, uma versão vulgar e superficial da arte do Montanha. Mas na casa dos Shin, percebi naquela noite, não havia estudantes mulheres. Embora fosse esperado que Yukako assistisse às aulas de chá sempre que pudesse, sentada atrás de uma treliça na parede da sala de aula, nunca a tinha visto ter aulas com o pai.

Então por que Akio lhe fizera uma concha de chá?, tentei perguntar.

— *Foi o que perguntei a ele* — disse, concordando.

— *Para o nosso filho* — ele respondera.

Yukako chorou: eu escutei. Toquei seu ombro e ela deixou. Ela embrulhou a concha com pintas no lenço de papel branco com o selo de Akio, amarrou o embrulho com o fio vermelho que ele usara e, com uma expressão severa, colocou-o na prateleira com as outras coisas do chá. Algo mais deve ter acontecido para fazê-la chorar com tanta amargura, mas não consegui entender o quê.

— *Vá dormir* — disse ela, e foi o que fiz.

Adormeci sob o som dela na varanda, esfregando seu quimono da mesma forma que eu esfregara o meu.

Fiquei me perguntando se aquela noite iria marcar o fim das minhas funções de mensageira. Na manhã seguinte, no entanto, paramos como sempre para comprar uma porção de salmão cor-de-rosa. Eu queria ver o que iria acontecer quando Akio o encontrasse na sua *bento* naquela tarde, mas vi outro par de sandálias de homem à sua porta e ouvio-o lá dentro, conversando com um dos outros estudantes.

Após observarmos a lição daquele dia, depois que ela praticou em seu quarto e limpou seus utensílios, passou o pó de chá da caixinha *temae* laqueada para outra hermeticamente fechada, onde o pó ficava guardado, Yukako olhou para mim fixamente.

— *Observe.*

Ela pegou a caixinha laqueada cilíndrica usada no *temae*, pôs a tampa de lado e mostrou-me o interior, turvo com uma camada de pó verde. Ela limpou o pó de chá com um quadrado de papel macio até que o interior da caixa brilhasse como seu exterior, lustroso como um espelho.

— *Já posso guardar a caixa de chá? Já está limpa?*

— *Sim* — eu disse, fazendo um sinal com a cabeça.

— *De verdade?*

O que estava errado?

— *Sim?* — perguntei, nervosa. Ela pôs a caixa de lado, pegou a tampa e mostrou o outro lado.

— *Ara!*

Ela ainda não tinha limpado o lado de dentro da tampa; é claro que ainda estava sujo. Exatamente do jeito que eu a tinha deixado quando brinquei com as coisas de chá dela. Corei.

— *Ara* — disse ela, rispidamente. — *Da próxima vez não esqueça.*

Abaixei a cabeça, envergonhada.

— *Desculpe-me.*

— *Você quer aprender o* temae, *não quer?*

Não era uma pergunta. Assenti, assumindo a responsabilidade. No longo silêncio que se seguiu, olhei para Yukako e a vi sorrindo, orgulhosa e vingativa. Aquilo me assustou.

— *Ótimo* — disse —, *pois vou lhe ensinar.*

E então ela disse algo que compreendi mais tarde, quando percebi que seu pai tinha entrado na linhagem dela por meio do casamento, e que Akio faria o mesmo:

— *Eu sou a verdadeira Shin.*

Curvei-me, insegura, e seu rosto suavizou-se.

— *Estou satisfeita* — disse. — *Você é uma boa aluna.*

Foi quando percebi que o rancor dela era voltado para Akio. Já que ele não queria que sua mulher fizesse o *temae*, ela faria o *temae* — e o ensinaria também! Eu sorri.

— *Limpe a tampa* — disse ela. — *Agora irá se lembrar.*

NA CURTA SEMANA que se seguiu, a casa continuou a se preparar para a visita imperial e eu continuei deixando gostosuras para Akio na enfermaria, e trazendo bilhetes secretos — escritos em uma letra mais firme, mais controlada do que antes — para Yukako. Ela voltava para casa todas as noites logo após o banho, colocava o bilhete de Akio no esconderijo da base oca de seu travesseiro e lia ansiosamente o ciclo inteiro de correspondência dele. Com frequência eu caía no sono antes que ela apagasse a vela, mas, da mesma forma, eu acordava frequentemente na escuridão e a sentia se revirando insone ao meu lado, suspirando como uma mulher de antigamente, dos clássicos ilustrados do Período Heian que ela me mostrara: *A história de Genji*, de Murasaki Shikibu, ou o *Livro de cabeceira*, de Sei Shonagon. Uma noite, enquanto eu estava deitada observando, Yukako abriu os olhos e olhou para mim.

— *Sinta o meu rosto* — disse. — *Está tão quente.*

Estava frio como cera.

NO DIA ANTERIOR à visita do Augusto Sobrinho, Akio chamou-me à enfermaria no Anexo Árvore Curvada.

— *Srta. Ura!*

— *Sim?*

Ele falou e eu fiz uma reverência e sorri. Havia uma elegância amarrotada em seu quimono de dormir: o azul lhe caía bem, e eu gostava do padrão ousado de tabuleiro de damas de sua faixa estreita, ouro e verde.

— *Você entendeu?* — perguntou.

— *Não. Desculpe.*

Ele repetiu o que dissera mais alto e eu sorri levemente.

— *Baka* — murmurou.

Burra. Depois de dois meses imersa em um novo idioma, eu já estava acostumada.

Ele fez uma nova tentativa.

— *Jovem Senhora solitária* — disse, falando francamente sobre Yukako.

— *Jovem Senhora está solitária?* — repeti, nervosa, insegura quanto ao que devia dizer a respeito dela. Ele nunca falara comigo antes; eu estava despreparada.

— *Não* — disse ele, desesperado. — *Eu estou solitário.*

— *Sr. Akio está solitário.*

— *Sim.*

Ele começou a dizer algo sobre Yukako e interrompeu o que dizia, voltando a tossir.

Em japonês você não diz *Eu tenho saudades de você,* você diz *Estou solitário por não ver você,* mas eu não sabia disso.

— *Amanhã* — disse ele, aparentemente mudando de assunto.

Eu não ouvi o restante do que ele disse, mas era uma pergunta.

— *Amanhã, convidado importante?* — supus.

Ele suspirou, impaciente.

— *Amanhã. Jovem Senhora. Fazendo o quê?*

Ah. Ele estava solitário; ele queria saber como seria o dia dela. Desde a noite em que Yukako voltara para casa tarde, a minha preocupação era que ele não estivesse pensando nela tanto quanto devia.

— *Primeiro, casa da prima* — expliquei o melhor que pude. — *Depois trazer prima aqui. Depois vem o cabeleireiro. Depois ajudar o-Chio. Depois quimono. Depois servir convidado importante.*

Era costume, eu estava começando a aprender, que um hóspede oriundo de boa família fosse servido, ao menos um pouco, pelo anfitrião e por sua família, não apenas pelos criados. Embora o Montanha planejasse fazer o *temae* para o Augusto Sobrinho com as próprias mãos na casa de chá Baishian, o Convidado Imperial iria viajar com uma grande comitiva, que iria fazer uma refeição ritual separadamente na maior sala de chá do Montanha, um salão de 14 tatames, depois seriam entretidos por uma trupe de jovens cantoras contratadas. Embora os estudantes e aprendizes tivessem passado dias preparando e treinando o *temae* para a refeição da comitiva imperial, ainda assim era apropriado que Yukako estivesse presente quando o pai não pudesse estar, servindo a primeira tigela de saquê. Haveria cerca de uma dúzia de convidados, por isso Yukako recrutou a ajuda de sua prima Matsudaira Sumie.

Eu via Sumie com frequência: sempre que Yukako lavava todo o óleo e a cera do cabelo, eu sabia que no dia seguinte iríamos à casa de Sumie, onde dois cabeleireiros, marido e mulher, vinham uma vez por semana para cuidar dos homens e das mulheres da casa, respectivamente. Sumie, meiga e ofegante, tinha 16 anos, como Yukako. Seu rosto era cheio e redondo, seus pés, pequenos e vulneráveis, os dentes, pequeninos e brancos. Ela e a família tinham passado boa parte de sua infância em Edo, por isso ela falava mais rápido do que a maioria das pessoas que eu conhecia. Além disso, sua linguagem era elaboradamente feminina: quando elas conversavam enquanto os cabeleireiros trabalhavam com a cera e os pentes, entender o que Sumie dizia era ainda mais difícil para mim do que compreender as palavras de Yukako.

— *Casa da prima longe?* — perguntou Akio.

— *Caminhada de vinte minutos* — expliquei. Era agradável imaginá-lo visualizando a caminhada de Yukako. — *Rua do Canal*.

Um grupo de construções grandiosas mas desgastadas pelo tempo, completado por um pequeno lago artificial para a observação da lua cheio de gordas carpas vermelhas, alojava Sumie e sua grande família samurai: uma avó rigorosa e cheia de vitalidade que apelidei de Madame Cachimbo por causa do seu passatempo e arma favorita; um avô muito velho, delicado como papel; uma mãe sofredora e um bando de irmãos desordeiros, inclusive dois irmãozinhos que viviam me atormentando e a pequena Srta. Miki, a filha dos cabeleireiros. Embora o Montanha tivesse se unido à família Shin por meio do casamento, Madame Cachimbo e seu frágil marido eram seus pais de sangue; seu irmão mais velho, o pai de Sumie, fazia parte do exército do Xogum, que naquele mês marchava para o sul a fim de punir um senhor rebelde. Sumie era a segunda de seis filhos; o filho mais velho era um príncipe indolente que ficava à toa em casa exigindo xícaras de chá; eu sabia que o que ele realmente queria era ir para o sul e lutar também.

Parentes distantes do Xogum, os avós de Sumie não tinham boa opinião nem da casta dos mercadores, os novos-ricos — inclusive a família do chá, que por pouco não comprou o filho mais novo deles usando a moeda oficiosa do Japão, o ouro —, nem dos *kuge*, a velha aristocracia parasita da corte do Imperador, que o Xogum sustentava com alqueires da moeda oficial do Japão, o arroz. Embora durante anos o Montanha tivesse visto sinais de fraqueza no Xogum que o estimulavam a buscar aliados na família imperial, seus pais tratavam seus esforços com um menosprezo indulgente. Quando Yukako pediu a ajuda de Sumie com a visita do Augusto Sobrinho, Madame Cachimbo deu-se o trabalho de mostrar um luxuoso biombo dourado que ela comprara por uma ninharia de um cortesão imperial sem um vintém.

— *Kuge* — zombou, antes de conceder a permissão em nome do marido enfermo.

NA ENFERMARIA, a voz de Akio tornou-se clara e lenta.

— *Srta. Ura e Jovem Senhora caminham juntas para casa de prima?* — pressionou.

— *Sim* — eu disse orgulhosa.

O caractere para sol em japonês é um retângulo com uma linha horizontal no centro: quando eu a seguia enquanto ela realizava suas tarefas, o retângulo do nó achatado da *obi* de Yukako era como o sol para mim. Todas as outras criadas passavam o dia em casa, lavando quimonos e esfregando os tatames. Já que todas as vezes que um quimono ficava sujo era preciso descosturá-lo e recosturá-lo, na casa do Montanha havia um pequeno exército de jovens costurando sem parar: eu as menosprezava.

— *Quarto de Jovem Senhora, andar de cima, somente Jovem Senhora e Srta. Ura?*

Fiz Akio repetir até que eu entendesse o que dissera.

— *Sim* — falei com orgulho.

Eu fazia sozinha o trabalho de servir a Yukako. Eu estendia o futon sobre o qual nos deitávamos todas as noites e o dobrava todas as manhãs; eu trazia cada bandeja de comida que comíamos juntas, arroz branco refinado para Yukako, e para mim o arroz misturado com cevada não refinada destinado aos criados. Todas as manhãs eu abria as venezianas de madeira; todas as tardes eu reabastecia o jarro de lavagem de cerâmica marrom na varanda e limpava o quarto dela e a escada; quando anoitecia, eu levava uma lâmpada para cima e fechava as pesadas venezianas. As tarefas me confortavam da mesma forma que as preces fizeram no passado. Depois que respondi a pergunta de Akio, pensei em algo.

— *Amanhã à noite, prima também* — corrigi, antes de refletir sobre o motivo da pergunta dele.

— *Tome* — disse ele, mostrando-me uma folha de papel.

Nela estava o esboço do que parecia um elegante vestido nova-iorquino em forma de sino, com mangas de quimono — não, era o desenho de um quimono aberto. Nele, desenhados cuidadosamente com tinta preta, havia o tronco e os galhos de uma árvore coberta de flores brancas. O quimono de Yukako! Eu a vira usando-o apenas uma vez, na noite do Encontro, quando ela serviu a Akio e ao pai dele.

— *Da Jovem Senhora* — falei, ofegante, ao reconhecer o quimono.

— *Sim* — disse ele. — *Eu estou muito solitário.*

Imaginei Yukako caminhando na direção dele em seu esplêndido quimono azul-esverdeado com a árvore em flor, as longas extremidades de sua faixa prateada desamarradas, uma cauda cintilante em suas costas, o cabelo solto como o da minha mãe. A mera visão dela iria curá-lo. E então eles poderiam se casar e Yukako seria feliz e dormiria bem novamente. Ela poderia dormir entre nós dois; eu não me incomodaria com o lado do futon que pegava corrente de ar. Talvez Akio não gostasse, mas, como Matsu, ele teria que se acostumar.

— *Vou pedir* — eu disse.

— *Por favor, não peça* — disse ele. — *Apenas traga. Somente emprestado.*

— *Não sei* — eu disse.

Eu sabia em que prateleira ela o guardava dobrado; eu conhecia seu forro de seda branca, amarelado e manchado pelo tempo. Será que ela iria querer que ele visse? E por que ele não queria que eu o pedisse a ela?

— *Só para ver* — insistiu ele.

Fiquei confusa e estranhamente envergonhada.

— *Eu não sei* — falei.

— *Está certo* — disse ele, cedendo. — *Eu sou um grande tolo. Estou pedindo muito, eu sei.*

Será que essa era a famosa dissimulação dos japoneses? Tratar "eu não sei" como se significasse "de jeito nenhum"? Pensando bem, era exatamente o que eu queria dizer.

— *Por favor, não conte a ela* — acrescentou.

O constrangimento causou um formigamento na minha nuca. Olhei para o alto, para longe de Akio, e vi seu par de espadas samurais penduradas no tronco curvado, pilar ao qual o aposento devia seu nome.

— *Será que eu posso ver...* — Eu não tinha certeza de que palavra usar, e apontei.

Eu claramente estava em vantagem; ele pegou as espadas.

— *Tachi* — disse. A lâmina, longa e brilhante, deslizou da bainha laqueada sem um ruído.

— *Wakizashi* — disse, mostrando-me a espada mais curta.

Elas eram mais bonitas e assustadoras do que eu imaginara.

— *Obrigada* — falei.

Normalmente as pessoas dizem "não" para dizer "de nada", do jeito que dizemos "não foi nada". Mas Akio fez uma reverência, colocou as espadas de volta no lugar e disse formalmente:

— *O que foi que eu fiz?*

Naquela noite eu quis contar para Yukako, mas fiquei preocupada enquanto pendurava o mosquiteiro de gaze dela, recém-trazido da torre-depósito. Será que ela ficaria zangada ou feliz? E se Akio descobrisse, será que me cortaria com aquelas espadas afiadas?

— *Irmã Mais Velha* — eu disse quando ela voltou do banho.

— *Sim?*

Minha boca secou.

— *A noite está agradável* — eu disse.

O Montanha tinha planejado a mudança da casa do inverno para o verão de forma que coincidisse com a visita imperial: nós guardamos nossos quimonos forrados e passamos a usar os sem forro; os novos jarros de chá chegaram dos mercadores em carros de boi. Todos os fornos embutidos no chão — característica pela qual eu conseguia reconhecer uma sala de chá — sumiram, substituídos por tatames verde-dourados frescos. Na tarde em que conversei com Akio, fiquei com o pequeno Zoji perto da Baishian até que os estudantes me enxotaram; eles estavam carregando uma longa tábua envolta em pano em direção à pequena casa e levando duas tábuas menores embora. Quando olhei mais tarde, o buraco quadrado no chão tinha sumido. A tábua lustrosa se estendia inteira entre os dois tatames. O forno embutido era para ser usado apenas no inverno, aprendi; nos meses quentes as pessoas que serviam chá usavam um braseiro para manter o calor longe dos convidados.

No dia da visita imperial, até mesmo os grandes jarros de água marrons e vermelhos desapareceram da cozinha, das salas de preparação de chá e da varanda de Yukako; quando chegamos em casa, vindas da casa de Sumie, ficamos surpresas com a visão de um estudante vestido de preto cambaleando escada abaixo com um grande volume. Olhei para Yukako, alarmada, quando o reconheci: era o mais jovem dos aprendizes do Montanha oriundos da casta dos mercadores, o Menino Vara. Enquanto os rapazes samurais deixavam o outro aprendiz da casta dos mercadores em paz — o Urso era mais velho, robusto e grande, e não deixava de ser meio valentão também — eles escolheram o Menino Vara como alvo de zombarias e tarefas extras, especialmente após a aula em que a tigela de chá se quebrou nas mãos dele. Felizmente, o jarro de água de Yukako permaneceu inteiro durante todo o percurso escada abaixo, embora ele nos lançasse um olhar constrangido. No lugar do jarro, descobrimos, ele deixara um novo recipiente, azul e branco, cores frescas para o verão.

Para marcar a ocasião, cada um de nós recebeu um quimono novo, sem forro, de cores lisas, os homens de preto, cinza e azul, as mulheres em tons de vermelho. O meu quimono era laranja-salmão bem vivo, o de Sumie, rosa-peônia suave, o de Yukako, vinho escuro. Em cada quimono havia a insígnia

Shin — um grou — em cinco lugares, como cinco moedas brancas: uma nas costas, uma em cada ombro, e uma em cada manga.

Antes de vestir nossas roupas novas, entretanto, todos tínhamos trabalho a fazer. Enquanto a Srta. Miki e sua mãe transformavam os cachos de Yukako e Sumie nas convenções enceradas e fixadas com grampos que uma visita imperial exigia, eu ajudei as costureiras a limpar cada superfície, depois todas seguimos as instruções de Chio na cozinha e preparamos as requintadas refeições de nove pratos. Yukako ajudou o pai com os utensílios de chá, e também instruiu Sumie acerca dos gestos formais para servir vinho de arroz à comitiva imperial. (Parte da tarefa dela parecia ser acalmar o nervosismo de Sumie: *"Tantos estranhos olhando"*, ela se queixava, mordendo os nós dos dedos.) Eu esfreguei e piquei e mantive o neto de Chio longe de encrencas. Os estudantes e jardineiros retiraram todo o tipo de entulho dos jardins, varreram o cascalho, dando-lhe a forma de ondas sutis, e removeram todas as flores de íris do jardim. Durante o intervalo entre a refeição ritual do Ministro e o chá *temae* que se seguiu, o Montanha planejou trocar o pergaminho na alcova da Baishian por um vaso contendo uma perfeita flor azul. Eu fiquei triste ao ver todas as íris desaparecerem, disse a Yukako na cozinha. Ela estava separando 12 xícaras de saquê vermelhas, no formato de pires, inspecionando cada uma em busca de arranhões.

— *Elas crescerão novamente* — assegurou-me. — *Hoje, ele verá folhas, folhas, folhas, e nenhuma flor. E então, finalmente, dentro da Baishian: a flor.*

Era uma provocação para os olhos.

Ninguém parecia preocupado com o céu encoberto, o peso sufocante do ar.

— *Nuvens* — apontei para fora, preocupada.

— *Céu cinzento*, cores vivas — ela garantiu.

— *Chuva?*

Yukako respirou fundo para responder com seriedade, e então sorriu com um prazer antecipado enquanto, muito lentamente, fazia um trocadilho para mim.

— *Se chover, nosso convidado irá lembrar-se destas nuvens para sempre.*

Eu repeti as palavras dela, da mesma forma que frequentemente repetia as frases mais longas que ela dizia, e quando cheguei a *nuvens*, também sorri, pois a palavra era tão próxima de Casa da Nuvem, a mais antiga das casas de chá do

Montanha, construída por Shinso, o ancestral fundador da tradição Shin do chá, bisneto de Rikyu, o criador da cerimônia do chá. Pelo fato de a pequenina Casa da Nuvem ser a mais importante das casas de chá dos Shin, às vezes o nome era usado para referir-se a todo o complexo Shin, ou à escola de chá do Montanha, ou ao próprio Montanha.

— *Casa da Nuvem* — sussurrei, saboreando a palavra e o bom humor de Yukako, algo raro desde a noite em que ela voltara tarde para casa.

Quando não havia mais nenhuma madeira para polir, nenhum rabanete para ralar e já havíamos vestido nossas roupas novas, o Montanha nos reuniu no salão de 14 tatames preparado para a comitiva imperial. Como Yukako prometera, cada coisa colorida — desde nossas roupas até o musgo no jardim atrás de nós — parecia vibrar em contraste com o céu cinza-embranquecido. O Montanha falou para nós todos e mostrou-nos um dos jarros de argila que chegaram no carro de boi. Da altura dos meus ombros, era feito de argila escurecida borrifada de verde. O Montanha cortou o lacre, ergueu a tampa e chamou cada um de nós com um gesto.

— *Chá novo* — cochichou Chio em seu quimono cor de ferrugem. O Montanha iria abrir um jarro diferente para o hóspede imperial e oferecer para que o levasse para casa: este era o chá da Casa da Nuvem. Cada pessoa da casa se aproximou do jarro, movendo a mão em forma de concha no ar do jeito que Yukako e Sumie faziam em seus jogos de adivinhação com incensos. Eu mesma cheirei o chá: verde e intenso como capim novo.

6

1866

EU NÃO VI A PROCISSÃO IMPERIAL, mas vi o palanquim do lado de fora. Não vi o Augusto Sobrinho, mas vi o topo balançante do seu chapéu preto laqueado quando ele rodeou a cerca de bambu. Não vi a cerimônia do chá na Baishian mas ouvi um ruído, nítido e próximo se comparado com o trovão abafado a distância, cris-ã, cris-ã, cris-ã: o Montanha moendo folhas de chá em um pilão de pedra. Não vi os membros da comitiva imperial, mas fiz parte da corrente humana que passava os pratos aos estudantes e aprendizes enquanto eles serviam cada um deles. Não os vi, mas ouvi as três jovens cantoras trazidas para entreter os homens do Augusto Sobrinho, o tambor lento e o *shamisen*, o banjo japonês, que elas tocavam, e suas melodias estridentes. Yukako e Sumie serviram a cada um dos homens a primeira rodada de saquê, então subiram e deixaram as cantoras assumirem enquanto eu levava chaleiras quentes em direção à porta com a filha de Chio, Kuga, alegre, pela primeira vez, vestindo rosa. Durante um intervalo, corri para cima para estender o futon de Yukako.

— *Obrigada* — disse ela, abanando a mão para refrescar Sumie, que estava apoiada nela, desanimada. — *Está vendo? Você não deixou cair nada* — disse à prima.

— *Quanto tempo você acha que eles vão ficar?* — murmurou Sumie, secando a testa com um pano.

— *Quando estiverem de partida, nós iremos nos despedir* — Yukako me disse, a sua fala contrastando nitidamente com a de Sumie.

Quando desci, o pequeno Zoji — uma joia em seu minúsculo quimono água-marinha — estava irrequieto nas costas da mãe. Ainda não estava chovendo, mas a cada trovoada ele esticava o braço e tentava arrancar o pano rosado amarrado sobre o cabelo de Kuga. Eu peguei uma *kasa* — um guarda-chuva de papel vegetal que parecia uma sombrinha — e o levei para dar uma volta a fim de que se acalmasse, evitando as casas de chá e balançando-o enquanto andava.

— *Auprès de ma blonde* — cantei baixinho ao crepúsculo. Fiquei com medo de começar a chorar pensando na minha mãe, então tentei uma canção japonesa. Chio a cantara no mês em que cheguei, quando as cerejeiras, as *sakura*, se encheram de flores.

— *Sakura, sakura...*

Senti Zoji amolecer nas minhas costas enquanto eu cantava. Quando cheguei ao Anexo Árvore Curvada, descansei por um momento no banco do lado de fora da porta de papel *shoji* de Akio. Aos meus pés vi um segundo par de sandálias masculinas perto das de Akio: um dos outros estudantes o estava visitando. Deve ter sido muito difícil para ele não poder participar da coisa toda; ele provavelmente teria sido escolhido para alguma tarefa prestigiosa. Até mesmo o Menino Vara parecera muito orgulhoso de si mesmo, arrumando caprichosamente as bolsas e os guarda-chuvas da comitiva no hall de entrada. Era muita gentileza dos outros estudantes visitar Akio; afinal, todos provavelmente ficaram ressentidos por ele não ter realizado nenhum trabalho e ainda assim casar-se com Yukako. Eu podia ouvir o som do *shamisen* que vinha da festa imperial dentro da casa, as canções lamuriosas das mulheres, as risadas dos homens. Não, aquela era a risada de Akio, tão suave que parecia distante. E a voz que cantava pertencia à convidada dele.

Na minha cabeça, do lado de fora da porta de Akio, formei uma frase, muito orgulhosa de mim mesma por construir uma frase tão longa. Eu descobri que podia elaborar frases compridas quando estava sozinha, murmurando para mim mesma em japonês; sempre que estava perto de outras pessoas, as minhas lindas orações se evaporavam no pânico de tentar entender o que ouvia. De qualquer forma, parecia improvável que eu pudesse usar minha nova frase com frequência: *A mulher tem sandálias de homem.*

Minha atenção sobressaltou-se com um som do outro lado do portão, ressoando perto demais e por tempo demais para ser um trovão. Um animal grande? Raramente via cavalos no Japão, e os cascos pareciam fazer um ruído surdo em vez de agudo. Seria um elefante? Eu não me importava se nunca conhecesse o sobrinho do Imperador — provavelmente eu não entenderia o japonês dele mesmo —, mas um elefante? Meu coração batia rápido enquanto eu carregava Zoji em direção ao portão. Era um cavalo.

Não consegui entender o que o homem com a lanterna estava dizendo enquanto o animal movia os cascos, tão atônita eu estava com o que eles estavam calçando: *cestas de palha.* Os cavalos que me levaram para longe do incêndio sem dúvida também tinham calçados de palha, mas eu não tivera tempo de perceber. Por que alguém faria isso? Eu podia entender comer algas e tirar os sapatos dentro de casa, mas por que alguém amarraria cestas nas patas de um cavalo? O pequeno animal se livrou de uma delas com um coice, enquanto o homem balançava na sua sela ridiculamente alta e completava seu breve discurso entregando-me uma fina caixa de madeira para pergaminhos. Enquanto as primeiras gotas de chuva caíam, fiquei olhando para ele, tentando repetir o que tinha acabado de ouvir. Sua expressão mudou, como a de Akio mudara quando ele me chamara em seu quarto. "Ah, ela é lenta", ele registrou.

— *Mestre Professor* — repetiu.

— *Sim!* — gritei. — *Espere, por favor.*

O homem parecia ter feito uma longa jornada aquela noite, mas eu não achava que deveria interromper o Montanha na casa de chá. Por causa do convidado imperial, eu nem sequer tinha certeza se podia trazer o cavaleiro para a cozinha, então apontei para o abrigo do portão recoberto de colmo e corri com a caixa para o quarto de Yukako, com Zoji ainda nas minhas costas. Sumie parecia ter recobrado os ânimos: as duas estavam cochichando sobre os bilhetes no travesseiro de Yukako. Yukako olhou zangada para mim.

— *Onde está?* — perguntou, com olhar acusador.

Onde estava o quê? Olhei para ela boquiaberta, e então segui seu olhar até a prateleira onde guardava seus utensílios de chá, o misturador ao lado da tigela ao lado da concha de chá. Perdi o fôlego: deveria haver uma segunda concha exatamente onde ela a deixara, envolta em papel branco, com o selo de Akio. Não estava lá.

Na noite anterior ele me pedira para guardar um segredo, e agora a concha de chá dele sumira. Eu não sabia o que tinha acontecido, mas provavelmente era minha culpa. Contudo, antes que Yukako pudesse me pressionar, ela parou, ao ver sob as minhas mangas salpicadas de chuva a caixa comprida que eu levava.

— *O que é isso?* — perguntou, abrindo-a.

— *Chuva. Um homem. Um animal* — gaguejei. — *Quatro pernas. Como um boi, mas não um boi. Pés em cestas!*

Elas me fitaram com os olhos arregalados, sorrindo um pouco. Sumie balbuciou algo para o bebê nas minhas costas e então parou; vimos o temor se espalhar pelo rosto de Yukako enquanto ela lia o conteúdo sucinto do pergaminho na caixa. Em pânico, ela se levantou de súbito e correu para baixo, Sumie, Zoji, e eu mesma seguindo-a, confusos. Sumie pegou guarda-chuvas para ela e para Yukako, e eu parei na cozinha para pegar um balde de água e uma xícara de chá para o cavaleiro, que parecia insultado com o desfile de mulheres e crianças. Os nossos quimonos lisos, percebi, pareciam uniformes de criados para ele.

— *Eu sou a única filha do Mestre Professor* — começou Yukako, dirigindo-se ao homem, com orgulho e cautela, enquanto a chuva escurecia as pedras ao nosso redor.

Ao meu lado, Sumie perguntou ao mensageiro sobre um homem que compartilhava o nome da família dela, *Matsudaira*. Seria o pai dela? Os meus olhos se desviaram para a rua enquanto o homem dava sua demorada resposta. Dava para ver o contorno de um palanquim a uns 20 metros de distância, menor do que o do Sobrinho ou o das cantoras; guarda-chuvas de papel abrigavam as minúsculas luzes dos cachimbos dos carregadores. Quem eles estariam esperando? Quando olhei de volta para o cavaleiro, Sumie pareceu tranquilizada pela resposta dele, e Yukako mais perturbada. Ela pediu que ele ficasse no portão coberto de colmo; o rosto dela estava tenso de preocupação quando se voltou para Sumie. O que o mensageiro teria contado a ela?

— *Será que devemos contar ao filho do Lorde Ii?* — perguntou ela.

Eu já tinha percebido que ela evitava dizer o nome de Akio na frente de outras pessoas, exceto eu.

— *Será que ele está acordado?* — perguntou Sumie.

— *Sim* — eu disse. — *Tem visita: uma mulher.*

Yukako voltou-se para mim.

— *Que tipo de mulher?* — perguntou rispidamente.

— *Uma mulher com sapatos de homem* — respondi, satisfeita comigo mesma.

A minha alegria com o desabrochar das minhas habilidades linguísticas não foi compartilhada. Yukako nada disse, e sem hesitar dirigiu-se ao anexo de Akio.

— Espere! — disse Sumie, impotente, estendendo dois guarda-chuvas. Peguei um e fui atrás de Yukako, ofegando, com Zoji urrando nas minhas costas, enquanto Sumie ia na retaguarda, o som dos seus pés se arrastando pelo chão abafado pelo barulho da chuva.

Apressamos o passo quando chegamos perto da casa, abrigando-nos sob o beiral. Observei Yukako em frente à porta de Akio por um momento, o rosto iluminado por uma lâmpada brilhando através do papel *shoji*. No meio da chuva, ouvimos a voz de uma mulher que cantava flutuar em nossa direção, seguida de risos. Yukako arregalou os olhos, a boca permaneceu uma linha fina. Ouvimos Akio rir.

— *Pequena Koito.*

Yukako não olhou para nós. Ela respirou fundo e gritou, a voz alta mas trêmula:

— *Quem é Pequena Koito?*

Eu ofeguei quando as vozes silenciaram. Sumie escondeu o rosto com a manga. Ouvimos sussurros dentro do aposento, em seguida passos se aproximando da entrada, e então uma voz feminina, baixa e firme:

— *Sou eu* — disse a mulher, e abriu a porta.

Quando dissera o nome dela, Akio havia usado um apelido para bebês e irmãs mais novas, *bo*. Eu não conseguia imaginar que alguém pudesse chamar aquela mulher de *pequena* qualquer coisa. A mulher — que aparentava ter 19 anos, comparados aos 16 de Yukako — olhava para a sua desafiante com a segurança de uma rainha. Nós três estávamos hipnotizadas por seu rosto pintado de branco, recatado e arrogante ao mesmo tempo, o toque felino da boca vermelha e brilhante. Ela era ainda mais bonita do que Yukako.

Eu nunca tinha visto Yukako de outra forma que não como uma adulta, mas naquele momento, os olhos fixos na mulher mais baixa no degrau acima dela, ela parecia arisca, imatura. Tudo a respeito de Yukako dava uma impressão de solidez, brilho e busca, enquanto tudo a respeito daquela mulher, Koito, dava uma impressão de sutileza e experiência. Ela também brilhava, mas com um tremeluzir de aço, a orquídea negra do cabelo dela ameaçadora com seus grampos. Enquanto a faixa de Yukako parecia engomada e formal, a *obi* de brocado negro de Koito, pontilhada de violeta e atada com um cordão prateado, parecia macia e lustrosa, um pedaço de seda vermelha aparecendo onde a faixa se encontrava com o quimono, azul-esverdeado na noite chuvosa. Quando vi a cor, fiquei sem ar e olhei de novo: ela estava usando o quimono de Yukako.

7

1866

ENTÃO TUDO ACONTECEU muito rápido: as mãos de Yukako nos ombros de Koito, a cabeça penteada de Koito balançando como uma almofada para alfinetes enquanto Yukako a sacudia, lívida, palavras se repetindo na chuva:

— *Meu! Meu!*

Koito se abaixando para pegar suas sandálias, Yukako agarrando-as. Koito uma série de lampejos iluminados pela parede de papel *shoji* da casa: preto, vermelho, azul-esverdeado, ramo marrom e flores brancas, a chuva fazendo escorrer a pintura branca do seu rosto. A voz de Yukako uma faca. As meias vermelhas e molhadas de Koito enquanto ela se virava para ir embora, desafiadoramente sem pressa. Os tornozelos duas listras brancas. Uma mão segurando as saias, a outra protegendo os olhos. Yukako fitando Akio, as sandálias de Koito caindo de sua mão; o rosto dele paralisado enquanto absorvia nossa presença, não em pânico, mas com desdém. Em algum momento Sumie tirara Zoji, que gritava, das minhas costas: por um instante, enquanto Koito contornava a casa e Sumie embalava o bebê, o único som era o da chuva intensa. Então Yukako virou-se de costas para o aposento iluminado, recompôs o rosto, apontou para o meu guarda-chuva e depois para o caminho que Koito tomara. Olhei para ela atônita, até que me dei conta de que ela queria proteger o quimono que Koito estava usando.

— *Era da minha mãe* — explicou.

Ela nunca tinha falado comigo com tanta frieza antes. Eu corri.

Koito se inclinou quando a alcancei, uma pequena reverência, como se não se importasse com o quimono encharcado, os pés descalços, a pintura de seu rosto escorrendo. Mesmo assim, tomou o guarda-chuva, serena como uma dançarina, e passou rapidamente pelo cavaleiro aturdido no portão. Ele olhou para mim buscando uma explicação, mas então se lembrou de que eu tinha um problema mental e olhou para o outro lado. Enquanto eu me detinha no abrigo do portão esperando uma pausa da tempestade, avistei as luzes dos cachimbos dos dois homens que eu vira antes: o palanquim era para ela.

Olhei para o cavalinho paciente, seus olhos escuros refletindo a lanterna do cavaleiro. Estava usando sapatos de palha novos; os velhos estavam cuidadosamente empilhados perto do portão. O cavaleiro tossiu e me perguntou, lenta e claramente:

— *Ele vem?*

Eu não sabia, mas então Akio se aproximou, com as espadas na bainha, o corpo bonito mas debilitado quase entrelaçado no cabo do guarda-chuva enquanto se aproximava do portão, tremendo. Ele falou rapidamente com o cavaleiro e eles montaram, um dos braços de Akio em volta do mensageiro, o outro segurando o guarda-chuva sobre os dois. Nenhum dos dois olhou para mim quando partiram.

Corri de volta para o quarto de Akio: estava vazio, a lâmpada ainda acesa, o futon estendido, o mosquiteiro balançando com a brisa úmida. Sentei-me em silêncio por um momento, esfregando a pele arrepiada dentro das minhas mangas molhadas. Lembrei-me do olhar acusador de Yukako quando fui ao quarto dela: a concha que ele tinha entalhado tinha desaparecido, e eu era a culpada óbvia. É claro que ela iria pensar que eu tinha pegado o quimono. Novamente ouvi o gelo em sua voz, não apenas um choque, mas ira: *Era da minha mãe.* Se eu não agisse, o que seria de mim?

Quando fiquei mais velha, ficava imaginando por que Akio vestira Koito com o quimono de Yukako. Ele estava enamorado daquela mulher — teria ele desejado simplesmente dar-lhe a coisa mais bonita à mão? Ou perdera a paciência com seu destino — será que tinha prazer em buscar a destruição de seu futuro casamento sob o teto do seu futuro pai adotivo? Talvez fosse uma resposta à discussão com Yukako: será que ele gostava da fantasia de tê-la sem os aborrecimentos da vida real?

Quando fiquei ainda mais velha, aprendi que o simples ato da substituição gera seu próprio glamour erótico. Naquela noite, contudo, com medo da sina que eu tinha evitado até então — dos seus dedos de freira na minha nuca —, eu estava preocupada não com o motivo por que ele tinha pegado o quimono, mas *como*. Eu tinha sido tão estúpida, tão entusiasmada comigo mesma, contando a Akio exatamente o que ele precisava saber. Como deve ter sido fácil para ele, enquanto Yukako e eu estávamos na casa de Sumie, pegar de volta a concha que fizera quando pegou o quimono. Contudo, pensei, se Akio tivesse conseguido caminhar, ele teria sido obrigado a trabalhar naquela manhã como o restante de nós, e ele mal conseguira cambalear até o cavaleiro. Ele teria precisado de um cúmplice, alguém que não atraísse nenhuma atenção se entrasse no quarto de Yukako — e eu tinha me recusado.

Eu sabia quem o fizera. Talvez Akio tenha simplesmente pedido a concha quando pediu o quimono de Yukako, mas havia uma boa chance de não ter sido assim. Eu iria arriscar, resolvi, e apaguei a luz.

No caminho para o portão coberto de colmo, vi Yukako de pé com Sumie, esperando para se despedir da comitiva imperial. Embaixo do guarda-chuva, seu rosto era uma máscara fria. Passando escondida por ela, circundei a casa até a porta da cozinha. Deslizei silenciosamente pelas tábuas lustradas e pelos tatames que eu limpava todos os dias (procurando, diariamente, minha medalha de Santa Clara), atravessei a cozinha até o gabinete que ficava junto ao jardim, onde o Montanha dormia e fazia as refeições, passei pelo corredor até a Sala Comprida, onde os estudantes dormiam, cada um com um travesseiro de madeira com o seu nome pintado — eu sabia disso porque às vezes ajudava Chio a servir o café da manhã. Naquela noite, enquanto meus olhos se ajustavam ao espaço nu dos tatames escuros da Sala Comprida, abri a porta de papel que escondia a roupa de cama dos estudantes. Eu tinha razão: o travesseiro na prateleira mais humilde era o mesmo que ficava no ponto mais exposto às correntes de ar nos meses frios, e no ponto mais abafado nos meses quentes. Pertencia ao estudante do Montanha de posição mais inferior, o rapaz da tigela quebrada. Com a ponta dos dedos, eu podia sentir o nome dele pintado — a primeira sílaba era um dos poucos caracteres que eu conseguia ler, o mesmo que eu tinha visto gravado na encosta no meu primeiro dia em Miyako: *grande*, que se pronunciava *oh* ou *dai*. Aquilo que eu estava procurando na gaveta do travesseiro de madeira encontrei pelo tato.

De volta ao quarto de Yukako, olhei para a concha de Akio: ainda estava envolta em papel branco, com o selo dele, o embrulho ainda amarrado com fio vermelho. Desde o furto, entretanto, uma linha negra de caligrafia tinha aparecido ao lado do selo vermelho: o nome de Akio, eu soube mais tarde, e seu título samurai. Yukako me dirigiu um olhar implacável quando ela e Sumie subiram — a repulsa da traição no rosto dela dissolveu-se quando ela viu o que eu segurava. Ela soube imediatamente que aquela não era a letra de Akio, nem poderia ser minha; ela fez um sinal com a cabeça quando eu lhe disse onde tinha encontrado a concha.

— *Irmã Mais Velha?* — eu disse.

Ela prestou muita atenção enquanto eu lhe contava como Akio me pedira o quimono e como eu havia prometido não contar a ninguém. Gaguejando, tentei explicar como o Menino Vara devia tê-lo contrabandeado para fora do quarto dela dentro do barril de água (Akio era muito esperto!), como ele devia ter levado a concha de chá de Akio também. Eu percebia que ela não estava absorvendo nada: nem a minha aflição, nem a minha culpa, nem a minha inocência. O desespero que ela mantivera sob controle ao sentir raiva de mim transbordou; ela não me ouvia.

— Ura-*bo* — disse ela entorpecida, e eu tirei do nome todo o consolo possível.

Ela guardou a concha na manga e saiu para passar a noite sozinha na Baishian.

ENQUANTO ESTÁVAMOS deitadas no quarto de Yukako, ouvindo a chuva que batia nas telhas, Sumie respondeu minhas perguntas, atrapalhada por ter que podar sua linguagem suave e elegante e transformá-la em frases toscas que eu pudesse entender. Com a morte do irmão de Yukako, o Montanha precisava que Yukako se casasse com um homem que ele pudesse adotar como herdeiro. (Quando finalmente compreendi a palavra herdeiro, Sumie me contou como Hiroshi tinha feito uma pipa para ela no verão — naquele verão, pensei — antes de morrer. Como ele gostava de gengibre. Como sua flauta soava dolorosamente doce.)

O pai de Akio era o Lorde Ii de Hikone, no outro lado do lago Biwa; um de seus parentes fora assassinado, eu soube mais tarde, por assinar um tratado com os bárbaros estrangeiros. O Lorde Ii tinha dois filhos, contou-me Sumie, Akio e seu irmão mais velho Tadao, o herdeiro. O cavaleiro no portão cavalgara durante dois dias, vindo de uma batalha no sul, para dar a notícia de que Tadao estava morto, e Akio partira com o mensageiro para a casa que seu pai mantinha em Miyako. Agora que Akio, filho único, era o herdeiro de seu pai, não poderia mais se casar com Yukako.

— *E Koito?*

— *Conveniente, talvez. Não dá para evitar.*

Embora fosse muito clara em relação às questões de herança, Sumie era muito vaga, ainda que visivelmente perturbada, acerca da aflição de Yukako. Eu a estimulei, vasculhando minha mente à procura da palavra que eu queria: *ciúme*.

— *Ele tem outra noiva* — outra *prometida*, tentei. — *Ela não sabia?*

Você é lenta *mesmo*, era o que dizia o rosto de Sumie.

— *A Srta. Koito é uma* geiko — disse pacientemente. Uma cantora, o que meu livro de gramática chamava de *geisha*.

— *Ninguém se casa com uma* geiko.

Mas ele a ama, eu queria dizer, *talvez mais do que ama Yukako*. Mas a construção era difícil para mim, e — para a minha surpresa — eu não sabia a palavra para *amor* em japonês.

— *Mas ele gosta da Srta. Koito* — eu disse.

— *E daí?*

— *E daí que ele deveria se casar com ela.*

— *Gostar e casar não combinam.*

— *É mesmo?*

Eu imaginava que alguém que falava de forma tão meiga e distraída seria melancólica e romântica, mas Sumie disse:

— *Todos os maridos gostam das* geiko. *É ruim para uma mulher gostar do marido. Gostar é ciúme.*

Era essa a palavra! Eu a tinha ouvido em histórias que ela e Yukako liam em voz alta uma para a outra.

— *Quem é bom de se gostar?* — tentei perguntar.

— *Bebês!* — respondeu Sumie, como se fosse a coisa mais óbvia do mundo.

Ela trouxe a vela até o braseiro cheio de cinzas onde Yukako treinava o seu *temae. Homem,* ela desenhou nas cinzas com uma tenaz: uma caixa preenchida com linhas cruzadas sobre um caractere que parecia a letra *k. Mulher* — pude distinguir um traço estreito com uma grande barriga quando Sumie mostrou-me a cabeça, o tronco e os pés. *Bebê*: uma forma curvada como o número 3, ou, se eu olhasse com os olhos meio fechados, como o pequeno Zoji, com uma fita comprida para que eu o atasse às minhas costas.

— *Entendeu?* — disse ela, desenhando um novo caractere composto dos dois anteriores. — *Gostar é mulher e bebê, não mulher e homem.*

Deitamo-nos no futon novamente. Eu nunca conseguiria ler em japonês.

— *Yukako gosta do Sr. Akio* — ousei dizer.

— *Esse é o problema* — disse Sumie.

AO DESPERTAR COM um movimento brusco quando começava a amanhecer, lembrei-me de algo que tinha visto no quarto de Akio: o corpinho redondo e o pescoço fino e comprido do *shamisen* de três cordas da cantora. Corri para a enfermaria e, quando cheguei, encontrei-o no chão. Ao lado, havia uma grande palheta em formato de leque, pintada com uma estampa de redemoinho. Coloquei-os em uma caixa e em uma bolsa que encontrei num canto, pintada com as mesmas espirais de água; talvez aquilo me ajudasse a recuperar o quimono de Yukako.

Mais tarde naquela manhã, depois que Sumie foi para casa, uma criada de olhos estreitos veio à porta da cozinha pedir para trocar uma palavra com a minha senhora; ela tinha redemoinhos estampados no quimono e uma carta na mão.

EU LI A CARTA DE KOITO muitos anos depois, a única outra vez que mexi no travesseiro de alguém sem permissão. Não encontrei o que procurava no travesseiro de Yukako, mas vi uma vida de coisas dignas de preocupação. Todos os poemas de Akio, dobrados em tambores de origami. Um ramo prensado de salgueiro. Um corte de seda branca amarelada. E um bilhete escrito em um papel azul manchado, com caligrafia de mulher, treinada e graciosa e ao mesmo tempo utilizada como se a mulher não estivesse certa a respeito do grau de instrução da pessoa a quem o bilhete se destinava. As palavras eram claras e fortes, quase como se tivessem sido impressas, em caracteres fonéticos japoneses, sem os caracteres chineses usados pelos homens:

Ela não sabia que vestia
As asas de um grou. Pode o
Tordo mudo reparar suas faltas?

Era um poema japonês menos direto, o "k" e o "a" duros de "não saber" e "mudo" pungentes e humildes, *shira ̧zu, kikenai*; o caractere sinuoso para *tsu* — uma única pincelada curva — serpenteando humildemente entre as palavras para "grou", "tordo" e "reparar as faltas": *tsuru, tsugumi, tsugunau.* Em uma cidade sem nomes de ruas, Koito reforçou a eficácia do seu pedido de desculpas fazendo com que eu aprendesse o caminho de sua casa: se eu seguisse a criada, então Yukako poderia visitar a senhora a qualquer hora, contanto que eu me lembrasse da longa caminhada até Pontocho, o bairro das gueixas perto da Quarta Ponte.

Quando chegamos, eu sabia que estivera certa: o embrulho esperando por mim no vestiário da casa estreita na qual entramos tinha o tamanho e a forma de um quimono, mas mais volumoso, como se a patroa da menina tivesse acrescentado um presente também. Senti-me muito satisfeita comigo mesma.

— *Você gostaria de um pouco de chá?* — perguntou a menina.

Ela tinha a minha idade, os olhos bem próximos e alegres. Eu tinha seguido o nó da sua *obi* xadrez amarela da minha casa até a dela, observando sua postura evoluir de apreensão curvada para animada autoconfiança. Quando começamos a andar, eu não conseguia compreender aquela voz alta e monótona me oferecendo algo — o quê? No entanto, comecei a compreender o que dizia quando já estava me guiando através de Pontocho, cumprimentando pessoas na rua estreita pelo nome.

— *Bom dia, Tia! Como está a menina? Ainda tem gatinhos? Acha que vai chover de novo?*

A reverência dela era mais acentuada do que a de qualquer outra jovem do bairro das cantoras — onde as escalas de *shamisen* chiavam de todas as janelas e cabeleireiras visitavam casa após casa, com suas caixas de ferramentas de madeira quase mais altas do que as criadas que as carregavam —, mas sua voz soava tão alto quanto a voz de qualquer vendedor ambulante em Nova York. Não entendi boa parte do que ela disse, especialmente para as velhinhas, a quem chamava de Tia — pelo tom da conversa estavam falando de enfermidades que eu não conheceria nem mesmo em francês —, mas eu estava contente de ter entendido tanto. Entendi claramente quando as pessoas respondiam os cumprimentos dela: *Srta. Inko,* cantavam em resposta. Embora detestasse essa moça, a Srta. Inko, por princípio — já que era criada da inimiga de Yukako —, eu invejava a indiferença cheia de autoconfiança com que ela pôs a bandeja ao meu lado no banco do vestiário.

— *Gostou do seu doce?* — disse uma voz.

No interior de tatame da casa, com o rosto sem pintura, estava Koito. Tentei me concentrar na horrenda vaidade dos dentes escurecidos e da ausência de sobrancelhas, mas eu os vira com tanta frequência em mulheres nas casas de banho que, em vez disso, fiquei fascinada com a prata no quimono de gaze cinzenta e com o botão vermelho de sua minúscula boca.

O que ela tinha dito? Não conseguia me lembrar.

— *Muito obrigada* — tentei responder, mais cordialmente do que era a minha intenção.

Quando ouviu meu sotaque, ela me examinou com mais cuidado. Naquele momento vi em seu rosto o mesmo misto reprimido de curiosidade, diversão, pena e nojo que eu frequentemente provocava, normalmente antes de o observador concluir que eu era um acidente da natureza, mas também vi algo mais, um lampejo de identificação ou compaixão. Enquanto Yukako forjava o seu próprio tipo de esplendor, eu tinha visto imagens suficientes em livros para perceber que Koito era uma verdadeira *bijin*, um ideal japonês de beleza. O que ela via em mim com o que se identificar?

— *Você* a*inda não provou* — provocou, apontando o chá e a caixa de cerâmica tampada que Inko colocara ao meu lado.

Ah, claro — ela tinha perguntado sobre um doce! Levantei a tampa e vi uma bolinha macia de pasta de feijão colorida, verde de um lado, violeta do outro, e com uma pincelada de folha de ouro na parte de cima. Para mim? Fiz uma reverência bem baixa em agradecimento.

— *Ayame* — disse ela antes de desaparecer: íris. Ouro imitando a mancha amarela em cada pétala, percebi encantada.

O sustento de Koito dependia de que ela fascinasse os outros, até mesmo meninas que gostavam tanto de doces como eu. No entanto, isso não me ocorreu enquanto eu carregava para casa meu embrulho pesado, ansiosa contra a minha vontade para ver Yukako abri-lo. Acima de mim, mulheres sacudiam seus colchões sobre o parapeito das suas sacadas para arejar; a rua Pontocho era tão estreita que a roupa de cama pendurada quase formava um arco de futon. Somente depois de uma revolução e de uma guerra civil eu voltaria a ver aquele bairro, antes que as mudanças que arruinaram o Japão quase destruíssem Yukako também. Naquele dia, as mulheres vinham às janelas com frequência: eu vi persianas de bambu sendo recolhidas, rostos inclinados em direção ao sol em meio a nuvens espessas, mãos estendidas, testando o ar pesado.

NAQUELA ÉPOCA eu não sabia por que Koito tivera tanto trabalho com os dois quimonos que enviou para casa comigo. Naquela noite, depois do banho, Yukako os desembrulhou, e aprovou friamente com um movimento da cabeça enquanto estendia o presente da cantora sob a luz da lâmpada. O que parecia à primeira vista largas listras pretas e brancas, salpicadas aqui e ali com ouro, mostrou ser gaze de seda crua sutilmente tecida em um padrão de peixes em um riacho, com as costas douradas onde eles se erguiam da água. Yukako dobrou o quimono calmamente e então voltou-se para o seu próprio, inspecionando cada centímetro imaculado. Antes, o quimono, como a maioria, era forrado com dois tecidos. Qualquer área que pudesse ficar visível — as mangas, as bainhas, os debruns e a gola — era forrada com seda vermelha macia, um contraste intenso e feminino com o crepúsculo carregado do lado de fora. As áreas escondidas eram de um tecido mais grosseiro, frequentemente branco, nesse caso amarelado e manchado pelo tempo. Koito, contudo, tinha forrado novamente o quimono inteiro com seda de boa qualidade, a cor exatamente igual ao tecido anterior, mas a textura era tão luxuosa e maleável como a camurça. Ela tinha incluído o forro original, um quimono fantasma, que Yukako estendeu no ar: os olhos arregalados quando percebeu que o tecido estava esgarçado e rasgado nos ombros onde ela tinha sacudido a gueixa. Enquanto ela chorava na cama, eu a envolvi em meus braços: dava para sentir as costas dela se expandindo enquanto ela ofegava.

NAQUELA MANHÃ o pai de Akio, o velho Lorde Ii, viera falar com o Montanha enquanto os criados esvaziavam a enfermaria. O Lorde Ii estava de preto, em luto por seu filho mais velho, e a palidez apática de Yukako combinava com a dele quando ela lhe trouxe vinho de arroz. O Menino Vara tinha faltado à aula do dia: eu o encontrei junto ao córrego perto da torre-depósito. Longe da casa, ele estava curvado sobre algo, magricela e nu, exceto por uma tanga. Quando me aproximei um pouco mais, vi que estava esfregando um de seus quimonos na água do córrego. O cheiro de excremento humano chegou a mim e eu entendi a vingança de Yukako. Fiquei tão feliz por ela ter acreditado em mim: afinal, nós duas o tínhamos visto descendo a escada ofegante com o grande jarro de água dela. Fiquei imaginando por que ele fizera aquilo. Eu sabia que os estudantes do Montanha, tão conscientes da posição social como Madame Cachimbo, mantinham um tipo de barreira entre os filhos dos mercadores — o Menino Vara e o Urso — e os rapazes samurais — Akio, o Botão e os outros. Talvez — eu imaginava — o Menino Vara tenha ficado lisonjeado quando Akio lhe pediu o favor que eu recusara. Talvez ele quisesse ser alguém como Akio. O bastante para roubar a concha? Talvez.

Yukako parou de chorar. Ficou deitada de lado junto aos dois quimonos, imóvel exceto por um dos pés, que descrevia um círculo obsessivo no futon.

— *Não posso usar nenhum deles* — murmurou, fitando a escuridão.

Ela não comera o dia todo. Agarrou o antigo forro e chamou baixinho, e pela primeira vez não vou escrever o que ela disse em itálico porque absorvera a palavra imediatamente, sem pausar para me dizer que era em japonês. Desamparada, singela:

— Mãe...

8

1866-1869

QUANDO MOREI PELA PRIMEIRA vez em Miyako, agora conhecida como Kyoto, as noivas eram carregadas pela rua em palanquins suntuosos, uma tradição de séculos. Os muito ricos andavam assim o tempo todo, em cadeirinhas cobertas carregadas por dois jovens robustos ou em liteiras elegantes como aquela na qual eu tinha sido contrabandeada para dentro da cidade. Como poderíamos adivinhar que em alguns anos somente os mortos seriam carregados assim, ou que as ruas se encheriam de máquinas barulhentas cujo nome ninguém ainda imaginara?

O CASAMENTO DE AKIO E SUMIE foi um assunto reservado, ouvi dizer, um lampejo de cor após o negro do luto que todos nós usamos pelo filho do Lorde Ii, Tadao, morto enquanto lutava com os rebeldes do sul na Batalha de Mori.

Abalado pela morte do seu primogênito, o velho criador de cavalos resolveu casar seu filho mais novo o mais rápido possível, voltando-se para o Montanha em busca de conselho para mostrar que não havia nenhum ressentimento entre eles. Na manhã da visita dele, eu estava na porta, entregando os pratos para Yukako servir aos dois homens. Eu estava lá quando o Montanha mencionou o nome de Sumie: vi Yukako parar de respirar por um momento. O frasco na bandeja que ela segurava balançou; ela ficou totalmente imóvel. Depois que o Lorde Ii partiu, ela foi para a torre-depósito, enterrou a cabeça em uma pilha de colchas de inverno e gritou. Da janela de onde eu estava espiando eu mal podia vê-la: ela estava tão oculta — tão reservada — que eu evitei ir atrás dela para consolá-la. Naquele dia ela ficou de cama.

Quando Yukako não fez a visita rotineira ao cabeleireiro, Sumie apareceu com seda de presente.

— Mande-a embora — Yukako me pediu no quarto do andar de cima.

Lembro-me de como Sumie baixou os olhos quando eu lhe transmiti a mensagem, o olhar suave, culpado e ferido.

Embora a família não estivesse mais usando luto, no dia do casamento Yukako vestiu os mesmos quimono e *obi* negros que tinha usado por um mês. Senti que estava sendo desleal por querer ver Sumie passar pela rua em um palanquim, mas ainda assim perguntei:

— O casamento não é hoje?

— É mesmo? Bem, eu já estou vestida, não é? Por favor, diga ao meu pai que não posso ir: estou doente.

Ela não estava.

O PROTESTO DE YUKAKO durou apenas alguns dias, antes que o Xogum morresse e todo o Japão vestisse negro por ele. Um rapaz enfermo de 20 anos, ele tinha ido para o Castelo de Osaka para liderar milhares contra os rebeldes do sul, mas acabou morrendo entre os muros do castelo de beribéri, a doença da cidade, uma enfermidade que ninguém sabia ainda que era causada por uma dieta baseada principalmente em arroz branco refinado. Durante um ano, milhares de samurais — o irmão de Akio e o pai de Sumie entre eles — esperaram no Castelo de Osaka para atacar os rebeldes, e todos os dias Chio selecionava cenouras e berinjelas da pequena horta do marido para um mascate que podia comprá-las, pagar a passagem até Osaka, e ainda obter algum lucro vendendo comida para os soldados. Durante as semanas de luto, soubemos que estavam ocorrendo distúrbios em Edo e Osaka por arroz.

O jovem Xogum fora facilmente influenciado pelos Matsudaira, seus parentes mais belicosos. (A família de Sumie era um ramo menos importante do vasto clã Matsudaira.) Em contraste, seu substituto, um primo distante, se estabeleceu próximo ao Imperador em Miyako para pedir à Sua Alteza que apoiasse o fim da malfadada investida do Xogum anterior no sul. Durante cerca de 250 anos as relações entre o Xogum e o Imperador tinham sido como as relações entre Madame Cachimbo e seu marido acamado: embora ela se curvasse diante dele e agisse somente em seu nome, ele era completamente dependente dela. Com a chegada de estrangeiros, entretanto, o poder dos Xoguns começara a enfraquecer, e eles precisavam ainda mais de revestir-se da autoridade do Imperador. Embora os Xoguns anteriores tivessem vivido em Edo, a duas semanas a pé de Miyako, o novo Xogum passou quase todo o seu curto reinado no Castelo Nijo, a uma caminhada de quarenta minutos da casa dos Shin. Durante um ano tivemos tanto o Imperador quanto o Xogum em Miyako, e a horta de Chio e Matsu prosperou.

Apenas dois dias depois da investidura do novo Xogum, o velho Imperador morreu em sua cama, e o Japão inteiro ficou de luto novamente. Lembrome do meu primeiro inverno em Miyako como um turbilhão de flocos de neve brancos e quimonos pretos. Limpamos a casa durante dias até que as ameixeiras dessem flor na neve, e então o ano-novo rompeu com os sinos dos templos e os fogos de artifício proclamando o novo Imperador: um menino de 15 anos.

Eu nunca soube o nome do Imperador até que deixei o Japão; não era para o povo saber. Nós o chamávamos de Imperador. Mas no ano seguinte ele mudou o nome da era de *Keio*, Grande Alegria, para *Meiji*, o Império Esclarecido. Até a Era Meiji, o Japão tinha visto tantos incêndios, tanta fome e tantas epidemias de cólera em tão pouco tempo que os astrólogos da corte mudavam frequentemente o nome da era, numa vã tentativa de se esquivar da má sorte. Nenhuma das últimas seis eras tinha durado mais de seis anos. Como parte do seu Império Esclarecido, o novo Imperador silenciou os astrólogos da corte, anunciando que dali em diante o nome da era iria mudar somente com o Imperador.

Por isso hoje, se queremos nos referir a ele, dizemos o *Imperador Meiji*: aquele que reinou de 1867, o ano anterior ao Primeiro Ano da Era Meiji, até a sua morte, no Ano Quarenta e Cinco.

YUKAKO PASSOU os seis meses entre a Batalha de Mori e a coroação Meiji usando o mesmo quimono preto. Ela ficava na cama, lendo os poemas em seu travesseiro e pedindo algo para beber. Eu subi tantas vezes pela escada íngreme trazendo chá que fiz um corrimão de corda para mim após cair duas vezes.

Eu a deixei em paz. Aprendi japonês com o pequeno Zoji. Levei o chá dela. Esperei, e dei-lhe tanto tempo quanto o que passei no navio em que eu viajara, carregando a morte da minha mãe no coração, e então, na virada do ano, eu a forcei de volta à vida.

— Amarre a minha *obi* em forma de asas de borboleta! Eu quero sair e ver todo mundo arrumado para o ano-novo. Sumie está grávida? Quem se importa? Você quer seis filhos como a mãe de Sumie?

Ela amarrou a faixa. Ela me levou. Ela disse não.

— Jamais me casarei — resolveu. Ela pôs um quimono novo — estrelas brancas em uma noite azul, um toque de cáqui nas mangas e nas bordas —, abriu as janelas e fez o *temae* pela primeira vez em seis meses, hesitante, mas determinada. Ela não comprava doces desde antes do anúncio do noivado de Sumie; ela se ajoelhou ao meu lado no vento cheio de neve com uma bandeja de biscoitos em forma de leque feitos no verão. Eu comi um; havia tempos o biscoito tinha perdido sua consistência crocante, por causa dos meses úmidos, mas o chá enxaguou tudo em um gole verde. Quando devolvi a tigela de chá, ela olhou para mim, abatida mas firme, e fez um leve movimento com a cabeça, e eu a convidei formalmente, que eu me lembre, para se juntar a mim e beber uma tigela.

— Não, faça a reverência assim — disse ela, corrigindo-me.

— Eu me esqueci — eu disse. — Obrigada.

— É por isso que estou aqui — disse ela, como seu pai costumava dizer aos alunos dele.

Suas próprias palavras pareciam surpreendê-la e agradá-la. Ela serviu água de uma chaleira de ferro, misturou o chá e bebeu intensamente, levando a tigela à boca com as duas mãos, as mangas do seu quimono se agitando no ar revigorante. Uma figura sólida, nítida, em contraste com a neve que caía torrencialmente, ela terminou seu chá com uma inspiração acentuada, do jeito que me ensinara, mas ainda mais alto, como se estivesse aspirando todo aquele dia. E então, como os professores fazem com frequência, ela infringiu as regras, estendendo a mão para provar os doces velhos.

— Bem, era o que eu tinha — ela disse, enojada. Guardou os apetrechos do chá e ajeitou o laço em forma de borboleta da minha *obi*. — Vamos fazer uma caminhada — propôs. — Vamos comprar doces de gengibre.

NOS MESES QUE se seguiram a cidade ficou cheia de soldados, tanto das tropas do Xogum como das dos rebeldes do sul, samurais de Satsuma e Choshu, que eram aliados do avô materno do novo Imperador. Por causa dos tempos inquietos, o Montanha não pediu a Yukako que pensasse de novo em casamento naquele ano. Uma noite, bem tarde, no Décimo Primeiro Mês, depois que a primeira geada cobriu de branco as varandas, as tropas do sul substituíram todos os samurais do Xogum do lado de fora do Palácio Imperial e ocuparam a área. Quando o avô Satsuma do Imperador reuniu todos os senhores e nobres, o jovem Imperador apareceu diante deles para ler um manuscrito anunciando que estava reivindicando o poder e a terra que seus ancestrais haviam confiado ao clã do Xogum.

Essa foi a Restauração Meiji: como o sul usou o Imperador para derrubar o Xogum. Se o Xogum havia sido como uma esposa vigorosa para um marido acamado, eu imaginava a turba samurai do sul — invadindo com seus gritos de "Restituam o Imperador! Expulsem os bárbaros!" — como a mocinha desavergonhada que a suplantou, apenas para ser suplantada tão rapidamente quanto pela reservada e astuta irmã mais velha que a tinha empurrado para os braços dele. Os líderes dos desorganizados rebeldes samurais deram lugar a uma oligarquia de senhores e mercadores sulistas que achavam que o Japão lucraria não expulsando os estrangeiros, mas aprendendo com eles. Encenar uma revolução e chamá-la de restauração foi um movimento brilhante, mas embora os samurais rebeldes do sul reivindicassem poder para o Imperador, eles não estavam preparados para o fato de que ele — aconselhado por seus patrícios mais ricos — iria pô-los ae lado para mantê-lo.

EM ALGUNS LUGARES a luta chegou a durar um ano e meio, mas Edo foi subjugada no verão, e o Imperador foi em pessoa ver sua cidade recém-reivindicada. Nossa escola se alinhou na rua com o resto da cidade quando ele partiu com seu cortejo de nobres: ajoelhamo-nos com as cabeças tocando a poeira enquanto os milhares do império passavam em silêncio. Eu espiei. Camadas e camadas de brocado de quimono refulgiam sobre os corpos; homens desfilavam, montados em cavalos lentos simplesmente para que suas roupas não arrastassem no chão. Eu nunca vira nada tão solene, tão caleidoscópico, tão magnífico. Yukako empurrou minha cabeça de volta em direção ao chão de terra batida, mas não sem antes espiar ela mesma. Na viagem de volta, tão esplêndida quanto a ida, nos alinhamos nas ruas novamente, e espiamos mais uma vez.

Um ano mais tarde, no Segundo Ano da Era Meiji, completei 13 anos. O Imperador foi para Edo novamente, e pela terceira vez nos prostramos na rua. Quando espiei, dei um suspiro. Yukako me chutou e ela própria suspirou.

No ano entre as duas procissões soubemos que o budismo se tornara ilegal; todos os sacerdotes e monjas teriam de deixar seus templos e voltar à vida secular. Todas as imagens budistas foram retiradas dos santuários xintoístas; todas as imagens xintoístas foram retiradas dos templos budistas. Os sacerdotes e as estátuas se dispersaram por alguns meses e reapareceram, a maioria como se nada houvesse mudado. Da mesma forma, dois anos depois os *eta*, os descendentes impuros de açougueiros e pessoas que trabalhavam com couro, foram declarados cidadãos plenos. Isso não significava nada para mim naquela época: eu não entendia as palavras nem via novas atitudes. Nas raras ocasiões em que o Montanha encomendava carne de porco para seus convidados, vinha o mesmo homem de sempre, e como sempre, Chio lidava com ele cautelosamente, realizando os negócios do lado de fora do portão da criadagem, borrifando a soleira com água depois que ele partia.

Por isso, embora tivesse ouvido que o Imperador modernizara a corte, eu não esperava nada de novo quando centenas de homens desfilavam pela rua, alguns montados em cavalos, a maioria a pé. Ao longe um palanquim, como um relicário levado pela cidade durante um dia de festival, pairava sobre as ruas e multidões. As semelhanças com o progresso do ano anterior, no entanto, terminavam aí: todos estavam usando roupas ocidentais. No doce ar de maio do Terceiro Mês, essa companhia de homens com o cabelo untado para trás em topetes marchava em chamativas calças listradas e fraques, os ombros estufados com ombreiras absurdas, os torsos parecendo almofadas para alfinetes com faixas, medalhas e galões. Eu não via calças havia três anos e para mim elas pareciam talos, como troncos: algo caricato. Eu e Yukako não podíamos comentar o que tínhamos visto pois não deveríamos ter espiado.

Entre essas duas procissões, o Imperador lutou uma última batalha com seus maiores inimigos, o clã Matsudaira, do qual descendiam os ancestrais do Xogum e a família de origem do Montanha. O Montanha fora sábio em buscar aliados na família imperial, mas teve o tato de não contar a seus pais. Seu irmão e seu sobrinho — o pai e o irmão de Sumie —, Matsudairas de menor importância, foram chamados à fortaleza do clã ao norte de Miyako para lutar contra as tropas imperiais invasoras. Eles não morreram, mas foram levados para Edo como prisioneiros; sempre que a visitávamos naquela época negra, ouvíamos Madame Cachimbo exaltar, preocupada, a coragem dos samurais Matsudaira que haviam se suicidado para não serem capturados com vida. Seu marido idoso e adoentado escapulia entre um relatório de batalha e o próximo tão rapidamente que mais tarde fiquei pensando se ele se matara, convencido de que estava cumprindo o seu dever.

NO MEIO DE TODA a inquietação daqueles anos em que eu tive 10, 11, 12 e 13 anos, o significado de conforto tornou-se para mim a mistura de aromas de Yukako enquanto dormíamos no chão do quarto dela: a cera de abelha em seus cabelos, os minerais do seu banho, o cheio de cedro e gerânio das ervas que ela usava para repelir traças da seda, e fragrâncias mais sutis, também, incenso e pó de chá. Yu-ka-ko significava Criança da Fragrância da Noite: sua mistura de aromas era doce e penetrante, como terra fresca.

QUANDO EU TINHA 13 anos, no Segundo Ano da Era Meiji, eu tinha uma compreensão do japonês falado que refletia, acho, a maneira como Yukako lia e escrevia: fios múltiplos de informação vinham na minha direção e eu tecia um significado usando o que sabia e o que esperava ouvir. Eu entendia o que me diziam porque era dito para mim, e no devido tempo, eu tinha ouvido várias vezes as poucas centenas de coisas que todos — exceto Yukako e o pequeno Zoji — já me haviam dito. Eu só conseguia entender o que as pessoas diziam umas às outras se prestasse muita atenção; eu falava ainda menos do que conseguia entender. Yukako lia livros ricamente ilustrados nos dois alfabetos japoneses: os caracteres ideográficos chineses, ou *kanji*, que os homens usavam, e o fonético *kana*, mais simples, usado pelas mulheres. Ao examinar algumas imagens, *kana* e *kanji*, Yukako criou uma história porque ela esperava uma história. Ela conseguia ler uma frase em voz alta e explicá-la em detalhes, mas se eu apontasse para um *kanji*, ela ficava perturbada e irritada; não sabia me dizer o que ele significava isoladamente, ainda que tivesse acabado de usá-lo no contexto para explicar a frase. Ela entendia muito mais *kanji* do que conseguia escrever.

Talvez porque existissem tantas palavras em japonês com os mesmos sons, e porque as palavras fossem escritas semespaçoentreelas, o *kanji* viajava paralelamente ao *kana* como uma espécie de arqueologia silenciosa, da mesma forma que a nossa ortografia dá dicas sobre a origem de uma palavra. Um falante comum do nosso idioma sabe o que é uma *conversação*, uma pessoa alfabetizada consegue soletrar a palavra, uma pessoa instruída sabe que ela vem do latim por meio do francês, e um especialista sabe que *con* significa *com* e *verse* significa *girar*. Um poeta vai entender *conversação* como *girar junto*. Todas as camadas estão lá em nosso idioma também. Os japoneses tinham alguns provérbios que decifravam o *kanji* — a demonstração de Sumie da *mulher* e da *criança* na palavra para *gostar*; os homens na casa de banho resmungando a respeito das companheiras ao mencionar a repetição tripla do *kanji* para *mulher* no *kanji* para *ruidoso*, *kashi-mashi* — mas, na maior parte das vezes, tive que aprender a enxergar as pistas no *kanji* sozinha, meus esforços ora irritando ora divertindo Yukako. Ela nunca dava muita importância ao assunto, exceto quando apareciam novas palavras, como *jinrikisha*.

Qual era o novo som nas ruas de terra batida durante o verão do Segundo Ano da Era Meiji? *Jinrikisha, jinrikisha.* Duas rodas enormes fazendo tanto barulho que nem mesmo uma multidão calçando tamancos conseguiria causar; duas varas puxadas por um corredor que gritava, vestindo chapéu de palha e tanga; uma concha de madeira laqueada preta ou pintada com cores chamativas para levar um ou dois passageiros; um toldo em caso de chuva: essa nova forma de transporte arrebatou Miyako com a mesma efervescência com a qual a bicicleta mais tarde conquistaria a Paris do *fin-de-siècle*. Logo se tornou a coisa mais comum do mundo: até mesmo o velho do tofu, com seu queixo pontudo, livrou-se da junta de bois e dos barris em troca de um carro com rodas. Mas embora alguns anos depois nós o achássemos a coisa mais natural, e embora tenha atravessado o oceano para se tornar o empoeirado riquexó do Velho Mundo, mencionado nos diários de todos os viajantes que passavam pela Índia, o jinriquixá foi um choque para nós. Provinha de Edo, como todas as coisas elegantes.

Em um dia de outono, estávamos no templo diante da solene Kannon, a deusa da misericórdia, fazendo nossa visita matinal. Embora Kannon fosse o equivalente budista da deusa xintoísta para quem eu tinha rezado na minha primeira noite em Miyako, achei a primeira parada da nossa peregrinação diária — diante de Benten-*sama*, ou Benzaiten, a deusa dourada do alaúde — mais alegre. Yukako trouxe suas esperanças para a deusa de muitos braços; depois de algum tempo a ouvi mencionar seu pai, uma melodia que estava praticando no *shamisen*, uma determinada sequência do seu *temae*. Imitando-a, também rezei para aprender melhor as coisas: como usar três verbos em uma frase corretamente, como segurar a tigela de chá de forma que não escapulisse, como evitar o sarcasmo da Srta. Hazu na casa de banho.

Para a outra deusa, Kannon-*sama*, minha Irmã Mais Velha trouxe seu pesado coração. No começo, depois do casamento de Akio, o maxilar de Yukako ficava retesado quando ela acendia incenso no templo, mas nos três anos que se seguiram, ela começou a fazer uma pequena oração pela saúde do primeiro bebê de Sumie, depois pela saúde do segundo bebê e finalmente por todos os três filhos de Sumie. Com o tempo a amargura de sua decepção parecia reagir com o horror fascinado que eu ouvia em sua voz — de viver tão longe, do outro lado do lago Biwa, em Hikone, de ter tantos filhos tão rapidamente — de forma que não demorou muito para que suas preces se revestissem de uma certa satisfação vingativa. No Primeiro Ano da Era Meiji, Akio foi ferido em batalha contra o exército do Imperador e Sumie teve um parto muito difícil; naquela manhã de outono no Segundo Ano da Era Meiji, as preces de Yukako se tornaram cuidadosamente sinceras. Para mim, a mulher cinzenta, Kannon, parecia Nossa Senhora das Dores em seu manto. Enquanto Yukako rezava, eu tentava invocar o rosto da minha mãe, e sentia uma pontada de tristeza quando conseguia vê-la pairando na fumaça do incenso, e uma pontada de culpa quando não conseguia.

Enquanto o incenso de Yukako queimava naquela manhã, ouvimos o ruído exótico e o grito do corredor: voltamo-nos e vimos, através do pesado portão do templo, coberto de telhas, uma monja budista descer de um jinriquixá. Surpresas, olhamos uma para a outra; ela parecia tão arrojada quanto um cocheiro. Do lado de fora do templo, percebemos quando saíamos, havia um banco novo com um símbolo pintado: uma roda e três *kanji*.

— Veja! — disse Yukako. — Jinriquixá.

Yukako me mostrou cada caractere e explicou como se juntavam para formar *jin-riqui-xá, carro movido a homem. Jin*, formado por dois traços, significava *pessoa. Riki* parecia com a letra *k*, como a metade inferior do caractere para *homem*.

— Forte — disse Yukako, imitando um lutador de sumô.

Então ela me contou que *sha* — uma caixa dividida em quatro partes com uma cruz sobre e outra sob ela — era *carruagem*.

— *Carruagem?*

— Você se lembra do livro da Senhora Murasaki? — ela me estimulou.

— A ciumenta Sra. Rokujo na carruagem?

De repente eu me lembrei da figura, em um livro de histórias, de uma mulher que flertava deixando que sua manga comprida pendesse para fora da janela de uma carruagem.

Analisei o caractere chinês durante muito tempo, e então descobri uma pista naquelas cruzes sobre e sob a caixa:

— Eu consigo ver a carruagem! — eu disse, excitada. — Uma caixa — apontei — e duas rodas!

Yukako olhou para mim, encantada, como se um cachorro de estimação tivesse acabado de aprender um novo truque.

— *Pequena Estrangeira* — disse de forma amorosa. Era parte da nossa linguagem secreta, da mesma forma como eu a chamava de Irmã Mais Velha em particular e de Jovem Senhora em público.

De repente, um segundo jinriquixá inundou a rua de barulho. Yukako olhou para as rodas reluzentes, depois para mim e um sorriso se formou em seu rosto. Antes da monja nunca tínhamos visto uma mulher em um jinriquixá. Mas se *ela* podia — quando o corredor parou ao lado do banco, os olhos de Yukako brilharam —, então por que nós não podíamos?

— Eu tenho dinheiro, por que não? — ela cochichou, tomando minha mão. O jovem corredor que nos fez uma reverência usava um lenço de algodão enrolado bem fino, como um cadarço, amarrado em volta da cabeça.

— Leve-nos aos portões do Palácio — disse Yukako.

Eu tinha viajado até o cais de carruagem com meu tio Charles. Eu tinha viajado por três oceanos de navio. Eu tinha tomado um trem noturno, um imenso animal movendo-se ruidosamente pela rota que iria se tornar o canal de Suez. Quando o homem do jinriquixá irrompeu em uma corrida cheia de solavancos, alcançando rapidamente a velocidade de um cavalo trotando moderadamente, Yukako apertou minha mão com tanta força que perguntei:

— Você alguma vez já andou tão rápido?

— Não! — gritou, rindo, sua voz encoberta pelos gritos do corredor: *"Abunai! Cuidado! Abunai! Perigo!"*

Então a força do homem parando nos jogou contra o assento. Diante de nós, o muro norte que cercava o Palácio se estendia nas duas direções. Dois samurais usando elmo estavam parados diante do portão. Yukako parecia decepcionada. Então morávamos mesmo tão perto do Palácio afinal?

— Agora o Castelo Nijo! — gritou.

O homem do jinriquixá percorreu a extensão da reserva imperial, depois foi para o oeste. Durante o trajeto da margem norte do terreno do Palácio até os portões do Castelo Nijo, Yukako manteve minha mão nas dela, com os olhos arregalados, emitindo sons trêmulos, ora de prazer, ora de pavor.

Com a saída do Xogum, a vasta fortaleza estava ocupada apenas por algumas dúzias de guardas imperiais. Mesmo assim, parecia impressionante enquanto nos aproximávamos do muro feito de pedras maciças, o ameaçador portão coberto com telhas, o fosso verde sombrio. Quando o condutor parou novamente, Yukako estava sem fôlego, as faces coradas como se tivesse tomado vinho. E agora? O condutor olhou para ela. Eu olhei para ela. Ela olhou para baixo, indecisa, e para cima de novo em direção aos muros de pedra pura. Na concha de madeira do jinriquixá, com sua estampa de folhas vermelhas, ela parecia encolher um pouco. Nós não pertencíamos àquele lugar.

— Bem, acho que agora vamos caminhar de volta para casa — disse, contando o dinheiro da corrida.

Meus olhos se arregalaram quando vi o condutor se afastar depressa com tanto do nosso dinheiro, as folhas pintadas cintilando na rua.

— Não choramingue — disse Yukako. — Compraremos *sanma*. Na verdade, esta é a única época do ano boa para comprá-los. Você pode levá-lo?

Ela economizou dinheiro duas vezes naquele dia: a primeira, comprando o modesto peixe, e a segunda, na entrega. Será que alguns minutos de prazer para Yukako valiam essa longa caminhada sobre tamancos de volta até a rua do mercado, e então andar atrás dela por quadras até a casa, carregando um pesado balde de peixe cheio de tijolos de gelo?

— *Mochiron* — eu disse. *É claro.*

Passamos novamente pelo muro baixo do Palácio Imperial, cuidado por um bando de velhas que desencavavam o musgo viçoso — apreciado, até recentemente — de entre as pedras. Após passarmos por elas, perguntei:

— O Xogum não voltará nunca mais, não é?

Yukako resmungou: era uma pergunta tola.

— E o Imperador?

Atrás do muro do Palácio erguiam-se árvores de folhas vermelhas e árvores sem folhas, bambu que parecia empoeirado. O Imperador ainda estava em

Edo, nomeada recentemente a *Capital Oriental*, ou Tóquio, da mesma forma que Miyako acabara de ser renomeada Kyoto, a *Cidade Capital*.

— Não sei — murmurou Yukako.

— Lembra-se daquelas roupas? — usei outra palavra recém-criada, como Tóquio, Kyoto, e jinriquixá: *yofuku*, roupas ocidentais.

— Você não viu nada! — disse Yukako asperamente, e então conteve um sorriso.

— Eu não vi nada — repeti solenemente.

Yukako andava como se estivesse num sonho, e eu podia ver aquela procissão pairando diante de seus olhos também: as longas pernas de galinha expostas vestindo calças listradas, todos aqueles galões e todo aquele dourado chamativos. Fiquei na ponta dos pés e sussurrei no ouvido dela com uma voz macabra:

— *Eu não vi nada.*

— Pare com isso! — insistiu, rindo.

ENQUANTO EU COPIAVA o caractere que representava jinriquixá sob o olhar atento de Yukako quando voltamos para casa, o cheiro de peixe grelhado subiu até nós. Então a própria Chio subiu a escada:

— Seu pai deseja que você coma com ele na Baishian — disse a Yukako.

Olhamos uma para a outra, surpresas.

— E eu? — perguntei.

— Você pode levar os almoços.

— POR FAVOR, ELA pode ficar aqui? — perguntou Yukako enquanto eu colocava as caixas *bento* empilhadas diante do Montanha. Pai e filha estavam de frente um para o outro em lados opostos do assoalho lustrado da pequena casa de chá.

— Ela pode esperar na *mizuya* no caso de precisarmos de algo — disse ele, o que não era uma pequena concessão, considerando a improbabilidade de um *no caso* acontecer durante uma cerimônia do chá. Eu me retirei para a *mizuya*, a pequena área de preparação de um tatame, nos bastidores da sala de chá. Todos os apetrechos do chá estavam preparados perto da porta deslizante, na outra extremidade do tatame, prateleiras de utensílios instaladas sobre uma área molhada: um barril de água para a limpeza das coisas do chá, uma grade de bambu montada sobre um escoadouro. Quando me ajoelhei no chão de madeira lustrada entre o tatame e o escoadouro, ouvi um estalo metálico oco embaixo de mim: em uma casa de chá, armazenava-se carvão em um depósito revestido de metal debaixo do chão de madeira da *mizuya*. Uma janela com treliças bem justas perto do escoadouro oferecia uma vista da sala de chá; dava para ver o rosto de Yukako e a parte posterior da cabeça do Montanha. Quando ela olhou para a porta como se esperasse por mim, o Montanha, mais triste que zangado, repreendeu-a:

— Você não é mais uma garotinha no Dia das Bonecas.

— *Hai* — assentiu Yukako.

Ela fez uma reverência, visivelmente ofendida. Enquanto ela e o pai comiam em silêncio, eu roía uma bola de arroz que Chio tinha enfiado na minha manga. A época em que se usava o fogão embutido ainda não havia chegado; em seu lugar, um caldeirão de água chiava em um braseiro sobre o tatame do Montanha: o carvão ardia intensamente em um leito de cinzas cuidadosamente arrumado. O ponto mais iluminado da sala era a entrada pela qual se engatinhava, a porta quadrada aberta para o dia tépido. Quando terminaram, o Montanha retirou as caixas laqueadas de comida e começou a trazer os apetrechos do chá; o rosto dele não registrou nem irritação nem gratidão quando tirei as caixas *bento* de seu caminho.

Dessa vez ele pôs diante de Yukako um único biscoito doce de arroz no formato de uma folha; notei a sua frugalidade com admiração: eu estava com os Shin havia tempo suficiente para saber que a sala de chá não era lugar para exagerar nos doces. No verão sufocante, o Montanha usara um recipiente escuro, baixo e gordo, cheio de água retirada de uma parte tão profunda do poço gelado que o jarro suava. Agora, no meio do outono, o jarro de água que ele levou para fora era alto e estreito, pintado com cabaças chamativas. Yukako ainda não me havia deixado aprender o *temae* que seu pai fazia, mas eu acompanhei o melhor que pude seus gestos modestos, treinados.

Meus olhos estavam acostumados aos começos e fins abruptos das aulas dos novos alunos, o vigor quase zangado dos aprendizes enquanto reprimiam o desejo de mostrar aos calouros: "Isso, de uma vez por todas, *assim* é que se faz!" E, é claro, eu estava acostumada aos movimentos de Yukako, característicos de uma ave aquática, o modo como seu corpo esguio ocupava todo o espaço necessário no tatame do convidado. Mas eu via o Montanha fazer chá somente quando todos na casa se reuniam nos feriados; o seu *temae* era tranquilo como água derramada se espalhando no chão de madeira, tão natural quanto Chio cozinhando arroz. Não era tão natural quanto dormir, mas era tão natural quanto caminhar, o embaraço e a ostentação esquecidos havia muito tempo. Como era lindo ver algo sendo feito com tanta simplicidade e tão bem.

Yukako bebeu profundamente e formalmente convidou o pai para se juntar a ela. Ele assentiu com uma reverência, limpou a tigela e, com uma concha, colocou pó de chá dentro. Antes de adicionar a concha de água fervente, ele virou seu corpo ajoelhado na direção da filha. Ela arregalou os olhos com aquela quebra de protocolo.

— A casa de chá e o mundo são distintos — começou ele. — Mas...

Não consegui entender o que ele disse em seguida. Inclinei-me para mais perto, na esperança de que ele repetisse o que dissera, imaginando o que poderia iluminar o rosto dela com uma compreensão tão severa.

— Você ainda tem seus alunos — ela tentou animá-lo.

— Suponho que sim — disse. Ouvi quando disse a palavra *casar*. — Lamento que você tenha que esperar.

Yukako fez uma reverência, sem expressão.

— Você é um homem jovem, Pai.

Ele não era um homem jovem.

— Eu vou escrever uma carta — disse ele, e contou-lhe o que esperava que a carta fosse render.

Yukako assentiu com a cabeça. Eu não compreendi.

— Foi bom você ter comprado aquele peixe — disse ele.

Ela se encolheu. Eu nunca ouvi pais japoneses dizerem: "*Tenho orgulho de você*", mas o pai de Yukako acrescentou:

— Sua mãe era boa com dinheiro também.

Yukako fez uma profunda reverência para cobrir o rosto. Uma folha amarela de ginkgo entrou pela porta, carregada pelo vento. O Montanha fez a sua tigela de chá e bebeu, menos triste e mais esperançoso.

— Esta é realmente a única época do ano boa para *sanma* — disse.

Depois que o último ou o único convidado bebe, o anfitrião enxágua a tigela com água limpa e então despeja a água em uma tigela de água usada. No momento em que a água está sendo despejada, se o honrado convidado está em silêncio, é sinal para que o anfitrião faça outra tigela de chá. Caso contrário, o convidado diz, como Yukako disse, calmamente:

— Termine, por favor.

— Não quer mais uma tigela? — perguntou o Montanha.

— O QUE FOI QUE seu pai disse? — perguntei naquela noite.

Yukako suspirou. Ela abriu a boca para me contar, mas então fechou-a.

— Você saberá em breve, não é? — ela disse finalmente.

— Ele soube do passeio de jinriquixá? Ele ficou chateado?

— Não — disse, envergonhada.

9

1870

O PAI DE YUKAKO LHE CONTARA o que a Restauração Meiji iria significar para os Shin. Isso explicava por que comemos *sanma* mais de uma vez naquele inverno, quando o Segundo Ano da Era Meiji se tornou o Terceiro, mesmo quando não era a melhor época do ano para ele. Ficou claro por que, em vez de tecido para quimono, tudo que os criados receberam no ano-novo, por determinação imperial, foram sobrenomes: eu me tornei Migawa Urako. E ficou claro por que, quando as flores de cerejeira caíram, nenhum aluno novo se juntou a nós, e aqueles que já estavam conosco foram levados para casa pelos pais, sem recursos desde a revolução.

Com os estudantes da Sala Comprida também foram embora as mulheres da casa de costura, e até mesmo Kuga, a filha de Chio, levou o pequeno Zoji embora para ir trabalhar para o que restava da família de Madame Cachimbo. Apenas mulheres e crianças permaneceram na vasta casa da rua do Canal com seu lago artificial para a observação da beleza da lua: Sumie estava em Hikone; seu pai e seu irmão mais velho estavam presos em Edo.

Quando Kuga se mudou para a casa de Madame Cachimbo, seu marido, Goto, reivindicou o filho deles. Sua nova esposa já tinha um filho, por isso ele ofereceu os serviços de Zoji para pagar uma dívida de jogo. O novo mestre de

Zoji, o Lorde Ii de Hikone, pai de Akio, era um homem conhecido por seus belos cavalos baios: mesmo que ainda fosse pequeno, Zoji podia buscar água e escovar os corcéis que Sua Senhoria ainda não houvesse vendido. Eu sentia muita falta do menino; Kuga deve ter sentido muito mais.

Sem os alunos, os jardineiros e as costureiras, sem Kuga e Zoji, nós cinco — Yukako, o Montanha, Chio, Matsu e eu — guardamos na torre-depósito toda a mobília que não estava sendo utilizada, para que pudéssemos limpar o chão da casa deserta mais rapidamente. Sob as instruções de Chio, eu e Yukako costuramos, com muito esforço, nossos próprios quimonos, que precisavam ser separados em partes a cada lavagem. Envolvemos nossas roupas pomposas em ervas aromáticas e cedro e as guardamos, usando apenas trajes práticos e sem graça enquanto ao nosso redor as filhas de mercadores usavam cores mais vivas do que jamais tínhamos visto, graças ao fim das leis suntuárias e à importação de tinturas britânicas.

Eu nunca sabia ao certo quando era o dia 2 de maio, mas sempre soube que o meu aniversário caía em algum dia entre o Terceiro e o Quarto Mês, quando as peônias floresciam, tanto nos jardins como no luxuoso biombo dourado que Madame Cachimbo comprara de um cortesão empobrecido, um homem cuja nobreza *kuge* ela desprezava. Naquele ano, na rua do Canal, na alcova de exibição, vi apenas uma peônia em um vaso e um pergaminho com uma borboleta em nanquim, comum com a chegada do verão.

— Onde está o biombo? — perguntei.

— Era melhor dar uma moeda de ouro a um gato — disse a avó de Yukako rispidamente. — Isto é uma antiguidade.

Ela deu uma pancada na minha cabeça com o bojo de metal do cachimbo, e Yukako se desculpou repetidamente pela minha grosseria. Madame Cachimbo resmungou algumas palavras zangadas, entre elas *kuge*.

— Mas... — murmurei.

— Mas o quê? — Madame Cachimbo voltou-se na minha direção.

— Nada. Perdão. Perdão. A borboleta é muito bonita.

Eu fui poupada da atenção dela com a chegada de uma mulher mais velha cuja criada, uma menina, levava um estojo com um *shamisen*. A nova convidada era sem graça, com o rosto coberto de verrugas, mas tinha um tipo de elegância desbotada. Ela começou a conversar com Madame Cachimbo, e eu e Yukako escapulimos de lá.

Mais tarde, em casa, na sala de costura abandonada, Yukako examinou a minha têmpora com a ponta do dedo.

— Melhor?

Assenti com a cabeça.

— Eu sinto muito que ela tenha feito isso, Ura-*bo*. Tem sido difícil para todos nós.

Assenti novamente.

— Sabe, eles não tinham terminado de pagar o biombo. Tiveram que vendê-lo.

— Ah — eu disse bem baixinho.

— E o único comprador que conseguiram encontrar era da corte do Imperador.

— O *kuge*?

— Exatamente.

Até recentemente, os *kuge*, nobres desde antes de os Xoguns chegarem ao poder, se mantinham graças a pequenas doações do Xogum, enquanto as famílias samurais como a de Madame Cachimbo levavam para casa grandes remunerações de arroz.

Quando assenti novamente, meus olhos estavam cheios de lágrimas. Eu não conseguia explicar por que sentia tanta falta daquele biombo dourado. *Estou muito velha para essa bobagem*, pensei, mas sussurrei novamente:

— Mas...

— Mas o quê? — disse Yukako, de modo bem mais gentil que sua avó dissera.

— Mas é o meu aniversário... — tentei explicar.

— Ura-*bo* — acalmou-se, brincando com uma mecha dos meus cabelos. — Quantos anos você tem?

— Catorze — eu disse.

— Tão crescida! Logo vamos ter que achar um marido para você.

— Não! — eu disse. Será que ela queria que eu me casasse e a deixasse? — Ainda sou muito nova.

— Está bem — disse carinhosamente —, diremos à cabeleireira para deixar você em paz por mais um ano.

Na casa de banho, uma ou duas meninas da minha idade já tinham aparecido com o cabelo alisado com cera e pentes, e até mesmo a Srta. Hazu começara a usar sapatos de couro femininos, trocando as elegantes correias de seus tamancos de duas em duas semanas. Eu ainda usava o cabelo preso em coque como uma menina e andava ruidosamente em tamancos de madeira.

— Obrigada — eu disse, e meu coração relaxou de alívio.

O ar estava frio e enevoado, por isso mantínhamos um bule de chá verde comum sobre o braseiro e o bebíamos para nos mantermos aquecidas; era mais agradável sentar-se com as portas deslizantes de papel *shoji* abertas do que nos fechar em casa com nossas lâmpadas. Exceto pelos quimonos que usávamos na casa de banho e pelas roupas que vestíamos — e as lindas sedas que tínhamos guardado —, todas as nossas roupas (e as do Montanha, de Chio e de Matsu) estavam empilhadas a nossa volta em diversos estados de despreparo: tiras de quimonos desmanchados e seus forros. Havia várias tinas, algumas com água limpa para lavar roupa e outras com roupa suja de molho. Tábuas apoiadas na parede com tecidos de quimono estendidos sobre elas para que secassem sem amassar. Todos os tecidos de quimono eram tecidos com um terço do tamanho do lado mais curto de um tatame — cerca de 35 centímetros de largura — por isso as tábuas de secar eram compridas e estreitas. Costumávamos remover as tiras secas das tábuas e então costurávamos grosseiramente longas faixas, preocupadas em como ajustar a faixa do pescoço corretamente, como fazer com que os cantos curvados casassem nas duas mangas. Nossos pescoços doíam. Nossos olhos doíam. Mantínhamos tiras de algodão preparadas para envolver nossos dedos para que não sangrássemos sobre o produto do nosso trabalho.

Todos os dias eu me sentia desconsolada e dolorida. Eu sempre ficava melancólica nessa época do ano, tendo que lembrar Yukako que era meu aniversário de novo. Embora ela me fizesse as vontades quando eu a importunava, um aniversário simplesmente não era algo a que as pessoas dessem muita importância: todos os anos, independentemente do mês em que tínhamos nascido, todos comíamos soja torrada na véspera do ano-novo, um número igual à nossa idade mais um — e de repente ficávamos todos um ano mais velhos. Eu sabia vagamente que o pequeno Zoji tinha nascido no inverno, mas de forma alguma eu poderia ignorar o Dia dos Meninos, com suas íris e suas flâmulas em formato de carpa, considerando o pequeno deus que Chio e Kuga costumavam fazer dele todos os anos no começo do verão. E tanto Yukako como eu éramos mimadas e ganhávamos bonecos do Imperador e da Imperatriz no Dia das Meninas, comendo doces enquanto vestíamos nossas melhores sedas. Era uma troca bastante justa, eu supunha, mas, naquele dia, o que eu não daria por um jantar à mesa, uma fita nova no cabelo, minha mãe e, sim, até mesmo meu tio cantando para mim, o que eu não daria por batatas e alho assados em vinho e creme. Por um bolo, uma vela, um pedido. Coloquei a mão no pescoço, ansiando pela minha medalha de Santa Clara.

Talvez fosse isso o que o biombo significava para mim, algum ritual de aniversário: meu estômago doía com a falta do aniversário, com a minha melancolia de maio, com a indignação de ter levado uma pancada na cabeça, com o pânico que senti quando Yukako falou sobre arranjar o meu casamento. Ou talvez fosse apenas algo que eu comera. Coloquei minha costura de lado e passei a mão na barriga suavemente. Senti como se algo dentro de mim se esvaísse. Será que eu precisava usar o banheiro? Quando me levantei, ouvi a batidinha leve de um pingo atingindo o chão, e Yukako ofegou surpresa.

— Ura-*bo* — ela disse repentinamente, e rapidamente fechou a porta deslizante.

— O quê? O quê?

— Com muito cuidado tire a sua faixa — disse ela. Eu dei um passo para trás ao ouvir um segundo pingo e vi duas manchas de sangue no tatame.

Yukako me ajudou a desatar o cordão e os dois lenços que mantinham a minha *obi* no lugar. Voltei-me lentamente e ela recolheu a faixa de três metros e meio. Ela despiu-me o quimono e segurou-o no ar.

— Está vendo?

Meu quimono era azul com listras cinza-claras, uma mescla de cores triste e sombria que combinava a poeira da cidade com a poeira da casa. A cor, no entanto, não conseguia ocultar o sangue que se espalhava pelo assento e que mais uma vez pingou no chão.

— Você tem outros lá em cima?

— Só o da casa de banho, e... — apontei para o quimono costurado pela metade no qual estava trabalhando. — Estão todos aqui.

Yukako suspirou. Ela colocou meu quimono manchado de molho em uma tina, e então puxou com força o meu roupão de baixo para que eu sangrasse nele e não no chão.

— Fique onde está — disse ela, e limpou o tatame com um pano.

— Estou morrendo? — perguntei.

Yukako havia dividido a crise em tarefas e estava executando cada uma delas com tanta eficiência quanto possível. O rosto dela suavizou-se com a minha pergunta.

— Não — disse ela, tomando cuidado para não rir de mim. Eu acreditei nela. — Já volto.

O QUE TINHA ACONTECIDO para mudar tudo para os Shin — e o que o pai de Yukako tinha lhe dito no dia do passeio de jinriquixá — foi o seguinte: no fim do Segundo Ano da Era Meiji, o Imperador decretou o fim da aristocracia feudal. Na noite da restauração, ele anunciou que estava tomando de volta todas as terras que confiara ao Xogum e aos senhores dele, assim como todo o capital em forma de arroz que a terra produzia. Em vez de uma casta hereditária de guerreiros, cada homem leal ao seu senhor, o Imperador agora anunciava que em alguns anos iria estabelecer um exército formado a partir do recrutamento de meninos de todas as origens, leais somente a ele. Para fazer isso, e para financiar o novo governo, ele dispensou todos os senhores e samurais que haviam se beneficiado da generosidade do Xogum durante 250 anos. Para o Montanha isso significava que ele não receberia mais pela instrução dada aos alunos, cujos pais costumavam pagar-lhe com parte da remuneração em arroz que recebiam, e que não receberia mais a renda dos três senhores a quem servia como mestre de chá, que até então lhe pagavam arroz o bastante para alimentar 3 mil homens por ano. Pior ainda, o Imperador anunciou um programa de Bunmei Kaika, Civilização e Esclarecimento, que considerava o chá, assim como a falcoaria e os jogos de adivinhação com incensos, um "passatempo" arcaico, que era melhor abandonar do que subsidiar. Naquela primavera os pais samurais, sem dinheiro para o chá, retiraram os filhos da escola dos Shin, enquanto os mercadores, no meio do tumulto, fizeram o mesmo. Nossa casa ficou bastante silenciosa depois que os alunos se foram.

Enquanto notícias chegavam de que o Imperador estava exigindo que seus senhores e soldados cortassem o coque tradicional usado pelos homens, o Montanha esperava em vão por uma resposta ao pedido que fizera por ajuda. Todos os dias ele fazia oferendas extras aos ancestrais, colocando uma tigela de chá diante da estátua de seu antepassado adotivo, Rikyu, e então fazendo uma para si mesmo na Casa da Nuvem.

Rikyu, o ancestral fundador da cerimônia do chá e professor de Hideyoshi, o senhor da guerra mais importante de sua época, foi forçado a cometer suicídio quando deixou de satisfazer seu mestre. A sala de chá Casa da Nuvem foi construída no estilo preferido do neto de Rikyu, Sotan, um homem tão empobrecido pela desgraça do avô que sua concha de chá favorita era aquela gasta na lateral devido aos anos de uso. Quando sua sorte mudou para melhor, Sotan mandou construir uma choupana de um tatame e meio para se manter honesto, para honrar os anos que tinha passado na companhia do avô. Uma geração depois, seu filho mais velho, Shinso, construiu uma cópia da choupana em sua propriedade, para lembrar o sofrimento da sua família: essa era a nossa Casa da Nuvem, onde o Montanha bebia as suas decrescentes provisões de chá.

— Todo homem rico fala sobre fugir do mundo e viver a vida de um monge — lembrei-me de Matsu dizendo uma noite a caminho da casa de banho. — Mas é tão triste o seu olhar quando ele se senta sozinho naquele quartinho. Costumava haver tantos de nós — suspirou.

— Ele vai ficar bem — disse Chio quase rudemente.

YUKAKO VOLTOU COM o meu quimono da casa de banho e alguns maços de papel macio, que me ensinou como usar e onde queimar. Ela também trouxe outra chaleira de ferro para o braseiro.

— O-Chio fez isso para você — disse, dando-me uma xícara com um cheiro amargo quando acariciei a barriga novamente. — Vai ajudar. — Então ela colocou o meu roupão de baixo de molho também. — Você pode se lavar na casa de banho hoje à noite, mas não fique na banheira com os outros quando estiver sangrando muito.

— Quando é que isso vai parar?

— Em mais ou menos cinco dias — garantiu. Parecia razoável, ainda que desagradável. — E então você irá sangrar todos os meses até que sua primeira neta sangre. — Eu ri. — Não, é sério.

Sumie tinha dado à luz seu primeiro bebê aos 16 anos, mas ainda assim parecia tempo demais. Lembrei-me de que às vezes Chio e Kuga não ficavam na banheira com os outros; eu não tinha pensado nisso antes. Cruzei os braços em volta do corpo e gemi um pouco quando a cólica veio de novo. Como o pequeno Zoji, como uma menininha mimada, deitei a cabeça na perna de Yukako e continuei a minha costura grosseira deitada.

— Você sente falta da sua mãe — disse ela.

Fiz que sim com a cabeça. Ela também.

— Lembro-me da sensação.

Senti os pensamentos dela se afastarem — talvez em direção aos seus primeiros ciclos menstruais, talvez em direção ao pouco que sabia da própria mãe — e então senti-a retrair-se quando feriu o dedo na lâmina afiada para cortar pontos de costura, sangue caindo em seu colo.

— *Ara!* — gritou.

Eu me afastei.

— Esse é o seu último limpo também, não é?

— Não é mais — Yukako disse, colocando o dedo na boca e levantando a faixa da sua saia de forma que a pequena mancha não tocasse mais nada.

Com cuidado para não desalojar meu novo absorvente de papel, fui buscar água limpa para ela. Se eu fui capaz de aprender a andar em um quimono, eu ia conseguir me adaptar àquilo também.

— A água na bacia está vermelha — eu disse. — Tenho que ir até o poço.

— Não, olhe para você — disse, levantando-se.

— É só uma manchinha — consolei-a. — Não dá nem para ver.

— Dá sim — falou rispidamente.

Ela se sentou, encolhida como uma bola, e escondeu o rosto nos braços desnudos. Suspirou. Não, ela estava chorando.

— Consigo fazer isso — sussurrou. — Ir ao poço e encher dois baldes e trazê-los de volta e encher uma banheira e tirar o quimono e colocá-lo de molho e costurar outro quimono antes do jantar... — Ela parou de falar.

Desde a partida dos estudantes e das costureiras, ela arregaçara e amarrara as mangas do quimono como uma criada, e passara a seguir as instruções de Chio ao pé da letra, rindo do seu próprio trabalho desajeitado. Agora ela estava chorando.

— Eu não fui criada assim. Não estou preparada. Não consigo.

Quando chorou por Akio aos 16 anos, Yukako parecera voluptuosa, monstruosa, feminina. Agora, aos 20 anos, ela parecia magra e pálida, com joelhos e cotovelos de menina. Eu a toquei com cuidado, afagando suas costas.

— Consegue sim — eu disse com carinho. — Você consegue se acostumar com qualquer coisa.

Ela levantou o rosto; o mesmo rosto que me assustara na noite em que ela voltou tarde do quarto de Akio. A testa estava borrada, a pintura das sobrancelhas estampada nos pulsos, uma borboleta negra.

— Talvez *você* consiga — disse ela.

Fiquei boquiaberta enquanto as pontas duras das palavras dela penetravam em mim. Ela admirava a minha capacidade de adaptação, mas não a respeitava. Este foi o lado dela que o desespero revelou: uma pessoa que se recusava a *acostumar-se a qualquer coisa*.

— Eu não vou fazer isso — ela disse calmamente. — Não é meu trabalho.

Magoada, fiquei olhando enquanto ela desatava os cordões de trabalho e suas mangas compridas deslizavam para baixo. Ela estendeu o braço em direção ao braseiro e pegou a chaleira redonda de ferro, erguendo-a como se estivesse mostrando-a para mim. Na luz filtrada pelo papel *shoji*, eu conseguia distinguir um padrão de cavalos sinuosos parecidos com dragões, ferro sobre ferro. Então um toque de fumaça irritou as minhas narinas e percebi que Yukako estava mantendo a manga sobre o braseiro de propósito.

— O que está fazendo? — perguntei.

Embora fosse de um algodão marrom prático, o quimono de Yukako tinha o corte extravagante dos trajes para moças solteiras, com mangas tão compridas que, enquanto ela permanecia de pé ali, a ponta de uma manga se movia entre os carvões no braseiro, removendo cinza branca de sua superfície vermelha. A expressão dela enquanto observava estava destituída de tudo exceto curiosidade. Sua manga comprida começou a soltar fumaça, e então pegou fogo. Parecia uma asa. O cheiro de tecido queimado me atingiu em cheio e eu me levantei em fúria. Eu a derrubei, usando meu corpo e meu roupão para apagar o fogo.

— *Baka fille* estúpida! — gritei em três idiomas.

O corpo dela sob o meu era firme e estreito. Logo eu seria mais forte. Eu sabia disso, e por mais que quisesse sacudi-la ou bater nela, não queria atiçar o fogo. Por isso a segurei, como uma pilha de tábuas secando.

— *Nunca* mais faça isso de novo — eu disse, ofegante.

O ar estava quieto exceto pela nossa respiração assustada. Quando achei que era seguro, aliviei a pressão. O meu próprio roupão estava escurecido em algumas partes e o aposento fedia.

Yukako piscou, atordoada.

— *Hai* — disse.

Deliberadamente, ela borrifou o chá de Chio sobre o que havia sobrado da manga dela para certificar-se de que todas as faíscas estavam apagadas, e então cuidou de mim e do chão. Um pedaço carbonizado de pano manchou o tatame, por isso ela despiu o quimono inteiro, inspecionando a *obi* e as faixas tão cuidadosamente quanto havia inspecionado as minhas. Quando tudo estava arrumado no lugar, ela arregaçou as mangas e amarrou-as de novo, ajoelhou-se formalmente em seu roupão de baixo e dirigiu-se a mim.

— Desculpe.

Por ferir os meus sentimentos ou por quase nos matar?

— Obrigada — eu disse de mau humor.

— Foi uma coisa estúpida de se fazer. O que você acha de voltarmos ao trabalho?

Costuramos a tarde toda na luz que minguava, e com lâmpadas no começo da noite. Permaneci em silêncio, sentada com minha agulha. Não queria me aconchegar a Yukako: queria ver o que ela ia fazer em seguida. Ela permaneceu em silêncio também, talvez com tanto medo de si mesma quanto eu.

Depois que a noite caiu, Yukako limpou a garganta.

— Antes de a família Shin adotar meu pai, ele era um samurai — disse, inclinando o queixo em direção à casa de Sumie. — Sabe, quando eles eram meninos, o pai deles era rico, mas eles tinham que passar dias sem comida. Eles tinham que passar noites sem dormir. Os monges batiam neles se eles pegassem no sono. Eles tinham que ficar embaixo de um rio.

Yukako fez uma pausa para explicar a palavra japonesa para *cachoeira*. Tentei imaginar o Montanha e o pai de Sumie meninos, lado a lado, embaixo dos galões gelados e perfurantes de água.

— Tudo para se tornarem mais fortes. Mas veja o que aconteceu.

Olhei para ela, ainda abalada. O que ela pretendia com aquilo?

— É fácil ser um guerreiro quando não há guerra — ela disse calmamente.

Eu não estava entendendo. Eu não queria forçá-la a falar mais. Ela tinha me assustado, e era difícil perdoá-la. Ela fez um nó no final da sua costura e cortou o fio.

— Mulheres são pagas para fazer isso — disse, como se esse pensamento fosse a sequência lógica do anterior.

— Não muito — eu disse, curiosa apesar da minha raiva.

— Não muito — concordou. — Costumávamos ter uma costureira para cada estudante.

Olhamos desanimadas para a pilha de costura diante de nós.

— E como cabeleireiras — disse Yukako.

— O quê?

— E o-Chio vende legumes do jardim do Sr. Matsu.

Ah. Eu estava conseguindo compreendê-la novamente.

— Aquelas velhas retirando musgo das paredes do Palácio ano passado, elas provavelmente estavam sendo pagas.

Yukako deu-me um sorriso desanimado.

— Sim, e prostitutas e *geikos* ganham dinheiro também.

— Espere aí! Quem era aquela senhora na casa da sua avó quando nós saímos? A senhora com a estampa de gotas de chuva? — Eu pontilhei verrugas no meu rosto com o dedo, buscando a palavra.

Yukako tocou o rosto zombeteiramente.

— Ah, *hokuro*! Sim, aquela pobre mulher *kuge*; é como antes da guerra; ela ainda vai de casa em casa para ensinar música...

A irmã nova de Sumie, como Yukako, como qualquer moça samurai, aprendia a fazer arranjos de flores e a tocar *shamisen*. Mesmo agora? Pelo que eu soube, o pai de Akio foi tolo o bastante para vender a maioria dos seus magníficos cavalos para pagar a manutenção de alguns, mas a família de Madame Cachimbo também?

— Você está dizendo que eles venderam o biombo, mas ainda estão pagando aulas de música?

Yukako olhou para mim com severidade.

— Ora, é claro que sim — disse. Ela desatou a gaze que envolvia o dedo e olhou para as mãos sob a luz da lâmpada.

Naquela noite, quando voltava para casa, vestida em um dos roupões de banho de Yukako, vi Chio olhando para mim como se me avaliasse.

— Vai ser difícil encontrar um marido para você — disse finalmente, enquanto caminhávamos a alguma distância de Matsu —, levando em consideração que... — ela gesticulou em direção à casa Shin para evitar falar do infortúnio deles — e levando em consideração que... — ela gesticulou em direção ao meu rosto esquisito, com nariz grande e olhos caídos, para evitar falar da minha falta de atrativos.

Num lampejo de raiva, lembrei-me de Yukako pondo fogo em sua manga. É *claro* que eu poderia arranjar um marido; eu poderia ir embora e deixar Yukako pagar por sua própria estupidez sem mim. Mas então lembrei-me de Matsu roncando, os pelos nas orelhas e narinas.

— Tudo bem, eu posso esperar — eu disse.

Chio balançou a cabeça em aprovação.

Quando cheguei em casa, Yukako estava ajoelhada em seu quarto com todos os quimonos de seda estendidos ao seu redor. Ela olhou para mim e saudou-me com uma pequena reverência.

— Você se lembra do caminho para a casa de Koito?

10

1870

ANDA MAIS DO QUE PELA BELEZA, as gueixas eram conhecidas por seu estilo. Na manhã após Yukako ter queimado a sua manga, eu evitei o seu toque. Ainda abalada, vesti-me sozinha pela primeira vez, contorcendo-me para vestir as roupas e os laços. Yukako me observava friamente através de seu espelho enquanto pintava suas sobrancelhas.

— Nada mal — disse ela.

Dava para ver que ela não estava satisfeita com os resultados, mas eu não queria a ajuda dela. Puxei e empurrei, suando em minha camisa de baixo feita de gaze, e finalmente ela se levantou.

— Posso? — disse ela, em um tom de voz que não toleraria recusa. Ela atou novamente o laço da minha *obi* e deu-lhe um tapinha final. — Preciso que você esteja bonita hoje.

O bairro de Koito, Pontocho, ficava do outro lado do rio, em frente a Gion, outro bairro de gueixas. Durante a excitante época em que tanto o Imperador como o Xogum viviam em Miyako, e os anos de intriga que a precederam, os rebeldes do sul — entre eles, o homem que viria a se tornar o Primeiro-Ministro — bebiam e conspiravam em Gion, nos declives suaves de Maruyama, enquanto os legalistas do Xogum davam suas festas — e faziam suas reuniões secretas — perto do rio em Pontocho. Desde a guerra, a maioria das gueixas de Gion, inclusive a mulher que viria a se tornar a esposa do Primeiro-Ministro, tinha seguido seus benfeitores para Tóquio, enquanto a maioria das gueixas de Pontocho ficara para trás para prantear os homens mortos ou exilados. Apenas umas poucas de sorte ainda tinham clientes na cidade recém-nomeada Kyoto, vendendo seus tesouros um a um.

Eu atravessei a rua estreita de um bairro soturno, meus tamancos ecoando ruidosamente na terra batida. Os outros poucos sons pareciam especialmente altos: um cachorro trotando rua acima atrás de mim, com as unhas estalando no chão; uma velha derramando água sobre a soleira de pedra de sua porta com uma concha. Nós duas olhamos em direção ao som de uma única musicista em um quarto no andar de cima, que tocava um lamento para a rua ouvir. Um olhar severo aflorou no rosto da velha enquanto ela jogava uma última concha de água nas pedras. E então alguém saiu de uma loja de leques — eu quase gritei:

— Srta. Inko!

A criada de Koito estava usando a mesma *obi* xadrez amarela que usara quatro anos antes. Ela me reconheceu.

— Você ainda está com a Srta. Koito? — perguntei. — Posso acompanhar você até a casa dela? A minha Jovem Senhora gostaria de vê-la...

— Espere, fale mais devagar — disse Inko. Os olhos dela se arregalaram enquanto eu me explicava. Sim, ela ainda servia à Srta. Koito. — Mas nos mudamos para a casa da mãe dela. Você teve sorte de me ver. Só estou aqui porque ela me mandou buscar isso... — Ela apontou para o embrulho da loja de leques que estava levando. — Você tem tempo para ir comigo? É uma longa caminhada.

Eu *tive* sorte. Havia um pequeno altar perto da casa do fabricante de leques: depositei uma moedinha na caixa e acompanhei Inko em direção ao norte.

— Depois de você — disse ela.

Ela estava se oferecendo, notei, para caminhar atrás de mim, atenta à diferença de posição de nossas senhoras. Pareceu tolice: eu não sabia aonde estava indo.

— Vamos caminhar lado a lado — eu disse.

Ela sorriu, surpresa. Caminhamos quase 5 quilômetros em direção ao norte e ao oeste para o bairro dos tecelões: ouvi o martelar dos teares. Quando avistamos o frondoso bosque de um santuário, dobramos em uma rua de casas bonitas repleta de sons estridentes e vibrantes. A dissonância de mulheres praticando tantas melodias diferentes em tantos instrumentos diferentes era bemvinda depois do silêncio depressivo de Pontocho.

— Aqui estamos — disse Inko. — Kamishichiken.

— *Kami* Sete Bairro? *Kami* de deuses? Cabelo?

— *Kami* de norte, boba — riu Inko. — Há muito tempo o salão do santuário foi destruído em um incêndio — explicou, apontando para o bosque. — Quando o reconstruíram, a madeira que sobrou foi usada para construir sete casas de *geikos*.

O Bairro das Sete Casas do Norte.

— Aqui parece diferente.

As construções eram incomuns — altas, como templos, mas próximas uma da outra como prédios em uma cidade: por um momento foi como estar em Nova York. Enquanto nos aproximávamos de uma das casas altas, ouvi uma mulher cantando com um tambor de mão no andar de cima.

— A mãe da Jovem Senhora — cochichou Inko. — A melhor dançarina da sua geração.

Eu só entendi a palavra mais tarde, quando perguntei a Yukako: o que eu tinha entendido era que a mãe de Koito era a melhor dançarina da sua estatura, e eu tinha tentado imaginar uma gueixa muito alta ou muito baixa.

— Farei o que puder — disse Inko.

Ela levou o pacotinho que Yukako havia enviado para Koito, fez-me esperar no banquinho do vestíbulo com uma xícara de chá e dez minutos depois reapareceu.

— A Jovem Senhora Shin poderia vir amanhã?

QUANDO FICARAM CARA A CARA pela primeira vez desde aquela noite chuvosa anos antes, Koito estava novamente um degrau acima, olhando para baixo de dentro da casa de piso de tatame enquanto Yukako olhava para cima do vestíbulo com piso de terra batida. Por um momento elas simplesmente olharam uma para a outra, a beleza e a inexperiência. Yukako trazendo os dentes cerrados e na respiração presa todas as noites em que ficara acordada odiando aquela mulher, ficara mais magra e austera em quatro anos, enquanto Koito parecia tão viçosa e suave como antes.

— Entre, entre — disse, depois de ajoelhar-se para saudá-la. — Você vai decidir uma disputa entre mim e minha mãe. Ela insiste que esses doces são de Toraya e eu estou convencida de que eles são de Tawaraya. Precisamos de uma especialista.

Imagino que foi isso que ela disse; ela usava a linguagem extravagante das cantoras. O que eu ouvi com clareza foram os nomes de dois fabricantes de doces nos quais a família Shin tinha muita confiança. Acho que era uma manobra para fazer com que Yukako baixasse a guarda: doces tinham funcionado comigo quatro anos antes; estavam funcionando com Yukako agora.

Acho que Yukako imaginava conduzir friamente seu negócio com Koito no vestíbulo em questão de minutos, para minimizar sua humilhação; ela me dirigiu um olhar relutante enquanto Koito a levava ansiosamente para dentro. O que estariam dizendo? Desejei que tivesse tido tempo de observar as roupas de Koito, mas vi apenas um lampejo de rosa e dourado. Eu estava absorta demais olhando para o rosto dela naquele primeiro momento enquanto ela registrava o constrangimento de Yukako: embora agradável, fez-me lembrar de uma máscara de teatro *Noh*, branca e impassível mesmo sem a grossa camada de pintura que ela usara para Akio. Eu estava sentada com os dois quimonos de Yukako, preparada para dar uma olhada na próxima chance que tivesse, quando Inko apareceu e pediu que eu levasse o embrulho.

Eu a segui ao quarto de honra ao lado do jardim, com as portas de papel *shoji* abertas para uma paulownia em flor do lado de fora. Em um vaso na alcova onde se exibem os tesouros, havia uma fina videira enrolada em uma longa pluma branca, e, pendurado atrás dela, um pergaminho com o retrato de um velho calmo e gracioso com lábios de sapo engraçados. Ele tinha orelhas de lóbulos longos como os de Yukako — como a estátua no santuário da família Shin! E, espere um momento, o símbolo da família Shin não era um grande pássaro branco — um grou? O aposento inteiro era uma carta para Yukako.

As duas mulheres estavam frente a frente, com uma mesa baixa de ébano entre elas, onde havia dois doces de feijão feitos no vapor com delicadas meias-luas cuidadosamente removidas.

— Você pode ficar — Yukako disse quando depositei o pacote grande e pesado ao seu lado. Aturdida, ajoelhei-me, com os olhos fixos nos cantos em brocado dos tatames, enquanto Koito recusava educadamente duas vezes, como era o costume, e então uma terceira vez. Na verdade, eu nunca tinha ouvido alguém recusar um presente pela terceira vez, embora soubesse que fazer isso significava uma recusa verdadeira. Senti que Yukako ficou surpresa. Levantei os olhos.

Koito estava coberta das mais brilhantes, e ainda assim sutis, plumas que os novos corantes de anilina tinham a oferecer. Enquanto Yukako, como qualquer filha de samurai pragmática, dobrava o seu longo quimono para dentro na altura da cintura para encurtá-lo, as saias de Koito se arrastavam atrás dela no tatame, como as saias de uma mulher refinada; em deferência à estação, ela estava usando um quimono de peônias — folhas verde-douradas e pétalas cor-de-rosa — em um campo ardósia. Era parte de um conjunto de cinco trajes; dava para ver as camadas de cores onde as golas dos seus trajes de baixo ficavam expostas: verde-claro, verde-escuro, fúcsia e cor de açafrão. Ela usava uma *obi* ouro sobre ouro com um padrão de penas e um cordão cor-de-rosa intenso; as faixas que seguram o quimono, sob a *obi*, eram mosqueadas. Estava claro que ela não precisava dos quimonos de Yukako. A pele dela era perolada e delicada, sua expressão, enquanto ela jogava a oferta de Yukako de volta na cara dela, não era cruel, mas séria.

— Eu tenho outra ideia — disse.

Yukako escutava enquanto Koito elaborava sua proposta em frases floreadas e oblíquas. Eu não tinha a menor ideia do que ela estava dizendo — verbos condicionais, as palavras *arte* e *tesouro* —, mas Yukako entendeu, e cortou-a com uma frase brusca.

— De forma alguma.

Um não direto? Eu recuei com o insulto, mas Koito sorveu calmamente seu chá, com cara de *Noh*, um meio sorriso nos lábios. Meu coração batia tão rapidamente como dois dias antes, quando Yukako queimara sua manga. *Sua burra, burra!* Como é que você pode insultar assim a pessoa cuja ajuda veio buscar? E ao mesmo tempo, fiquei pensando, o que Koito teria proposto que ofendera Yukako tanto assim? Será que ela sugerira leiloar a pureza de Yukako? (Aos 14 anos eu sabia, de tanto ouvir as fofocas da casa de banho, que a *junketsu* de uma moça era o seu tesouro, e que as prostitutas vendiam as suas — esta última parte repetida com repugnância e fascinação —, mas os detalhes eram um pouco confusos para mim.) Será que minha sensata Irmã Mais Velha estava sendo tentada a levar uma resplandecente vida de pecado? Eu poderia acompanhá-la?

Koito pousou sua xícara de chá sobre a mesa e atirou o seu dardo.

— Afinal de contas, a sua avó ensinou *temae*, sabe?

Yukako tossiu repentinamente, o que dispersou a minha fantasia melodramática. O ar no aposento mudou. Yukako juntou forças, atordoada.

— É verdade.

— Sim, ela ensinou à sua mãe.

Koito recomeçou a falar, como cordas dedilhadas rapidamente. Eu ouvi *segredo* e *kohki* — uma palavra que significava *aristocrático* ou *oportunidade*. Yukako baixou os olhos em direção à mesa; espetou seu doce com um palito de *lindera* e o comeu com mordidas grandes. Koito mudou de assunto.

— De qualquer forma, eu vou desenhar-lhe um mapa — ofereceu. — Quer que eu envie a Srta. Inko com você?

Um mapa? Para quê? E como Inko iria ajudar? Eu não sabia; apenas ouvi Koito oferecendo favores um atrás do outro, e observei Yukako enquanto ela comparava o seu temor de um lugar novo com a aversão de ficar devendo àquela mulher. *Não tenho medo*, seu rosto dizia.

— Eu cuido disso sozinha — decidiu.

Os olhos de Koito se iluminaram, por um momento, com respeito.

— Como desejar.

EU SEGUI YUKAKO pelo longo caminho até Pontocho no dia seguinte. Ela me entregou sua sombrinha para que eu segurasse e apertou minha mão um pouco na porta da casa de penhores, como se eu estivesse nervosa e não ela. Ouvi a voz de um velho vindo de dentro, e o barulho de um ábaco. Quando saiu, Yukako atravessou furtivamente o bairro, o rosto oculto pela sombrinha. Ela seguiu a rota do rio para casa. Eu sei que era uma loja de penhores porque tive que carregar um quimono embrulhado no caminho para o centro da cidade, mas não levei nada no caminho de volta para casa.

— Ele deu muito dinheiro para você? — perguntei.

— Um pouco.

— Você vai gastá-lo com aulas de música com a Srta. Koito?

— Elas não estão à venda — disse. — Vou ver se conseguimos recontratar a filha de Chio por algum tempo.

— Nós vamos voltar à casa da Srta. Koito?

— Não sei ao certo.

— Aquele retrato que ela tinha na alcova era do seu antepassado?

— Sim — disse impaciente, com a voz impassível e fria. Ela parou, estendeu o seu lenço sobre um dique de pedra e sentou-se. Eu me ajoelhei no pano ao lado dela, olhando para o rio Kamo e para o outro lado, onde ficava Daimonji, o morro verde com o *kanji* que significava *grande* gravado na lateral: *dai*. Aves aquáticas rápidas e grandes surgiam e desapareciam de vista, apanhando peixes do rio. Yukako lhes jogava um *sembei* torrado vez ou outra. No começo os pedacinhos do biscoito de arroz flutuavam, então formavam um arco, mas assim que os pássaros os viam, abocanhavam cada um deles antes mesmo que chegassem ao ponto mais alto do arco. Nós ficamos admirando o rio e os pássaros, com seus corpos fluidos, brancos e graciosos. Eram o vento encarnado. Então Yukako atirou uma pedra, e um pássaro a agarrou no ar, incólume. O rosto dela enrijeceu.

— *Sim!* — exclamou, impetuosa e ardente. — É o que vou fazer.

— Fazer o quê? — gritei. Eu sabia que ela não ia responder.

Nas manhãs seguintes, sempre depois que o Montanha fazia suas oferendas diárias aos ancestrais e antes que começasse a comer a refeição que Yukako colocava diante dele, eu testemunhava uma série de conversas tensas e evasivas entre pai e filha. Ajoelhada na porta do gabinete do jardim, ouvi as palavras *sonho* e *Santuário Kitano*. Ouvi o nome de Kuga. Será que ela disse que Kuga iria trabalhar por comida apenas? Eu não consegui entender tudo o que Yukako disse, mas sabia que ela estava mentindo.

QUAISQUER QUE FOSSEM as palavras que Yukako e seu pai trocaram, uma semana mais tarde a pálida filha de Chio voltou para lavar e costurar, às vezes com a minha ajuda e a de Yukako, às vezes sozinha. Era doloroso ver Kuga sem o pequeno Zoji, saber que seu filho estava trabalhando como aprendiz para pagar as dívidas de jogo do pai. O que Lorde Ii teria vendido para comprar anos da vida do menino? Um cavalo? Meio cavalo? Kuga era uma anomalia, uma jovem abandonada pelo marido, e agora sem filho. Ela teve vergonha de ser um peso para os pais quando os Shin tinham tão pouco, por isso foi trabalhar como uma jovem solteira na casa de Sumie até que Yukako lhe deu emprego novamente. Voltei a segui-la na ida e na volta da casa de banho à noite, e voltei a jantar silenciosamente com ela, Chio e Matsu, sentindo o peso amargo da decepção deles.

Um dia após a volta de Kuga, segui Yukako, com caixas volumosas em meus braços, pelas ruas estreitas de muros altos do bairro das gueixas, ao norte. Quando finalmente vi a folhagem densa do bosque sagrado, Yukako falou:

— O Santuário Kitano. Eu disse a ele que viria aqui todos os dias para rezar.

— Ele acreditou?

— *Mukashi mukashi* — ela começou, que é como começam os contos de fadas no Japão: *Há muito, muito tempo...* — Sei que você se lembra da gravura na alcova de Koito — disse.

— O seu antepassado.

— Rikyu. Ele era a favor de um chá humilde — disse, usando uma palavra que também significava *triste*. — Chá em uma choupana de palha. Nada extravagante, nem mesmo flores na primavera. Um broto verde irrompendo na neve era primavera suficiente para ele. — Eu estava tão feliz; ela estava sendo poética e eu finalmente compreendi. — Ele era o mestre de chá do senhor feudal Hideyoshi. Eles foram amigos por um tempo, e juntos organizaram a maior reunião de chá que o mundo já conheceu, exatamente aqui, neste bosque junto ao Santuário Kitano. Então se afastaram: Rikyu queria uma choupana de dois tatames, Hideyoshi queria uma grande sala de chá feita de ouro. No final, Hideyoshi exigiu que Rikyu cometesse *seppuku*.

Suicídio ritualístico? Eu sabia a respeito por causa dos jogos dos irmãozinhos barulhentos de Sumie. Eles eram jovens de aparência sensata agora, mas quando crianças, entre um ou outro momento perseguindo as irmãs e a Srta. Miki, filha dos cabeleireiros, eles, em meio a risadas, ordenavam um ao outro que cometessem *seppuku*.

— Eu morro pela honra! — gritava o mais velho.

— Eu morro pela honra *e* por uma paixão proibida! — gritou o mais novo, puxando a manga da bela Miki.

Eles fingiam cortar as barrigas, e então compunham poemas sinistros e morriam corajosamente várias vezes na varanda, enfiando seus intestinos imaginários de volta no ventre. Eu não conseguia imaginar aquilo acontecendo de verdade — e com certeza não com alguém da família de Yukako.

— E por isso eu rezo aqui — prosseguiu Yukako. — Que a proteção de Rikyu recaia sobre nós, e que seu infortúnio passe ao largo. Imagine esse bosque inteiro repleto de pessoas do chá. Aconteceu uma vez — disse.

Ela me deu uma moeda para colocar na caixinha do santuário, eu depositei os pacotes no chão, puxei o cordão do sino, fiz as saudações, bati palmas e fiz reverência atrás dela. Então a segui até o bairro das gueixas.

Mais vale dar uma moeda de ouro a um gato. Levei muito tempo para começar a apreciar a música japonesa. Eu tinha sido criada ouvindo hinos em latim e a música de rua de Nova York — o acordeão, o pífano e o tambor, o violino irlandês — e o contralto francês áspero da minha mãe, cantando canções de amor e cantigas de ninar. Nada disso me preparou para o miado, o som agudo e vibrante, o começa-e-para da música japonesa. Eu ficava sentada na terra batida do vestíbulo na casa de Koito da mesma maneira que quando Yukako praticava em casa, alternando momentos de tédio e de irritação, muito contente quando Inko aparecia com chá e doces, com um brilho no olhar.

— Sua Jovem Senhora é boa, não é?

O japonês é repleto de pequenas crises de etiqueta: dizer sim e arriscar a grosseria de gabar-se de sua própria casa e família ou dizer não e arriscar a grosseria de ser desleal?

— Ela está se esforçando — respondi.

— Não, ela é muito boa — insistiu Inko, confiante. — Eu moro aqui, eu sei.

Ela desapareceu dentro da casa. Por que eu tinha sido tão cuidadosa? Não havia sido essa menina que dissera que a mãe de sua patroa fora "a melhor dançarina da sua geração"? Eu gostava dela, constatei, com seu sorriso fácil e olhos juntos engraçados. Enquanto escutava a música estridente, desejei que pudesse ouvir o que ela ouvia.

Quando a aula de *shamisen* terminou, fui chamada com os pacotes para os fundos da casa. Yukako abriu as caixas e desembrulhou os utensílios de chá: um misturador, uma tigela de chá, um pano de linho, uma concha de bambu, uma tigela de bronze para água usada, uma caixa de chá laqueada e uma grande bandeja redonda. Ela estava trocando utensílios de chá por aulas de música? Abaixei os olhos, contrariada. Ela estava mentindo para o pai e roubando as coisas dele, e para quê? Por que não vender os utensílios de chá simplesmente? Consolei-me um pouco com o fato de que aqueles eram os utensílios dela, e nem mesmo eram as peças boas: era o conjunto que ela me dera para praticar até que pudesse me confiar as peças boas. Olhei em direção a Koito. Certamente ela sabia que não eram valiosos. Será que Yukako a estava subestimando? Insultando-a de propósito? O temor que começara a rondar-me furtivamente na noite em que Yukako queimou seu quimono mostrou os dentes.

— Srta. Urako — disse Yukako.

— *Hai!* — pulei.

Eu? Ela havia me chamado de Pequena Ura todos esses anos: o que será que eu tinha feito?

— Lembra-se do seu *temae*?

É claro que sim.

— Eis o fogareiro, eis a chaleira, eis a porta do convidado. Eis os seus doces — disse, apontando para a bandeja de biscoitos *sembei*. — Leve-os para a cozinha e arrume-os.

— *Hai*.

— Será que ela ia fazer a cerimônia do chá para Koito? Eu não conseguia imaginar uma forma mais relutante de executar a tarefa, pensei, enquanto comia um biscoito *sembei* quebrada — crocante, salgada, incrustada de gergelim negro — e arrumava o resto na bandeja. Eu não conseguia entender o que Yukako estava fazendo. Normalmente você chamava o convidado a sua casa, fartava-o com seus próprios doces, arrumava os utensílios de chá com suas próprias mãos. Deixei a bandeja de *sembei* e a tigela de bronze do lado de fora da porta do aposento junto ao jardim, então recolhi-me à cozinha com o resto dos utensílios. A caixa de chá laqueada de preto era redonda, com uma tampa lisa abobadada, lustrosa como um espelho. Coloquei o chá dentro como Yukako me ensinara, no formato de um montículo fofo, sem torrões, sem pó verde nas paredes brilhantes da caixa. Então lavei a tigela de chá e borrifei água no misturador de chá. As pontas do misturador estavam atadas com um fio negro; ajeitei as pontas soltas do fio no formato de uma trança de homem. Umedeci o pano de linho, dobrei-o em forma de um esfregão estilizado e coloquei-o dentro da tigela, apoiando o misturador no pano e a concha de chá sobre a borda. Coloquei a tigela e a caixa de chá uma atrás da outra sobre a bandeja e coloquei a bandeja junto à porta também.

— Jovem Senhora, está pronto — anunciei, fazendo uma reverência.

Então ergui os olhos. As almofadas onde elas se acomodavam para tocar o *shamisen* e a mesinha de chá haviam sido colocadas em um canto para que o fogareiro e a chaleira fumegante ocupassem o lugar de honra. Koito estava sentada à minha frente, calma e curiosa. Ela pareceu indiferente à transgressão das convenções por parte de Yukako. Será que ela nunca vira uma cerimônia do chá de verdade? Talvez essa fosse a forma de Yukako satisfazer a curiosidade de Koito e manter a superioridade ao mesmo tempo. Depois de fazer uma reverência, levantei-me parcialmente para voltar ao vestíbulo e deixar que Yukako assumisse, mas então ela disse:

— Usem estes. — E entregou um leque a cada uma de nós. Ela estava sentada no tatame ao lado de Koito, junto ao fogareiro. Fiquei pasma: ela estava exatamente no mesmo lugar em que seu pai ficava quando dava aulas.

Será que era para eu fazer o *temae*? Os pelos da minha nuca se arrepiaram enquanto eu colocava meu leque diante de mim e recitava a frase que ouvira os alunos do Montanha usarem com ele, a frase que ela me ensinara a usar antes das nossas aulas de brincadeira em seu quarto:

— *Sensei*, peço-lhe que seja gentil comigo.

Yukako depositou um leque diante de si e fizemos reverência juntas. Então, como os alunos do Montanha faziam um para o outro, virei o meu leque e depois meu corpo em direção a Koito e fiz reverência para ela também.

— Honrada convidada, peço-lhe que seja gentil comigo.

— Não, retribua a reverência *desta* maneira — Yukako instruiu Koito. — Não fique sentada como uma anfitriã.

Minha pele formigava. Aquela era a palavra que Akio tinha usado quando disse a Yukako para não fazer o *temae*.

— Se formos fazer isto, você precisa esquecer todo o *temae* que aprendeu em Pontocho. Este é o verdadeiro *temae* Shin. O seu leque fica *aqui*. Diga *isto*.

Koito fez uma reverência.

— Obrigada, *Sensei*.

Yukako me entregou o pano de chá feito de seda, o emblema de um anfitrião.

— Agora, Urako, guarde isto na sua faixa e faça chá para sua *kohai*. — A voz dela era uma lâmina reluzente.

Eu arrastei o meu leque e o meu corpo ajoelhado pela porta e enrubesci, entendendo por fim o que se passava. Koito pedira a Yukako para ensinar-lhe o *temae* Shin. Yukako não estava roubando os utensílios de chá do pai, estava roubando a arte dele, o papel dele, exatamente aquilo que ele e Akio lhe haviam negado. As costas dela pareciam compridas e alertas enquanto estava ajoelhada no tatame de professor; vi no contorno firme dele todos os anos que ela passou atrás da treliça durante as aulas, com permissão para observar, mas não para praticar, as noites agitadas depois que Akio dissera que esposa sua não iria fazer o *temae*, todas as aulas secretas e solitárias no quarto comigo, como uma menina com sua boneca, o choque dela na sala de visitas de Koito e o seu *sim* sibilado na beira do rio. Esta era a lâmina brilhante na voz dela: ela *iria* praticar o *temae*, ela *iria* ensiná-lo, *seria* o filho de seu pai em vez de esperar para se casar com ele, e se a vida lhe oferecesse apenas sua antiga rival para quem impor sua vontade, era o que ela faria. Ouvi o prazer que sentiu em chamar Koito de minha *kohai*, iniciante em relação a mim, de posição inferior. Embora fosse uma anfitriã, Koito era a mais velha e a mais bonita de nós três, e tinha o que Yukako desejava: meios para se sustentar. Mas naquele aposento Yukako havia criado uma pequena bolha onde a mulher que ela detestava era a mais insignificante das três. Agora eu via: minha fascinante Irmã Mais Velha sabia exatamente o que estava fazendo. As minhas mãos tremiam enquanto eu guardava o pano de seda na minha faixa.

Eu trouxe os doces, depois os utensílios na bandeja, depois a tigela para a água usada. Limpei a caixa de chá e a concha com o lenço de seda, coloquei água na tigela de chá, agitei o misturador na água e descartei a água usada na tigela de bronze, limpando a tigela de chá com o pano de linho. Adicionei o chá em pó, ofereci a Koito um *sembei* e misturei a água quente e o chá verde até produzir uma infusão espumosa. Depois que a gueixa comeu e bebeu, formalmente arrumei os utensílios e os levei embora.

Eu havia feito este *temae* tantas vezes que Yukako não me corrigiu, em vez disso, concentrou-se na sua outra aluna.

— Não, assim, *assim*.

Quando ela falara com Koito antes, usara palavras educadas ainda que não subservientes, mas assim que Koito fez reverência para ela como *Sensei*, ela começou a usar os verbos curtos e imperativos que usava comigo e com Chio. *Chaimasu*, uma forma educada de dizer "não é assim" — embora eu raramente ouvisse Yukako discordar francamente, mesmo que educadamente, de alguém exceto de mim —, transformou-se em c*hau:* "Você está errada."

— Levante a bandeja de doces agradecendo e abaixe-a, *então* coloque a sua toalha de papel diante de você, *errado!,* o lado dobrado na *sua* direção, toque a bandeja com a mão esquerda, *errado!,* a palma para *cima*, e pegue seu *sembei* com a mão direita e coloque-o no papel, *errado!,* primeiro *mova* a bandeja para a direita, *errado!,* com as *duas* mãos...

Koito aceitou as críticas de Yukako com bom humor, e até mesmo com entusiasmo. E eu compreendi. Embora Yukako tivesse falado com mais afeição, ela também havia sido rígida e exigente comigo, e eu gostava do cuidado com que ela me observava. O *temae*, apesar de misteriosamente comovente, não era inacessível: cada gesto ganhava forma clara sob a luz da atenção dela. Naquele dia, no aposento de Koito junto ao jardim, quando *não* recebi críticas, pela primeira vez senti, enquanto executava o *temae*, um pouco da solenidade e da graça que sentia quando o observava. Senti a precisão austera da coreografia, e minha voluptuosa entrega a ela. Senti o desejo de dar algo precioso, a tigela de chá. Senti esse momento único no mundo, três mulheres em um aposento, as portas abertas para o dia ensolarado, as abelhas embriagadas nas flores roxas. Senti a alquimia da comida se transformando em carne. Éramos velas que queimavam sobre arroz e sal. Aquelas folhas verdes moídas vinham da terra, da água, da luz e do ar, da mesma forma que o corpo sedento da minha convidada. E eu mesma era uma folha ao sabor do vento, meu corpo levado por um rio de *temae*. Senti que minha mente era rio e folha ao mesmo tempo.

Depois que retirei tudo, tive permissão para ficar e assistir enquanto Yukako transmitia a Koito a primeira coisa que me ensinara: como dobrar o pano de seda do convidado, um grande guardanapo quadrado, em uma almofadinha justa usada para limpar a caixa de chá. É claro que só havia uma forma de fazê-lo. Com paciência e severidade, Yukako dividiu o movimento fluído em 12 passos, exigindo, como seu pai havia exigido dos alunos e ela exigira de mim, que Koito prestasse total atenção à posição das costas, da cabeça, dos membros e dos dedos dela.

— Aqui. *Aqui. Deste* jeito. *Errado!* — disse, acertando os dedos de Koito com a vareta plana do seu leque dobrado. Eu era a filha de uma arrumadeira, educada por um missionário; Koito era a filha de uma dançarina, educada por músicos: ela aprendeu muito mais rápido do que eu. Ela já estudara o *temae* antes, foi o meu consolo; ela conhecia o estilo que elas aprendiam no bairro das gueixas. Ainda assim, enquanto Yukako intimidava e pressionava, senti inveja enquanto observava o corpo de Koito *lembrar-se* do que havia aprendido. Quando Koito conseguiu dobrar o lenço de seda perfeitamente pela terceira vez, Yukako soltou um resmungo de aprovação, exatamente como o Montanha fazia.

— *Un*. Por hoje basta.

— Amanhã, então?

— Muito bem.

Eu e Koito fizemos as reverências que marcavam o fim da aula, e então Yukako voltou a usar verbos mais longos e corteses.

— Será que eu poderia deixar o meu *shamisen* aqui?

— Você não pretende praticar em casa? — repreendeu Koito, não mais uma aluna.

— Eu tenho outro — respondeu Yukako asperamente.

— Ah, como fui esquecer? Você não quer que seu pai veja — disse Koito, atormentando-a.

— Bem, você iria querer? — atacou Yukako. — Ou talvez nem saiba quem é seu pai.

Sorrindo, Koito respondeu:

— Sugiro que não tire conclusões. — Ou algo do gênero.

Quanto mais maldosamente indireta ela se tornava, menos eu entendia Quatro anos antes, lembrei-me, ela usara verbos muito longos, típicos de uma bajuladora ou de uma criada, mas agora, percebi, ela apenas usava a mesma cortesia que Yukako usasse. Quando ela havia mudado? Ah, quando Yukako pediu ajuda.

— Talvez devêssemos manter a conversa restrita à aula que estivermos tendo — disse Yukako.

— Vamos nos beneficiar muito uma da outra — concordou Koito. — É claro que pode deixá-lo aqui — acrescentou. — Não é ruim. Tem um som agradável, apesar da qualidade.

A mão de Yukako cerrou-se em volta do leque. Pena que a hora dela como professora já terminara. Eu sabia que ela queria desferir outro golpe naqueles dedinhos bonitos. Ela procurou controlar-se e fez uma reverência.

— Obrigada, *Sensei*.

Eu havia me sentido tão próxima delas fazia pouco tempo, e agora só queria ir embora. Fiquei surpresa quando Inko veio até a porta para despedir-se de nós com reverências, mais ainda quando ela sorriu para mim.

NO ANO QUE SE SEGUIU, enquanto bengalas ocidentais e chapéus-coco começaram a aparecer nas multidões do mercado, a sorte do Montanha melhorou lentamente. Ele conseguiu um patrono mercador, o novo e imponente chefe da casa Okura, herdeiro de uma fortuna em navios mercantes. O Imperador não viu necessidade de banir o chá, supondo que sem seu apoio os "passatempos" tradicionais iriam morrer de morte natural. Ele não previra que aqueles a quem havia sido negada a pompa da aristocracia durante a época do Xogum iriam reivindicá-la agora que podiam: para um mercador como Okura Chugo, contratar os serviços de um mestre de chá de um senhor feudal era finalmente declarar-se igual àquele senhor. Seguindo o exemplo de Okura, outros mercadores começaram a procurar o Montanha, e na primavera do Quarto Ano da Era Meiji tínhamos estudantes na Sala Comprida novamente: três filhos de mercadores, inclusive o Menino Vara e o Urso. Àquela altura Koito já havia me superado havia muito tempo como estudante de chá, e Yukako, ela própria uma rápida aprendiz, vinha acompanhando Koito em suas aulas de música havia meses. Para esconder a identidade de Yukako como filha do mestre de chá — e para esconder a identidade de Koito como gueixa — elas se apresentavam como professora e aluna vindas de Tóquio, com Yukako como professora e Koito como aluna. Quando os jovens alunos estavam preparados, Koito dizia às mães das elegantes casas que visitávamos, eles começavam a trabalhar com a própria "Migawa Yuko".

O único momento de perigo enquanto Yukako trabalhava como Migawa-*sensei* foi um dia quando vi a Srta. Miki, a filha dos cabeleireiros, saindo de uma loja de pentes no distrito das gueixas. Yukako e Koito já haviam dobrado a esquina, mas Inko percebeu o meu susto.

— Você conhece a Srta. Miki? — perguntou, enquanto Miki atravessava a rua à nossa frente, sem nos ver.

— Por quê? A mãe dela também é sua cabeleireira?

— Ah, não — disse Inko, enquanto o meu coração, aliviado, voltava ao seu ritmo normal. — Elas apenas fazem compras lá o tempo todo.

KOITO PROPÔS que trabalhassem incógnitas logo depois que ela e Yukako começaram a fazer permutas com as aulas. A necessidade de discrição de Yukako era evidente, mas quando Koito mencionou a sua, Yukako lançou-lhe um olhar de superioridade.

— Como disse? — falou com malícia, apenas para que Koito tivesse que repetir o que dissera antes.

— Se circulasse por aí que uma mulher de uma certa profissão com a reputação de ganhar muito dinheiro ganhasse, na verdade, tão pouco que tivesse que buscar uma segunda fonte de renda... — a voz dela morreu.

Eu não a entendi muito bem, mas foi algo assim, só que um pouco mais intenso.

— Que pena — disse Yukako, quase sinceramente.

— Ouça — suspirou Koito. Embora as gueixas fossem dançarinas e musicistas, não prostitutas, elas faziam parte daquele mundo que Yukako acabara de insultar com algo que beirava a obscenidade. — Minha mãe está doente e endividada. Quando ela morrer, esta casa não será minha; Madame Suisho, a vizinha, vai ficar com ela como pagamento. Eu não tenho nenhuma árvore sob a qual me proteger, *Sensei*. Eu sinto muito se a magoei com o jovem senhor. Mas será que não vê? Podia ter sido qualquer uma de nós. Eu fui comprada, como um brinquedo. E então me apaixonei um pouco. Esperei que ele dissesse "Quero me casar com você", mas ele nunca disse. Será que entende?

Normalmente Koito parecia ser um bloco harmonioso, como se a bela cascata de seda que ela vestia aderisse a ela como água, mas por um momento ela pareceu o que realmente era, uma jovem preocupada que, por acaso, estava envolta em brocado. Yukako não conseguia encará-la.

— Eu vou parar, *Sensei* — disse. — Sinto muito.

Quando Koito executou o *temae*, Yukako estava meticulosa nas correções como sempre, mas o seu "errado!" vinha sem veneno. Quando ela acendeu incenso diante da deusa da compaixão, de rosto solene, no templo aquela tarde, ouvi o nome de Koito em suas preces.

NA PRIMEIRA VEZ que elas deram uma aula de música, na enorme casa do Lorde Mitsuba, Koito e Yukako dividiram as poucas moedas meio a meio. Enquanto seguia Yukako para casa, as borlas do cordão da sua *obi* balançavam com prazer enquanto ela caminhava. Depois daquele dia, ela passou a gastar o dinheiro no salário de Kuga, em uma comida melhor para a casa, ou simplesmente o guardava — "Para meu Pai", costumava dizer —, mas naquela primeira vez, ela comprou *dango*, bolas de farelo de arroz espetadas em um palito, grelhadas e cobertas generosamente com um molho doce pegajoso e pó de soja tostado. Ela comeu um espeto inteiro e comprou outro para mim.

— Eu levaria dezenas de aulas para ganhar o dinheiro que consegui por um quimono — ela ficou pensando depois que paramos para cumprimentar Madame Cachimbo. Sentamo-nos em um banco na beira do lago artificial onde se observava a beleza da lua e ficamos olhando o sol ondular na água. Vi menos carpas que o normal: será que a família de Madame Cachimbo as estava comendo? E ainda assim eles tinham acabado de pagar para desfilar em um dos festivais de verão. Da mesma forma que os Mitsubas, com sua casa, embora mais imponente que a de Sumie, em estado de abandono bem pior, vinham pagando por aulas de música. Yukako olhou para as moedas em sua mão e enfiou-as de volta na manga. — Isso é menos do que o dinheiro que eu levo para o mercado todos os dias. Mesmo assim... — disse.

— É diferente? — lembrei-me de quando ela queimou a manga na casa de costura.

— *Un* — resmungou, concordando.

— Você parece seu pai quando faz isso.

11

1871

NO VERÃO DO QUARTO ANO da Era Meiji, quando já havia um ano que Yukako e Koito estavam permutando aulas, eu fiz 15 anos e o tempo ficou horrível. As chuvas do começo de verão vieram e desvaneceram em uma breve onda de calor. Algumas semanas antes do Obon, o Festival dos Mortos no fim do verão, o nível da água do rio Kamo diminuiu, o canal Migawa e o canal da rua do Canal — que nunca ficava fundo, exceto durante a estação chuvosa — secaram até que só sobraram fios d'água empoeirados nas suas margens. Até mesmo o lago artificial da casa de Sumie, para a observação da beleza da lua, diminuiu à metade. No Bairro das Sete Casas do Norte, a mãe de Koito estava entre aqueles cuja saúde debilitava-se com o calor sufocante.

Quando não estava indo às pressas ao médico com a dançarina doente, Inko costumava vir conosco às aulas, seguindo-me rapidamente, levando o *shamisen* de Koito. Exceto pela casa dos Mitsuba, a mais nobre que visitávamos, Inko sempre conseguia sair do vestíbulo e se infiltrar na cozinha, onde os outros criados costumavam nos dar chá frio de cevada e insistiam que contasse histórias sobre Edo, que ela inventava maravilhosamente. O ouvinte mais devotado de Inko era um velho jardineiro de olhos arregalados da casa dos Tsutamon, uma nobre família samurai cujo filho havia estudado com o Montanha (Yukako temia ser reconhecida todas as vezes que íamos lá, mas o jovem nunca apareceu.) Bozu, o jardineiro dos Tsutamon, recebera esse nome por causa do cabelo curto como o de um monge ou um ocidental; sua esposa e sua nora haviam morrido de cólera, ele balançava o netinho nas costas, como se estivesse eternamente surpreso com a existência do menino.

— É verdade que em Edo um monge pôs fogo em seu próprio templo? — perguntou.

— É a mais pura verdade — disse Inko, embora não soubesse — que ele fez isso depois de ter visto uma fênix em um sonho.

— Não, o que eu ouvi é que ele fez isso quando o Imperador passou por ele com o cabelo cortado curto como um demônio estrangeiro — disse o cozinheiro, dando, de brincadeira, um tapinha na cabeça de Bozu.

— E é verdade que ele se matou depois? — perguntou o jardineiro.

— E quem não se mataria, não é? — respondeu Inko.

Eu gostava quando íamos à casa dos Mitsuba e esperávamos quietas, como havíamos sido instruídas, no banco do sombrio vestíbulo de chão de pedra. Ficávamos sentadas nos abanando com pequenas pás de papel rígido, fazendo caretas uma para a outra quando a menina Mitsuba tocava as notas erradas, conversando em voz baixa. Ela adorava o fato de que eu era tão crédula quanto Bozu, e eu fingia para diverti-la.

— Como é que todos ganham um nome novo exceto eu? — perguntei um dia. — A minha senhora, a sua senhora, e até você, Srta. Namiko.

— Mas Namiko é o meu nome verdadeiro — riu Inko.

— Mentirosa.

— Não, é verdade — insistiu.

— Então quem é Inko?

— Você não acredita realmente que os pais de alguém iriam chamar uma criança de Inko, acredita? — E então lá estava eu, com aquele olhar perplexo do qual ela gostava tanto de zombar. — Acredita *sim!*

Meninas protegidas eram chamadas de "filhas mantidas em caixas", mas na opinião de Inko, eu dava um novo significado àquela expressão.

— Você nasceu em uma caixa — suspirou. — Você alguma vez viu um *inko*? É um pássaro barulhento.

— Ah, como você — provoquei.

— Pode apostar — disse, crocitando como um papagaio enquanto eu fazia um esforço enorme para não rir muito alto.

Eu não tinha a menor esperança de impressioná-la, mas ela gostava de mim assim mesmo.

— Namiko é um nome bonito — eu disse, olhando para o outro lado. — Inko também.

Eu ainda usava o cabelo em um coque preso com um grampo: um estilo para moças que já haviam saído da infância mas ainda eram jovens demais para gastar dinheiro com um cabeleireiro. Naquele momento, o coque cedeu à gravidade e ao calor que oprimia a cidade. Eu soltei meu cabelo e Inko o tocou. Levantando-o com uma das mãos, ela abanou a parte de trás do meu pescoço exposto enquanto eu continuava sentada, com os braços moles e grata.

— *Macio* — sussurrou ela.

QUANDO TROCAMOS as vestimentas sem forro pela gaze do verão mais intenso, eu sabia que Yukako queria começar a dar aulas de música sozinha, mas o orgulho a impedia de pedir. Koito, por sua vez, parecia quieta e distraída, e quando declarou que Yukako estava pronta para trocar de posição, foi com um ar de surpresa e constrangimento. Na verdade, dois dias antes do Festival de Obon, quando Koito anunciou a Mitsuba que sua menininha estava pronta para trabalhar com a própria "Migawa Yuko", ela parecia realmente triste. Yukako brilhou naquele dia, conduzindo a menina através da música como se tivesse nascido para a tarefa. Mesmo uma pessoa tão indiferente à música japonesa como eu (sozinha no vestíbulo, desejando que Inko tivesse vindo também) podia ouvir que todo o esforço de Yukako estava sendo recompensado.

Depois que saímos, Yukako ficou olhando para trás em direção a Koito, buscando algum aceno de cabeça, algum resmungo, algum sinal de aprovação. Quando a parabenizei, como eu fazia com frequência, ela esperou para ver se Koito também iria parabenizá-la, mas a mulher mais velha permaneceu sem expressão durante tanto tempo que Yukako finalmente voltou-se, perguntando queixosa:

— *Sensei*, eu me saí mal?

O estojo do *shamisen* de Koito caiu no chão e a cabeça e os ombros dela se curvaram repentinamente para a frente.

Eu corri para ampará-la: será que estava desmaiando por causa do calor?

— *Sensei*, você quer um pouco de gelo? — perguntei. — Um pouco de chá de cevada frio?

— Aquilo foi tão egoísta da minha parte — desculpou-se Yukako, abanando Koito com as mãos. — Eu não tinha ideia.

— Perdão, perdão — desculpou-se enquanto a conduzíamos até um banco embaixo de um para-sol vermelho. Pertencia a uma barraca que não vendia nada além de raspas de gelo com xarope, então compramos uma tigela para Koito.

— Está tudo bem, eu não preciso disso, desculpem-me — ela continuou, agitada, mas então suspirou, colocou a mão sobre o queixo e provou um pouco.

— Ah, é bom.

Koito olhou para as gotas de suor que se formavam do lado de fora de sua tigela laqueada. Eu e Yukako trocamos olhares preocupados.

— Temos uma aula amanhã com a família Tsutamon e depois nenhuma durante alguns dias, por causa do Festival de Obon — disse Koito.

Yukako parecia confusa.

— Sim?

— Acho que a Srta. Ura deveria ficar na minha casa esta noite, se você estiver de acordo — decidiu Koito.

— O quê? Por quê?

— Se for necessário, ela irá dizer-lhe para dar a aula sem mim amanhã — disse ela tristemente. — Minha mãe pode não passar desta noite.

— *Ara!* — Yukako exclamou.

Ela disse todas as coisas penosas e inúteis que todos dizem, e então perguntou:

— E o que você está fazendo aqui?

— Ela me pediu para fazer o que faço todos os dias. Caso contrário... — a voz de Koito hesitou.

— Eu sinto muito — disse Yukako.

— Então — disse a gueixa rapidamente —, a menos que a Srta. Ura vá encontrá-la, amanhã de manhã na minha casa?

Enquanto se afastava, Yukako olhou para trás duas vezes, preocupada.

EU TINHA VISTO Akaito, a mãe de Koito, uma vez, durante a curta estação das chuvas naquele ano, pouco tempo depois que uma chuva forte provocou uma infiltração no armário do quarto de Yukako no segundo andar. Enquanto tirava as coisas de dentro do armário, Yukako encontrou o vestido marrom que minha mãe tinha feito para mim, adornado com veludo e cheirando a fumaça. Com os olhos fechados, eu conseguia ver minha mãe, meu tio, minha bonequinha de pano marrom. A rua Mott, as freiras, o navio, o incêndio. Permaneci imóvel por um longo tempo com o vestido à distância de um braço.

— Vista-o, vamos — implorou Yukako.

Eu não tinha crescido muito desde os 9 anos, mas eu tinha desenvolvido curvas no último ano: o tecido esticou sobre os meus novos seios e quadris. Quem era aquela? Surpreendi-me, examinando a jovem mulher que usava meu vestido. Senti uma onda de tristeza por minha mãe nunca ter me conhecido naquele corpo, por ter crescido sem ela. Yukako bateu palmas, encantada.

— Mostre para o-Chio! — insistiu.

Senti calor com a vergonha e o velho pesar, mas eu não a tinha visto tão alegre em anos. Cedendo, desci a escada para a cozinha, e de repente me vi cara a cara com o Montanha.

— O que é isso? — exclamou.

Com os pontos de costura estourando, corri escada acima. *Jamais vou usar este vestido de novo,* pensei, despindo-o com muito cuidado. Dobrei-o e esquadrinhei as coisas molhadas retiradas do armário, procurando em vão minha medalha de Santa Clara. Eu havia perguntado a respeito dela para Yukako e Chio anos antes, quando finalmente soube as palavras em japonês: elas não tinham visto nem a medalha nem o cordão.

Sempre que íamos à casa de Koito, Yukako fazia uso de seu privilégio como *Sensei* para escolher o pergaminho a ser exposto na alcova, pendurando uma preciosidade diferente oriunda do depósito dos Shin para cada aula. Alguns dias depois da tempestade, quando Koito e eu entramos e fizemos reverência com nossos leques diante da alcova para apreciar a flor e o pergaminho, fiquei surpresa. Koito e Inko também.

Yukako havia pendurado meu vestido na alcova. Inko pediu permissão para algo, Koito assentiu e ela saiu. Nós ficamos olhando.

Às vezes, em vez de um pergaminho, uma pintura era colocada na alcova, ou uma linda estátua, uma máscara tribal aino, ou até mesmo um pedaço de madeira trazido pelas águas, magnificamente erodido até ficar parecido com renda. Será que o meu vestido era um achado tão valioso? Com o meu leque diante de mim e as mãos e o corpo inclinados exatamente na postura de apreciação da arte, ajoelhada ao lado de Yukako, triunfante, e de Koito, curiosa e franca na sua avaliação, olhei para o trabalho manual de minha mãe, pendurado como um artefato primitivo. Senti um grande vazio e, envolvendo-o, uma camada de orgulho, de indignação, de pesar, de vergonha.

— *Você* usava isso? — perguntou Koito. — Poderia vesti-lo para nós agora?

— Não — respondi.

E fui poupada de dizer mais pela mulher que entrou: a velha senhora mais bonita que eu já tinha visto na vida. Um pouco mais jovem que o Montanha, vestindo um quimono azul-real com uma cauda estofada vermelho-acastanhada, da altura de Yukako e com o porte de Koito — ali estava a melhor dançarina de sua geração, Akaito, a mãe de Koito. Em segundos ela percebeu como estávamos sentadas, ajoelhou-se no chão com os braços dobrados exatamente como os nossos (mas com muito mais elegância), deu uma olhada no vestido feito por minha mãe, fez uma reverência e saiu. Yukako, atordoada e submissa, convidou-a:

— Por favor, não gostaria de ficar e tomar um chá?

E POR ISSO EU ESTAVA preocupada com Madame Akaito também quando Koito pediu a minha Irmã Mais Velha para deixar que eu passasse a noite em sua casa. O médico — com seu criado e seu baú de remédios cheio de gavetinhas — concordou em ficar com a paciente até que Koito voltasse do trabalho, ou a noite toda se a febre não cedesse. A cozinheira de Koito e Inko concordaram em alternar as idas à casa de banho de forma que alguém pudesse correr para a enfermaria a qualquer momento. Antes mesmo que Koito tivesse terminado de pintar seu rosto branco, o médico garantiu que a noite não traria perigos para a dançarina idosa, mas concordou em ficar mesmo assim; embora mantivéssemos a vigilância, nosso coração estava bem mais leve que o esperado.

Após o anúncio do médico, a curiosidade que a aflição mantivera presa soltou-se das amarras, e eu tentei ser o mais útil possível a fim de descobrir como era a casa de uma gueixa de verdade.

Era exatamente como todas as outras casas que eu tinha visto em Kyoto, madeira e palha e varetas de bambu, a cozinha em um corredor de terra batida que percorria a extensão da construção. A mãe de Koito dormia no andar de cima, num quarto com vista para o jardim, enquanto Koito guardava suas coisas atrás da sala onde as aulas tinham lugar: as portas leitosas deslizavam, revelando um quarto interno que eu nunca tinha visto, um pequeno quarto particular, cheio de tecidos vibrantes e pincéis de maquiagem. Ao lado de um espelho generoso, em seu próprio leito de cinzas, queimava uma bolota preta de incenso *neriko*, uma resina aromática em uma bola de mel e pó de casca. Uma jovem muito bonita chamada Mizushi veio da casa de gueixas vizinha para ajudar Koito enquanto ela pintava o rosto e os ombros de branco, deixando uma fina faixa bifurcada de pele, como a língua de uma cobra, exposta na nuca. Então ela pintou duas delicadas sobrancelhas caprichosas e uma boca no formato de botão de cerejeira e aplicou um toque de ruge nas maçãs do rosto.

Depois Koito maquiou Mizushi também, dando uma leve pincelada de vermelho apenas no lábio inferior da jovem, e um velho camareiro da casa vizinha quase careca e com uma voz de seda — o único homem que podia entrar em uma casa de gueixas, contou-me Inko — ajudou Koito a vestir um belo e extravagante traje: um quimono em cinco camadas, a mais externa, uma magnífica região de montanhas e quedas-d'água, pesada com fios de prata. A uma certa altura Koito apontou para um fardo envolto em pano:

— É o quimono de amanhã. Será que você poderia ajudar a Srta. Mizu a trazê-lo até aqui?

Nós duas mal conseguíamos carregá-lo, e compreendi por que Koito precisava que alguém a ajudasse a vestir o traje noturno: o peso do quimono equivalia a um terço do peso dela. Enquanto Mizushi lavava os pincéis de Koito e os colocava cuidadosamente para secar, um fantasma branco-acinzentado bruxuleando para dentro e para fora do aposento, o camareiro colocou os grandiosos trajes do dia seguinte em um cabide para arejarem.

— O quimono de amanhã, espero — Koito corrigiu-se, preocupada.

Quando Koito estava pronta, o camareiro ajudou Mizushi a vestir o quimono dela com tanto cuidado quanto se estivesse depositando sobre os ombros dela uma vara com dois baldes de água nas pontas. Enquanto Koito estava majestosa, como uma pintura, Mizushi exibia um tipo de beleza clássica estilizada, os longos laços de sua *obi* pendendo de suas costas desamarrados como uma jovenzinha atrevida que tivesse fugido antes que a mãe conseguisse terminar de vesti-la.

Koito listou uma série de eventos e reuniões aos quais elas tinham sido convidadas a comparecer, e duas festas nas quais estavam escaladas para se apresentar, uma que requeria alguém que tocasse *shamisen*, e uma bem mais tarde que requeria uma dançarina de menor importância.

— Pequena Mizu, vá no meu lugar — decidiu Koito, dirigindo um olhar para o andar de cima. — Eu não quero ficar fora até tão tarde.

— É verdade mesmo, Irmã Mais Velha?

Será que elas eram realmente irmãs?

— Ela não vai se queixar se eu chegar em casa um pouco mais cedo. Você ensaiou as danças Hotaru e Miyagino-no, não ensaiou?

A reverência exagerada de Mizushi mal escondia sua excitação — assim como seu constrangimento por sua alegria ser fruto do infortúnio de Koito.

— Irmã Mais Velha, humildemente lhe agradeço — disse.

— Todo mundo gosta de um rosto novo — suspirou Koito.

— NÃO, NÃO SÃO IRMÃS — contou-me Inko enquanto caminhávamos lado a lado para a casa de banho. Tínhamos a mesma idade, mas eu me sentia bem mais jovem. — A Pequena Mizu é a *maiko* dela, uma aprendiz — explicou. — Ela veio da casa da Madame Suisho, a vizinha. Elas têm tantas *maiko* e nós não temos nenhuma, então...

Embora as pessoas frequentemente não terminassem as frases — como uma forma de demonstrar respeito tanto pelo ouvinte como pelo assunto —, a voz de Inko era tão franca e enfática que eu sempre ficava surpresa quando ela interrompia uma frase assim.

— Eu nunca a vi antes — comentei.

— Você nunca esteve aqui de noite — disse Inko, quase em tom de censura.

Eu não sabia o que dizer.

— Então você, a cozinheira, a Srta. Mizushi, a Srta. Koito e a mãe dela moram todas juntas?

— Mizu dorme na casa do lado com as outras *maiko*. E as mulheres que fazem a costura também ficam lá.

Assenti com a cabeça.

— Então por que a sua Jovem Senhora vai a tantos lugares hoje à noite?

— Ela recebe um pouco de dinheiro em cada lugar para o qual é convidada, mais nas festas em que dança ou toca. É embaraçoso, mesmo assim. Durante muito tempo havia tão pouco trabalho, mas agora... — ela inclinou o queixo na direção da casa, olhando para a enfermaria — ...as pessoas sentem pena da Jovem Senhora, então a agência de gueixas a está contratando para todas as festas do bairro.

— Deve ser difícil.

— Não dá para evitar — ela disse.

Eu estava usando um quimono extra de Inko; quando levei a mão ao rosto, senti o cheiro de incenso *neriko* de Koito na manga, complexo e inebriante.

— Se a Srta. Mizushi não é irmã dela de verdade, a Mãe — Inko chamava a senhora da casa de Mãe, embora fosse evidente que elas não eram parentes — é a mãe verdadeira dela?

— Claro. Mas a Jovem Senhora foi criada na maior casa de gueixas de Pontocho. Você viu o que aconteceu lá quando as coisas ficaram ruins.

— Mas por que ela não foi criada pela própria mãe?

Inko era tão diferente de Koito que me impressionava o fato de trabalhar com ela havia tanto tempo. Seu discurso era tão franco quando ela explicava algo.

— Bem, há quinze anos Pontocho era o mais importante bairro de gueixas e este aqui era apenas um lugarzinho atrasado. Ainda é. Mercadores de seda, um tédio — disse com desdém. — Bem, ao menos alguém está ganhando dinheiro esses dias. A mãe da Jovem Senhora queria que a filha tivesse oportunidades que não teria aqui, então a ofereceu para adoção à melhor casa em Pontocho. Ela deu à filha um nome que ela poderia manter se o escrevesse de forma diferente.

— Como assim?

— Ela me explicou uma vez. O nome da Mãe é Akaito, *Aka-ito* — disse, pronunciando os dois *kanji* separadamente. O nome significava, literalmente, Fio Vermelho.

— Então o *kanji* da Srta. Koito é *Ko-ito*? *Ko* de *pequeno*?

— Exatamente. — O nome significava Pequeno Fio. — Mas também pode ser lido como *Ko-i-to*.

— E o que significa?

Inko disse *ito* de maneira diferente, de forma que significasse Começo Esplêndido.

— A mãe dela em Pontocho se chamava Izakura, Cereja Esplêndida. E havia a Garça Esplêndida, a Bordo Esplêndida e a Pequena Neve Esplêndida.

Lembrei-me do dia em que Yukako pendurou o vestido da minha mãe na alcova. Quando fomos embora, Koito acariciou minha bochecha com o polegar.

— É difícil crescer sem a mãe da gente — disse.

Lembrei-me do estranho olhar de empatia que me deu quando nos conhecemos. Eu disse:

— Mas antes de você vir para cá, de Pontocho, a mãe da Srta. Koito morava sozinha. Por que ela mandaria a filha embora?

Inko encolheu os ombros.

— Ah, ela tinha outras filhas de sangue, outras filhas *geiko*, outras *maiko*. Ora, Mizushi morava aqui. Mas se lembra de quando eles ficavam mudando o nome da era todos os anos? A Mãe Akaito teve um infortúnio atrás do outro. E então duas de suas meninas morreram de doença, uma logo após se tornar *maiko*. A Mãe teve que pegar muito dinheiro emprestado com a vizinha, Madame Suisho. Então vieram as contas dos médicos e os tempos difíceis.

— Ah.

— Bem, um por um, ela teve que vender os contratos de todas as suas meninas. Agora a Jovem Senhora irá herdar tudo, a casa, as dívidas, tudo.

— Uma vez ouvi ela dizer que não tinha nenhuma árvore sob a qual se proteger.

— Bem, ela pode ficar com a casa e pode fechar um longo contrato com Suisho para pagar a dívida, imagino. Ou pode vender a casa para Suisho e encontrar outra casa de gueixas para trabalhar. Suisho aceitaria, acho, mas...

— Coitada da Srta. Koito — eu disse.

— Coitadas de todas nós — concordou.

A forma como ela o disse me fez querer fazer mais perguntas, mas tínhamos chegado à casa de banho.

Eu estava acostumada com a casa de banho da minha vizinhança, e as pessoas de lá estavam acostumadas com meu corpo inchado e meu rosto disforme. Embora a Srta. Hazu e suas amigas, cujos seios também começavam a crescer, rissem de mim, os adultos respeitavam Chio demais para dizer qualquer coisa e as crianças faziam o mesmo. Na casa de banho das gueixas, no entanto, todos receberam o rosto novo com um aceno de cabeça ou, com frequência, com um olhar de desdém.

— É minha prima — anunciou Inko quando as pessoas ficaram olhando. — Está de visita.

Ainda sentindo os olhares, apressei-me em me despir e me esfregar. Depois sentei-me encolhida, curvando-me sobre meus seios, novos e feios, enquanto Inko conversava com todos que passavam por ela.

— O que está esperando? — perguntou.

Olhei em direção à banheira quente.

— Eu não queria entrar lá sozinha.

Inko jogou a última concha de água sobre as costas e levantou-se. Ela usava um penteado de mulher solteira embaixo de um pano branco. Era esbelta e musculosa, não tinha quadris e seus seios mal apareciam sob os mamilos marrons.

— Você é gorda — meditou, olhando para mim. — Eles devem alimentá-la melhor lá.

Da forma como ela falou, *gorda* não pareceu tão mau. Ela estendeu a mão para mim e me puxou do banquinho. Ela ficou ali parada, com as mãos nos quadris, me examinando cuidadosamente com seus olhos juntos.

— É engraçado, mesmo assim, a sua cintura é mais ou menos como a minha — disse, tocando um ponto do retângulo indiferenciado que era seu torso.

— É como se a sua *silhueta* fosse gorda.

— Quero entrar na banheira — eu disse.

— Desculpe.

Eu estava extremamente constrangida, mas na verdade gostei da forma como ela disse que a minha silhueta era gorda. Sentei-me na banheira com os olhos fechados, em parte por vergonha de ser vista por estranhos, em parte para refletir sobre o que ela tinha me dito em particular. Lembrei-me das revistas femininas que tinha visto na biblioteca do navio quando era pequena, os anúncios de espartilhos com seus colchetes barrocos. Era difícil agora lembrar das palavras em inglês, mas a palavra me veio à memória: eu tinha um corpo de ampulheta.

A única vez que meus seios pesados me davam prazer era quando me sentava na banheira quente. Eu escolhia o canto mais escuro da banheira e sentia uma leveza extraordinária enquanto eles flutuavam espontaneamente. Enquanto eu estava sentada em uma casa de banho estranha, de olhos fechados, senti meus seios tocarem de leve a superfície da água. Toquei minha cintura e a *forma gorda* dos meus quadris inchados. O pensamento era completamente novo para mim: *eu tinha um corpo que um corselete iria favorecer*. A palavra que ouvi em minha mente para corselete era *korusetto*.

As únicas mulheres que eu vira com seios ou traseiros como os meus eram avós velhas e corpulentas com barrigas proporcionais. Como eu — quando acolchoei corretamente minha cintura e as partes salientes do corpo —, elas pareciam atarracadas quando usavam quimono. Eu invejava aquelas jovens cilíndricas e compridas na casa de banho que vestiam seus quimonos sem nenhum esforço, invejava Inko com sua comodidade achatada e espalhafatosa: ela não era bonita — da mesma forma que um corvo não era —, mas ela era alegre e estridente, naturalmente inconsciente do seu corpo. Eu invejava Mizushi, a beleza que dourava a sua ambição com charme. Eu não invejava Koito, embora sentisse o cérebro tremer quando olhava para ela: como se pode invejar um ideal? Eu não exatamente invejava Yukako quando a via vestir-se ou a seguia enquanto ela andava, esquelética: eu sentia algo menos insignificante e mais assustador. À noite, enquanto esperava ela voltar da casa de banho, eu às vezes pensava no longo e contínuo contorno do corpo dela e desejava que o meu corpo se encaixasse nele, apertar os meus seios, grandes e redondos, contra as costas estreitas dela e achatá-los finalmente. Mas imagine só, pensei naquela casa de banho de gueixas, havia outra palavra para o meu corpo além de *feio*, uma quase nunca lembrada e quase impossível de pronunciar. *A-wa-gura-su*, saboreei.

A voz inexpressiva de Inko, sempre na iminência de uma gargalhada, despertou-me do transe.

— Uma vez, quando morávamos em Pontocho, a Jovem Senhora saiu com alguns clientes em um barco para observar o lótus. Nessa época do ano, se você vai à noite e espera até o sol nascer, dizem que você consegue *ouvi-las* se abrindo.

— Sério?

— Bem, *eu* não ouvi. Eu só carreguei o piquenique. E com certeza *eles* não ouviram nada. Ficaram tão bêbados, acordados a noite toda, cantando e compondo poemas. A Jovem Senhora dançou no barco e um dos homens quase jogou-a na água.

— Não!

— Sim! Mas então ela lhe disse quanto iria custar para comprar um quimono novo e *isso* fez com que ele ficasse sóbrio. Por pouco tempo. Logo ele começou a falar de forma bem pitoresca com ela.

— Pitoresca?

Inko riu, baixando a voz bruscamente.

— Não precisa *gritar*.

— Desculpe — eu disse, mortificada.

Inko cobriu minha orelha com a mão e cochichou.

— Ele disse que queria fazer aquilo com ela.

Meus olhos se arregalaram, mas segui a deixa dela e ri.

Nem o médico nem a cozinheira nos deixavam chegar perto da mãe de Koito, então levantamos o mosquiteiro de Koito, esticamos o futon dela e esperamos para servir-lhe a comida e ajudá-la a tirar o quimono. Ficamos deitadas sobre o futon de Koito com a lâmpada acesa para ela, queimando uma bolota do incenso que ela usava para afastar o cheiro de sua pintura branca. Deitada junto a Inko, cochichei a minha pergunta:

— Será que a sua Jovem Senhora realmente teve que fazer aquilo com o homem do barco?

— Não! — riu Inko. — As *geiko* não *têm* que fazer aquilo com ninguém. Mas quando elas conseguem um patrono *de verdade*, há tanto dinheiro envolvido, é um acontecimento importante! Todos na vizinhança falam a respeito.

— *Ara!*

— A maioria dos homens contrata as *geiko* para cantar, dançar, conversar e servir saquê para que eles possam *pensar naquilo*, mas depois eles contratam prostitutas para *fazer aquilo*, já que realmente gostam de terminar o que começaram. Na verdade, eu acho que só ficar perto de uma mulher que eles não podem ter já os deixa excitados.

— Será que ela fez aquilo com o Sr. Akio?

— O que você acha? — Inko revirou os olhos, mas eu sabia que ela gostava de ser sabichona. — Mas ele era o amado dela, por isso ela fez aquilo sem cobrar. Madame Izakura ficou tão zangada quando descobriu!

— Eles realmente iam se casar?

— Não sei por que ela acreditou nele. Essas sãos as mentiras mais velhas no ramo da água. Ela diz "Eu te amo" para que ele pague. Ele diz "Vou me casar com você" para que ela faça aquilo de graça.

Embora eu soubesse que estávamos sozinhas — a cozinheira e o médico estavam no andar de cima com a mãe de Koito —, dessa vez envolvi a orelha de Inko com a mão. Eu estava com muita vergonha de perguntar, mas eu gostava de ficar constrangida na frente dela, e sabia que se alguém fosse me contar, seria ela.

— O que é que eles fazem quando estão fazendo aquilo? — cochichei.

— Você realmente *nasceu* em uma caixa — disse Inko, rindo.

Cobri o rosto com a mão, humilhada. Senti que ela estava fazendo gestos, por isso espiei através dos dedos.

— *Ara!* — eu disse, somando aquelas informações às raízes caídas que eu tinha visto nos homens da casa de banho e o que eu conhecia do meu próprio corpo. Às vezes, quando eu ficava deitada esperando por Yukako, ou quando ela encaixava o corpo no meu durante a noite, eu achava que a minha menstruação havia chegado mais cedo, mas não era nada. Rindo na cama junto a Inko, também pensei que a minha menstruação pudesse ter chegado mais cedo.

— Você já fez aquilo alguma vez? — perguntei.

— Você é tão *má*! — Inko deu um tapa no meu ombro, sorrindo. — Bem, havia um garoto em Pontocho de quem eu gostava, e nós fizemos aquilo uma ou duas vezes, mas então ele passou a gostar de outra pessoa.

— Sinto muito.

— Foi divertido também — ela fez bico. — Acho que meus pais têm alguém para se casar comigo quando meu contrato terminar, então acho que vou fazer aquilo muitas vezes, não é? — ela riu abertamente.

— Você o conhece? — perguntei.

— Não, mas, de qualquer forma, meu contrato só termina daqui a um ano e meio. Então quem sabe o que pode acontecer?

— É verdade — eu me admirei com Inko.

Quando Yukako e seu pai enfrentaram a sua maior dificuldade, ninguém falou em me colocar para trabalhar para outra pessoa. Será que eu poderia viver como Inko, ou como o filho de Kuga, Zoji, comprometido durante anos com o pai de Akio? Será que eu conseguiria ser tão tranquilamente indiferente em relação ao meu futuro? Eu gostava da sua forma distraída de massagear o meu pulso com o polegar enquanto falava comigo.

Ela me dirigiu um olhar que eu não consegui interpretar, e disse:

— Havia uma garota, Fumi, que também trabalhava na casa Izakura. Quando partimos e viemos para cá, a Jovem Senhora de Fumi também partiu; elas foram para Edo. Eu sinto falta dela. Nós costumávamos fazer aquilo o tempo todo.

— Como é que é? — Meu coração congelou no peito quando ela disse isso, da mesma maneira despudorada com que dizia tudo o mais. Puxei minha mão para longe dela.

Ela me olhou nos olhos, firme e magoada, e deu de ombros.

— É carma de outra vida, sabia? Não dá para evitar. Aposto que ela está casada agora. E provavelmente tem um bebê.

Pisquei, ainda atordoada. Eu sabia que se ficasse deitada sem me mexer, logo estaríamos falando de bebês ou pegaríamos no sono. Será que era isso que eu queria? Inspirei fundo. *Não*. Estendi a mão — o ar ficara denso de repente, de medo, o meu próprio. Foi um grande esforço; levou uma eternidade. Peguei a mão de Inko. E então, da mesma forma que eu imitava cada gesto de Yukako durante nossas aulas, massageei seu pulso com meu polegar, suave e persistentemente, como ela fizera com o meu. Senti-a suspirar.

— O que vocês fizeram? — perguntei com delicadeza, como se estivesse tentando atrair um pássaro.

— Eu e Fumi? — Eu nunca tinha visto Inko constrangida antes. Ela olhou para o outro lado, depois para mim e para o outro lado novamente. — Tudo — disse na defensiva. Mas era um desafio também.

Segurando o pulso dela, fiquei deitada, olhando o mosquiteiro se agitar na brisa leve que vinha do jardim. Era difícil respirar. Lembrei-me de quando era pequena, da maneira como fiquei olhando a carroça no incêndio, e então de como saltei para dentro.

— *Misete ne?* — sussurrei, saltando. *Mostre-me.*

Ela sorriu, um sorriso nervoso e de queixo caído, e então me mostrou.

Ela me tocou suavemente, moveu-se para a parte de baixo do meu corpo e encaixou a cabeça entre as minhas pernas. No começo, fiquei imóvel, rígida por causa de um terror que parecia ainda maior do que aquele momento enorme, e então relaxei com o contato da boca de Inko e dos dedos que deslizou para dentro do meu corpo. No fim, senti como se houvesse cavalos dentro de mim, como seu eu fosse o cavalo se empinando no incêndio. E então, como a boa aluna de *temae* que eu era, imitei cada gesto dela, no começo assustada com a maneira como ela estremecia e suava, e depois, excitada. Quando ela ficou quieta, tomei-a em meus braços e a beijei.

— Por que está fazendo isso com a sua boca? — ela disse, e eu parei.

Uma vez eu tinha dado um beijo de boa noite em Yukako, e ela dissera a mesma coisa.

Ela, no entanto, não se afastou.

— Eu gosto daqui — sussurrei, com a cabeça deitada sobre o peito de Inko e os braços em volta da cintura dela.

— Acho que fomos estrangeiras em uma vida passada — disse Inko, perdida em pensamentos.

— Por quê?

— Bem, eu porque a minha voz é alta e meu pai faz comida estrangeira — disse.

— Faz mesmo?

— Ele tem uma pequena loja de *tempura* em Pontocho.

— Ah — eu disse, confusa.

O prato tinha vindo de Portugal para o Japão havia tanto tempo que eu não sabia que era estrangeiro.

— E acho que *você* era estrangeira, também, por causa da roupa ocidental com que a sua mãe a vestia. Você parece diferente também — disse. — E se aninhou ao meu lado. — Às vezes não se lembra das palavras para determinadas coisas, e eu sei que é por causa do incêndio, mas talvez também seja porque na sua última vida você foi uma estrangeira.

Ri nervosamente.

— E aquela coisa com a sua boca — disse, beijando o ar. — A Jovem Senhora me contou que no Ocidente maridos e mulheres lambem os lábios uns dos outros. Dá para imaginar?

Já era difícil o bastante imaginar o que acabáramos de fazer, mas eu ri com ela mesmo assim.

DO LADO DE FORA vieram os ruídos de ornamentos para cabelo e tamancos. Atamos nossos quimonos abertos e corremos para a entrada quando a porta de venezianas se abriu. Quando Koito e Mizushi entraram, Koito foi direto para o andar de cima sem se trocar enquanto servíamos a pequena refeição que a cozinheira havia deixado para as duas: arroz prensado, cavalinha salgada, alga marinha e chá de cevada frio. Nós as ajudamos a tirar as roupas e as estendemos sobre cabideiros para ventilarem, e então as duas saíram de novo, vestidas nos quimonos usados para ir à casa de banho, ainda brancas como fantasmas.

— Quando elas tiram a maquiagem? — perguntei enquanto estendíamos um futon para nós, um degrau acima do vestíbulo de terra batida.

— Na casa de banho.

— Inko, Namiko — eu disse, sussurrando seu nome verdadeiro. Bela Criança Planta, vestida de flores douradas e capim novo e macio. Ela parecia tão familiar para mim, e tão nova. Coloquei o braço em volta dela e ela segurou o meu pulso.

— Quem foi que você perdeu de doença? — perguntei, lembrando-me de algo que ela tinha dito.

— Uma irmã mais nova e um irmãozinho ainda bebê. Nós éramos oito, sabia?

— Sinto muito.

— Minha mãe parou de ter filhos depois disso. Ela fez com que a cabeleireira lhe fizesse o penteado *obako* de viúva e não deixou que meu pai se aproximasse mais.

— Sério?

— Acho que ela simplesmente não queria mais perder nenhum bebê — suspirou. Acariciei suas costas. — Meu irmão acabara de nascer, mas minha irmã já falava àquela altura. Ela costumava acenar com os bracinhos e dizer "*Onetan! Onetan!*" — Ah, em vez de *Onesan, Irmã Mais Velha*. Era de partir o coração, como se dissesse "Imã! Imã!".

— Eu sinto tanto.

— Não há o que fazer — ela disse suavemente, e eu a abracei.

Ficamos deitadas em silêncio por um minuto.

— Sinto muito que sua mãe vestisse você daquele jeito e a tenha deixado — disse Inko. — E depois o incêndio? Que horror!

— Ela estava doente também — eu disse.

— Então ela não teve culpa. A vida tem dessas coisas — ela me consolou.

— Às vezes esqueço o rosto dela um pouco — confessei. — Todas as vezes que vamos ao templo, rezo para conseguir me lembrar dela. — Minha voz começou a vacilar.

Inko tocou o meu rosto e me repreendeu com as palavras mais amáveis.

— Eu sempre rezo pela mesma coisa.

— Pelo quê? — perguntei.

— Para ser feliz.

KOITO VOLTOU DA CASA de banho; ouvi ela e Mizushi darem boa noite uma para a outra, e então passarem por cima de mim, já que Inko estava obstruindo a porta.

Quando ouvimos os passos de Koito no andar de cima, Inko me abraçou. Senti a tensão dela relaxar agora que tinha cumprido a última tarefa da noite. Quando teria ocorrido a ela, fiquei pensando, que eu era alguém que ela ia querer tocar?

— Inko? — perguntei, embora sentisse que ela já estava caindo no sono. — Por que você me contou sobre o homem no barco, você sabe, e sobre os lótus?

— Porque era assim que você parecia estar, flutuando — ela sussurrou, envolvendo meu seio com a mão para me explicar.

A palma dela era tão macia, envolvendo-me da mesma maneira que a água me envolvia. Ela murmurou algo, meio adormecida:

— Eu teria feito o melhor poema.

TIVE UM SONO LEVE, perturbado pelos barulhos noturnos diferentes e pelo meu próprio corpo atônito. Nos bairros de gueixas, o dia começa mais tarde do que em outras vizinhanças; o que me acordou na manhã seguinte foi a ausência de Matsu carregando carvão, a ausência do chamado rouco do vendedor de tofu de queixo pontudo. Abri os olhos e vi Inko ao meu lado e, deitada ao lado dela, um vulto acolchoado e adormecido: a cozinheira de Koito. Fiquei deitada ao lado de Inko, nervosa e excitada, e com um pouco de saudade do som de Chio movendo as panelas no fogão, do aroma de terra de Yukako.

Ajudei Inko com todas as suas tarefas naquela manhã, admirando o formato de seu pescoço, de suas mãos. Quando ela olhou para mim e sorriu, senti os dedos dela dentro de mim.

Koito disse que eu não precisava ir embora, e Yukako chegou antes que o frio da noite tivesse se dispersado totalmente, com os braços carregados de ramos usados para decorar as casas no Obon.

— Você dormiu na noite passada? Como está ela? Acha que deveríamos ter a nossa aula?

— Srta. Inko, leve isto por enquanto — disse Koito. — *Sensei*, posso pedir-lhe algo? — Embora tivesse uma aparência adorável, estava cansada e triste. Ela não chegara a usar o futon que havíamos estendido para ela. — Será que poderia ir lá em cima comigo por um momento? Significaria muito para mim. Srta. Ura, desculpe, poderia trazer para cima a bandeja que está na cozinha?

Ajoelhei-me na entrada um minuto mais tarde, surpresa com a bandeja em minhas mãos. Na cozinha de chão de terra eu fiquei bem consciente da presença de Inko desembrulhando os ramos de Obon, tirando um pé do tamanco para coçar a panturrilha com o dedão, mas eu não notara que havia saquê e xícaras na bandeja que eu trouxera. Será que eu tinha trazido a bandeja errada? O quarto de cima estava cheio, com o médico e seu assistente, Koito, Yukako e a mulher no futon, Akaito. Com um rosário budista nas mãos, ela jazia magnífica e debilitada, o rosto arruinado e a pele encaroçada. O chumbo na pintura branca, eu soube mais tarde, cobra o seu preço. Ela olhou para Yukako:

— Você está aqui — disse.

Koito serviu um pouco de saquê à mãe e à convidada. Yukako, tão espantada com o saquê num momento como aquele quanto eu, serviu-o a Koito. As três mulheres beberam, e os olhos de Yukako piscaram de surpresa e, depois, de compreensão. Curiosa, passei o dedo em uma gota que caíra na bandeja e provei: água. Eu já tinha ouvido a respeito em histórias mas nunca acreditara que as pessoas realmente fizessem aquilo, beber água em uma xícara de saquê para dar um último adeus. Talvez Madame Akaito tivesse se afeiçoado à voz áspera e crítica de Yukako no andar de baixo, da mesma forma que os gritos tristes do homem do tofu passaram a fazer parte da ideia de lar para mim.

Ninguém disse palavra. O olhar de Madame Akaito repousou sobre Yukako. Koito às vezes olhava rapidamente de um rosto a outro. Olhando além do rosto devastado da doente, percebi que ela não era tão velha quanto eu imaginara. Ela era bem mais jovem que Madame Cachimbo, na verdade, talvez tivesse 50 e poucos anos de idade. Eu sabia que a mãe de Yukako tivera filhos tarde: ela e a mãe de Koito teriam mais ou menos a mesma idade. Yukako não tinha muitas mulheres da idade da mãe em sua vida, e com certeza ninguém que ela admirasse: a mãe atormentada de Sumie era bem mais jovem, assim como Chio, e eu sabia que nenhuma das duas a fascinava como a velha gueixa. Enquanto as três mulheres bebiam em silêncio, fiquei em meu lugar, às vezes tentando ouvir Inko na cozinha, às vezes perguntando-me o que Yukako estaria pensando.

— Obrigada — disse Madame Akaito.

O MEU DESEMPENHO foi sofrível na aula de chá daquela manhã, o meu corpo inteiro corando em momentos inesperados: depois fiz o papel de convidada no *temae* de Koito, olhando constantemente além dela, em direção à porta aberta, para ver se Inko iria aparecer. Apenas dois tipos de chá eram preparados em uma cerimônia de chá: chá "ralo", o caldo espumoso que eu tinha provado no meu primeiro dia na Baishian, e o chá "espesso", uma pasta líquida de pó de chá umedecido, misturado em vez de batido, que fazia meu coração bater alto. Já prejudicada, fiquei aliviada porque Koito ia fazer apenas chá ralo naquele dia. Depois que bebi, esqueci de pedir para que parasse, e Yukako não me alertou. Quando percebi o meu erro, vi que Koito estava preparando outra tigela. Tristeza, fadiga e graça irradiavam calmamente dela enquanto seguia as orientações de Yukako:

— Faça com que as coisas pesadas pareçam leves; faça as coisas leves parecerem pesadas.

A concha de água era uma porta pesada que ela fechava; o misturador de bambu era um grande sino de pedra. E embora ela não estivesse olhando para ninguém, apenas para o interior da tigela de chá, percebi que sua atenção estava voltada para Yukako da mesma maneira que o Montanha dizia a seus alunos para se concentrarem nos convidados: *para você. Tudo isso é para você.* Ela depositou a xícara de chá fumegante no tatame ao seu lado, e Yukako a observou sem nenhuma palavra áspera sequer. Na verdade — verifiquei com mais cuidado, surpresa —, o rosto dela mostrava a mesma compaixão, a mesma ternura hesitante que ela oferecera a Madame Akaito no andar de cima.

Yukako agradeceu a Koito e bebeu, seguindo o ritual. Ela trouxera aquela tigela de chá especialmente para as aulas de verão; era rasa, de forma que o chá esfriava rapidamente, e a grossa camada vitrificada verde formava saliências translúcidas, como se água fria estivesse gotejando. Quando ela terminou,

Yukako pôs a tigela diante de si para expressar formalmente sua apreciação, mas Koito disse:

— *Mukashi mukashi*, havia uma mulher do mundo flutuante que amava um homem do chá.

Senti Yukako entristecer, pensando que era uma história sobre Akio. A expressão que Koito usara, *mundo flutuante*, como *ramo da água*, a expressão mais vulgar de Inko, descrevia o mundo dos prazeres noturnos dos homens — jogo, cantoras, prostitutas —, mas era um trocadilho com a ideia budista do mundo da tristeza humana. Este mundo de sofrimento é uma ilusão transitória, ensina o budismo, portanto deveríamos nos desligar dele. Este mundo de pecado é um sonho efêmero, aconselham aqueles que buscam o prazer — substituindo o *kanji* para *sofrimento* por um de seus homônimos, o *kanji* para *flutuante* —, por isso deveríamos desfrutá-lo completamente. *Ramo da água, mundo flutuante.* O dinheiro dos mercadores de seda fazia Koito e sua vizinhança flutuarem; sem ele, elas ficariam encalhadas como Pontocho. Mas ao mesmo tempo, pensei, eram Koito e sua vizinhança que realizavam o trabalho da água, enquanto seus clientes flutuavam em meio à noite de sonhos.

Quem tinha feito quem flutuar na noite passada?, perguntei-me, pensando em Inko, até que Koito prosseguiu:

— O homem do chá era casado com uma jovem que lhe dera seis filhos e uma filha. Ele tinha tantos filhos que ensinou o *temae* a sua esposa para que ela pudesse ensiná-los também. Então todos os seus meninos morreram jovens.

— Verdade? — murmurou Yukako.

Seis filhos e uma filha. Eu tinha ouvido isso antes. Então me lembrei: Gensai, o pai adotivo do Montanha, havia perdido seis filhos antes de acolher um jovem *samurai* para se casar com sua filha Eiko, mãe de Yukako.

Koito prosseguiu:

— A mulher do mundo flutuante que amava o homem do chá teve uma filha dele também. Enquanto a filha de sua esposa o enchia de desespero por causa dos irmãos mortos, a filha da amante lhe dava alegria. Durante a Festa dos Sete, Cinco e Três — ela citou o feriado em que se abençoam as crianças pequenas —, quando a menina ganhou seu primeiro quimono de adulta, ele fez o *temae* em sua honra aqui nesta casa. Ela nunca vira uma dança tão graciosa, e ela gostava de dançar mais do que qualquer outra coisa. "Ensina-me!", pediu a menininha. "Deixe eu fazer também!" Ele recusou e ela implorou; ela implorou e ele recusou. *Você ensinou o temae a sua esposa*, disse a mãe da menininha. Foi a única palavra de censura que dirigiu a ele em todos aqueles anos de solidão e desejo. "Minha esposa, sim", disse ele, olhando para as duas, "mas não vocês". A mulher mandou que ele fosse embora e nunca mais voltasse, e a menininha nunca mais o viu.

A voz de Koito era dura e controlada, mas a história era tão triste. Talvez ela tivesse dito *mundo flutuante* em vez de *ramo da água* porque a mulher na história tinha esquecido o seu trabalho de entreter: em vez de fazer com que seu cliente flutuasse em um sonho de amor, ela havia sucumbido ao sonho.

— O que você está querendo me dizer? — perguntou Yukako, desconfiada da história e ainda assim constrangida, como eu, com a calma de Koito ao contá-la, *fazendo com que as coisas pesadas parecessem leves*.

— Que eu não compreendia a decepção da minha mãe, ou a mágoa da minha avó, até que o jovem senhor se recusou a me ensinar o *temae* Shin — disse Koito. Percebi que ela, assim como Yukako, evitava usar o nome de Akio em público. — Da mesma forma que seu avô recusou-se a ensiná-lo à minha mãe.

— Sua mãe — murmurou Yukako.

E então ela pareceu ausentar-se de si mesma. Suas mãos haviam permanecido diante dela durante toda a história de Koito, na posição da reverência que fizera antes de inspecionar formalmente a tigela de chá. Ela endireitou-se, ergueu as mãos, virando-as lentamente, examinando cuidadosamente cada uma das palmas.

— Ela queria muito ver você hoje — disse Koito, e fez uma reverência de profunda gratidão. — Ela... — a voz de Koito hesitou. — Ela disse que gostaria que eu ficasse em casa com ela agora. Importa-se de ir dar aula sem mim hoje?

YUKAKO PAROU NO CAMINHO de saída do bairro das gueixas, olhando para o bosque do santuário.

— Então a Srta. Koito é sua prima? — perguntei.

Yukako levantou o braço como se fosse me bater, mas então parou, olhou para a mão de novo, perplexa.

— Não sei — disse.

UM POUCO ANTES de partirmos, eu e Inko tínhamos trocado um sorriso, e ela enfiou um pacotinho branco dentro da minha manga. Quando finalmente fiquei sozinha no vestíbulo enquanto Yukako dava sua aula de música, retirei-o. Dentro de uma folha de papel atada como uma carta encontrei algumas pérolas negras de incenso *neriko* envoltas em um pedaço de gaze de mosquiteiro. Inspirei profundamente, meu corpo pulsando por dentro. Yukako teria guardado o incenso na base oca de seu travesseiro, mas como eu não tinha nenhum penteado para manter longe do chão, suspenso por uma caixa de madeira, eu dormia sobre um saco de cascas de trigo-sarraceno. Onde eu poderia esconder o presente de Inko? Quando teria privacidade para queimar uma bolinha de incenso sem ser perturbada? Seria tão impossível como tentar fazer amor de novo, já que eu dormia ao lado de Yukako todas as noites e Inko dormia ao lado da cozinheira. Inko não sabia ler nem escrever, meditei, e ainda assim seu presente expressava tanto o mundo flutuante da nossa noite juntas quanto a dificuldade de repeti-la. E oferecia uma solução: embora o incenso exalasse um aroma bem mais fraco quando não queimado, podia ser conservado por anos, aromático e intacto. Envolvi o incenso novamente no pedaço de tecido, dobrei-o outra vez em seu nó de papel e enfiei-o de volta no meu quimono. "Eu teria feito o melhor poema", dissera ela.

Yukako permaneceu abalada durante toda a tarde enquanto eu a seguia até o mercado de peixes, até as bancas de comestíveis, e de volta para casa. Ela sentou-se atrás da treliça enquanto o pai trabalhava com seus novos alunos, olhando em direção à sala de aula, mas sem assistir à lição. Naquela noite, voltando da casa de banho — o costumeiro desânimo causado pela vergonha foi iluminado por um raio de prazer provocado pelos meus seios flutuantes, como Inko os tocara —, vi uma figura com uma lanterna atravessando o pequeno córrego em direção à torre-depósito. Yukako foi para a cama tarde aquela noite, mas deixou que eu me aconchegasse a ela enquanto dormia.

Será que Yukako e Koito eram realmente primas? Gensai, o avô de Yukako, teria realmente tido um caso com a mãe de Akaito? Durante os dias que se seguiram Yukako ajudou o pai em uma série de oferendas de chá para o Festival de Obon, primeiro para seus próprios ancestrais, depois nos santuários particulares do mercador Okura Chugo e de seus amigos. Quando ela não estava trabalhando, eu não conseguia encontrá-la — mas às vezes ela aparecia, empoeirada e distraída, para a refeição do meio-dia. Ela estava na torre de reboco opaco à prova de fogo, foi minha impressão, examinando os tesouros da família.

Durante o Festival de Obon, costumávamos dançar em círculos com os ancestrais todas as noites, então acendíamos fogueiras para mandá-los de volta para o mundo dos mortos, para descansar — das fogueiras dos templos da vizinhança no começo da semana até as fogueiras gigantes nas montanhas no final. Nas laterais das montanhas que cercavam a cidade — inclusive Daimonji, o morro que vi no meu primeiro dia em Miyako, o flanco esculpido com o caractere *dai* — foram feitos dez enormes *kanji* de madeira e palha, que se acenderam na última noite de Obon, de forma que a cidade ficou cercada de um poema escrito em fogo. Na manhã das fogueiras menores, Yukako parecia determinada novamente, mudada. Ela suspirava com frequência, como se estivesse lutando contra uma onda de descrença. Naquela noite, ela me fez carregar uma caixa enquanto caminhava atrás dela até o templo local, onde dançou um breve círculo, e então segui-a quando escapuliu em meio à multidão, percorrendo o longo e escuro caminho até o bairro das gueixas.

Quando passamos através de um templo perto do Santuário Kitano, paramos: o círculo de dançarinas de Obon parecia uma terra de fadas. Vi Mizushi lá, levantando uma mão de cada vez como se o mundo inteiro estivesse observando, e Inko também, com seus olhos estreitos desprovidos de alegria. Eu queria que ela pudesse me ver. E então vimos Koito, seus movimentos precisos e belos como uma árvore no inverno, lágrimas escorrendo livremente por seu rosto. O que havia acontecido era óbvio: as três estavam de preto.

No caminho de volta para casa lembrei-me de tomar um gole de água enquanto as mulheres bebiam de xícaras de saquê. Eu também havia me despedido bebendo com a mãe de Koito, mesmo que ela não soubesse. Lembrei-me de como ela adentrara a alcova para dar uma olhada no vestido da minha mãe, o belo corpo inclinado de curiosidade, sua flutuante cauda vermelha. E então me lembrei também — com o coração na garganta — de uma mulher adormecida em plena luz do dia, com uma colcha de retalhos vermelha e branca. "Você conseguiu se despedir dela — de Fumi?", eu havia perguntado a Inko.

"Não", ela respondia. "Acho que foi melhor assim."

Esperei que Yukako me contasse o que tanto procurara — e acabara achando. Perguntei-lhe sem rodeios naquela noite por que tínhamos ido ao bairro das gueixas. Ela deu as costas para mim e desenhou caracteres no tatame com o dedo; não consegui lê-los. Nos dias que se seguiram ela estava inquieta enquanto ajudava o pai, nervosa quando nos reunirmos em uma das pontes Kamo com a família dela para admirar as fogueiras de Daimonji. O pai e o irmão de Sumie ainda estavam presos em Edo, pensei, desviando meu olhar da bola de arroz que Chio havia embrulhado para mim e observando Madame Cachimbo, inclinada sobre a sua lancheira laqueada. Seus trajes de seda estavam puídos, mas ela ainda usava arroz de qualidade no seu sushi. Carpa, notei. Será que vinha do seu próprio lago?

De noite, estendi o futon de Yukako e esperei por ela. *Conte-me, conte-me.* O desejo de saber se misturava com o desejo por Inko — o desejo de sentir meu corpo vivo de novo — e lembrei-me de outra noite impaciente não muito tempo depois que cheguei à casa Shin, quando esperei Yukako na escada e ela chegou afinal, chorando pois Akio havia rejeitado o seu *temae*. Ela e Akio tinham feito amor, compreendi.

No canto do quarto de Yukako encontrei a caixa que eu tinha carregado para ela até o bairro das gueixas e de volta. Madeira crua pincelada com um sinuoso rio negro de *kanji*, embrulhada em seda e atada com cordões violeta. Eu não queria ser bisbilhoteira, só queria saber; dentro da caixa havia dois pergaminhos. Pendurei cada um em uma estaca do mosquiteiro, acendi outra lâmpada e esperei Yukako.

Eu mal conseguia ler ou escrever palavras impressas ou pinceladas com muita clareza, e a caligrafia japonesa privilegia a expressão em detrimento da clareza. Sob a luz de bronze das lanternas, deitada dentro do cubo luminoso de gaze e bebendo chá de cevada frio, olhei fixamente para os painéis brancos em sua moldura de seda, com pinceladas que pareciam rastros de pássaros. O pergaminho da esquerda eu reconheci: era o caractere infantil para *Shin* que Yukako havia pendurado na Baishian na noite em que me declarou sua irmã. O pergaminho da direita era parecido: um grande símbolo infantil no centro, cercado por pinceladas de *kanji*, feitas por alguém mais velho. O caractere central, no entanto, não era *Shin*. Uma cruz aqui, uma espada ali, dois sinais de movimento, como um par de nadadeiras na base do *kanji* — eu não tinha ideia. Desenhei-o na minha mão, inutilmente. Quanto aos pequenos caracteres que rodeavam os símbolos grosseiros no centro, não arrisquei um palpite. Eles me lembravam as constelações de *miso* girando na sopa, ou — em uma noite quente, tentei pensar em coisas frias — fumaça se erguendo em meio à neve.

— Srta. Urako.

Eu quase desmaiei de susto.

— Não ouvi você!

— Imagino que não. — Yukako estava sentada atrás de mim, com as mãos juntas e os dedos entrelaçados, como se já estivesse ali havia algum tempo.

— São seus? — perguntou com frieza.

— Irmã Mais Velha, perdão.

Yukako entrou no mosquiteiro.

— Eu só... — disse-lhe a verdade... — estava preocupada com você.

Yukako olhou para mim e suspirou, cansada e afetuosa.

— O que são? — perguntei.

— Provas — disse, pegando um dos pergaminhos.

Não compreendi.

— Foi sua mãe que fez, não foi? — insisti. — Shin Eiko.

— *Un* — disse Yukako, assentindo com a cabeça. — Eu queria mostrar ambos a Koito, mas este é o bastante — disse, apontando para o outro pergaminho.

— O que ele diz?

O sorriso de Yukako era severo.

— No centro está o *kanji* para *aka: vermelho*.

— *Ara!* — O nome da mãe de Koito, Akaito, não significava *fio vermelho*? Yukako hesitou.

— Nas laterais há um poema da Senhora Murasaki — disse lentamente. Então olhou para mim por algum tempo e decidiu me contar.

— Dois poemas — disse. — Copiados por duas pessoas diferentes.

Inclinando-me na direção do painel vi que tinha razão: os caracteres de uma das laterais combinavam com a escrita comprida e fina do outro pergaminho, ao passo que os caracteres na outra lateral eram mais firmes e nítidos, como se quem escreveu quisesse ter certeza de que o leitor iria compreender a escrita.

— Gensai, Akaito, a mãe de Akaito? — perguntei, apontando para as três caligrafias.

Yukako deixou escapar um som áspero que expressava reserva. Então enrolou o pergaminho *Vermelho*, colocou-o na caixa e atou os cordões violeta bem apertados. Ajudei-a submissamente a enrolar o outro. Ela não disse nada enquanto se ajoelhava diante das nossas prateleiras, guardando o quimono limpo e dobrado que trouxera da sala de costura. Vi-a deter-se diante da minha prateleira.

— Não mexa mais nas minhas coisas — disse, jogando algo na minha direção. Eu agarrei: era o pacotinho amarrado que eu ganhara de Inko.

EU ESTAVA DEITADA ao lado de Yukako, escutando-a respirar. Tentei imaginar a mãe de Koito como uma garotinha aprendendo caligrafia, pincelando seu nome com orgulho. Por que não era Shin? Lembrei-me do Montanha quando nos conhecemos, falando sem ofensa ou raiva, simplesmente declarando-me não Shin. Com a voz dele na mente, indiferente, eu pude imaginar um homem olhando para a amante e a filha, e ouvir sua escolha impassível: não vocês. Estremeci no escuro. Bernard era um sobrenome tão improvisado quanto Migawa. Se houvesse um homem ainda vivo em Paris com meu rosto, eu sabia que ele nunca iria me reivindicar. Inko não escrevera nenhum bilhete com o presente: mesmo se a pessoa errada o abrisse, não haveria nada que a denunciasse.

— O que eram os poemas Murasaki no pergaminho? — perguntei.

Yukako recitou algo no escuro.

— O príncipe descobre que tem uma filha de uma mulher que não é sua esposa — explicou —, na distante Akashi. No primeiro poema ele promete proteger a criança. E no segundo, a mãe do bebê envia seus agradecimentos. Você entende?

— Ah — eu disse. *Aka-shi. Aka-ito. Shi, ito:* o caractere chinês para *fio* era pronunciado usando qualquer um dos dois sons. — O *ito* de Akaito é o mesmo que o *shi* em Baishian?

— É — respondeu Yukako secamente.

— Mas o seu avô não queria construir uma casa de chá chamada Baishian? Não foi daí que seu pai tirou a ideia?

— Será que dava para você parar de falar? — disse Yukako, com a voz densa de sentimentos.

Eu sabia o quanto ela amava a casa de chá — o quanto, embora ela soubesse que o pai a construíra para fazer sua reputação na corte do Imperador, ela a considerava sua.

— Sinto muito — eu disse.

Pousei a mão no peito, macio e agora apreciado. Inspirei o incenso de Inko através da manga.

PASSADO O FERIADO de Obon, no dia seguinte caminhamos até o bairro das Sete Casas do Norte para pegar o *shamisen* de Yukako para sua aula com a filha dos Mitsuba e para dar condolências.

— Eu não acho que Koito virá dar aula conosco — disse Yukako, — mas quero dar isso a ela.

Ela apontou para a caixa em meus braços. Ela demorou no Santuário Kitano naquele dia, rezando até que sua vela derretesse.

Quando passávamos pelo portão do santuário, pensei que em apenas alguns minutos eu iria esperar no vestíbulo enquanto Koito e Yukako conversavam, e Inko iria aparecer, vestida de preto, trazendo uma xícara de chá de cevada frio para mim. Eu estava ofegante. Imaginei-a sentada no banco ao meu lado, tirando o pé do tamanco novamente, tocando a *minha* panturrilha dessa vez. Eu queria delinear sua boca macia com o dedo. Quando deixamos o bosque do santuário, quase não vi Mizushi no caminho.

— Shin Yukako-*sama?* — disse a menininha. Ela estava vestida para o trabalho, com o rosto branco e a faixa com o laço descendo pelas costas, calçando tamancos absurdamente altos.

— Sim?

— Minha Irmã Mais Velha pediu-me que esperasse por você aqui. Ela partiu para Edo ao amanhecer.

— A Srta. Koito?

— Todos ficaram surpresos. Mas depois do funeral, ela entregou a casa a Madame Suisho e empacotou seus quimonos para a viagem. Outra gueixa dos tempos dela em Pontocho se mudou para Edo recentemente, sabe?

— A cozinheira também partiu? — perguntei.

Eu não conseguia dizer o nome de Inko em voz alta; eu estava muito aflita.

— Apenas a Irmã Mais Velha e a Srta. Inko e todos aqueles quimonos. Tiveram que levar quatro carroças!

— Está falando sério? — disse Yukako, aturdida.

— Ela deixou o seu *shamisen* no vestíbulo.

— Então é verdade.

— Ela queria que eu lhe dissesse que ela foi embora, que lhe agradecesse e lhe dissesse adeus — recitou Mizushi.

Yukako sacudiu a cabeça, incrédula.

— Obrigada.

— Ainda bem que vocês chegaram porque deixei alguém esperando — disse a *maiko*, sorrindo, e depois despejou a notícia: — Um artista famoso quer me pintar!

— Parabéns — disse Yukako, a clássica expressão soando vazia no ar.

— A Srta. Inko me pediu para dizer adeus a você especialmente — acrescentou Mizushi, como se aquilo lhe ocorresse somente naquele momento, fazendo uma pequena reverência para mim.

Ela se virou para ir embora e, lembrando-se de algo, fez reverência para Yukako novamente.

— Desculpe, aquele homem que ia encontrar com você, eu disse a ele — e quando ela disse isso pareceu mais jovem do que nunca — que os homens não podem entrar na casa, então ele disse que ia esperar por você do lado de fora.

— Obrigada — murmurou Yukako, ainda atordoada.

Mizushi se despediu uma última vez com uma profunda reverência e seguiu pelo caminho em seus tamancos, as pontas da *obi* de gaze engomada se agitando como bandeiras. Eu e Yukako nos olhamos, atônitas.

— Ela foi para Edo — repetiu.

— Ela está em um barco neste exato momento.

— Ou na estrada das montanhas. — Yukako sacudiu a cabeça de novo.

— Com suas quatro carroças?

Yukako deu uma risada desanimada.

— Ah, ela vai de barco, com certeza.

Eu ainda estava segurando a caixa do pergaminho, envolta em seda. Yukako olhou para ela como se fosse uma tigela de arroz negro.

— Não consigo acreditar que ia dar algo para ela.

Inko fora embora! Eu não conseguia assimilar aquilo. Eu estava prestes a vê-la e agora não ia mais. Como aquilo pôde acontecer?

— Com quem você ia se encontrar? — perguntei com esforço.

— Não faço ideia. Ninguém.

Como ela pôde ir embora? Eu ainda conseguia sentir o seu punho firme onde ia tocá-la.

— Será que é o Sr. Mitsuba, sobre a aula da filha? — tentei de novo.

— Imagino — refletiu — que deve haver muitos homens querendo se despedir dela. — Ouvi um pouco da antiga acidez em sua voz. — Mas me ver? — Ela hesitou de repente. — Akio?

Será que Akio sabia que Koito estava indo embora e viera, tarde demais, de Hikone, para ver as duas mulheres que o amaram? Isso parecia muito improvável, ainda que muito romântico, para mim, mas Yukako percorreu o caminho como se impelida por um vento forte. Eu a segui e quase colidi com sua *obi* quando ela parou horrorizada.

— Você orou bastante no Santuário Kitano? — perguntou o Montanha.

Yukako deixou escapar um grito sufocado. Eu também. Ele estava sentado à sombra no banco do lado de fora da casa de Koito.

— Pai... — começou ela.

Ele se levantou.

— Eu admirava a sua compaixão. Admirava a sua devoção. Admirava a sua frugalidade — disse ele.

— Pai.

— Essas foram as virtudes nas quais baseei o meu apelo ao Imperador para que ajudasse o Caminho do Chá a sobreviver.

— Pai, eu...

— Mas você sabia que há uma *geiko* muito popular hoje em dia que faz o *temae* Shin? Okura disse que ela afirma ser descendente do próprio Rikyu. Ele disse que uma noite, quando já bebera demais, ela se vangloriou que embaixo de toda aquela história de Ocidente e *bunmei kaika*, a cidade estava cheia de homens dispostos a pagar muito bem pela ilusão de que ainda eram o centro do mundo civilizado.

— *Ara!*

— Bem, é isso que as *geiko* vendem, minha cara: ilusão. E quando aquela coisinha bonita for à Capital do Oriente em busca da fortuna como "A gueixa que faz o *temae* Shin" — disse ele, com sarcasmo enquanto dizia a palavra vulgar usada em Tóquio em vez da palavra gentil usada em Kyoto, *geiko* —, ela se sairá muito bem. Que *passatempo* encantador.

A voz dele hesitou um pouco, e eu vi Yukako fazer uma tentativa de falar.

— Como é que você acha que as autoridades Meiji irão receber o meu pedido quando souberem disso? Eles reservaram uma fortuna para a construção de um salão de baile para os estrangeiros, mas dispensaram o chá por ser um passatempo. Foi assim que o chamaram. Quando escrevi minha carta formal de protesto, supliquei que apoiassem o chá como uma *disciplina*.

Ele interrompeu as palavras de alento de Yukako com um suspiro amargo.

— Se uns poucos mercadores como Okura querem brincar de ser samurais e passar o tempo fazendo chá, eu serei grato a eles pelo patrocínio. Eles se sentem nostálgicos por algo que nunca tiveram. Mas certamente o chá é mais que ilusão e nostalgia, não é, filha?

— Sim, Pai — respondeu Yukako, a cabeça inclinada para baixo.

Quando ouvi as palavras *ilusão* e *nostalgia*, lembrei-me da expressão *mundo flutuante*. Subitamente, entendi a fúria do Montanha: para ele o chá não era o *mundo flutuante*, era o *mundo*.

— Certamente o chá merece o apoio do Imperador, não é? — ele insistiu.

— Sim, Pai — murmurou Yukako.

— Por quanto você vendeu o apoio dele, filha? — perguntou ele.

Yukako não conseguia falar; só se ouvia a sua respiração pesada.

— Você compreende o que vendeu quando vendeu o nosso *temae*?

Vi as costas de Yukako tremerem.

— Pensei que você estivesse poupando o nosso dinheiro e você estava destruindo a nossa última esperança com uma lavadeira e uma tigela de arroz branco.

Ele deu um tapa no rosto de Yukako. Eu segurei o braço dele.

— Não se meta, Urako — disse ela.

Ele a estapeou mais uma vez, e de novo, até ela chorar, e então parou, olhando para ela.

— Eu queria... — disse Yukako, ofegante, com o rosto vermelho e inchado. Ela tirou o maço de papéis de chá do seu quimono e pressionou-os contra a boca que sangrava. — Eu queria ser como você.

Vi o Montanha repetir o gesto de futilidade e descrença de Yukako. Ele ergueu as mãos e olhou para elas, surpreso com a própria ira.

— Quando Okura me contou, eu pensei nisso — disse ele lentamente. — E então decidi conceder a você permissão para ensinar o chá para as esposas e filhas dos meus alunos. Okura tem uma coleção de apetrechos de chá e deseja que sua mãe cuide dela. Você vai ensinar o *temae* para ela, vai se encontrar comigo uma vez por semana para a sua própria aula.

Yukako olhou para ele, surpresa.

— Quando escrevi ao Imperador, eu disse que o chá fomentava o respeito pelos pais e ancestrais, não foi? Eu decidirei onde e para quem você dará aulas, mas você vai ensinar — disse.

— Eu humildemente compreendo — disse Yukako, usando uma expressão de criados. — Eu humildemente agradeço.

— Ou seu marido irá decidir.

— Você disse que talvez eu demorasse algum tempo para me casar.

— Eu tinha esperança de que quando a corte Meiji respondesse, a maré mudasse a nosso favor. Agora, pode ser que eles nunca respondam. Depois que me dei conta do tamanho do nosso infortúnio, recebi um pedido para um Encontro. Discuti o assunto com minha mãe, que ficou horrorizada tanto com a origem inferior da família do pretendente quanto impressionada pela riqueza deles.

Aquilo, e o jeito como o Montanha tinha olhado para as mãos, me dera tempo para pensar: de toda a família dele, de nascimento ou de adoção, a única pessoa que lhe sobrara para consultar era Madame Cachimbo.

Muitos anos atrás Yukako dissera que nunca se casaria, e eu acreditara nela. Ela dobrou cuidadosamente o papel ensanguentado e guardou-o na manga.

— Sim, Pai — disse.

— Ela me repreendeu severamente e disse que esse último golpe se devia diretamente à minha própria negligência, deixando você errar pela cidade acompanhada apenas por uma retardada.

Eu fiquei branca, e Yukako lhe dirigiu um olhar rápido em minha defesa.

— Minha mãe concordou em acompanhá-la se tiver que sair de casa, até que a gravidez impeça outras aventuras no mundo flutuante. Srta. Urako, você vai trabalhar na casa de costura.

Aflita, olhei para Yukako enquanto ela tentava manter o rosto sereno.

— Essa não é a minha primeira escolha — disse o pai dela. — Mas temos muita sorte de que, tendo descoberto o que você fez, Okura ainda esteja nos dando uma escolha.

— O Sr. Okura? — Yukako sussurrou. Será que ela ia se casar com Okura Chugo, aquele mercador gordo e mole, aquele molusco gigante?

— Você também é retardada? Ele tem mulher e filho. — Mas eu tinha visto o homem; com certeza ainda estava na casa dos 20. Será que ela ia se casar com o filho pequeno dele?

— Hoje à noite realizaremos um Encontro entre você e o irmão de Okura.

EU COMPREENDI apenas trechos do que o Montanha disse, e juntei-os com o que Yukako me explicou mais tarde enquanto vestia o quimono que ele escolhera para o Encontro. Mas compreendi a vergonha e contrição de Yukako enquanto ela caminhava para casa atrás do pai, controlando seus longos passos para manter o ritmo dos passos curtos dele. E compreendi quando ela me mandou pegar o seu *shamisen* e dizer aos Mitsubas, aos Tsutamons e a todos os seus outros alunos que a *Sensei* tinha voltado para Edo para participar do Obon, e tinha ficado lá devido a uma emergência familiar. Sinto muito, mas pode ser que não volte por um longo tempo.

No primeiro Encontro de Yukako, quando usara o quimono azul-esverdeado escuro com a estampa de árvore em flor, ela estava vestida como uma mulher com mais de 16 anos, as cores sóbrias contrastando com a juventude refrescante da sua pele. O efeito que ela obteve foi a discrição de uma flor desabrochando, um recato sedutor. Yukako fez caretas quando Chio trouxe a escolha do Montanha para o andar de cima. Aos 21 anos Yukako era velha para uma mulher solteira, e certamente velha demais para uma roupa tão jovial. O quimono inteiro, feito de gaze, era uma paisagem marítima durante o pôr do sol: água turquesa, com faixas cor-de-rosa fofas de nuvem. Um grupo de bebês gordos rolava na areia dourada, vestidos em um arco-íris de cores berrantes.

— Não pode dizer a ele que não é adequado para esta estação? — gemi.

Durante o Obon ela havia começado a usar uma túnica de gaze estampada com *hagi*, um dos sete capins do outono.

— Não, este serve até o Jizo-bon — disse ela, mencionando o festival em homenagem ao deus das crianças, dali a cerca de dez dias. — Está vendo? — ela apontou abatida para as crianças rechonchudas.

— Ah, não — eu disse, constrangida por ela.

— As mangas são tão compridas quanto as daquela *maiko* — reclamou Yukako.

As mangas que ela usava desde que queimara seu quimono não eram tão curtas quanto as de uma mulher casada, mas mais curtas do que aquelas: fazer propaganda da sua juventude que definhava pareceria um ato de desespero. Assumindo um ânimo que beirava a histeria, Yukako imitou Mizushi, encostando a mão recatadamente na boca.

— Quer se casar comigo? — disse ela para o espelho, com um sorriso afetado.

— Diga a ele que não se casará! — eu disse. — Diga-lhe que você quer ser uma monja budista!

— Ura-*bo*, eu já o magoei tanto. — de repente Yukako parecia tão séria como quando fizera sua escolha junto ao rio, no dia em que observamos as aves aquáticas. E realista como Inko, ela disse: — Além disso, de que outra forma ele terá um herdeiro?

— Então você vai simplesmente se casar com qualquer um?

— Ele não é simplesmente *qualquer um*. Meu pai o *escolheu* — disse Yukako com determinação, mas com uma pequena hesitação na voz.

Afinal, o pai dela havia escolhido Akio primeiro.

A *obi* que o Montanha havia escolhido para ela era tão berrante quanto o quimono: um turbilhão resplandecente de branco e verde-claro, com uma faixa salmão e um cordão vermelho-vivo.

— Quando vai a um Encontro, a moça *tem* que se casar com o rapaz? — tentei novamente.

— Bem, ambos podem dizer não. Mas veja a confusão em que eu me meti fazendo as coisas por conta própria — disse Yukako, encolhendo os ombros.

— Então você simplesmente vai descer aquela escada e se casar com quem quer que esteja lá embaixo?

Eu estava em pé atrás de Yukako, diante do espelho. Ela atou o cordão vermelho em volta da cintura e reagiu ao que eu tinha dito.

— Você sabe o significado de *Akaito*?

Como não saberia?

— É a mãe da Srta. Koito. *Fio vermelho.*

— Mas o que *significa* — insistiu ela. — Existe um fio vermelho que une você à pessoa com quem vai se casar. Eu pensei que Akio era a outra ponta do meu, mas não era. Não me cabe decidir, entende? Então não importa.

Havia lágrimas em seus olhos. Ela pegou a minha manga de algodão e secou-os sem esfregar.

E então eu fiquei sentada com uma bandeja na porta de entrada novamente, cinco anos após o meu primeiro dia com os Shin, quando Yukako viu o rosto do seu prometido. Eu deveria recolher a louça usada e trazer a nova enquanto Yukako trazia saquê para os irmãos Okura, mas fiquei sentada, desapercebida, paralisada, enquanto Yukako servia saquê ao jovem gelatinoso, e depois a um rapaz nas sombras. Ele não era gordo — o que era uma bênção —, mas foi difícil enxergá-lo até que ele fez uma reverência de agradecimento sob a luz da lâmpada. Eu vi o seu rosto ansioso e esperançoso, e vi Yukako, uma mulher resoluta em um quimono de menina. Vi um raio atingir a noite vazia que era o rosto dela, um lampejo aterrorizado de reconhecimento. Era o Menino Vara.

NA CAMA, ENQUANTO esperava a minha Irmã Mais Velha, perguntei-me como ele poderia estar na outra ponta do fio vermelho de Yukako? Aquele ninguém, aquele tonto com joelhos que pareciam puxadores de gaveta? Como eu não tinha suspeitado de que ele era o irmão de Okura? Como Yukako não tinha suspeitado? Ele simplesmente estivera sempre lá, do seu jeito atrapalhado: nós nunca tínhamos nos preocupado em saber. E depois que Yukako se vingou dele por ter roubado seu quimono, ele se tornou invisível para ela, para nós duas: presente no território da nossa consciência, da mesma forma que uma latrina, mas além da percepção.

APERTEI O PRESENTE de Inko contra o rosto. Fiquei imaginando se naquele exato momento ela estaria em um navio com destino a Edo. Ela deve estar feliz, pensei, sentindo, mesmo no meio do meu anseio egoísta, um lampejo de esperança por ela. Se Koito ia procurar a outra gueixa que se mudara para Edo para tentar a sorte, será que Inko iria encontrar Fumi? Será que Fumi era a outra ponta do fio vermelho de Inko?

Mas provavelmente Fumi estaria casada, e Inko provavelmente iria voltar para Kyoto em um ano e meio para casar-se com o rapaz que seu pai escolhera. Tudo parecia tão injusto. Eu sabia que Yukako tivera certeza de que Akio estava na outra ponta do seu fio vermelho. Era humilhante estar errada, seguir o fio vermelho e se descobrir unida a Okura Jiro, de todas as pessoas. "É o carma de outra vida", dissera Inko. Uma vez perguntei a Yukako o significado de *carma*, e ela me explicou corajosamente antes de desistir. Mas eu entendia agora por que Inko dissera aquilo, por que os sedutores o diziam nas histórias, por que as pessoas o diziam o tempo todo: era uma forma de tornar a verdade do fio vermelho menos cruel. Se Akio não estava na ponta do fio de Yukako dessa vez, talvez tivesse estado em outra vida.

Aspirando os nós negros de incenso que Inko me dera, pensei nela e meu corpo tremeu um pouco. Eu sentia falta dela, mas não tinha ciúmes de Fumi. No andar de baixo, ouvi o barulho de água da lavagem de Yukako parar, ouvi-a entrar na banheira quente e mergulhar na água. Senti um pouco de alegria, sabendo que ela subiria logo, e uma ponta de desespero: ela poderia casar-se a qualquer momento, e então tudo aquilo estaria perdido para mim, as noites naquele quarto, inalando cera de abelhas e chá em pó, suas costas curvadas como meu horizonte. Naquele momento era por Yukako que eu ansiava mais que tudo, a minha Irmã Mais Velha, forte e tempestuosa, minha professora, minha pincelada, minha proa, meu coração. Desejei que ela estivesse na ponta do meu fio vermelho.

YUKAKO NÃO ESTAVA com vontade de conversar quando se deitou.

— Vou dormir agora — disse.

Senti que estava totalmente acordada ao meu lado e abracei-a, com o corpo extasiado. Tomei o pulso dela e toquei-o gentilmente com o meu polegar.

— Pare com isso — disse ela.

Encostei o ouvido nas costas dela e senti tremor em sua respiração, como um papel rasgando lentamente.

— Você está chorando? — perguntei em voz baixa.

— Não — mentiu.

12

1871

DURANTE O BREVE NOIVADO de Yukako com o Menino Vara, Madame Cachimbo veio anunciar o mais recente ultraje da corte imperial.

— Eles estão nos arrebanhando e nos levando para Edo — contou ao Montanha enquanto tomavam chá.

— Tóquio, Mãe — ele corrigiu gentilmente. — Com certeza não pode ser. Apenas a calma na voz dele transmitia temor.

— Não basta eles terem levado o seu irmão — lamentou ela. — Agora eles querem a nós, aos Tsutamons, aos Mitsubas, todos nós.

Ela continuou citando outros senhores feudais no Japão inteiro que lutaram do lado do Xogum, inclusive o pai de Akio, Lorde Ii.

— Eu tenho 80 anos — disse, fumando seu cachimbo, desgostosa.

A SRTA. MIKI E SUA MÃE estavam fazendo o cabelo de Yukako no andar de cima quando eu vim com a notícia. Eu esperara que Yukako se livrasse do seu torpor depressivo o suficiente para perguntar sobre Akio, mas foi Miki, passando um pente para a mãe, que mostrou mais interesse.

— A família toda? — perguntou, sua pequena boca se abrindo.

O tio de Miki, também um barbeiro, havia se mudado para Tóquio, onde aprendeu a suprir a nova demanda por penteados ocidentais: o cabelo à escovinha, o coque em forma de castanha. Durante uma visita à família, ele ensinou ao pai de Miki os novos cortes, e agora a família dela estava começando a enxergar uma riqueza que eles nunca tinham conhecido. Bonita, 14 anos e estável financeiramente, sem irmãos para chefiarem a casa, gosto de pensar que Miki cochichou para a mãe que ela nunca havia esquecido o menino que uma vez puxara sua manga: o irmão mais novo de Sumie. Talvez um enlace evitasse que a família dele tivesse de deixar a rua do Canal.

Uma semana mais tarde, depois que um intermediário trouxe um pedido extremamente respeitoso para uma reunião entre os dois filhos, ouvi por acaso Madame Cachimbo contar a seu filho que o pai de Miki — *aquele alpinista!* — era um tratante que achava que podia comprar sua entrada para uma família samurai.

— Não precisamos deles — desdenhou. — Além disso, não somos os únicos que pretendem ficar.

O pai de Akio, ela soubera por meio de sua neta Sumie, partira de Hikone para Tóquio sozinho para implorar à corte que não afastasse a família dele de suas raízes. Ele já tinha presenciado política o suficiente para uma vida inteira: da mesma forma que o pai de Yukako solicitara o apoio imperial para o chá, Lorde Ii alegava que a melhor maneira de ele servir ao país era criando cavalos nas margens tranquilas do lago Biwa.

Depois de receber essa notícia de sua neta, Madame Cachimbo fez algumas investigações e em poucos dias os dois irmãos mais novos de Sumie — que tinham quase 14 e 15 anos na contagem japonesa — ficaram noivos de duas irmãs samurais de Hikone, parentes distantes de Akio, tão pobres como os próprios meninos.

Com duas novas bocas para alimentar, Madame Cachimbo empurrou uma de suas empregadas para nós, Ryu, a sobrinha indolente de Chio, que contratamos como lavadeira. Kuga ficou feliz de ter companhia e externou à prima sua preocupação com o pequeno Zoji.

— O Lorde Cavalo também não tem mais dinheiro. Ele vendeu o contrato do meu menino para um homem chamado Noda.

Segundo o relatório de Sumie, Noda, o mercador de arroz de Hikone, era um novo-rico grosseiro.

— Noda, hein? O nome da família dele é tão velho quanto o nosso — resmungou Kuga.

— Mesmo assim, ainda pode ser um bom homem — sugeriu Ryu.

Ela era o tipo de pessoa que não sente nada além de compaixão pelas pessoas que não conhece, e nada além de desprezo pelas que conhece. Quando a família Tsutamon deixou Kyoto obedecendo às ordens do Imperador, eles deixaram para o Montanha dois de seus servos como compensação por uma dívida relativa às aulas: um avô de 40 e poucos anos e um neto de menos de 2, cujos pais haviam morrido de cólera. Embora ele não reconhecesse nem Yukako nem eu, lembrei-me do homem de cabelo curto como o de um monge ou um ocidental na mesma hora: era Bozu, a quem Inko havia banqueteado com histórias de uma Edo que ela nunca conhecera. Ele chamava o neto de Toru.

— Por causa da Rainha da Inglaterra! — exclamou Ryu. — Que imbecil!

A casinha de Chio e Matsu não tinha espaço para seis pessoas dormirem, insistiu ela, e Kuga ficou grata por ser forçada a se mudar com a prima para o quarto de três tatames ao lado da porta da cozinha.

DA VEZ SEGUINTE que a Srta. Miki veio fazer o cabelo de Yukako, ambas as jovens estavam noivas. O ex-marido de Kuga, Goto, que nunca deixava dinheiro intocado, tirou vantagem da rejeição embaraçosa de Miki e rapidamente conseguiu que ela fosse prometida a seu filho Zoji; eles se casariam quando o menino terminasse seu contrato com Noda.

— Parabéns — disse Yukako, com consolo na voz.

— Algumas garotas têm de deixar seus pais — disse Miki, escondendo a sua decepção. — Nós temos sorte.

A FAMÍLIA DA NOIVA costumava mandar como dote a seda e os objetos laqueados, todos os quimonos, a mobília e os acessórios de que uma mulher iria precisar na sua vida de casada. Okura Jiro, o Menino Vara, ia se casar e tornar-se parte da família de sua esposa, e não o contrário, por isso seu irmão enviou apenas dinheiro. No dia do casamento de Yukako eu vi, cerimoniosamente colocadas em invólucros de brocado na alcova de exibição no gabinete do pai dela, as minhas primeiras *koban*, moedas de ouro no estilo antigo, que mais pareciam pequenas tigelas do que moedas.

Eu e Yukako nos sentamos diante das *koban*. Fiquei arrepiada ao olhar para o dinheiro.

— O pior é que daqui a um ano este ouro ainda estará valendo algo, e todo o dinheiro que economizei para meu Pai não terá a menor importância.

Ela tinha razão: as autoridades Meiji não apenas tomaram os campos de arroz dos senhores feudais, também anunciaram uma nova moeda, controlada por Tóquio. No lugar dos familiares discos finos de prata enegrecida, cada um com um buraco quadrado no meio, moedas mais pesadas, de metal mais grosseiro, tinham começado a aparecer, com letras japonesas e romanas circundando um crisântemo imperial no centro. Em alguns meses o valor das moedas antigas iria desaparecer, da mesma forma que o poder dos senhores que as circularam. De repente, privadas até mesmo das economias imprudentemente gastas de seus patronos, soubemos, as gueixas do centro da cidade haviam anunciado que pela primeira vez iriam realizar bailes públicos todos os anos.

— É como se nunca tivéssemos passado aquele ano na casa de Koito — suspirei, com saudades de Inko.

— Todo aquele trabalho — concordou Yukako. — Meu Pai disse que não quer o dinheiro, então tenho que gastá-lo em algo enquanto posso. O-Chio tem se queixado de compartilhar os aposentos com Bozu e Toru. Eu vou mandar arrumar o velho abrigo perto da torre-depósito para eles.

— É muita generosidade sua — eu disse.

— O dinheiro era para a Casa da Nuvem, não para mim. Por que não ajudar alguém com ele?

Ela estava olhando para a alcova de exibição enquanto falava. Prendeu a respiração. Vi-a fechar os olhos molhados e recusar o ouro de Okura.

SEGUI YUKAKO até seu quarto no andar de cima e sentei-me com ela, rodeada de três lados por suportes onde estavam pendurados os trajes que ela iria usar naquela noite: primeiro um quimono inteiramente branco com mangas compridas de menina, o traje, ela explicou, sem nem um pingo de morbidez, no qual seria cremada um dia.

— Irei vesti-lo durante a primeira parte da cerimônia, quando bebemos três xícaras de saquê três vezes.

— Ah — inspirei, lembrando-me da noite em que bebemos saquê juntas na Baishian.

Muitos anos mais tarde aprendi que, no mundo das gueixas, irmãs mais velhas e irmãs mais novas também se uniam uma à outra com saquê, mas naquele momento eu estava atordoada e magoada demais para perguntar.

— Depois disso, usarei este aqui — disse Yukako, apontando para o último quimono de mangas compridas que iria usar na vida: uma profusão de garças coloridas, ainda mais berrante que o quimono com os bebês rolando na praia que ela usara no Encontro. — E este é o último.

Depois do banquete de casamento, ela iria se trocar mais uma vez, e vestiria o primeiro quimono de mangas curtas de sua vida de casada: um quimono formal de cinco camadas, negro, estampado com ipomeias que subiam até quase a altura dos ombros. O estampado nos trajes formais ficava mais baixo conforme a mulher envelhecia, de forma que, em ocasiões formais, Madame Cachimbo usava um quimono preto estampado com cogumelos shitake que mal passavam dos tornozelos.

Rodeadas por aqueles quimonos, a Srta. Miki e sua mãe untaram, pentearam e esculpiram o cabelo de Yukako, prendendo com grampos seu primeiro penteado de mulher casada. E então, pela primeira vez, ela enegreceu os dentes com uma solução de limalha de ferro e fruto de carvalho enquanto as cabeleireiras se dedicavam a mim. Primeiro rasparam as sobrancelhas negras e lisas que eu herdara da minha mãe com uma lâmina fina e pintaram sobrancelhas novas em seu lugar. Então, com cera quente e pente de cortar cabelo, elas torturaram o meu cabelo até que ele assumisse a forma de seu primeiro *shimada* de moça solteira. A Srta. Miki me deu um embrulho para ser aberto mais tarde, e então elas desceram para arrumar Chio, Ryu e Kuga. Minha cabeça estava queimando. Meu couro cabeludo ardia. O meu rosto dava a impressão de nu e cru. Okura Jiro, de todas as pessoas, continuei pensando. O Menino Vara.

— Você ainda poderia dizer não — eu disse a Yukako enquanto ela vestia o traje branco.

Desde o dia em que o Montanha batera nela, uma certa expressão dura e vazia abrira caminho no repertório de Yukako. Obsequiando-me com ela, disse:

— Agora você parece uma moça crescida.

NAQUELA NOITE eu estendi a roupa de cama para Yukako e Jiro no andar de cima, e então desci para dormir perto da porta da cozinha com Kuga e Ryu. Passei a noite tentando, contra o meu próprio bom-senso, ouvir os sons vindos do quarto de cima, indignada por Yukako, enlutada, sozinha. O que me salvou do desespero foi o embrulho que a Srta. Miki havia me dado, enviado por sua prima em Tóquio.

Em Tóquio, os transferidos de Kyoto aparentemente conseguiam encontrar uns aos outros rapidamente. Além de Koito, apenas uma pessoa em Tóquio me conhecia, uma garota que, como eu, reconhecera a Srta. Miki quando ela saía de uma loja de pentes no bairro das gueixas. Quando eu não conseguia mais suportar a noite, abri o presente de Inko. Desenrolando um lenço de tecido branco, encontrei um doce de açúcar prensado em forma de nenúfar. Eu não tinha sido esquecida; meus olhos ardiam de gratidão. O doce dissolveu-se na minha língua, e eu sorri apesar do meu exílio, colocando as mãos sobre meus seios cheios no escuro. *Sim. Você teria feito o melhor poema.*

O doce de Inko estava escondido no interior de outro objeto embrulhado. Tirei o papel: era uma xícara de saquê, branca como um osso. Mergulhei-a em uma das barricas da cozinha e bebi. *Você conseguiu se despedir de Fumi?*

Não. Acho que é melhor assim.

— Adeus — murmurei.

DURANTE OS MESES seguintes, vi Yukako sozinha apenas quando me juntava a ela na Baishian, fazendo papel de anfitriã ou convidada para sua única aluna, a mãe do Menino Vara. No começo, eu cambaleava pelos cantos depois do casamento em uma confusão mental causada pela privação de sono, a cantiga de ninar da respiração de Yukako ao meu lado substituída pelo esforço de tentar impedir que minha cabeça caísse do meu novo travesseiro de madeira enquanto eu dormia, de forma a não amassar meu novo penteado de moça crescida. Depois que esses dias turvos e infelizes passaram, percebi que uma mudança ocorrera em Yukako, uma mudança que eu fora egoísta demais para perceber. A sua frieza de aço parecia ter se dissipado. Não posso dizer que ela parecesse gostar mais de seu marido, mas parecia ter posto de lado sua antipatia por ele, como se tivesse coisas melhores com que se preocupar. Mais ou menos um mês depois que Jiro veio para a casa Shin, quando eu e Yukako tivemos um momento a sós na Baishian, concentrei toda a iniciativa de Inko e perguntei-lhe:

— Então, o que foi que ele disse para você na noite do casamento?

Ela me deu um sorriso malicioso e eu percebi que ela estava muito satisfeita pelo fato de que Akio, e não Jiro, havia sido seu primeiro homem. E que ela estava grávida, e contente por isso.

— Bem, temos que fazer aquilo agora — disse ela.

13

1872

A PORTA ESTAVA ABERTA QUANDO eu trouxe o chá do Jovem Mestre, então não a fechei.

Uma caixa de madeira crua, um pincel, um jovem ajoelhado sobre uma escrivaninha baixa. No fim do Primeiro Mês do Quinto Ano da Era Meiji, Jiro, o homem que eu costumava chamar de Menino Vara, parecia feliz.

— Você gosta de caligrafia — eu disse, inclinando a cabeça em direção ao pincel quando depositei a bandeja no chão.

Ele me agradeceu inclinando rapidamente o queixo.

— Agora eu gosto — disse.

Para aquecer os dedos e manter úmida a ponta delicada do pincel, ele o colocou na boca e pegou a xícara com as duas mãos. Parecendo, por um momento, um pássaro segurando um galho, ele olhou além de mim, através da porta, em direção à neve que prateava o telhado de colmo de sua casa de chá preferida: uma cabana sombria e humilde de quatro tatames e meio chamada Casa Sem Casa, Muin.

Ele realmente tivera sorte. Escapara de passar a vida como contador, inclinado sobre um pincel, e agora estava livre para entregar-se aos seus prazeres. Depois de passar a infância satisfazendo seus tirânicos pai e irmão — o próprio nome Jiro significava Segundo Filho — e de passar a juventude, ano após ano, como aprendiz do nível mais inferior, ele se tornara o Jovem Mestre, o herdeiro da casa, inferior apenas a seu sogro, o Mestre Professor. Ele também recebera — como o avô de Yukako, Gensai, e o pai dela, às vezes chamado de Yosai — um nome artístico, Insai, que anunciava o seu novo status para o mundo. Todas as casas de chá seriam dele quando o Montanha morresse, e ele já havia sido inclusive designado protetor especial da casa de chá do próprio Rikyu, a Um Pinheiro, em Sesshu-ji, o templo da família Shin ao sul da cidade. Dispensado dos deveres conjugais por enquanto, o Jovem Mestre estava livre para passar tantas noites quantas quisesse em Sesshu-ji, como alegava, ou pescando no mundo flutuante, o que era mais provável.

Jiro quis um gabinete próprio na casa Shin e o conseguiu: o Anexo Árvore Curvada, onde Akio permanecera quando estava doente, anos antes. Ele requisitara a criada de cara esquisita para o chá, e ela viera. Ele acabara de pedir autorização a seu pai adotivo para orquestrar, sozinho, uma reunião para uma cerimônia de chá informal só sua a cada lua nova, e a autorização fora concedida. Naquela noite ele iria receber o Mestre Professor sozinho, e dali em diante, uma vez por mês, o Montanha seria não um professor, escolhendo o pergaminho para cada aula, interrompendo com correções a qualquer momento, mas apenas um convidado comum em um grupo, oferecendo conselhos em particular depois do evento. Era para essa primeira reunião de chá — o seu primeiro *chakai* — que Jiro estava se preparando agora, pintando letras na tampa de uma caixa de madeira.

Ele tirou o pincel da boca, sorveu o chá e voltou ao trabalho.

— O que está escrevendo? — perguntei.

Jiro não me maltratava quando eu falava com ele, nem me dispensava imediatamente. Eu não me atreveria a fazer perguntas ao Montanha, mas às vezes Jiro até mesmo respondia as minhas, mostrando-me como a tinta preta à base de pinho tinha um tom azulado, enquanto a tinta preta à base de bambu tinha um tom marrom. As coisas que Jiro me ensinava não compensavam a falta que eu sentia de estar junto a Yukako, mas me faziam odiá-lo menos do que eu gostaria.

O pinho cru pálido era a coisa mais colorida no quarto de Jiro: uma caixa para uma tigela de chá, tinha uns 20 centímetros quadrados, com fendas cortadas na base para uma alça trançada. A tampa não poderia ser mais simples: um quadrado liso com duas tiras de madeira fixadas na parte de trás para um encaixe justo. No seu velho quimono preto de estudante, Jiro, de pincel em punho, parecia, de alguma forma, separado de seu corpo de espantalho e de seu rosto com sobrancelhas escuras, nariz comprido e pele parecendo uma fatia de queijo. Toda a sua atenção estava reunida nos olhos afáveis, na ponta do pincel, mergulhada em tinta, erguendo-se e fazendo um arco, tocando a caixa com um toque molhado e se erguendo de novo, como um pássaro em uma corrente de ar. Ele pintou dois grandes caracteres na caixa e admirou seu trabalho, satisfeito.

Sua cabeça, de lado, parecia um ferro de engomar de cabeça para baixo: têmporas altas, bochechas que se afunilavam em direção ao queixo, seu rabicho uma alça.

— Você disse algo? — ele olhou surpreso.

— O que você escreveu?

— *Inazuma* — disse.

Eu havia perguntado a Yukako certa vez por que a palavra para *relâmpago* soava como a palavra para *planta de arroz* e como a palavra para *esposa*. Daquela vez ela não disse *kanji diferentes*.

— Quando o raio atinge o arrozal, isso faz com que o arroz fique grande — disse, com as mãos em forma de arco, como algo inchado, como estava agora, grávida.

— Então por que o arroz não é *marido*?

— Por quê, por quê, por quê? — zombou. — Ura-*bo*, eu não sei.

— Posso ver? — pedi a Jiro, apontando para algo dentro da caixa, amarrado com seda vermelha.

O Montanha teria batido em mim. Yukako teria me dirigido um olhar que eu chamava de O Olhar. Jiro olhou para mim genuinamente perplexo e explicou:

— Meu Pai precisa ver primeiro.

— Foi grosseiro da minha parte — desculpei-me. — Devo fechar a porta quando sair?

— Não. Mas traga outro fogareiro, por favor — disse ele. Com o pincel na boca novamente, ele cruzou os braços de frio, olhando para fora com um olhar vago. — Hoje à noite farei chá com uma chaleira de neve.

NAQUELA NOITE, depois que o Montanha observou Jiro pôr carvão e escovar a base laqueada do fogareiro com seu feixe de penas, Yukako trouxe a primeira bandeja da cozinha e deixou-a no corredor, do lado de fora da casa de chá Muin. Fazendo uma pausa, examinou os utensílios já arrumados para entrarem na sala de chá, inclusive a caixa pintada por Jiro, disposta no lugar onde normalmente ficava a tigela de chá.

— *Ele* deu um nome a isso? — murmurou, sua boca uma zona negra na luz do lampião. Durante o intervalo que se seguiu à refeição ritual do Montanha, Yukako ajudou Jiro a trocar o pergaminho na alcova de exibição por flores, depois se posicionou no fundo enquanto Jiro começava a fazer o *temae* com determinação. "Vamos", disse ela, acenando enquanto eu hesitava perto da porta fechada do anfitrião.

Ela não queria ver a nova tigela de chá? Fiz o gesto de lamber um dedo e tocar com ele a porta *shoji* para fazer um buraco para espiar. "Não", sussurrou ela. Isso partindo da garota que costumava espiar todas as aulas? Mas ela se cansava facilmente naquela época. Com um sorriso envergonhado, Yukako encostou-se em um pilar e fechou os olhos, com a respiração ofegante relaxando em uma questão de segundos. Movi a lâmpada para impedir que o meu buraco para espiar brilhasse como uma estrela na parede e me inclinei em sua direção.

Muin, uma casinha de sapê, de três metros quadrados, era a mais comedida das casas de chá Shin. Sem o espaço amplo da sala de aula ou do salão de 14 tatames, sem as tábuas de assoalho engenhosas da Baishian ou da Casa da Nuvem — artifícios para fazer um quarto pequeno parecer grande —, tinha meros quatro tatames e meio, com os quatro tatames retangulares posicionados como pétalas ao redor da metade quadrada de um tatame no centro: um quadrado dentro de um quadrado. O fogareiro de inverno estava embutido no tatame quadrado, e vi vapor na luz de vela. Vi os tatames dourado-claros, o teto como uma cestaria trançada escura, as duas janelas escurecidas. Uma vela iluminava um salpico de areia na parede coberta de argila, iluminava uma camélia e as pontas brancas de um ramo de ameixeira coberto de botões na alcova. Uma segunda vela iluminava Jiro e sua caixa de chá laqueada vermelha, um ponto colorido contrabalançado por uma pincelada de verde na bandeja de doces. Os toques de verde e vermelho enfatizavam a paleta preta-branca-argila da sala de chá, como também o faziam as centelhas ocasionais que se elevam do carvão em brasa.

O Montanha fez uma reverência demonstrando apreciação pelo seu doce, cujo centro verde e inchado era visível através da camada branca de fora, e perguntou a Jiro o nome dele.

"*Shitamoe*", disse ele, "brotos sob a neve". Era uma homenagem à esperança da volta da primavera, ao chá simples do ancestral Rikyu e à nova vida que inacreditavelmente dormia dentro da minha Irmã Mais Velha. Senti um profundo senso de *alinhamento* se irradiando dos dois homens, de serenidade, de harmonia entre eles, com a beleza do aposento, com a noite de neve lá fora. Os únicos sons na sala eram como a respiração: o murmúrio da água fervendo, o sussurro do misturador de chá na tigela. Então Jiro pôs a tigela de chá no tatame ao seu lado, e o Montanha se inclinou para a frente para pegá-la.

Eu vi um lampejo de negro e ouro. Yukako não se mexeu quando soltei um grito abafado. Olhei novamente. Vi um recipiente preto rústico que reluzia como algo quente recém-formado, arremessado da terra: reconheci-a. Era a tigela usada nas aulas anos atrás e que tinha se despedaçado como se tivesse vontade própria nas mãos de Jiro; lembrei-me do som molhado e frouxo que fizera, do débil triturar de areia, como pratos não esmaltados roçando um no outro, o modo como ele congelou, olhos e boca arregalados voltados para o pedaço de argila refratária que ainda estava na mão esquerda, as duas pétalas negras da tigela balançando no chão de tatame. Era a mesma tigela, humildemente preservada e soldada com ouro. Olhei para Jiro com um novo respeito. O veio de ouro era como o fio branco de lua na madeira da Baishian.

O Montanha também se lembrou da tigela de chá. Ouvi um grunhido de reconhecimento:

— *Un.*

Jiro quase sorriu quando o Montanha bebeu sonoramente e depois examinou a tigela mais de perto. Eu já havia visto algumas tigelas de chá lascadas consertadas com ouro, um vaso do tempo de Rikyu. E uma vez, para celebrar a lua cheia no Nono Mês, o Montanha escolhera uma antiga chaleira de ferro, uma esfera perfeita que se havia quebrado uma vez e fora consertada com prata, as linhas brilhantes como sulcos na lua cheia. Mas eu nunca vira uma tigela de chá tão quebrada e que tivesse sido consertada daquela maneira, o arco de ouro como a junção entre dois gomos de uma laranja. Onde ele conseguira tanto ouro? Um quimono novo de noiva e os móveis e utensílios laqueados eram de Yukako; talvez a *koban* de casamento do Jovem Mestre fosse seu para fundir e usar.

Eu imaginava Jiro, um garoto tímido e humilhado, escondendo os fragmentos da tigela preta. Lembrei-me de como ele sempre sentava no último assento da sala, como os estudantes samurais costumavam implicar com ele pendurando uma espada de madeira junto com suas roupas, já que, sendo mercador, não tinha permissão para portar armas. "Esqueceu alguma coisa?", costumavam dizer quando ele ignorava o que tinham feito. Lembrei-me de um jovem senhor ameaçando bater nele, desafiando-o a revidar, quando a punição para quem levantava a mão contra um samurai era a morte. O Menino Vara cruzara os braços e dera as costas. Como devia achar o chá belo e seus discípulos brutais. Lembrei-me de novo de que ele roubara o quimono de Yukako a mando de Akio, a caligrafia dele junto ao selo de Akio.

Perguntei-me como, depois que a prosperidade dos Shin ruíra e o pai dele morrera, ele persuadira o irmão de que valia a pena ganhar a vida com o chá, mesmo sem o apoio de um grande senhor. O que ele dissera para que Okura fosse agora o nosso patrono mais fiel? E como eu não descobrira que ele era irmão de Okura? Meus olhos deviam estar cobertos por uma camada de desprezo, como os de Yukako. Mas ali estava o fruto da paciência dele, o veio de ouro num manancial negro, como um córrego subterrâneo.

Girando a tigela nas mãos, o Montanha soltou um grunhido mais afável, um sopro de aprovação:

— *Un.*

Satisfeito, Jiro anunciou:

— Dei-lhe o nome de Inazuma.

O Montanha soltou um terceiro grunhido, como uma nuvem passando pelo sol. Ele se recompôs e devolveu a tigela de chá, fazendo a próxima pergunta de importância ritual. *O que aconteceu?*, perguntei-me. Agora o Montanha parecia tão satisfeito quanto antes.

Yukako acordou e juntei-me a ela, encolhendo-me para fora do campo de visão de Jiro quando ele levou para fora os utensílios que não eram mais necessários: a concha e o descanso da tampa, a tigela de bronze para a água usada. Ouvi o Montanha se mover para inspecionar a caixa e a concha de chá enquanto Jiro guardava o jarro de água e a tigela de chá. Quando Jiro voltou à sala de chá, Yukako pegou a tigela e examinou-a de perto, passando o dedo sobre a linha dourada. Ela fez um gesto de aprovação com a cabeça e sorriu.

Ouvimos Jiro, em resposta às perguntas do Montanha, identificar o trabalho de laqueação da caixa de chá e então a origem da concha de chá: entalhada por um dos bisnetos de Rikyu, tinha o nome poético de Campos de Arroz Aninhados.

Pai e filho adotivo agradeceram um ao outro ritualmente, e então ouvi-os sair da *seiʐa*, a posição ajoelhada formal exigida durante o *temae*.

— Como é agradável — disse o Montanha — ver os montículos brancos de neve derreter e depois ferver. Campos Aninhados e Brotos sob a Neve transmitiram sensações semelhantes, mas eram diferentes o bastante para não saturar. O seu uso comedido das cores demonstra maturidade. A tigela de chá foi uma escolha ousada, e eu o felicito por isso. O meu pai adotivo me disse que jamais deveria usá-la, pois estava rachada. Mas também me disse que fora feita para o próprio Rikyu pelo oleiro Chojiro, então a guardei para usar nas aulas. Parecia um crime nunca mais usá-la. Um dilema, não é? Você o resolveu muito bem.

O Montanha fez uma pausa.

— Seja como for, embora o nome da tigela se tenha perdido, ainda não é seu direito dar nomes poéticos às coisas. Se você dedicou a caixa a isso, terá que queimá-la e fazer uma nova quando se tornar Mestre Professor.

O piso estalou quando Jiro se levantou outra vez para se sentar formalmente e fazer uma reverência.

— Peço humildes desculpas — disse.

O Montanha permaneceu como estava.

— Fora isso, foi um bom primeiro evento *chakai*. O primeiro de muitos.

— Meus humildes agradecimentos — disse Jiro, como se estivesse sufocando.

— E guardei esta noite auspiciosa para mais boas novas. Finalmente, recebi notícias da corte.

Os olhos sonolentos de Yukako se abriram. O Montanha citou o Augusto Sobrinho, que recebêramos uma vez, e que agora era o Augusto Primo. — Graças a ele, temos tanto a graça do Imperador quanto seu apoio. — Yukako agarrou o meu pulso e sacudiu-o, tentando conter-se.

O Montanha mencionou um valor anual que mal equivalia a um por cento do que recebia no passado, o suficiente para sustentar trinta homens durante um ano em vez de 3 mil. Yukako assentiu com um movimento da cabeça, controlada mas ainda esperançosa. Até mesmo aquela quantia traria bem mais conforto à casa do Montanha do que a muitas outras, inclusive a da família de Madame Cachimbo. E se o Imperador não mais considerava o chá um "passatempo" retrógrado, isso também era motivo de esperança: mais alunos, mais eventos de chá. Yukako expirou silenciosamente de alívio. Um olhar de absolvição rapidamente passou por seu rosto: no final das contas ela não havia malogrado as esperanças de seu pai ao dar aulas a Koito. E então a traição tomou conta dela, e ela soltou a minha mão. Ela parecia magoada. Murmurou algumas palavras:

— Ele não contou para *mim*.

Eu tinha me esforçado para entender as palavras do Montanha enquanto ele anunciava as novas, mas também estava ciente de um certo mal-estar sufocado por parte de Jiro desde que fora repreendido.

— Isso é uma ótima notícia — disse finalmente o Jovem Mestre, sua voz hesitando estranhamente. — Devemos todo o nosso êxito a você.

Uma última emoção se apossou do rosto de Yukako quando percebi, e ela com certeza também, que no fim das contas Okura não tinha sido a última esperança deles. No outro aposento, Jiro estava calado, e então um som cortou o ar: uma fungada.

— Também estou tomado de alegria — disse o Montanha.

Mas era vergonha, não alegria, no silêncio de Jiro, vergonha de ser repreendido, vergonha e decepção, e a raiva não era pequena. Observei Yukako enquanto ele fungava de novo. Eu podia ver o desprezo dela.

14

1872

— E STÁ QUIETO HOJE. Meu filho está aqui? — perguntou a mãe de Jiro, depois de agradecer Yukako por sua aula. Ela era uma criatura melancólica e lúgrubre que o jovem Okura Chugo compelira a ajudá-lo com reuniões de chá e a manter sua coleção de utensílios limpa. Eu gostava dela, tenho que confessar, pois era tão desajeitada que me fazia sentir menos desesperada em relação ao meu *temae*.

— Ele não foi com os outros — disse Yukako, mudando o corpo grande e desajeitado da posição de *seiza*. — Disse que não estava se sentindo bem.

Enquanto eu levava a mulher mais velha ao quarto da árvore curvada de seu filho, ela se lamuriava sobre seu *temae*.

— Assim que me levanto, esqueço tudo — suspirou. — Meus pés ficam dormentes e minha memória também!

— Você se lembrou das duas formas de sair desta vez — consolei-a. — A *Sensei* nem teve que lembrá-la.

Ela me deu um sorriso tímido quando voltei para ajudar Yukako a fazer a limpeza depois da aula.

Era o fim da estação das flores de cerejeira; por toda a parte, as pétalas cintilavam no ar parado. O Montanha recebera cinco alunos aquele ano, um aumento em relação aos três do ano anterior: quatro rostos novos e o Jovem Mestre. Ele os estava levando para uma visita ao Mestre Professor Raku, o descendente direto de Chojiro, o oleiro preferido de Rikyu.

O Jovem Mestre não parecia doente esta manhã, pensei, discretamente impedindo que Yukako erguesse a chaleira pesada. Naquela manhã, porque a excursão dos homens iria deixar Yukako somente com os criados em casa, o Montanha havia pedido a Madame Cachimbo que viesse. (A ideia de Yukako, de tornozelos inchados e olhos lacrimejando, como ela estava àquela altura, sair por aí para saracotear com gueixas era ingênua ao extremo.) A mulher mais velha mal tinha descido de seu jinriquixá quando Jiro a dispensou com algumas palavras formais e um corte de seda; ele não estava bem para sair hoje, então ela não precisava se preocupar. Verdade seja dita, ele parecia bastante vigoroso ao parar aquele jinriquixá.

— Ele não está doente. Mas meu pai está escolhendo utensílios de chá, e você sabe como ele fica depois de visitas ao estúdio.

Eu sabia: desde seu primeiro evento *chakai* com o Montanha, Jiro costumava voltar para casa das visitas ao estúdio taciturno e com olhos malevolentes, fechando-se no quarto da árvore curvada. Ele costumava pintar tigelas de chá e caracteres chineses em papel opaco, mandando-me buscar velas e xícaras de caldo de *miso*. "Ele deve estar dando nome a elas", disse Yukako quando lhe perguntei sobre as pinturas.

— É tão esquisito — eu disse. — Ele adora cerâmica.

Estávamos sentadas na sala de preparação *mizuya* da Baishian, um anexo de um tatame e uma pia à cabana de dois tatames.

— Ele gosta demais — disse Yukako, encolhendo os ombros e empurrando o pó de chá de volta para dentro de um recipiente hermético para armazenagem.

Terminei de remover o pó verde do pano de linho e esfreguei as tábuas da *mizuya*, verificando o nível de água no barril de cerâmica uma última vez. Dava para ver o reflexo do meu rosto na água, as pontas e montículos do meu penteado. Quando cocei a testa, senti pelos crescendo onde minhas sobrancelhas costumavam ficar: *logo terei que raspá-las de novo*, pensei.

Yukako apagou o fogo na abertura do assoalho e sentei-me com ela em silêncio. *Quando ela me encontrou neste quarto, ela tinha a idade que tenho agora*, pensei admirada. A porta do anfitrião, que dava acesso à *miṇuya*, estava aberta, assim como a porta de fora — a claraboia também, as pequenas janelas e a pequena porta pela qual se entrava de gatinhas —, de forma que o marfim claro e o dourado da casa estavam iluminados de todos os lados por ar verde e pétalas rosa. A própria casa parecia estar respirando luz. Acima da bela tábua escura com seu veio branco, na alcova, havia um pergaminho com caracteres pendurado, com uma moldura em seda azul-celeste. Abaixo, em vez de flores, havia uma pequena tesoura de cortar flores, o cabo em forma de borboleta reluzindo.

— Por quê? — perguntei, apontando.

— *Por quê?* — zombou Yukako. — Qual é a flor mais bonita de todas? Era uma questão de tradição, não de escolha.

— *Sakura*, respondi.

— A *sakura* floresce apenas alguns dias ao ano — disse ela. — E agora elas estão por toda a parte. Cortar um ramo de flor de cerejeira e trazê-lo para dentro da casa de chá é um exagero, não acha? — Ela fez um gesto com a cabeça em direção à alcova. — Isso é o bastante, apenas a tesoura.

Voltando pelo jardim de musgo e ardósia, com o ar fresco da primavera soprando pétalas no meu caminho, senti alegria, alegria por ver o mundo exterior mais intensamente porque eu vira o mundo que Yukako fizera dentro da casa de chá. Não é de admirar que Jiro se ressentisse por não poder escolher e dar nome às tigelas de chá; todos os aspectos de falar por meio do chá davam prazer.

QUANDO ERA JOVEM, o Montanha pedira permissão ao Imperador para apresentar o chá na corte, e ele o fizera todos os anos até a Era Meiji. Agora que a nova corte aprovara a declaração do Montanha de que a cerimônia do chá era uma disciplina louvável do corpo e da mente, eles também lhe deram permissão para retomar suas apresentações de chá duas vezes ao ano. A primeira data em que recebeu permissão para aparecer caiu durante o confinamento de Yukako, e por isso a vigília de Chio foi compartilhada pelas duas mulheres cujos filhos tinham sido adotados pela casa Shin: a mãe de Jiro e Madame Cachimbo.

Numa noite sem lua pouco depois do meu aniversário, elas me mandaram buscar a parteira na escuridão.

Sentei-me durante toda a noite ao lado de Yukako, e depois que Chio, a parteira e as duas velhas senhoras caíram no sono perto de nós no quarto de cima, estendi a mão e toquei o menininho no peito de Yukako como se fosse meu.

— *Meu tesouro* — sussurrou Yukako, com o rosto finalmente relaxado.

— Eu gostaria de um banho — disse, e adormeceu. Os cabelos da pequena criatura desciam do topo da cabeça em uma espiral escura. Suas orelhas eram a coisa mais macia que eu já tocara.

Jiro e o Montanha voltaram para casa junto com uma onda de ovos que chegavam, às vezes trinta em uma caixa, como presentes para o recém-nascido. A entrada parecia uma série de escadarias brancas, cada caixa embrulhada em papel branco e atada com um cordão vermelho e branco. Jiro parecia meio atônito com o menino: quando subi com a bandeja matinal de Yukako, vi-o ao lado dela no futon que eu estendera, silenciosamente acariciando o cacho escuro de cabelo do filho com um dedo.

— O cabelo dele é tão espesso como as escamas em um *tai* — gabou-se para o Montanha enquanto eu servia o café da manhã deles. As imagens do peixe *tai*, ou pargo, normalmente o mostravam embaixo do braço de um dos deuses da prosperidade, robusto e alegre como o bebê. Atordoado de orgulho, o Montanha deu ao Jovem Mestre uma caixa de chá chamada Omedetai, um trocadilho com as palavras para *pargo* e *ocasião feliz*. Era um tesouro de família que pertencera a seu pai adotivo Gensai: a reluzente curva vermelha de músculo e escamas se encaixava perfeitamente na tampa redonda da caixa. Na festa do sétimo dia do bebê, quando tingimos arroz de vermelho com grãos de soja torrados, Yukako, Jiro e o Montanha foram registrar o nome da criança no cartório local: Tai.

15

1872

O MONTANHA PARECIA REVIGORADO com a experiência em Tóquio — animado, entusiasmado com seus alunos e com a série de eventos relacionados ao chá, usando com frequência uma palavra com a qual eu ainda não tinha deparado: *eppo*, *eppo*. A primeira vez que ouvir falar da Exposição de Kyoto de 1872 foi um pouco depois da festa de sétimo dia de Tai, servindo o chá da manhã para o Montanha enquanto ele conversava com Jiro sobre essa Eppo, e sobre algo que exigia uma *tei-bu-ru*. Uma *table* — mesa, em inglês. Eu não tinha certeza, mas percebi que Jiro, embora sorrisse e fizesse reverências, estava apertando os pauzinhos com a mão cerrada. Quando tirei a mesa, as extremidades laqueadas dos pauzinhos estavam marcadas onde ele os esfregara um contra o outro. Eu o segui até o quarto da árvore curvada para recolher os pratos sujos que porventura houvesse, e perguntei, enquanto ele triturava tinta em água com uma veemência inusitada, o que era uma *eppo*.

Jiro olhou furioso para mim e explodiu:

— Ele está criando um *temae* novo!

— É mesmo? — Por que ele parecia tão zangado?

— Ninguém criou um *temae* novo em gerações, e agora estes, ora, estes porcos vêm com seus barcos e armas, cheirando a manteiga, por isso teremos um *temae* de porco em um chiqueiro? Seria melhor dar uma *koban* a um gato, mas o tom agora é: "Ah, vamos sim!" Vamos fazer um misturador de chá que se ajuste a um pé de porco! É muito difícil para um porco erguer uma tigela de chá: vamos mudar o *temae* para que eles possam enfiar seus focinhos grandes dentro da tigela no chão! Na verdade, por que usar uma tigela de chá? Vamos pedir à família de Rikyu para criar um *comedouro* especial!

Eu nunca o ouvira falar assim antes.

— Bem, eu vou apenas pegar estes — eu disse, empilhando nervosamente a louça dele.

— Preste atenção — ordenou, dando pinceladas em uma folha.

Dei um passo hesitante na direção dele.

— Os bárbaros têm uma chaleira enorme com rodas — disse. Uma chaleira? — Ela desliza sobre uma barra de metal como uma porta desliza no seu trilho.

Olhei-o com os olhos arregalados. Será que a viagem o tinha confundido?

— E eles a estão trazendo para Edo! Desculpe, *Tóquio* — zombou. — O Imperador fez mais do que apenas dar a autorização; ele está pagando Sono, o seu camarada *hai kara*, para assentar essas barras de metal — disse, usando uma expressão inglesa — *high collar*, colarinho alto — cunhada para descrever aqueles que imitavam os estilos estrangeiros.

Aproximei-me mais um passo e vi uma versão simplificada de trilhos curvados de trem.

— *Ara!* — Lembrei-me de algo que os monges no navio haviam me contado: quando os navios negros do almirante Perry vieram pressionar o Japão a fazer negócios com o Ocidente, eles trouxeram um trem a vapor em miniatura com vagões grandes o suficiente para que um homem se sentasse e viajasse nele e o montaram na costa para impressionar os nativos.

Jiro apontou para os trilhos:

— É como uma longa cicatriz na terra — disse. — Eles chamam essa chaleira de criado, mas dá para ver que é um dos deuses deles, *veja*.

Ele me mostrou uma xilogravura de uma *bijin* — uma mulher bonita vestindo um quimono elegante —, mas havia algo errado com o rosto dela. O que seria?

— Ora, ela está sorrindo! — exclamei. Eu nunca vira uma gravura assim.

— Olhe as sobrancelhas dela! Olhe os dentes!

— *Ah!* É uma menina vestindo um quimono de adulto?

— Não, é assim que as mulheres bárbaras andam por aí — disse ele, meneando a cabeça horrorizado. — E isso não é nenhum capricho do artista que fez esta xilogravura. A própria *Imperatriz* começou a andar assim, e por isso agora toda Edo está cheia dessas caras. — Ele suspirou. — É uma cidade de moças jovens. Será que eles não veem? — Ele passou o dedo ao redor da boca sorridente da bela mulher, e então sobre cada dente branco do espaço negativo formado pelos trilhos curvados do trem e os dormentes retos. — Todas as vezes que eu olhava para uma das damas na corte? *Torakku, torakku.*

Quando dizia a palavra inglesa para trilho, *track*, ele mostrava os dentes imitando sarcasticamente um sorriso.

Será que a bela da xilografia era Koito? Ou será que todas as *bijin* se pareciam?

— Quando você esteve em Tóquio... — interrompi. Talvez devesse ter dito *Edo* para agradá-lo? — ...ouviu algo a respeito de uma *geiko* que faz o *temae* Shin?

Os olhos de Jiro se arregalaram com a minha falta de tato ao mencionar o passado ofensivo de Yukako.

— E o que é que *você* sabe do mundo flutuante? — perguntou, com uma certa ameaça indolente.

Eu mudei de um pé para o outro, aturdida. Ele cedeu.

— Se houve, eles mantiveram a notícia bem longe do Pai. *O chá é a linguagem da diplomacia* — disse, imitando as declarações que o Montanha fazia resmungando.

Ele suspirou.

— Já foi ruim o bastante ver no que Edo se transformou. Já foi ruim o bastante que os estrangeiros tenham recebido autorização para um assentamento novo tão perto de nós.

Ele estava falando de Kobe, um vilarejo de pescadores não muito longe onde um novo porto tinha sido construído para os ocidentais a caminho de Osaka.

— Mas agora Miyako? Proibiram o Obon este verão, mas teremos um festival bárbaro em seu lugar no outono! — bufou com desdém. — Talvez o

Mestre Professor construa um *torakku* para a *Eppo*. Ele poderá *deslizar* a tigela de chá até os estrangeiros.

Antes do golpe Meiji, eu ouvira manifestantes gritando *Sonno! Joi! Salve o Imperador! Fora com os bárbaros!* Encolhi-me, imaginando se Jiro teria sido um deles. Com certeza quando aqueles manifestantes lutaram, não imaginavam que seu amado Imperador iria proibir as festividades do Obon: durante dez verões não veríamos nem as danças nem as fogueiras.

— O lugar deles é do lado de lá, e o nosso do lado de cá — prosseguiu Jiro. — Precisamos aprender a construir canhões como os deles para *proteger* as nossas belezas. O que não precisamos é aprender a tornar as nossas belezas feias como as deles. O Pai diz que o *temae* Shin parece frívolo quando executado por uma mulher, mas eu digo que uma *bijin* realçaria muito mais uma sala de chá do que algum porco diplomata em um *furokku koto*. — Um o quê? Ah, um fraque.*

— Na sua viagem, você falou disso com o Mestre Professor?

Jiro respondeu com um olhar horrorizado.

— Ele é *meu Pai* — disse.

PERCEBI O SILÊNCIO peculiar de Jiro no dia seguinte durante o café da manhã, quando o Montanha me disse, com tanta espontaneidade como se estivesse pedindo o seu cachimbo:

— Para a festa de trinta dias do pequenino, diga a minha filha para começar a se preparar desde agora. Ela não deve mais escurecer os dentes, ou... — ele apontou para as próprias sobrancelhas e fez um gesto. — Não é como Sua Majestade faz as coisas.

Antes que eu pudesse me refrear, olhei para Jiro e vi seus olhos abatidos, o jeito como seus dentes se moviam por trás da boca fechada. Quando a mãe dele veio ver o bebê, com as sobrancelhas e os dentes intocados de acordo com o novo estilo, vi como Jiro esquivou-se até mesmo dela.

---

*Em inglês, *frock coat*. (*N. da T.*)

E então compreendi alguns dias mais tarde, quando os dentes de Yukako apareceram (cinzentos, depois amarelados, e finalmente brancos) e suas sobrancelhas começaram a crescer, a retirada de Jiro para o anexo da árvore curvada à noite.

— Devo servir o chá da manhã no seu escritório amanhã? — perguntei depois que ele não dormiu no andar de cima por vários dias. Tentei não soar muito esperançosa.

— Sim, obrigado. — Jiro revirou os olhos e imitou seu filho chorando. Tai *havia* começado a agitar-se um pouco durante a noite, mas Jiro não parecera se incomodar no começo.

— *Qualquer coisa que chora à noite me encanta, exceto os bebês* — disse, em um tom exagerado e cansado da vida.

— Essa frase é de um livro?

— Como sabia?

— Pela forma como disse.

Estávamos sentados, logo após o café da manhã, no quarto junto ao jardim onde o Montanha dormia e fazia as refeições com o Jovem Mestre; o aposento também servia como sua biblioteca. Percebi a autoridade com que Jiro passava a ponta dos dedos pela pequena coleção de livros de seu novo pai: ele encontrou um volume fino e o tirou para mim. O livro era leve para o seu tamanho, encadernado com fios violeta e ilustrado com uma dúzia de xilogravuras preto e branco. Era todo escrito em *kana* de mulher, corrido, como toda a escrita japonesa, sem espaços entre as palavras. Pior ainda, o livro quase não possuía caracteres *kanji* para indicar onde as palavras começavam e terminavam. Mas vi uma página numerada como uma lista: *um, um, um, um.* E distingui substantivos aqui e ali: *neve, lua, ovo.* Antes de casar-se, Yukako lera em voz alta para mim um livro de listas escrito por uma dama da corte do Período Heian chamada Sei Shonagon; seria este?

— Quem ensinou você a ler? — perguntou Jiro.

— *Okusama*, um pouco, há quatro ou cinco anos — eu disse, querendo dizer Yukako.

O título dela havia mudado desde o casamento, de Jovem Senhora para Madame.

— Verdade? — disse ele, incrédulo.

— Por que não o pega emprestado? — disse uma voz vinda da porta: o Montanha. Assustada e constrangida, quase deixei cair o livro.

— Peço desculpas, Pai — disse Jiro.

— Não, eu falo sério — o Montanha disse para mim. — Lave as mãos primeiro.

Eu fiz uma profunda reverência, surpresa. Ele nunca me dispensara tanta atenção antes. Embora eu não tivesse nem tempo nem habilidade para ler, recusar parecia uma atitude ainda mais petulante do que examinar o livro em primeiro lugar, então fiz outra reverência e agradeci-lhe. Pude sentir o olhar dos dois em mim enquanto levava a bandeja para fora.

QUANDO CONTEI PARA Yukako as ordens de seu pai em relação a seus dentes e suas sobrancelhas, ela simplesmente deu de ombros e mudou Tai para o outro seio.

— Será que ele acha que eu tenho tempo para me preocupar com meu rosto aqui? — Ela esticou o pescoço e fez caretas para o espelho. — Não saio há dias. Não faz nenhuma diferença — disse.

Ela esfregou uma das sobrancelhas, que começava a crescer, e deu uma risadinha.

— Pergunte a ele se nossa subvenção vai dobrar caso eu deixe as sobrancelhas crescerem até cobrirem meus olhos.

Eu ri.

— E se eu pintar os dentes de branco?

HOJE, ENQUANTO se preparava para a festa de trinta dias de Tai, ela se olhou no espelho mais demoradamente. Quando pareceu óbvio que Jiro não iria voltar para o andar de cima, tranquila mas determinada, tomei meu lugar na cama dela de novo, e por isso estava sentada com ela enquanto se vestia. Para a festa ela iria usar o quimono formal preto de mulher casada, mas continuava como sempre fora todos aqueles anos antes do casamento, até mais jovem, com as sobrancelhas expressivas de menina.

— Eu achava que tudo seria diferente quando eu fosse mais velha. — Yukako olhou do espelho para mim. — Mas aqui estamos. Só tem uma coisa diferente — disse carinhosamente, tirando Tai de meus braços e aspirando seu cheiro de bebê. — Tai-*bo!* Meu Tai-*bo!* — cantou. Colocamos três lindos quimonos pequenos um dentro do outro, estendemos no chão em cima de uma faixa e pusemos o bebê sobre eles. Yukako colocou cada braço dentro do conjunto de mangas, e então amarrou o bebê em suas roupas com um único nó. Por um momento, enquanto ela segurava o bebê nos braços, vi um lampejo da antiga Yukako, minha irmã indomável, preparada para andar sob o sol em direção ao templo para oferecer seu menino a sua própria protetora especial, Benten-*sama*, a deusa da água e das artes. Então vi um olhar de choque e desespero atravessar o seu rosto. Será que ela ainda sofria por Akio? Ela colocou o bebê nos meus braços e inclinou o rosto sobre a bandeja do café da manhã, com ânsia de vômito.

— Ah, de novo não — gemeu.

Durante mais uma semana, o vestíbulo continuou parecendo um mundo de escadarias, enquanto preparávamos dúzias de caixas laqueadas pretas para enviar como presentes de agradecimento, cada qual em sua própria bandeja elegante, embrulhadas em brocado. Nós as enchemos com bolos *mochi* e arroz da sorte, e todas elas voltaram, segundo o costume, sem terem sido lavadas. O Montanha viajou de um dia para o outro para Kobe para negociar sua volta no ano seguinte para uma apresentação de chá no templo: quando partiu, o vestíbulo estava cheio de caixas carregadas; quando voltou estava abarrotado de caixas vazias. Quando terminamos de limpar o vestíbulo — lavamos todas as caixas, empilhamos todas as bandejas e dobramos cada faixa de brocado — havia sobrado uma caixa curiosa no canto, praticamente imperceptível para qualquer um que passasse pelo vestíbulo, qualquer um cuja tarefa não fosse, como era a minha, limpá-lo.

A caixa estava cheia de livros. Não eram livros japoneses, com seus fios delicados prendendo as folhas e suas caixas engenhosas. Livros ocidentais, encadernados em tecido e couro, alguns com gravuras de ouro. Eles cheiravam, ah Deus, *livros*, a longas viagens pelo mar — a tinta, a pano e a cola —, a biblioteca de um navio, e, o que até certo ponto revirava o meu estômago, ao meu tio Charles. Em um dia chuvoso eu os dispus no chão de pedra e os classifiquei. Havia dois alfabetos estranhos, um quadrado e outro curvado — russo e grego, talvez. Dois ou três eram em letras romanas, com uma letra *b* grande e esquisita no meio das palavras e uma fonte ameaçadora, como asas de morcego e janelas de painéis em forma de diamante. Alemão, pensei, ou talvez holandês. Alguns pareciam em italiano, mas poderiam ser em espanhol ou em português, com todas aquelas encantadoras letras *t* em *staccato* e as vogais latinas. Um livro com caracteres bem nítidos estava coberto de tremas, com a letra *o* riscada com um traço diagonal. E três livros estavam escritos em idiomas que eu conhecia: um guia britânico para visitantes em Paris, um livro francês sobre pássaros, fino e ilustrado, e um velho amigo — eu quase chorei —, *Histórias de Shakespeare*,* de Charles e Mary Lamb. O livro fora difícil quando eu tinha 9 anos, quando já fazia quatro anos que eu vinha lendo inglês com ajuda. Aos 16, quando abri aquele livro, com todas as traças bolorentas do seu cheiro dançando na minha direção, eu estava perplexa. Reconheci a capa e o idioma, mas quando li uma expressão em particular — *"Tarry a little"*, ela entrou em minha mente como som e nada mais. Quando observei as gravuras de pássaros que nunca tinha visto, vi combinações de letras que pareciam familiares — *francês* — à primeira vista, mas, sob inspeção mais detalhada, não revelavam nada que eu pudesse compreender. Mesmo assim, fiquei com os três livros. Empilhei os outros dentro do caixote de madeira e coloquei-o de volta no seu canto negligenciado, subi silenciosamente enquanto Yukako dava banho no bebê e coloquei meus novos tesouros com o livro japonês que o Montanha me emprestara embaixo do meu melhor quimono. Eu me senti rica. No intervalo entre a minha volta para casa depois do banho e a volta de Yukako, eu podia aprender a ler novamente. Não só ele tinha (graças ao Montanha) me dado um livro; ao deixar a cama de Yukako, Jiro tinha me proporcionado o tempo e a privacidade para ler. *Qualquer coisa que chora à noite me encanta:* ele parecera tão surpreso quando perguntei se a frase vinha de um livro. Mesmo que eu não conseguisse ler Sei Shonagon, eu gostei dela por fazer com que Jiro se sentisse confiante e perspicaz ao dar-me o que eu mais queria. Enchi-me

---

*"Refreia-te um pouco", de *O mercador de Veneza*, de William Shakespeare. (*N. da T.*)

de ansiedade pensando em Yukako vindo para mim, o bebê adormecendo entre nós. E enquanto esperava, folheei o livro sobre pássaros, fazendo uma pausa quando via uma figura familiar: um *karasu*, com seu corpo escuro e lustroso como o pássaro que voou em minha mente quando minha mãe me chamou por seu nome certa vez, com os dedos em meu cabelo negro. Falei o seu nome, a minha voz tênue e hesitante enquanto eu me esforçava com os velhos sons. *Meu pequeno corvo louro*, murmurei, como ela costumava dizer, depois de cantar sua canção favorita. *Ma plus blonde corneille*.

ALGUNS DIAS MAIS TARDE, enquanto limpava o chão do vestíbulo, percebi que a caixa de livros havia desaparecido, e no dia seguinte, enquanto servia o café da manhã para o mestre e seu herdeiro, o Montanha me parou.

— Srta. Urako.

— *Hai?*

— Daqui a três meses Kyoto vai receber um grande festival. Pessoas virão de todo o Japão e de países estrangeiros também. Neste exato momento carpinteiros estão construindo salões em estilo estrangeiro para essa *Eppo*. É uma oportunidade de mostrar ao mundo que somos tão civilizados e desenvolvidos quanto os países estrangeiros, se não mais. Para essa *Eppo*, eu desenvolvi um *temae* que pode ser executado em um aposento estrangeiro.

— Eu humildemente compreendo — eu disse, evitando olhar para Jiro.

— E você irá falar com os nossos convidados estrangeiros a respeito.

— Eu?

— Em inglês e em francês. Não me diga que não sabe.

Eu abaixei a cabeça. É claro! Ele tinha ido de um dia para o outro para Kobe, a cidade portuária cheia de estrangeiros! Por que eu não tinha pensado antes de pegar aqueles livros estrangeiros?

— Eu vi você usando aquele vestido estrangeiro nas escadas no verão passado — disse o Montanha. — Vi como você olhou para aqueles livros, como se tivesse sido criada com eles, e eu sei que você mal sabe ler. Por isso trouxe os livros de Kobe, para ver o que você faria.

Senti um pânico violento no estômago. A minha respiração era tênue e pressionei a testa contra o chão em súplica.

— Mestre Professor, eu não tenho nenhuma casa neste mundo exceto a sua. Eu imploro, deixe-me ficar — falei ofegante.

— Quem foi que disse algo sobre você ir embora? — disse o Montanha secamente, divertindo-se. — Eu sou o seu empregador. Este é o seu trabalho. — Mantive a cabeça baixa. — Você vestirá isto — disse ele.

Eu olhei para cima e vi o vestido da minha mãe na mão dele.

— Eu... sim, senhor... eu... — Achei que ia desmaiar. — É muito pequeno — disse com a voz entrecortada.

— Eu vou arranjar tecido para você — disse ele. — Faça outro.

UMA SEMANA MAIS tarde eu estava sentada na sala de costura com uma peça de seda vinda do depósito, uma estampa compacta de folhas vermelhas e douradas para o evento de outono. Tinha a mesma largura de todos os tecidos japoneses — cerca de 30 centímetros —, então minha primeira tarefa foi juntar três faixas de seda para ter tecido bastante para cortar um vestido ocidental.

Muito pouco havia mudado em relação ao que eu imaginara desde que o Montanha me dera suas ordens. Yukako continuava igual comigo. O Montanha me disse que quando os carpinteiros tivessem terminado de construir o que ele precisava para o novo *temae*, ele iria ensiná-lo a seus alunos, e eu deveria observar essas aulas atrás da treliça. A fora isso — e a seda que ele arrumou para mim —, ele me dedicou a mesma indiferença benigna de sempre. Quando devolvi a cópia do livro de Shonagon depois que Tai tentara mastigá-lo, ele não fez nenhum comentário. Chio e as costureiras, enquanto isso, me tratavam com uma curiosidade moderada, a frieza delas em relação a mim por ter voltado a dormir no quarto de Yukako misturada com pena por eu ter sido escolhida para ser exposta a tantos bárbaros cheirando a manteiga em uma roupa tão monstruosa.

— Ainda bem que não fui eu — disse Kuga enquanto caminhávamos para a casa de banho.

Foi na semana em que uma parede foi erguida entre os lados masculino e feminino da grande banheira, em conformidade com um novo decreto imperial. Onde eu antigamente via o homem do tofu, com seu queixo pontudo, à minha frente, agora via uma parede de painéis de cedro. *Ela não é estrangeira*, lembro-me de ouvi-lo dizendo.

— Você realmente sabe ler aquelas línguas bárbaras? — perguntou-me Kuga.

— Ou você só pegou os livros por causa das gravuras? — disse Ryu.

— Não, eu leio, um pouco. Não sei por quê — eu disse, com cautela. — Não me lembro de quase nada antes do incêndio.

— Você foi uma estrangeira em uma vida anterior — disse Chio filosoficamente.

Lembrei-me de que Inko uma vez chegara à mesma conclusão, e corei na rua escura.

Circulei entre os alunos como antes, ignorada exceto quando me mandavam de volta para a cozinha para buscar mais chá. Apenas Jiro me tratava diferente: de repente o caldo de *miso* que eu trazia estava quente demais ou frio demais; eu estendia o futon dele da forma errada, ou muito cedo ou muito tarde. Ele me dispensava rapidamente ao passo que antes me deixava ficar e fazer perguntas, e a fala dele, que costumava se arrastar enquanto eu aguardava instruções, agora era lacônica e recortada. Eu era, suponho, o inimigo.

COMO EU IA FAZER roupas ocidentais? Passei os dedos pelo vestido da minha mãe no meu colo. Uma pessoa mais habilidosa visualmente — Chio, sem dúvida, ou até Jiro — poderia ter copiado um vestido de criança para um de adulta apenas olhando para ele, mas não eu. Virei o vestido do avesso. Os pontos da minha mãe eram pequenos e contínuos, mas não precisos. Dava para ver a impaciência dela quando eles ficavam mais largos às vezes ou dançavam tortos sobre o tecido. Dava para ver o seu ânimo renovado — ou a vela — quando eles encolhiam, tornando-se graves e precisos durante algum tempo. Ela me amara muito. Eu nunca a vira fazer para nenhuma de nós um vestido de um pano inteiro:

ela normalmente emendava ou alterava o que quer que houvesse na caixa da igreja no Natal. Mas ela comprara tecido novo para fazer aquele vestido para mim, encontrara uma fita nova de veludo combinando. Ela sabia que estava morrendo, me dei conta. Fechei os olhos e respirei fundo. Então abri-os.

A coisa mais correta a se fazer era retirar cada um dos pontos da minha mãe, esticar os pedaços sobre papel e ampliar os traços de acordo com o meu tamanho atual. Eu não ia conseguir. Pedi papel, tesoura, um pincel e tinta, e então, na sala de costura, planejei meu trabalho. Quando eu desmontava os quimonos para lavá-los, por trás das costuras longas e retas, eu via uma ourela compacta e independente. Por trás de cada uma das costuras da minha mãe, no entanto, havia 1,5 centímetro de tecido rústico onde ela cortava os pedaços triangulares do vestido oriundos de um tecido novo. O tecido grosseiro feito de linho e lã era um debrum macio. Suavemente, passei tinta nas extremidades ocultas esfarrapadas e pressionei o pedaço sobre uma folha branca. Um tosco contorno de tinta do vestido surgiu, um pedaço de cada vez.

Havia uma deusa para quem as costureiras oravam quando faziam o primeiro corte em uma nova peça de tecido. Uma vez por ano, quando elas realizavam um funeral para suas agulhas velhas, as moças enfiavam as pontas rombudas ou quebradas em um bolo de tofu que deixavam no templo dela. Enquanto eu rolava cuidadosamente o cilindro de uma manga, marcado com tinta, sobre uma folha, fiz uma pequena prece: *Por favor, faça com que dê certo.*

Imediatamente a deusa respondeu em francês: *Não corte a seda ainda.* Ri por um momento de uma resposta tão rápida e sensata vinda do céu, e chorei. Era a minha mãe. Enquanto eu ampliava os moldes de acordo com o que eu tinha crescido, decidi pedir a Yukako uma peça de algodão grosseiro para poder praticar.

DURANTE TODA AQUELA SEMANA, enquanto as árvores do jardim resplandeciam o vermelho, fiquei pensando em como ia me explicar se encontrasse um estrangeiro na *Eppo*. De onde eu era? Como eu chegara ao Japão? Como aprendera japonês? Chega de fantasia, censurei-me. Eles não vão perguntar, eles não vão se importar, e se o fizerem, diga simplesmente que não se lembra de nada de antes do incêndio. Afinal, não houvera um ano sem um incêndio em algum lugar em Kyoto desde que eu chegara. Poucos dias antes da *Eppo*, eu tinha menos tempo para me preocupar: entre embalar e carregar a mesa e os bancos laqueados do Montanha, cuidar dos convidados de fora da cidade e levar e trazer mensagens dos confeiteiros, eu nem mesmo tive tempo de ver a cabeleireira quando ela veio.

Cada convidado da Expo devia receber um bolo doce estampado com um crisântemo e embrulhado em papel festivo, oferecido em uma bolsinha de seda estampada com o grou dos Shin. Na véspera da Expo, enquanto eu, Ryu e Kuga enfiávamos cordões roxos em dúzias de bolsinhas, fechei os olhos por um momento na sala de costura. Fui pegar uma xícara de chá para me manter acordada e vi um homem de bengala no portão.

Ele usava roupas ocidentais, os braços e as pernas delineados nitidamente por suas roupas, que o faziam parecer um animal de pé sobre as pernas traseiras. As calças e a *shatsu** eram em tons diferentes de preto, que não ficavam bem juntos, efeito que não era amenizado por nenhum alento de cor ou forro para contrastar. Que coisa mais irritante! O único lugar onde os olhos podiam descansar era um ponto branco no pescoço, que realmente não fazia diferença, na verdade, chamava atenção excessiva para o seu rosto infeliz: ele tinha um nariz grande e feio e uma pele pálida. Pisquei: ele tinha olhos azuis, como um cachorro ou uma criança. O que havia de errado com ele? Será que não era uma pessoa, mas um *ser* — o espírito de uma raposa?**

— Perdoe-me, eu fui muito rude — disse o espírito, como se sua boca estivesse cheia de pedras.

Escondi o rosto com a manga, mas permaneci firme diante do portão aberto. Eu não queria que a maldade dele tocasse Yukako ou o bebê.

— *Mukashi mukashi* — disse o espírito, mas o fez desajeitadamente, como se estivesse falando outro idioma. — *Moo cashy moo cashy*.

Pisquei de novo. Era o meu tio Charles.

---

*Camisa; *shirt*, em inglês. (*N. da T.*)
**As raposas são personagens frequentes no folclore japonês, seres inteligentes, com poderes mágicos, que podem assumir a forma humana. (*N. da T.*)

O homem envelhecera antes do tempo; seu cabelo tosquiado, que se tornara uma guirlanda prateada em volta do rosto destroçado mas ainda jovem, e o lábio desfigurado, junto com a bengala, sugeriam que ele não havia escapado do incêndio ileso. Ele falou, com a mesma voz aguda e nasalada, mas rouca, como se ainda estivesse inalando fumaça. A fala dele era uma série de substantivos mal pronunciados e alguns verbos em sua forma mais crua: "*Jesus Cristo. Igreja. Sete anos. Incêndio. Menina. Aurelia Bernard. Agora procuro. Agora vou. Paris.*"

Enquanto ele falava baixei a manga. Ele viu uma criada de olhos escuros usando quimono e *obi*, com o cabelo preto untado e penteado em um esmerado *shimada*, que falava com ele em japonês. Não vi sinal de reconhecimento em seus olhos.

— Não há ninguém aqui com esse nome — eu disse, com firmeza.

— Como disse?

Ele olhava para mim mas não estava me vendo. Eu falava com ele e ele não me entendia. Senti uma onda de raiva e de crueldade. Sabendo que não precisava temer castigo, eu disse a frase comum reservada aos hóspedes que permaneciam além do tempo, uma frase que sugeria que eles o haviam levado à ruína:

— Gostaria de um pouco de chá sobre o arroz?

— *O-cha-ʒu-ke?* — repetiu, como se sua língua fosse de madeira.

— Vejo que sete anos não fizeram muito pelo seu japonês — eu disse.

Ele ouviu a palavra *Nippongo* e me agradeceu, com um ar de quem está acostumado com elogios.

Eu imitei a fala elaborada das cantoras:

— Sinto muito, mas como a sua dúvida apresenta dificuldades insuperáveis, talvez possa fazer a gentileza de... — eu disse, deixando a palavra *partir* para a imaginação dele.

Ele piscou para mim, pálido e impotente.

— *Vá Paris!* — eu disse, fazendo gestos para enxotá-lo. — *Nenhuma menina aqui!*

Ele fez uma reverência demonstrando que compreendera.

— *Eu entendo* — disse, usando o verbo rudimentar de um senhor ou uma criança muito pequena. Ele olhou direto nos meus olhos sem me enxergar. Será que nunca lhe haviam dito que não era educado encarar as pessoas?

Olhei para ele, aquela árvore atingida por um raio. Olhei direto para o rosto dele, da mesma forma rude que ele olhara para mim, como um animal, e vi um lampejo do homem que costumava me colocar no colo com a sua Bíblia franco-inglesa, me ensinando uma palavra de cada vez. E então lembrei-me das mãos dele em volta da minha cintura, o hálito quente de bebida, e eu disse a única coisa que queria ter-lhe dito naquela noite, igualando sua forma arrogante de falar.

— *Amari suki arahen* — eu disse. *Eu não gosto de você.*

Fechei os olhos e os abri: eu estava na sala de costura.

— Não nos faça fazer o seu trabalho, dorminhoca — disse Ryu, com um meio sorriso.

16

1872-1876

MEU SONHO COM TIO CHARLES se mostrou profético. Ninguém me pediu para justificar meu japonês. No dia seguinte, no Salão da Exposição, um inglês enorme de olhos azuis, com narinas cabeludas e orelhas que pareciam conchas de ostra, olhou para a pequena criada com penteado japonês e folhas de bordo, buscando equivalentes para dúzias de palavras relacionadas ao chá: *temae, chado, chashaku, chasen*. Enquanto eu vomitava outra frase sem artigo e sem pronome, com o verbo no final, ele me perguntou:

— Como você aprendeu um inglês tão bom?

Com um risinho para esconder a minha indignação, levantei um braço para cobrir o rosto, mas minha manga estreita não oferecia refúgio.

— Na igreja — respondi.

NÓS TÍNHAMOS presenciado uma cerimônia de abertura — na qual um homem muito grande recebera uma medalha imperial muito grande — e servido chá para dois grupos de convidados antes que algum estrangeiro viesse ao nosso recinto. Contudo, já era evidente que Jiro não estava gostando da Exposição. Ele ficou se remexendo durante os discursos que concederam ao homem grande, o

Sr. Kato — um Satsuma-ninguém, resmungou mais tarde —, o posto de Conselheiro Especial da Corte em Kyoto em agradecimento pelo seu trabalho de planejamento do novo exército recrutado pelo Imperador, baseado no modelo prussiano. Jiro também parecia impressionado com as exibições de aço e cerâmica e teares mecânicos, e embora estivesse feliz de ver os amigos — entre eles seu irmão mais velho Chugo e seu velho colega Shige, o Urso —, havia muito mais pessoas presentes que lhe causavam repugnância. Ele não gostava nem dos parasitas nem das pessoas de quem eles se aproveitavam, e na Exposição eles abundavam. Okura Chugo, eu percebi Jiro observando, tinha dado o seu próprio estojo de tabaco de presente para o elegante Sr. Sono, o colecionador de arte de Satsuma a quem o Imperador havia nomeado para dirigir a ferrovia que tanto ofendia o Jovem Mestre. E nenhum dos dois parecia capaz de se afastar de uma exibição de dois engenheiros hidráulicos holandeses que mostravam planos para um canal de 80 quilômetros ao norte de Tóquio.

— Se alguém como você estivesse liderando o projeto, Sr. Sono, tenho certeza de que daria certo — disse um homem que Kuga identificou como Noda, o empregador atual do pequeno Zoji. Embora o mercador de arroz de Hikone, com seus lábios de sapo, tivesse vindo das margens do lago Biwa até a Exposição, não vimos nem Zoji nem Akio naquela semana.

— Trinta e cinco túneis pelas montanhas? Isso é um bocado de homens cavando — refletiu Sono.

— Você é um homem sábio, um homem extraordinário — adulou Noda, acariciando o *netsuke** de marfim que pendia de sua faixa em uma corrente ocidental de relógio. — Mas Satsuma está formigando de homens que não conseguem acompanhar os tempos como você. Mande-os para a prisão e seu problema estará resolvido e os túneis, perfurados — declarou.

— Por mais difíceis que meus patrícios sejam, como cristão, não posso deixar passar o que está dizendo — disse asperamente o Conselheiro Kato, o grande homem de Satsuma da cerimônia de abertura, ainda usando sua medalha do tamanho da palma de uma mão.

---

*Ornamento em forma de pequena escultura preso por um cordão às vestes masculinas. (*N. da T.*)

Exemplo do *hai kara* — *high collar* ou colarinho alto —, a moda ocidental de fraque e calças, ele estava ladeado de duas mulheres americanas, uma alta e grosseira, uma baixa e gordinha, espantosas em suas saias-balão e babados.

— Esse canal faria muito pelo Japão, mas a Bíblia, como o Buda, diz: "Não matarás." A vida de um prisioneiro quebrando pedras seria muito curta.

— Mas certamente o senhor matou a sua quota quando lutou contra o Xogum, Conselheiro Kato? — perguntou Noda.

— A causa do Imperador é sagrada — explicou Kato, afavelmente. — A causa do canal ainda precisa ser pensada.

Enquanto o bajulador Noda ria, o Conselheiro Kato se aproximou de nossa banca, com as mãos nos quadris.

— Eu nunca tive o prazer de aprender *temae* — disse enquanto Jiro fazia uma reverência diante dele com uma fatia de bolo doce de feijão.

— Imagino que não — disse o Jovem Mestre asperamente.

Olhei para o Conselheiro Kato para ver se ele havia notado o insulto, e depois olhei de volta para ver os joelhos de Jiro se travarem, alarmados: um dos alunos no quartinho *miʒuya* esquecera de colocar um palito de lindera junto com o doce do Conselheiro.

Em meio aos murmúrios de apreciação das duas senhoras americanas, eu quase podia ouvir os sussurros dos alunos culpando uns aos outros atrás do biombo. Na faixa estreita de tatame do *miʒuya* visível de onde eu estava empoleirada para receber os convidados, vi um prato surgir com um único palito. Jiro voltou-se para pegá-lo com tanta elegância quanto possível enquanto o Conselheiro Kato, alheio a qualquer problema, inclinou a cabeça em agradecimento pelo doce *yokan* e examinou os nossos utensílios em exibição. O seu olhar recaiu sobre a concha de chá Primeiro Encontro, uma tira pálida de bambu entalhada duzentos anos antes pelo bisneto de Rikyu, Shinso, o ancestral fundador do Montanha. Enquanto Jiro segurava o prato com o palito, o Conselheiro Kato disse a ele:

— Não se preocupe! O que temos aqui? — Estendendo a mão em direção à alcova de exibição montada em nossa banca, ele pegou a concha de chá e enfiou-a no doce. — Resolver problemas é a minha especialidade — ele riu de si mesmo. — Isso está uma delícia.

O Montanha ergueu os olhos durante o longo silêncio que se seguiu e observou o horror aflito no rosto de Jiro.

— Com licença... — O Jovem Mestre falou confuso, o punho direito comprimido na mão esquerda.

— Conselheiro Kato, meus parabéns e seja bem-vindo — interrompeu o Montanha jovialmente. — Então é assim que os ocidentais fazem? — brincou, e antes que o Conselheiro pudesse partir a concha em dois e usá-la para limpar os dentes, ele deteve as duas mãos de Kato, cumprimentando-o no estilo ocidental. Enquanto eles riam e conversavam, Jiro, mortificado, levou embora o doce pela metade — e a concha Primeiro Encontro.

NÃO ERA SURPRESA que Jiro estivesse cansado e rabugento quando o inglês com orelhas de ostra sentou-se para tomar chá e perguntou como eu tinha aprendido a língua dele. Graças às longas e lentas horas que passei lendo em voz alta os contos de Shakespeare contados pelos Lamb, consegui entender o inglês dele, embora às vezes o sotaque dele tornasse palavras familiares esquisitas. Ele era negociante de coelhos, contou-me. Nunca antes vistos no Japão, os exóticos bichinhos de orelhas caídas viraram moda em Tóquio, com os malhados atingindo mil dólares americanos cada. Tendo feito fortuna em apenas alguns dias, o companheiro estava decidido a desfrutar da onda de sorte.

— Em Tóquio eu podia passar o dia inteiro nas bancas de arco e flecha. Cada uma tinha uma mocinha bonita como você. Você atirava, e então ela batia palmas se você atingisse o alvo ou ria de você se errasse. E então a pequena caçadora lhe servia um dedal de bebida alcoólica e ela mesma atirava. Elas sempre acertavam, mas atiravam como garotas, atingindo o alvo distante do centro. Então você tentava ganhar intimidade ajeitando o arco dela. Elas eram como bonequinhas de olhos amendoados. Riam um pouco mais de você e o ameaçavam com o leque se ficasse muito confiado.

— Esses bárbaros não param de falar — disse Jiro enquanto o Montanha limpava serenamente a tigela de chá.

— Ele disse que gostou muito de Tóquio — expliquei.

— Não existe país melhor para passar o tempo. Arco e flecha! Um encanto! Banhos quentes! Um encanto! E chá! Quem diria que tomar chá pudesse levar tanto tempo?

Impenetrável, o Montanha estava sentado em um banquinho retirando água de uma chaleira sobre um fogareiro montado dentro de uma mesa laqueada, a tigela de água usada atrás dele sobre uma estante feita especialmente para ela.

— Mas se houvesse uma mocinha bonita como você para se olhar — prosseguiu o Orelhas de Ostra —, eu não me incomodaria nem um pouco. Em Tóquio todo mundo estava falando de uma gueixa famosa que faz a cerimônia *ocha*, mas os japonas têm controle total dela. Caras como eu não tinham como vê-la.

Jiro olhou para o homem abruptamente quando ouviu aquelas três palavras: *gueixa, Tóquio* e *ocha*. O Montanha levantou uma sobrancelha.

— Ele disse que há uma famosa *geiko* em Tóquio que faz chá — repeti, deslizando pelo banco para longe do inglês abusado. Em defesa de Yukako, eu disse: — Ela é muito popular. Todos estão interessados no *ocha* agora.

Outro estrangeiro tinha parado para observar, mais magro e moreno que o Orelhas de Ostra.

— Ouvi falar dela também — disse, com sotaque americano. — Não consigo imaginar nada mais adorável do que uma moça japonesa fazendo chá segundo um antigo ritual solene, mas quando visito meus novos amigos, suas esposas e filhas não sabem fazê-lo.

Preocupada, traduzi o melhor que pude. A repugnância de Jiro era evidente. O Montanha parecia levemente perplexo.

— Por que você iria querer passar o tempo com a esposa e os filhos de um homem? — perguntou, e eu transmiti suas palavras.

— Especialmente quando pode se encontrar com ele à noite em companhia de mulheres bem mais encantadoras? — acrescentou Jiro educadamente.

— Por que um homem cristão sairia à noite? — replicou o americano.

Sem hesitar, meu companheiro de banco concordou:

— Do que mais um homem precisa além do refúgio de sua família?

Eu traduzi, e Jiro e o Montanha trocaram um olhar quase imperceptível de descrença. Então cada um demonstrou boa vontade com os estrangeiros.

— Diga-lhes que no Japão também consideramos a família importante — disse Jiro.

— Diga-lhes que o *temae* que estão vendo é o verdadeiro, da forma que Rikyu ensinou, o *temae* do samurai e do senhor da guerra — disse o Montanha. — Se quiserem assistir a mocinhas bonitas fazendo chá, podem ir ao mundo flutuante — acrescentou com desdém.

Quando Jiro olhou de relance para seus interlocutores, os olhos dele tinham um pequeno olhar que dizia: "Eu preferia estar lá a estar aqui."

— Então são os homens que participam das festas de chá no Japão? — refletiu o inglês. — Deve combinar bem com essa história de usar vestidos, não? — ele inclinou o rosto em direção ao quimono do Montanha.

Eu traduzi, quando pressionada, mas não queria.

Com a mão direita, o Montanha girou a tigela de chá duas vezes em sua palma esquerda e passou-a para o convidado. O inglês fitou a tigela em suas mãos e, confuso, falou ofegante:

— Ora, é tão *verde* — declarou. — Está mais para alga, não acha?

— O que é uma *aúga?* — perguntei.

O homem ruivo riu bem alto, pelo que recebi um olhar frio de Jiro. Ele voltou-se para o americano e tentou passar a tigela adiante.

— Que tal uma xícara de chá, meu bom homem?

— Ah, depois de você, é claro.

— *"Afasta de mim este cálice"* — disse o inglês, como Jesus em Getsêmani. O americano fitou-o com olhar de reprovação.

— Qual é o problema? Está esfriando — disse Jiro.

— O chá os fez lembrar do livro sagrado deles — respondi.

— Vocês têm chá preto? — perguntou o homem, parecendo levemente perplexo com as borbulhas do chá espumoso, que já haviam começado a estourar e se dissipar. — Ou café? Já ouviram falar de um cappuccino? Com leite vaporizado, tem-se uma boa camada de espuma no alto. Parece muito com isso aqui, mas talvez não tão verde.

— Chá em pó, ou *matcha*, tem sido usado na cerimônia do chá há trezentos anos — lembrei-lhes, tomara que com cortesia.

— Vejam o cappuccino irlandês — ele anunciou, contente consigo mesmo. — Que tal se eu apenas experimentar e deixar o resto? Você acha que o velho Rabugento vai se incomodar? Ou eu podia tomar um gole e você podia acabar de beber para mim.

— Senhor, por favor, desfrute a xícara de chá inteira — eu disse, recitando as instruções que o Montanha me pedira para traduzir. — Quando tiver terminado, é costume mostrar apreciação com um gole final sonoro. Então pede-se ao convidado que inspecione a xícara de chá.

— Não dá para chamar isso exatamente de xícara, não é verdade, se não há asa ou pires — contestou o inglês, ganhando tempo. — É mais como uma *tigela*, mas com um formato bem rústico, não acha? — Eu tinha dito *xícara* porque queria atrair a simpatia dos ingleses e seu amor pelo chá. Talvez, contudo, não nos saíssemos tão mal se eu os chocasse um pouco com a palavra *tigela* da próxima vez, pensei.

— Vamos lá, vovô, tome o seu remédio — disse o americano.

— Saúde! — disse o inglês, sorvendo o chá em um gole hesitante. — Então agora o convidado faz a inspeção? Bem. Encantador — disse. — Mas você não acha estranho eles não terem trazido algo mais bonito? — perguntou ao americano antes de se voltar para mim. — Quero dizer, a apenas duas bancas daqui, há porcelana pintada realmente boa; eles provavelmente emprestariam para vocês, se quisessem.

— Eles *buscam* o acaso e a falta de simetria — explicou o americano. — Isso faz com que se sintam mais próximos de seus deuses da natureza.

Ele estava mais ou menos certo, embora fizesse os Shin parecerem mais exóticos e tribais do que eram. O Montanha tinha usado uma grande tigela Raku preta salpicada de branco, tão densamente em um ponto que o salpico lembrava uma nuvem branca.

— O chefe da família Shin a chamou de Amanogawa — contei —, cujo significado é Rio de Céu ou Via Láctea. No céu viviam um jovem pastor e uma jovem tecelã que se casaram e se apaixonaram. O amor deles superou todas as coisas a ponto de... — enquanto eu falava, eles me olhavam de tal forma que percebi que estivera sozinha com as *Histórias de Shakespeare* tempo demais — ...o pastor descuidar de suas ovelhas e a tecelã largar o seu tear. Então

— eu disse, estranhando a minha voz afetada e estridente —, Deus colocou um rio entre os dois, para mantê-los em seu trabalho. E agora eles são duas estrelas, e uma vez por ano eles têm permissão para atravessar o rio e passar a noite juntos.

— Fascinante — disse o inglês.

— Espere um momento — disse o americano —, eles se casaram e *então* se apaixonaram?

— E agora aqui estão o Japão e o Ocidente, negociando através do oceano — eu disse, concluindo a história do Montanha.

Não era mais a época de se contar essa história, mas ela se adequava bem demais para deixar passar. As outras duas tigelas que usamos na Exposição se chamavam Primeira Geada e Brocado de Folhas, o que compensava a primeira e pouco ortodoxa escolha.

— Muito poético — disse o inglês.

— O Japão tem uma beleza encantadora que jamais assimilaremos — suspirou o americano. — Eu adoraria levar um jogo de chá *ocha* para minha mãe. Poderia embalar um para mim, com um pouco de chá em pó?

— Sinto muito, mas essas peças são apenas para demonstração, não para venda.

— Ah, vamos, não seja assim — insistiu. — Essa xícara, por exemplo, quanto quer por ela? — Ele mencionou uma importância que era o dobro da remuneração que o Imperador nos concedia por ano, e o inglês levantou as sobrancelhas.

— O que estão *dizendo*? — insistiu Jiro. Eu expliquei. — Um *jogo* de *ocha*? — disparou.

Eu traduzi a oferta assombrosa do americano. Jiro e o Montanha trocaram um olhar pasmo de ultraje.

— Eles não compreendem — disse o Montanha, recuperando a compostura.

Sem piscar, ele mencionou uma quantia cinquenta vezes maior do que o americano havia oferecido, que eu repeti, com o coração acelerado.

Os dois homens se entreolharam, perplexos.

— Peço desculpas. Julguei mal a situação. Talvez essa tigela seja uma inestimável antiguidade de família — murmurou o americano, encabulado.

— Esta *tigela* de chá — eu disse, experimentando a palavra — foi feita nessa primavera pelo descendente direto do primeiro mestre oleiro da família Shin, e foi escolhida pelo chefe da família Shin especialmente para a Exposição de Kyoto — recitei.

— Então não é uma antiguidade? — O americano olhou para mim, para os dois homens vestindo quimonos, e de volta para mim, com o rosto confuso e irado. — Apenas para demonstração — repetiu. — Entendo.

— ELE NÃO SABIA o que era, e ofereceu todo aquele dinheiro? — repetiu Yukako naquela noite. — Isso é loucura.

— Não dava para acreditar — eu disse, balançando Tai, que eu estava carregando nas costas.

— E mais estranho ainda é que eles não tinham nada para vender para ele — disse ela, colocando a mão sobre a barriga. — O que é que você vai comer, Bebê Número Dois? — perguntou. — Meu pai não é tolo. Mas até dois anos atrás, os samurais passavam a vida inteira sem jamais tocar em dinheiro. — Yukako sorriu com uma malícia exagerada nos olhos e se inclinou para a frente, como se estivesse contando contas em um ábaco. Então jogou os ombros para trás como um samurai e resmungou com desdém. — "Isso é coisa de mulheres e mercadores." — ela suspirou. — Os estrangeiros não têm vergonha de dinheiro, e veja onde eles estão agora. — Ela estendeu a mão até as minhas costas e tocou a cabeça do filho. — Meu pai abriu mão de sua espada quando se tornou um Shin, mas ainda é um samurai quando o assunto é dinheiro.

— E o pai deste aqui? — perguntei, balançando Tai. — É filho de mercadores.

— Um filho de mercadores que preferiria entrar para uma família diferente por meio do casamento — disse Yukako, mordaz.

17

1873-1876

K ENJI — QUE RECEBEU o nome de Segundo Filho Vigoroso para compensar o fato de ter nascido pequeno e prematuro — nasceu no dia 24 de janeiro de 1873. Eu digo isso com total certeza pois foi o ano em que o Japão adotou o calendário ocidental, com o decreto do Imperador de que o terceiro dia do décimo segundo mês do Quinto Ano da Era Meiji era agora o primeiro dia do Sexto Ano da Era Meiji. O Quinto Ano da Era Meiji, desprovido de seu último mês, foi mais curto do que qualquer outro ano da história japonesa: o segundo filho de Yukako nasceu um pouco antes do dia em que teria caído o ano-novo no velho calendário.

Estávamos todos confusos quanto ao mês perdido. Será que deveríamos colocar a decoração de ano-novo duas vezes? Quando os costumeiros votos de Nao, o filho de Chio, chegaram na mesma época que no ano anterior, ficamos nos perguntando se eles haviam chegado na época certa ou atrasados. Já havíamos comido feijões torrados na véspera de ano-novo para marcar que estávamos um ano mais velhos, mas agora que as flores de ameixeira chegaram um mês depois, será que deveríamos comê-los de novo? (Nós comemos.) Devíamos então adicionar *outro* ano às nossas idades? (Não o fizemos.) E uma tarde logo após o nascimento de Kenji, Jiro decidiu fazer outra de suas frequentes viagens ao templo Sesshu-ji, dessa vez para tocar os sinos na véspera de ano-novo.

— A véspera do ano-novo já veio e já foi embora — lembrou-lhe o Montanha.

Naquela manhã, estávamos sentados no gabinete perto do jardim com minhas *Histórias de Shakespeare*. O Montanha acabara de anunciar que no dia seguinte iria precisar da ajuda de Jiro para ensinar aos alunos mais jovens o *temae* para o chá em uma sala de estilo ocidental, e mais uma vez o dia seguinte acabou sendo aquele que Jiro havia muito tempo decidira dedicar à contemplação e à oração. Esperto o bastante para perceber a oposição de Jiro, e decidido a deixar um herdeiro capaz de compartilhar um fragmento de interesse comum com os bárbaros, o Montanha recentemente insistira para que eu explicasse cada uma das *Histórias de Shakespeare* para ele e para Jiro em japonês. Na semana anterior havíamos trabalhado o *Conto de inverno*, o meu preferido, no qual Perdita, a garota perdida, é encontrada, e sua mãe morta, na verdade, está viva. Agora estávamos lendo *Rei Lear*.

Depois que o Montanha falou, senti a resistência de Jiro: seu pai não havia *proibido* explicitamente que ele fosse ao templo, afinal de contas. Quem sabe ficando em silêncio, o Montanha se esquecesse de proibi-lo.

— Por que seus monges deveriam agir como se estivessem acima da lei? Nem mesmo o Conselheiro Kato age assim; ele não abriu a escola cristã dele até este ano.

Era verdade: agora que a proibição do cristianismo tinha sido suspensa, em vigor a partir do Sexto Ano da Era Meiji, o Conselheiro Imperial tinha finalmente levado a cabo seu plano de dirigir uma escola cristã em sua casa, contratando as duas senhoras americanas da Expo como professoras.

— Então, como foi a aula do Conselheiro Kato? — perguntou Jiro, tentando ser cortês.

Procurado por líderes de Kyoto ansiosos por uma palavra no ouvido do Imperador, Kato, por sua vez, estava ansioso pelos requintes que o tornariam merecedor dessa procura. Embora Jiro tivesse tratado friamente as ofertas amigáveis do Conselheiro Kato, o Montanha interferiu com o objetivo de resguardar o relacionamento e, embora sua mãe, Madame Cachimbo, reclamasse do quanto ele tinha descido, ele começou a ensinar *temae* a Kato uma vez por semana.

— Correu tudo bem — disse o Montanha friamente. — E ele ficou muito comovido com o presente que você enviou em troca.

Aquilo foi um grande golpe. O Conselheiro Imperial recentemente dera a Jiro uma tigela de chá que ele sabia de boa fonte ser da época e do estilo preferidos pelos Xoguns antes mesmo da época de Rikyu: uma peça chinesa lustrosa malhada como uma corça. Embora a coisa certa a se fazer fosse retribuir o presente com uma peça de igual valor, Jiro havia retribuído com um porta-incenso de bom gosto, mas comum, que ele comprara na feira mensal do santuário.

— Eu não tinha certeza sobre a autenticidade do presente do Conselheiro Kato — disse Jiro, em voz baixa e hesitante.

— Pode ser. Mas *pode* ter certeza de que o Conselheiro acreditava que a peça era genuína — disse o Montanha. — Se eu soubesse que você não agiria adequadamente, teria escolhido o presente eu mesmo.

— Então o que eu deveria ter dado a ele? Uma das tigelas de chá de Rikyu? Tem certeza de que essa é a melhor forma de dispor dos tesouros Shin?

— Palavras elegantes — resmungou o Montanha. — Um dos tesouros Shin é o tempo. O seu. E sou eu quem dispõe dele.

Jiro encolheu-se.

— Eu só vou ao templo para me tornar uma pessoa do chá melhor — humilhou-se ele. — Como sempre diz: "Chá e Zen têm o mesmo sabor."

O Montanha concordou, concedendo o seu perdão.

— Você pode ir ao Sesshu-ji hoje se estiver de volta amanhã cedo para me ajudar a ensinar. E irá tratar o Conselheiro Kato como se ele tivesse tirado a comida de seus próprios pais para nos dar o subsídio imperial. Entendeu?

— Eu humildemente entendi — Jiro fez uma reverência.

Quando o Montanha deixou o aposento por um momento, Jiro olhou para mim e para *Histórias de Shakespeare*, que estava aberto no *Rei Lear*.

— Talvez o rei fosse uma pedra no caminho — disse.

EU ESTAVA MAIS do que feliz de deixar Jiro e o Montanha e me juntar às cabeleireiras, que tinham chegado durante a sessão de leitura. Fiquei tomando conta das crianças enquanto Miki e sua mãe trabalhavam com seus pentes no cabelo de Yukako e compartilhavam notícias sobre os familiares delas em Tóquio, que, naquele momento, estavam de visita.

— Lembra-se daquele Coelho Inglês da Expo do qual você me falou? — perguntou Miki.

— Como poderia esquecer?

— Ele foi para a cadeia.

— Não! — exclamou Yukako.

Embora tivesse dado à luz dias antes, ela estava mais que feliz de ouvir uma notícia engraçada.

— Sim! Você sabe como os malhados alcançaram os preços mais altos?

— Ele matou todos os outros e vendeu a carne? — perguntei.

— Não.

— Um dos coelhos malhados atacou um guarda imperial? — tentou Yukako.

— Não! Eles o pegaram pintando as manchas com suco de caqui!

— *Ah!* — gritamos.

— É claro, ele é britânico, então saiu da prisão.

Graças aos tratados desiguais dos britânicos com o Japão, ele seria julgado sob as leis britânicas em vez das japonesas, o que, sem dúvida, resultou em sua libertação imediata.

— E como está sua prima? — perguntei, mas o que eu realmente queria perguntar era: *Como está Inko?*

Seu contrato de trabalho com Koito estava para terminar a qualquer momento, o que significava que logo ela estaria de volta a Kyoto para se casar. *E me encontrar!* Era o que eu esperava.

— Ela parece bem. Ela disse que no verão passado houve um grande anúncio de que todos seriam mandados para a escola, meninos e meninas, mas nada aconteceu ainda. E contou que havia alguns meses vira o primeiro trem a vapor partir para Yokohama. Se alguma vez eu for a Tóquio, eu quero vê-lo — disse Miki, a pequena fenda no queixo se destacando quando ela sorria. — E ela me pediu para lhe entregar outro presente da sua amiga, a Srta. Namiko.

— É mesmo? — eu disse, contendo a minha alegria.

Eu sabia que Yukako não gostava de se lembrar de Koito; vi os olhos dela se estreitarem em pensamentos quando Miki disse aquilo.

— Eu o trouxe — garantiu-me. — Os pais da Srta. Namiko também se mudaram para Tóquio, como todo mundo. Eles encontraram um rapaz para ela, que também era de Kyoto. A família dele tinha uma loja de doces em Pontocho; eles abriram uma loja em Tóquio no ano passado.

— Ah. — Eu estava com Tai preso às minhas costas enquanto falávamos e estava balançando de um lado para o outro para distraí-lo. Quando ela disse aquilo, eu parei. É claro que Inko ia se casar; eu sempre soubera. Mas uma parte de mim deve ter pensado que ela teria sempre 15 anos, e que voltaria em breve para Kyoto. — Quando é o casamento, você sabe? — perguntei, com a voz estranhamente aguda.

— Foi no outono — disse Miki, tirando uma caixinha embrulhada em papel da caixa de pentes de sua mãe. — Então este é o presente de ano-novo da nova família dela, *mochi* em forma de pétala de flor.

Fiquei prostrada. Era um doce de ano-novo absolutamente comum, um presente absolutamente comum para uma família de doceiros enviar a todos os seus conhecidos e a todas as pessoas com quem negociam, como uma gráfica enviando calendários. Os Shins faziam o mesmo, enviando pacotinhos dobrados de papel de chá todos os anos. Ser lembrada como uma cordial desconhecida era pior do que não ser lembrada.

— Provavelmente já está duro demais para ser comido — disse Miki —, mas minha prima disse que eles eram *muito* macios quando estavam frescos.

— Obrigada — murmurei, com a respiração superficial e tensa. — E, por favor, agradeça a sua prima pela gentileza.

DEPOIS QUE MIKI e sua mãe foram embora, enquanto Yukako e as crianças dormiam, abri entorpecidamente o terceiro presente que recebera de Inko, a caixinha sob camadas de papel e pano azul. Era um círculo duro de massa de arroz envolvendo um pouco de doce de bardana e um bolinho de pasta de feijão rosa temperada com *miso*. Eu o roí melancolicamente enquanto amassava os papéis e a caixinha, e então percebi o que Inko tinha me enviado: o pano azul cheirava a incenso *neriko*. Era um pedaço do tecido do quimono que ela estava usando na nossa noite juntas. Fiquei atônita. Ela fora tão esperta, enviando-me um presente que somente eu reconheceria. Já que ela teria precisado de ajuda para escrever uma carta, e eu teria precisado de ajuda para lê-la, ela sem dúvida foi obrigada a enviar votos de ano-novo tão insípidos quanto eu pensara que seu presente tinha sido.

Eu tinha tanta sorte, pensei. E rapidamente, antes que a prima de Miki pudesse voltar a Tóquio de mãos vazias, decidi responder na mesma moeda. Achei um pacotinho não enviado de papéis de chá de ano-novo e vasculhei a caixinha de costura de Chio à procura do fio mais brilhante que ela tinha.

EMBORA A PRIMA de Miki tivesse se casado e deixado Tóquio antes que eu soubesse se meu presente tinha sido entregue, durante anos eu me consolaria com sua promessa de entregá-lo a Inko assim que chegasse. Em um lugar que alguém acharia apenas se desembrulhasse os papéis de chá, eu bordei um Inko, o pássaro homônimo, na tira perfumada de pano azul-escuro que ela me enviara: um pássaro barulhento, com as asas abertas e gralhando, da cor de capim novo.

VELEI YUKAKO enquanto costurava e trouxe comida quando ela acordou.

— Estou sempre com sono — ela riu de si mesma. — Você tem sido tão boa comigo, Srta. Ura. — Ela fez uma reverência exausta enquanto eu a ajudava a preparar os bebês para amamentar.

— É claro que está cansada — eu disse.

Ela expirou profundamente.

— Eu não esperava ficar grávida de novo tão cedo. — Ela soltou um som que era meio suspiro, meio risada. — Mas eu não esperaria pelo Bebê Número Três. O Jovem Mestre não esperava ter uma esposa bárbara — disse, apontando para os dentes e as sobrancelhas. Ela pressionou o rosto contra as cabecinhas penugentas dos bebês, um de cada vez. Ela olhou ao redor como se alguém pudesse ouvi-la, e então sussurrou: — Vocês dois são tão lindos. Mais bonitos que pêssegos. Mais bonitos que *sakura*. Mais bonitos que seus pais.

Eu estava apaixonada por eles também. Kenji mamou com mais força quando agarrei seu pezinho, e Tai balbuciou para mim. Eu nunca ouvi Yukako elogiar os filhos na presença deles quando já estavam crescidos o bastante para entender, mas os olhos dela nunca perderam aquele olhar embriagado por eles.

Aqueles eram os anos quando eu deveria ter me casado, quando os meninos eram pequenos. Eu completei 16 anos no ano em que Tai nasceu, e quando Kenji já havia crescido o bastante para não precisar mais de uma babá, eu já tinha 22: àquela altura, todas as moças da casa de banho da minha idade estavam casadas e já tinham seus próprios filhos. Como a maioria das moças japonesas, eu não apreciava a ideia de deixar minha casa e minha família para trabalhar para estranhos e morrer durante o parto, mas diferentemente da maioria eu não tinha pais que precisassem se livrar de mim, nem futuros sogros ansiosos por netos com os meus traços. Se eu tivesse lembrado a Chio regularmente, ela poderia ter dito alguma coisa caridosa a meu respeito para as mães mais desesperadas de filhos solteiros da vizinhança, mas não o fiz. Fiz questão de fazer cara feia para essas mulheres. Eu não era insensível; de noite, às vezes, eu ansiava tanto por alguém que me tocasse que chegava a morder a palma da mão. Mas eu não queria que ninguém me tirasse da minha cama ao lado de Yukako, que ninguém me desse filhos no lugar daqueles que eu já amava. O meu sonho, com Inko perdida para mim, era cuidar daqueles meninos e da mãe deles até que eu estivesse tão velha que eles cuidariam de mim.

— Dois meninos Shin são o bastante — disse Yukako orgulhosa, na noite que deveria ter sido a véspera de ano-novo. E então, porque ela já havia perdido tantas pessoas, fechou os olhos e rezou. — Agora cresçam — murmurou quando terminou. — Vivam.

NO COMEÇO TÍNHAMOS três crianças pequenas em casa: Tai, Kenji e Toru, o neto do jardineiro Bozu, um pouco mais velho, que tristemente estava se mostrando tão lento quanto disseram que eu era. No Nono Ano da Era Meiji, três anos após o nascimento de Tai, ganhamos uma quarta. Naquele ano-novo, chegou um bilhete do filho de Chio, Nao — o menino no daguerreótipo dos Estúdios Perkins, Yokohama —, diferente de qualquer outro que já recebêramos.

"Espero que alguém leia isto para você, Mãe" — leu Yukako na sala de costura enquanto Kenji dormia nas minhas costas e eu mantinha Tai quieto fazendo uma cama de gato. Em uma caligrafia meticulosamente clara, Nao escrevera — ou alguém escrevera para ele —: "Estou trabalhando no Canal de Asaka, ao norte de Tóquio. Vai levar anos. Em alguns lugares podemos usar explosivos para abrir túneis através das montanhas; em outros o perigo é grande demais. Perdi um amigo em uma explosão; ele era como um irmão. O meu *Sensei* diz que eu aprendi o bastante para ser empregado em tarefas mais meticulosas e desafiadoras. É uma honra, mas lamento o fato de que me arriscarei menos pelo Japão do que o meu irmão."

Yukako expirou todo o ar de uma vez e mordeu o lábio, da forma que fazia quando pensava em seu próprio irmão. "Mas não quero que se preocupe com isso", prosseguiu ela. "Por causa de um mal-entendido, fui impelido a um casamento que não queria." Neste ponto, Kuga e Chio trocaram olhares de surpresa. "Se você deparar com uma mulher que afirma estar grávida de meu filho, por favor, não se sinta no dever de acolhê-la nem de rejeitá-la."

— *Ehhhh!* — exclamaram as três mulheres em resposta.

— Ora, ora, ora — disse Yukako com impaciência. Ela abriu a boca para falar, e a fechou em seguida. — E ele manda os melhores votos de um ano-novo cheio de alegria e prosperidade.

ENTÃO NÃO FICAMOS totalmente surpresas naquela noite de junho — logo depois que a estação chuvosa acabou e o pequeno Migawa e o canal da rua do Canal estavam transbordando — quando a garotinha apareceu. Naquele dia Yukako recebera uma carta da sua prima Sumie, que ela guardou para ler no friozinho da noite em seu quarto no andar de cima. Enquanto estava sentada com a carta na mão, silenciosamente pressionou a ponta do dedo contra a borda da tigela de chá até que a unha ficasse branca: eu não a via abalada assim havia anos.

— Como está Sumie? — perguntei.

Yukako não me respondeu diretamente.

— Você sabe como alguns samurais estão usando a fazenda Satsuma hoje?

— Sim?

Ela estava se referindo a uma estampa particular do tecido de algodão usado pelos criados, azul-escuro com galhos brancos. Eu *já* tinha visto muitos homens prósperos usando a fazenda Satsuma: os quimonos deles só diferiam dos quimonos de seus carregadores porque o azul-escuro, ainda não desbotado após anos de uso, parecia que ia sair na sua mão.

— Você sabe por que é tão popular hoje?

Eu não sabia.

— Sabe quem é Saigo Takamori?

— Já ouvi o nome, mas não sei.

— Ele era um samurai de Satsuma que lutou do lado do Imperador contra o Xogum. Mas ele não gosta de como o novo governo de colarinho alto tem andado grudado com os estrangeiros — disse ela, usando uma palavra que na verdade significava *moer gergelim* enquanto moía grãos grudentos imaginários na palma da mão. — Então ele voltou para o sul e começou a treinar samurais nas montanhas, para forçar os bárbaros de volta para os seus barcos. Eles explodem escritórios do governo para persuadir jovens a se juntar a eles. Eles pensam que se arruinarem o resto de nós invadindo a Coreia, isso vai espantar os estrangeiros daqui.

— E a fazenda Satsuma?

— Muitas pessoas acham que ele tem razão, mesmo que não achem que ele seja prudente.

Concordei. Lembrei-me dos homens que eu ouvira falando sobre a inquietação em Satsuma anos antes, na Expo.

— E a sua prima?

Yukako fez uma pausa.

— Bem, Akio foi para Satsuma.

— Eu não entendo. Para derrubar a rebelião de Saigo?

— Não. Para se juntar a ela.

— *Ara!*

— O pai dele ainda está em Tóquio, implorando autorização para que eles possam ficar em Hikone. Sumie está lá sozinha com quatro crianças e a sogra; quem sabe do que estão vivendo? E agora ele partiu. Como as pessoas deixam seus pais assim?

— Mas espere. O irmão dele não morreu lutando contra os rebeldes de Satsuma?

— Ele morreu como um samurai. E suponho que Akio queria morrer assim também. — Era difícil interpretar a voz de Yukako. — Ele deixou uma carta para o pai dizendo que, se tivesse que escolher entre Satsuma e Meiji, "os mercadores arrogantes, o exército recrutado de camponeses, a mudança forçada para Tóquio, os impostos debilitantes que aumentaram para pagar indenizações aos estrangeiros..." — ela disse, lendo a carta de Sumie em voz alta —, ele escolheria seus amigos samurais de Satsuma.

— Ele simplesmente partiu um dia e deixou um bilhete?

— Na carta, ele disse que estava lutando pela volta do subsídio em arroz. E talvez ele acredite nisso, mas a verdade é que ele fugiu. E ele sempre foi um filho tão *bom* — disse Yukako com amargura.

Era verdade: ele havia se casado conforme o desejo de seu pai sem um sopro de protesto.

— Você vai começar a usar a fazenda Satsuma também? — perguntei, desconfiada.

Yukako revirou os olhos.

— Aqueles samurais podem cortar todas as cabeças de *colarinho branco* do Japão e ainda terão que lutar contra os bárbaros e suas armas. E se invadirem a Coreia, ora, então os estrangeiros não terão que fazê-lo eles mesmos — ela cruzou os braços, zombando. — Todos aqueles homens ao lado de Saigo, será que ele tem como alimentá-los?

Ela olhou para o outro lado e ficou passando os dedos sobre um de seus pentes.

— Eu não acho que eles já tenham vendido a casa deles em Kyoto. Akio poderia ter parado aqui a caminho do sul, se quisesse.

— Ele não quis — eu disse.

ANTES QUE ELA PUDESSE responder, Tai correu para dentro, gritando:

— Mãe! Mãe! O rio está em chamas!

Corremos para fora para ver os fogos de artifício assobiando no ar, *um, dois, três*. Montados na pedra lisa e seca do córrego onde poderiam causar o mínimo dano, as *flores de fogo*, ou fogos de artifício, saltavam e faiscavam, brilhando sobre a água como lantejoulas. Enquanto os meninos assistiam, extasiados, olhamos em volta para ver quem os tinha lançado, mas não vimos ninguém.

— Só conheço uma pessoa que sabe fazer *hanabi* — Yukako sussurrou para Chio.

Eu sabia que Akio ainda estava em seus pensamentos, e a visão dos fogos de artifício deve tê-la levado de volta àquele verão, *aquele verão*, quando Nao e Akio estavam na propriedade Shin e o irmão dela ainda estava vivo.

— Olhe! — gritou Kenji, apontando para a trouxinha de algodão azul perto do portão com telhado de colmo. Enquanto nos juntávamos em volta do bebê, olhei para trás, em direção ao córrego, onde um resto de fumaça se erguia e espalhava como uma névoa sob a luz dos lampiões. O rosto inflexível e sujo de uma moça, como se estivesse suspenso entre as árvores, olhou para mim uma vez e desapareceu.

— Vamos chamá-la de Maki — disse Tai.

Ela *parecia* com um pequeno *maki*, um rolinho de sushi, embrulhado firmemente sob o portão.

— Perdita — eu disse, baixinho.

— Ela parece muito com o meu Nao-*bo* — murmurou Chio, tomando o bebê nos braços. Eu tentei ver o menino do daguerreótipo no rostinho do bebê: talvez um pouco nas bochechas.

Kuga observou a mãe segurando a menina. Lembrei-me de como Chio tinha sido severa quando a filha trouxe para casa o pequeno Zoji, sob circunstâncias bem mais convencionais do que aquelas.

— Vamos chamá-la de Naoko — disse, com a voz impassível.

Todos olharam para Yukako. Como *Okusama*, a senhora da casa, era decisão dela se o bebê podia ficar. Ela tomou a trouxinha de Chio, e uma bolha de baba se formou entre os pequenos lábios da menina, brilhou na escuridão e estourou.

— Vamos chamá-la de Aki — disse Yukako.

O bebê chegou sem nenhuma informação escrita e com apenas uma surrada roupa azul e branca de criada como cobertor. Todas ouvimos na casa de banho a respeito do corpo de mulher encontrado naquela semana, não muito longe de nós, no rio Kamo, inchado de água. Na casa de banho, a Srta. Hazu, a pestinha, agora crescida e elegante, cochichava a respeito com suas amigas por trás do seu leque de papel. Eu estremeci com a notícia. Eu havia olhado para trás uma última vez quando levamos o bebê para dentro: pensei ter visto um lampejo vítreo perto do córrego, como o brilho de um par de olhos.

18

1876

MUITO TEMPO DEPOIS que os meninos já eram capazes de comer comida de adulto e usar a latrina sozinhos, Yukako ainda os acariciava e amamentava na cama de noite, e por isso fiquei surpresa com a firmeza com a qual, quando Tai fez 4 anos — 5 pelo sistema japonês —, ela o exilou do quarto de cima para dormir com o avô.

No décimo quinto dia do Décimo Primeiro Mês do Nono Ano da Era Meiji, o mesmo ano em que Aki foi deixada em nosso portão, todas as meninas que completaram 3 e 7 anos naquele ano pelo sistema japonês, e todos os meninos, como o nosso Tai, que tinham completado 5 anos foram vestidos em seus melhores quimonos e levados ao santuário da vizinhança para serem abençoados. Pobre Kenji, de repente condenado a ser novamente um bebê: preso às minhas costas, ele bateu com a cabeça contra o meu ombro enquanto Yukako vestia Tai em um quimono novo e elegante, de novo quando ela e Jiro ficaram ao lado de Tai diante do sacerdote do santuário com todos os outros pais e garotinhos, e novamente quando o Montanha encheu as mangas de Tai com doces da sorte vermelhos e brancos. Ele chorou quando Yukako trouxe Tai para baixo para tomar o primeiro banho com o pai e o avô, em vez de tomar banho com a mãe e o irmão. Tai parecera perfeitamente feliz de estar em vantagem em relação a Kenji durante todo o dia, mas naquela noite voltei para casa do meu próprio banho e ouvi o som dos soluços dele; quando atravessei a cozinha, encontrei Yukako levando-o para baixo.

— É o dia dos Sete, Cinco e Três — ela repetiu, assim como tinha feito naquela manhã. — Nenhum dos outros meninos que você viu no templo está mamando como um bebê hoje à noite — Tai engoliu as lágrimas. — Você não vai chorar na frente do Avô, vai? Se chorar, não vai poder aprender o *temae*.

Tai enxugou o rosto com as mangas.

— O que foi que você comeu no jantar?

— Arroz. E cavalinha — fungou o menino.

— Quem comprou o arroz?

— A Mãe.

— E quem trabalhou para comprar o arroz?

— O Pai.

— Não, o Avô trabalhou. As pessoas dão dinheiro a ele para poderem aprender o *temae*, e ele nos dá dinheiro para que possamos ter arroz. É isso que os homens crescidos fazem — disse.

A voz dela era carinhosa e hipnótica.

Tai olhou para a mãe, inseguro:

— Eu também?

— Você também — ela murmurou.

— Quando você aprender com o Avô, as pessoas virão de longe para aprender *temae* com você. E elas lhe darão dinheiro, e eu vou procurar a cavalinha com o melhor preço para que você possa comê-la todas as noites, e o-Chio irá fazer bolinhas de arroz do jeito que você gosta. Mas primeiro você tem que passar o máximo de tempo que puder com o Avô — disse.

— *Hai* — sussurrou Tai.

A voz dela era firme e clara enquanto eles conversaram, mas depois de deixá-lo, Yukako sentou-se nos degraus por um momento e deu um sorriso triste. Apertando os cantos dos olhos, ela se permitiu um rápido suspiro antes de voltar para junto de Kenji, no quarto de cima.

ATÉ AQUELA NOITE, sempre que Yukako entrava em um aposento, os dois meninos erguiam os braços para que ela os pegasse no colo. Na manhã seguinte, com Kenji atado a mim enquanto eu ajudava Yukako a trazer o café da manhã, vi Tai sentado entre o Montanha e o Jovem Mestre. O rosto dele se iluminou quando viu a mãe, e ele se inclinou para ir em sua direção, mas então olhou para o avô, para o pai, e permaneceu no seu lugar.

— Obrigado, Mãe — disse quando ela se ajoelhou diante dele com a bandeja.

— Você é um homem — disse o Montanha. — Você não tem que dizer isso.

— Faça apenas uma reverência — disse Jiro. — Não, não tão para baixo.

— A partir de hoje, você terá aulas com os outros alunos — disse o Montanha. Tai concordou inclinando a cabeça, os olhos arregalados, enquanto Kenji se agitava nas minhas costas para conseguir uma visão melhor. — E amanhã você irá com todos nós ao forno de Raku.

Parecia que o Jovem Mestre tinha esquecido de fazer planos para estar fora dessa vez. O rosto de Jiro ficou tenso antes que Tai pudesse sequer começar a falar, com o instinto infalível de criança para uma pergunta constrangedora:

— Papai também?

Yukako quebrou o silêncio obstinado:

— Sei que esteve doente esta semana. Quer que eu vá em seu lugar? — Ela deu um olhar curto em direção a Tai. Até mesmo uma criança cuidadosa, mesmo uma que estivesse sendo tratada, de repente, como um adulto, precisaria que alguém tomasse conta dela em um aposento cheio de tesouros quebráveis.

— Por favor — disse Jiro, com uma reverência bem mais exagerada do que a que tinha ensinado ao filho.

— Então, iremos amanhã de tarde. De manhã você terá uma nova aluna — o Montanha disse a Yukako.

— Verdade? — perguntou ela, surpresa.

Ele não lhe pedira para dar aulas para mais ninguém desde a mãe de Okura Chugo, que estudara por um ano apenas: tempo o bastante, achou o grande mercador, para aprender a manter sua coleção de apetrechos de chá em ordem.

238

— Você vai dar aulas para a esposa do Conselheiro Kato — disse o Montanha. — Ele acabou de se casar com a filha do homem que comprou terras para a Igreja Anglicana.

Isso explicava tudo. Enquanto a maioria dos homens saía de noite, os cristãos permaneciam em casa e dependiam das esposas e filhos para se divertir, uma prática que, dada a minha experiência, eu não aprovava.

EU NÃO FUI REQUISITADA para a primeira aula de Yukako com a Senhora Kato, então servi chá verde para a idosa Madame Cachimbo quando ela visitou seu filho naquela manhã. Ela perguntou sobre a viagem de outono do filho a Tóquio e o Montanha lhe contou sobre o Decreto Imperial da Espada: dada a ameaça dos rebeldes de Saigo Takamori no sul, o uso de espadas, em vigor a partir do Décimo Ano da Era Meiji, estava proibido no Japão. Madame Cachimbo estava indignada. Pela lei, apenas os samurais tinham direito de portar espadas, então isso vinha como mais um golpe para sua família.

— Eles não vão descansar até que tenham tirado tudo de nós — ouvi-a dizer, a voz arenosa e estilhaçada.

Mantive o cachimbo e a xícara dela cheios, e fiz as vontades de Kenji, que se queixava com a ausência de Yukako. Subitamente privado do irmão, ele começara a apontar mais e a falar menos, mamando mais como consolo, e até mesmo buscando, esperançoso, leite em meu quimono. E assim, em uma manhã passada transportando xícaras de chá para o quarto do jardim, fazendo espirais de pano de algodão embebido em leite de soja doce para Kenji mamar e distraindo-o antes que tirasse cada panela, jarro e concha da sua prateleira, vi a Senhora Kato por apenas um momento, quando ela se despedia de Yukako. Ela era uma noiva-menina gorducha, mais jovem do que eu, com adoráveis bochechas redondas e uma boca que parecia um botão de rosa. O cabelo dela não havia sido untado por uma cabeleireira, em vez disso ficava empilhado na cabeça em um coque enrolado em espiral, como uma montanha de pasta de castanha. Tão estranho quanto isso era o fato de que eu nunca vira ninguém usar um quimono e um colar antes, e já fazia anos desde que eu vira uma pequena cruz de ouro usada no pescoço. Em um reflexo, toquei o meu pescoço, sentindo pela milésima vez a falta da minha medalha de Santa Clara.

— Eu gostaria de praticar antes da próxima semana — disse a menina timidamente.

— É uma ótima ideia — Yukako concordou, sua voz revelando um pouco de irritação com a menina por sugerir o óbvio.

— Mas não tenho ferramentas — disse a Senhora Kato, olhando para baixo.

— Seu marido não está estudando chá com meu pai? — perguntou Yukako.

Coloquei um doce na boca de Kenji para que eu pudesse me inclinar e ouvir a menina sussurrar:

— Ele não quer que eu toque as coisas dele até que eu saiba fazer o *temae*.

Dada a experiência dele com os utensílios de chá dos outros, dava para entender por que o Conselheiro Kato diria algo assim; eu sorri, lembrando-me da concha Primeiro Encontro.

O Montanha tinha um conjunto de ferramentas de prática para cada um de seus oito alunos (agora incluindo Tai), de forma que Yukako emprestou a Lady Kato suas ferramentas de prática de menina, recuperadas depois que Koito começara a comprar utensílios refinados para si. Quando Kenji agarrou a mãe pelas pernas, Yukako levantou o menino distraidamente, escutando o jinriquixá que levava Lady Kato embora. Ela tinha algo em mente:

— E se eu tiver *duas* alunas? — refletiu.

Ouvimos uma voz.

— Será que o meu jinriquixá ainda está aí fora?

Nós nos voltamos e vimos Madame Cachimbo, com o filho de um lado e Jiro do outro.

— Vocês já viram algo tão horrendo? — disse, assombrada.

— Era como um ninho de passarinho — Jiro estremeceu concordando.

Talvez ele estivesse exagerando no papel de inválido, com as roupas de seda cobertas por uma capa de quimono feita de algodão, inadequada para aquela época do ano.

— Acho que era assim que as mulheres estrangeiras na Expo usavam o cabelo — disse o Montanha, olhando para mim.

— Não me lembro — eu disse, como costumava fazer, olhando para baixo.

— Ouvi dizer que as mulheres ocidentais ajeitam o seu próprio cabelo, o que as protege das línguas fofoqueiras das cabeleireiras e economiza o dinheiro da casa — disse o Montanha. Então ele quase riu: — Mas não sei o que acho dos resultados.

Yukako, que embalava o filho no quadril, pensativa, dirigiu-me um olhar furtivo.

— Você se lembra *muito* bem — disse, de forma que só eu pudesse ouvir.

KENJI HAVIA SE JOGADO em Yukako e até a havia mordido quando pensou que ele ia partir sem ela, por isso sentei-me com ele naquela tarde na entrada da sala de exibição Raku. Suponho que eu estivesse imaginando um ateliê cheio de argila e tornos de oleiro, porque fiquei decepcionada ao ver uma sala de recepção comum, ainda que bonita, com uma alcova com pergaminho e um vaso com capins de outono, onde um corpulento senhor pestanejante desembrulhava uma tigela de cada vez para os observadores reunidos.

Eu não estava esperando aquilo. Duas vezes por ano recebíamos carregamentos de utensílios de chá: misturadores, conchas e lenços de linho, cada qual com o estilo do seu próprio ateliê. Um mensageiro costumava entregar, por exemplo, uma vintena de misturadores de chá, e presentear doces ou frutas a Chio, que costumava servir-lhe chá e o que quer que estivesse cozinhando para as costureiras. A sua conveniência, o Montanha examinava a entrega, e Yukako, antes que a decisão de seu pai e as necessidades de seus filhos a tivessem confinado em casa, costumava ir ela mesma ao ateliê tratar do pagamento. Agora Yukako cuidava dos livros e somava as moedas duas vezes ao ano para que Jiro fosse em seu lugar. Lembrava-me, vagamente, do homem com quem Yukako costumava tratar na loja de misturadores de chá: gentil, coberto de serragem e conciso, orgulhoso da habilidade de sua família, sem dúvida, mas que nunca assinava seu trabalho ou tentava fazê-lo diferente do trabalho de seus colegas artesãos, que nunca se gabava da antiguidade ou da estirpe de um misturador de chá. As criações delicadas e minúsculas eram feitas para serem usadas, não para expressar a essência única de seu criador ou de seus materiais. Como as conchas e os lenços de linho, elas não estavam destinadas a durar mais que um ano.

Como era diferente, então, espiar esse aposento formal sabendo que o homem diante de mim pertencia à décima primeira geração do oleiro de Rikyu, Chojiro, e que seus ancestrais e os do Montanha vinham se encontrado duas vezes por ano neste exato aposento nos últimos trezentos anos. Qualquer ideia de que poderíamos fazer uma visita rápida para pegar uma caixa de tigelas de chá e voltar para casa foi rapidamente dissipada enquanto os pratos de uma pequena refeição ritual, servidos em bela louça de cerâmica, eram dispostos diante das pessoas reunidas.

O Montanha estava sentado no lugar de honra enquanto os alunos, por ordem de idade, se alinhavam a seu lado, Tai por último, com Yukako atrás do menino, nem sendo servida nem comendo, um bocejo ocasional revelado pelo movimento dos maxilares.

Depois que as bandejas foram retiradas, o Herdeiro de Chojiro dispôs à vista uma série de caixas simples de pinho. Uma a uma, ele abriu as caixas, desdobrou uma série de envoltórios de seda e exibiu a tigela preta, vermelha ou cinza dentro delas. Senti a tensão dos alunos enquanto aguardavam a reação do Montanha. Com frequência ele ficava sentado calmamente, e o oleiro silenciosamente guardava a peça. Às vezes, no entanto, ele acenava com a cabeça, e o oleiro passava a tigela para ele. Eu conseguia imaginar a frustração de Jiro com o jogo de tentar adivinhar quando o Mestre Professor iria acenar com a cabeça. Fiquei me perguntando se o processo não seria apenas uma forma de impedir que os alunos presumissem conhecer o gosto do mestre. Perguntei-me também se o Montanha iria realmente escolher algumas tigelas, e se isso acontecesse, de que forma discreta e cerimoniosa o Herdeiro de Chojiro iria determinar um preço e receber o pagamento.

Cada tigela que provocava um aceno era examinada pelo Montanha como se estivesse em uma sala de chá: ele erguia e acariciava o recipiente com rapidez e perícia, e então o passava para os alunos para que o inspecionassem também. Tai, embora estivesse claramente entediado e sonolento, assistiu aos colegas estudantes atentamente, imitando seus movimentos precisos: apoiou os cotovelos nas coxas, girou a tigela em suas pequenas mãos e fez uma última reverência. Ele foi muito paciente enquanto o Montanha e os outros alunos examinaram umas nove peças, manusearam três e escolheram, no final, apenas uma, mas quando o grupo se preparava para sair, ele não conseguiu mais se controlar e reclamou:

— Eu achei que iríamos vê-los fazendo as tigelas de chá!

Yukako o silenciou e o Montanha olhou zangado na direção dele, mas o Herdeiro de Chojiro perguntou ao Montanha com cortesia:

— Estaria interessado?

Já que conseguia ficar de olho na mãe o tempo todo graças à proximidade do vestíbulo e da sala de visitas, Kenji já caíra no sono havia bastante tempo. Eu o coloquei de volta nas costas e levei-o até uma dependência grande e bonita, impregnada com o aroma de argila. A tigela de chá salpicada de cinza que o Montanha escolhera, embora eu só a tivesse visto de relance, parecia encarnar, em sua forma modesta e irregular, a construção de madeira com telhado de colmo onde homens seminus faziam cada tigela à mão. Assombrado, Tai estendeu o braço e agarrou a manga do oleiro enquanto o Montanha ajuntava os alunos, preocupado com seus quimonos. Na retaguarda, Yukako parou — surpresa — e atraiu a minha atenção. Eu olhei: as prateleiras que cobriam as paredes do estúdio estavam *cobertas*, completamente, com pilhas de tigelas de chá, mais do que eu já tinha visto na vida, nenhuma muito diferente, para os meus olhos leigos, daquela que o pai dela havia escolhido.

— E essas tigelas? — perguntou Yukako.

— Os meus aprendizes as fizeram — disse o Herdeiro de Chojiro. — Eu faço a minha apreciação e então as quebro. — Em resposta aos olhos arregalados de Yukako, ele explicou: — Madame, o nosso bom nome depende de tornar públicos apenas os nossos melhores artigos. Eu estou drenando um canto pantanoso do jardim: usarei os cacos para o calçamento.

Yukako abaixou a cabeça em agradecimento pela explicação, dando uma última olhada nas tigelas enquanto íamos embora.

TALVEZ JIRO NÃO estivesse mostrando suficiente gratidão por sua miraculosa recuperação, pois na manhã seguinte, enquanto eu ajudava Yukako a servir o café da manhã, o Montanha foi mais severo com ele do que o normal.

— O seu filho foi um rosto bem-vindo ontem.

Eu não sabia que a resposta apropriada era desculpa servil até que Jiro disse:

— Espero que ele tenha se divertido.

Eu só vira a ira do Montanha desencadeada uma vez, do lado de fora da casa de Koito anos antes, mas peguei uma farpa dela agora.

— Tenho certeza de que Raku ficou impressionado por eu ter adotado um filho na minha velhice.

Jiro comeu uma ameixa em conserva e fez uma careta.

— Então vai revelar a sua nova tigela de chá no ano-novo?

— Talvez você pretenda me lisonjear e me convencer de que ainda sou um homem jovem. Talvez pense que, como minha Mãe ainda tem a cabeça no lugar para zombar dos costumes estrangeiros, não importa se você for aos fornos ou não — calado, Jiro tirou o caroço de ameixa da boca com seus palitos e colocou-os, constrangido, de volta em sua tigela vazia —, mas Raku tem um filho da sua idade que estava lá — disse o Montanha.

Sua acusação tácita encheu o aposento: *"Você envergonhou a nossa família."* Se o Herdeiro ficasse amuado em casa como uma criança, esperando a morte do Montanha, o mundo não veria ninguém na posição de liderar os Shins na geração seguinte. A pancadinha débil do caroço da ameixa de Jiro na tigela foi ouvida no silêncio denso.

Yukako viu a oportunidade e quebrou a tensão:

— O Sr. Tai foi muito sério e responsável — disse. Eu vi Tai envaidecido, e tanto o Montanha quanto Jiro se enterneceram um pouco com orgulho.

— Estou tão grata por podermos usar os serviços do ateliê Raku novamente, mesmo que de forma limitada — acrescentou Yukako, acenando a cabeça na direção do pai.

Antigamente, na época em que Akio estava sendo preparado para o papel de Jiro, a riqueza deles permitia que trouxessem para casa sete ou nove tigelas a cada estação, que eles guardavam ou utilizavam com as famílias de seus patronos e estudantes bem-nascidos.

O Montanha assentiu rapidamente.

Jiro, um menino naquela época, baixou a cabeça.

— É um mundo perdido — suspirou.

O momento de melancolia desanuviou o ar. Então Yukako falou:

— Eu estou muito grata a você, Pai, por garantir o nosso futuro. Estou muito grata a vocês dois por fazerem a longa viagem a Tóquio a fim de impedir que sejamos um "mundo perdido" aos olhos do Imperador. Mas é um mundo novo também. Perdemos nossos antigos patronos, mas não precisamos perder os novos.

— E por que perderíamos? — Jiro parecia culpado e zangado quando falou, como se ela o estivesse acusando de não ir mais a Tóquio quando se tornasse Mestre Professor.

— Eu não estava falando do Imperador — disse Yukako. A voz dela se tornou mais séria, então, como se tivesse esperado muito tempo para falar. — Estava falando dos homens de colarinho alto. Estava falando dos bárbaros, das mulheres, dos cristãos, até mesmo das *geiko*.

O Montanha olhou para ela, furioso. Yukako inclinou a cabeça, desculpando-se, mas observou:

— Nós não estamos mais vivendo à mercê de umas poucas famílias ricas. Olhe ao redor, a Sala Comprida está cheia. Mais pessoas querem aprender o nosso *temae* do que em qualquer outra época. E estão preparadas para pagar por isso. Pode ser que elas nunca tenham dinheiro suficiente para comprar os melhores produtos que o Herdeiro de Chojiro tem a oferecer, mas quando aquele estrangeiro na *Eppo* pediu para comprar um jogo de chá para sua mãe, nós devíamos ter tido algo para lhe vender. Não as melhores coisas, é claro, mas algo que ele pudesse pagar. Quando a Senhora Kato me disse que o marido não a deixaria usar seus utensílios de chá até que ela soubesse o *temae*, eu não devia ter-lhe *emprestado* as minhas peças de estudo, eu devia ter-lhe *vendido* algo. O estúdio de Raku está cheio de tigelas de chá que seus aprendizes fizeram e que ele planeja quebrar em pedaços e enterrar: é ouro que ele está enterrando! — disse ela, exaltada.

Jiro e o Montanha olharam um para o outro, atordoados. Yukako se aproveitou do momento:

— Agora você escolhe uma ou duas tigelas de chá de primeira classe todo ano e as dá de presente ou as vende por uma fortuna quando se tornam antiguidades. Nem todo mundo tem uma fortuna. Mas todos *têm* um pouco para gastar a mais do que deveriam com um chapéu-coco, com uma fita francesa ou com um novo quimono Satsuma, se é o que desejam.

Ela prosseguiu, falando rapidamente agora:

— O que eu proponho é isto: que você também aprove uma categoria de aprendiz para as tigelas de chá. Não precisa ter a sua própria caixa, ou caracteres ou um nome poético. Apenas uma tigela de chá com a forma certa e que custe um pouco mais do que os iniciantes querem pagar. Eles saberão que não estão adquirindo uma antiguidade. Mas estarão adquirindo a aprovação do Mestre Professor Shin, e veja: quanto mais iniciante a pessoa é, mais significado isso tem para ela. Podemos vender as tigelas de aprendiz de Raku...

— Fazer *o quê?* — perguntou o Montanha.

— Podemos *dizer* que foram feitas pelos aprendizes de Raku. E se lhes faltar o toque do mestre, tanto melhor: isso irá aguçar o apetite das pessoas pelo item verdadeiro.

— Você está fazendo meu estômago revirar — disse Jiro. Ele claramente estava esperando que o Montanha dissesse algo, qualquer coisa, que permitis-se que ele falasse. — Um recipiente de chá não é um chapéu-coco ou uma fita francesa — disse com um ar de superioridade. — As pessoas não querem apren-der o *temae* para comprar coisas baratas e feias. Elas querem estar cercadas pelo que há de mais refinado no Japão antes que desapareça.

— Existe uma certa beleza *wabi* em se usar uma tigela de aprendiz — re-fletiu o Montanha, usando a palavra de Rikyu para *humilde* ou *despojado*. — Mas o valor de uma pessoa do chá *wabi* está na sua habilidade de enfrentar a situação apenas com o que possui, e não no seu desejo de sair por aí e comprar o que lhe disserem para comprar. Quanto a Senhora Kato, ela deveria usar os utensílios do marido; ele não está sendo razoável.

— Pai, se você comprasse algumas centenas dessas tigelas todos os anos, você poderia dar uma a cada pessoa da corte do Imperador e começar uma moda, um desejo pelo aprendizado do chá. Você poderia mandar seus alunos para darem aula na corte quando se formassem, e fazer com que enviassem uma parte dos honorários para a Casa da Nuvem.

O Montanha reagiu olhando para Yukako, mas não dizendo nada intencionalmente.

A situação havia ficado confusa para as crianças, mas durante o silêncio que se seguiu o rosto de Tai revelou uma certa compreensão:

— Toru também quer aprender *temae* — declarou. Jiro torceu o lábio ao pensar no neto atarracado e parvo do jardineiro na sala de chá. — Eu poderia dar uma tigela de chá para ele? — perguntou o menino.

— É claro que não — disse seu pai.

— Eu podia dar uma tigela de chá para Aki-*bo*? — perguntou Kenji nas minhas costas.

— Não! — sussurrei. — Quieto!

Exaurida, Yukako tremia. Os dois homens pareciam ter apenas uma mente, como ela e o Montanha pareciam ter quando Yukako teve o seu primeiro Encontro, bem antes de o Montanha ter posto Jiro em seu lugar.

— Eu só quis ajudar — disse ela em voz baixa.

— Sim, eu me recordo que você já disse isso antes — disse o Montanha. Yukako estremeceu. — Filha, você gostaria de ajudar a sua família? — perguntou ele de forma amável.

— *Hai* — sussurrou ela.

— Não me venha mais com essa bobagem.

— Eu humildemente entendo — disse ela, fazendo reverências para o pai, o marido e o filho. A testa dela tocou o chão, mas, de onde eu estava, dava para ver que os pés dela estavam cerrados como punhos.

19

1877

L ADY CACHIMBO MORREU no Décimo Ano da Era Meiji, durante um piquenique da família para a observação de flores. Os dois meninos que costumavam me atormentar agora eram pais de duas meninas, e a viúva tinha acabado de dizer às esposas deles o que comer para garantir que tivessem filhos homens da próxima vez. Ela se reclinou para olhar a luz do sol através da cortina de flores de cerejeira, fechou os olhos e não os abriu mais.

O corpo dela foi cremado com todas as formalidades. Embora Akio ainda estivesse desaparecido em Satsuma e Lorde Ii ainda estivesse esperando na corte para ver se sua família teria permissão para permanecer em Hikone, Sumie, a neta de Madame Cachimbo, mandou avisar que planejava deixar seus quatro filhos mais velhos com a sogra e comparecer à cerimônia em memória da avó, cinquenta dias após sua morte. Nem todo mundo pôde ir. O pai e o irmão mais velho de Sumie ainda estavam presos em Tóquio, para onde a família de Madame Cachimbo tinha recebido ordens de se mudar anos antes. O fato de não se mudarem impediu que os irmãos mais jovens de Sumie aceitassem os empregos no exército que o Conselheiro Kato se oferecera para conseguir para eles. Eles não se mudaram em nome da dignidade da avó, e viviam de recursos escassos: as idas de Madame Cachimbo às lojas de antiguidades era o que garantia o arroz deles.

Dei-me conta de que a última vez que vira Madame Cachimbo viva, apenas umas poucas semanas antes, deve ter sido a sua última visita à casa de penhores. Como sempre, como parte dos preparativos para o aniversário de Buda, o Montanha mandara Yukako à casa da mãe dele com uma garrafa de chá de hortênsia para que a família lavasse a estátua de Buda na capelinha deles. Enquanto nos aproximávamos do lago para a observação da lua e da casa espaçosa, agora mais deteriorada do que nunca, Madame Cachimbo nos cumprimentou de um jinriquixá.

— Ela estava levando uma espada no colo naquele dia — lembrei-me na noite do funeral, quando Yukako voltou para casa.

O dia a dia mudara muito pouco sob o Decreto da Espada: era um pouco mais fácil se mover em uma rua cheia, e as lojas de curiosidades de repente ficaram cheias de espadas. Mas ouvi a perda pairar no ar quando Tai perguntou ao Montanha a respeito do suporte de espadas do lado de fora da casa de chá Muin:

— O único momento em que um samurai se separa da sua espada é na sala de chá — disse o Montanha. Ele fez uma pausa, um momento típico de um homem idoso, curvado e confuso, e acrescentou: — Antigamente.

— E eu vi o formato teimoso da boca de Madame Cachimbo, com as mãos cerradas ao redor da bainha comprida envolta em seda.

Yukako também se lembrou, enquanto amamentava Kenji.

— Aquela devia ser a espada do marido dela. O meu avô.

— Ela não deve ter conseguido um bom preço por ela — refleti. — Como ela pôde se separar dela?

— Acho que é o que ele teria desejado — disse Yukako, pensando alto. — Seria desleal discordar do seu senhor em segredo. A coisa honrada a fazer seria declarar o seu ressentimento abertamente e então se matar.

— Ah — eu disse, encolhendo-me.

— Alguns samurais realmente precisam do dinheiro, mas a maioria está vendendo suas espadas como um tipo de suicídio público.

Eu quase entendi. Balancei a cabeça, sem conseguir acreditar.

— É o que o meu pai teria feito, se não tivesse sido adotado — disse Yukako.

— Ela parecia com você, no jinriquixá — eu disse timidamente.

— Será que estou tão velha assim agora? — brincou Yukako. Ela tinha 27 anos e eu, 21.

— Forte — insisti. — Como se tivesse visto tudo neste mundo.

— Você acha?

Jiro foi sozinho para mostrar o chá ao Imperador naquela primavera, já que a sua condição dupla de adotado o livrava de qualquer impureza ligada à morte de Madame Cachimbo. O Montanha estava preocupado, mesmo que em silêncio. Ele fez *ocha* para si mesmo todos os dias na Casa da Nuvem, como tinha feito quando o futuro de sua família parecia muito incerto, e se isolou com Jiro durante dois dias antes de permitir que o jovem se retirasse.

EM JUNHO, cinquenta dias após a morte de Madame Cachimbo, Yukako parecia nervosa quando a ajudei a amarrar a sua *obi* estreita de verão.

— E não a vejo há 11 anos — disse ela, enquanto Kenji tentava convencê-la a participar de um jogo de três cartas usando xícaras de chá e a bandeja do café da manhã.

— Mas nós a vimos no Quarto Mês. No jinriquixá, lembra?

— Não, estou falando da minha prima Sumie — disse Yukako, escolhendo a xícara errada.

— Pare de me deixar ganhar! — protestou Kenji.

— Ainda se sente traída?

— Vamos jogar de novo, e dessa vez eu vou prestar atenção de verdade — prometeu Yukako. — Sim e não. Sumie só estava fazendo o que a mandaram fazer. E Akio só estava fazendo o que o mandaram fazer. — Ela fechou os olhos e expirou. — Eu teria adorado ser o motivo para ele trair seus pais — disse ela simplesmente. — Mas não fui. A xícara do meio, Ken-*bo* — disse ela, sem abrir os olhos.

Ela estava certa.

EU NÃO FUI companhia melhor para Kenji durante a cerimônia naquele dia: eu ficava olhando em direção a Sumie, com um bebê nas costas, rodeada de todos os lados por irmãos e irmãs. Ela tinha a mesma beleza comovente de seus 16 anos, mas parecia mais bem definida, agora, menos elegantemente maleável. E mesmo assim ela se enterneceu quando Yukako atravessou a multidão e ficou do lado dela. Vi as duas olharem uma para a outra, rapidamente, mas imperturbáveis, e então olharem novamente em direção ao sacerdote que entoava cânticos, com o incenso se erguendo entre as estreitas placas comemorativas de madeira.

E então aconteceu de elas estarem juntas de novo, deixando para trás as estacas do cemitério, quando o cavaleiro apareceu. Sumie olhou em direção ao homem que usava a insígnia do Lorde Ii e chamou-o pelo nome, surpresa.

— Ii Sumie-*sama* — gritou o cavaleiro, e ela olhou para ele, confusa.

Por que ele estava agindo como um estranho? Até eu me lembrava dele, da noite do chá do Augusto Sobrinho, quando encontramos Akio e Koito juntos.

Sumie foi até o cavalo dele e olhou para cima: observei-a enquanto ela ouvia, e observei Yukako enquanto ela observava Sumie. Vi o choque no rosto de Sumie, e então ela fechou os olhos e apertou os lábios. Yukako olhou para trás e os nossos olhos se encontraram. Havia apenas uma coisa que ele podia estar dizendo a ela. Eu continuei com os olhos fixos nos de Yukako e acenei com a cabeça, e então vi-a ir em direção a Sumie. Meu peito tomado pelo choque e por um tipo de prazer ao constatar que, de todas as pessoas ali reunidas, Yukako tinha se voltado para mim.

AKIO ESTAVA MORTO. O exército Meiji havia destroçado os homens de Saigo e apenas uns poucos guerreiros sobraram. Ele morrera como o irmão, exatamente como Yukako previra, exceto pelo fato de que ele estava lutando ao lado dos rebeldes do sul, não contra eles. Sumie ficou conosco aquela noite, e as duas primas ficaram sentadas, cochichando, muito tempo depois que Kenji adormecera e eu fingira pegar no sono também. A voz de Yukako era doce e firme, a perda que sofrera posta de lado, enquanto Sumie passava por um momento de raiva que eu nunca vira antes.

Na manhã seguinte Sumie ficou no quarto de Yukako, quieta e ausente, ignorando até mesmo as perguntas de Kenji. Yukako alimentou Sumie com as próprias mãos, e quando a Srta. Miki e sua mãe vieram na hora marcada, Yukako cedeu o seu lugar à prima. Sumie estava entorpecida, por vezes tomada por crises de choro e raiva.

— Eu devia ter feito isso no ano passado, quando ele partiu — ela disse enquanto Miki arrumava suas madeixas em um *obako* de viúva.

Depois que as cabeleireiras foram embora, Sumie amamentou seu bebê, uma menina minúscula chamada Beniko.

— O Avô — disse ela, referindo-se ao Lorde Ii, o avô de seus filhos e pai de Akio — ainda está em Tóquio, mas está gastando o dinheiro que não tem para conseguir que o corpo seja trazido de volta a Hikone. Eu devo partir hoje — ela parecia preocupada. — Me pergunto se ele irá vender outro cavalo para isso — ela segurou Beniko sobre o ombro e deu tapinhas nas costas do bebê. — Sabe, um comprador de uma casa de gueixas se ofereceu para levar esta aqui quando tiver 3 anos.

Ouvi o orgulho samurai de Madame Cachimbo em sua voz calma, e seus braços se estreitaram ao redor da menininha.

— Ah, Sumie — Yukako suspirou, com pena da prima. Olhou para ela humildemente, e fez uma reverência —, eu nem me despedi da última vez.

— Eu sei — disse Sumie, perdoando-a.

COM A MORTE DE Madame Cachimbo, não havia mais nada que impedisse a família de atender a convocação do Imperador para que fossem para Tóquio, e então a mãe de Sumie fez a longa viagem para a capital com os quatro filhos mais novos, esperando encontrar o marido e o filho primogênito. O Conselheiro Kato comprou a propriedade que deixaram, com o lago para observação da lua e tudo, e ofereceu sua casa na cidade, perto do Palácio, para que duas senhoras norte-americanas instalassem sua escola cristã. Nesse meio tempo, Lorde Ii, o pai de Akio, soube finalmente que seu pedido fora negado e com tristeza também se mudou com a família para Tóquio. Um dia, do lado de fora do templo, olhando para o monte Hiei, a grande sentinela do nordeste que me fazia lembrar o Montanha, Yukako suspirou.

— Durante muito tempo, eu costumava pensar: "Akio está apenas atrás daquela montanha, apenas do outro lado do lago Biwa." E agora ele se foi, duplamente, triplamente. Nem mesmo Sumie ficou lá.

Ela permaneceu completamente imóvel. Toquei seu ombro.

— Quando você soube que gostava do Sr. Akio? — perguntei. — Quando exatamente?

Yukako olhou para os filhos, absortos em desenhar com gravetos na poeira do lado de fora do templo.

— Só você me perguntaria algo assim — admirou-se, sentada em um banco na sombra.

O rosto dela suavizou-se e ela deslizou o polegar sobre a parte superior da sua *obi*.

— Foi naquele verão antes da morte do meu irmão, quando Akio estava aqui. E Nao — disse, mencionando o filho de Chio e Matsu como se estivesse removendo delicadamente com a língua uma folha de chá. — A família de Sumie acabara de se mudar para cá depois de todos aqueles anos na corte do Xogum. — Observei-a lembrando-se da prima ainda menina. — Meu irmão roubou uma das *obi* de Sumie, só para provocar; acho que estava apaixonado por ela. Uma noite eu estava a caminho da torre-depósito para procurar a tal *obi*, e ouvi-os no barracão perto do córrego, onde Bozu está morando agora. Eles estavam apenas falando sobre isso e aquilo, fumando cachimbos, fingindo serem homens adultos. Meu irmão perguntou a Akio sobre sua casa, quantos dias levava a viagem de Miyako a Hikone. — "Primeiro você atravessa as Montanhas Orientais a pé", disse Akio. "Leva um dia; então você atravessa o lago Biwa de barco: leva mais um dia."

"Por que é preciso ir a pé? Por que não sobe o rio?", — meu irmão perguntou.

"É muito raso" — contou-lhe Akio. "O Xogum mantém o rio assim para que possa concentrar tropas onde o rio encontra o lago."

"Ouvi dizer que a pena é a morte se você escavar o rio, mas é tão raso que todos os anos, quando o lago inunda, os campos inundam também", disse Nao. "Os fazendeiros desobstruem o rio à noite. Eles enchem cestas com lama e dizem que estão colhendo mariscos se alguém pergunta."

— E então a mais estranha imagem veio à minha mente — disse Yukako.

— Era tão poderosa e clara. Eu e Akio fomos fazendeiros em uma outra vida, enchendo cestas com lama no escuro, escavando a beira do rio. E como se em resposta aos meus pensamentos, meu irmão disse: "Imagine só, um fazendeiro com sua canga e suas cestas cheias de terra. Preto sobre preto, como uma caixa de chá para a estação das chuvas."

— Então ouvi a voz de Akio: "Se precisamos que o rio fique raso, que fique raso. Eu não gostaria de perder um cavalo em águas fundas."

— E então a conversa deles voltou-se para lutadores de sumô. Logo achei a *obi* de Sumie, mas não conseguia tirar aquela imagem da cabeça. Eu e Akio, juntos em outra vida, roubando terra molhada no escuro. — Enquanto Yukako contava a história, seu dedo não parava de deslizar sobre a borda de cima da sua *obi*. Ela virou-se para mim. — Só você me perguntaria algo assim — repetiu agradecida. Ela sacudiu a cabeça para desanuviar a mente. — Olhe para mim agora — ela riu. — Não coma isso, Ken-*bo*, está sujo.

NAS DUAS SEMANAS depois da partida de Sumie, Yukako passava as noites na Baishian, sozinha, depois que Kenji adormecia. Por bem mais tempo, todas as manhãs, não importava a cor que usasse, eu via a faixa dela sobre a túnica de gaze preta usada sob o traje de luto de verão. Ela se levantava para dar aulas para a Senhora Kato e para o punhado de outras mulheres que o Montanha escolhera para ela, mas na maioria das vezes ela se isolava no quarto de cima enquanto eu pegava peixes miúdos com uma rede e caçava borboletas com o pequeno Kenji. Às vezes íamos observar aulas como eu e Yukako costumávamos fazer, e Kenji espiava o irmão com saudade enquanto o Montanha observava Jiro ensinando os outros alunos. Depois que cada aluno fazia o papel de anfitrião, os jovens marchavam em fila para a *mizuya* a fim de se preparar para a aula seguinte enquanto o Montanha repreendia Jiro por seus erros.

— Se os seus alunos não colocam as cinzas e o carvão da maneira certa, você precisa ensinar-lhes como. Se eles não entendem, não fique repetindo as mesmas instruções mais alto, *baka*! Tente explicar de outra forma!

O Montanha costumava personificar a calma, mas a morte da mãe havia revelado um lado dele que eu nunca vira. Talvez, em um esforço para trazê-la de volta, ele tinha se apropriado do mau humor dela. Certa vez ele até obrigou Tai a assistir enquanto punia o pai do menino. As sobrancelhas do Montanha haviam crescido fora de controle no último ano, e quando ele corrigia o seu herdeiro, os dois meninos se viravam em outra direção enquanto os pelos brancos e pretos saltavam e caíam e a saliva voava. Mas o velho homem era extremamente gentil com Tai enquanto lhe ensinava os primeiros passos do *temae* de bandeja, mas isso não era o bastante para impedir que Jiro tomasse o café da manhã em um silêncio ultrajado todas as manhãs ou que fizesse um retiro espiritual mesmo nos feriados religiosos mais obscuros.

O MONTANHA MORREU naquele verão, ao 68 anos, depois de fazer o papel de convidado no primeiro *temae* formal de Tai. Ele chorou abertamente quando o neto misturou o chá com as pequenas mãos e cuidadosamente pôs a tigela diante dele. Na manhã seguinte, Tai veio correndo escada acima, com os olhos arregalados.

— O Avô não quer acordar — disse.

Tremendo, Yukako desceu e pôs as mãos sobre o peito do pai, colocou um espelho de prata sob o nariz dele, mas enquanto comprimia as mangas contra os olhos, declarou que o velho certamente engasgara com uma espinha de peixe, uma mentira inventada para proteger Tai do mau agouro. Como ela, eu acho que o Montanha morreu de alívio ao testemunhar a habilidade do neto. Acho que ele morreu de alegria.

Eu gostaria de me lembrar da última coisa que ele me disse. Acho que ele estendeu seu cachimbo e fez sinal para que eu o enchesse. Era o pequeno cachimbo da mãe dele, que desde então ele começara a fumar: uma longa haste clara feita de pelo de porco-espinho e aqueles encaixes de metal que a minha cabeça lembrava muito bem. Embora perto do fim da vida eu o visse bater nas mãos de Jiro com o leque para corrigir a posição do jovem, ele nunca me bateu, nem uma única vez. Por melhor utensílio que eu tivesse sido, eu estava abaixo de qualquer consideração.

20

1877-1885

DA MESMA FORMA QUE UMA grande tempestade expulsa todas as outras nuvens do céu, a morte do Montanha expulsou Akio do santuário das preocupações de Yukako. Embora no verão ela tivesse usado secretamente sua túnica de luto em um arrebatamento voluptuoso de autopiedade, naquele outono ela vestiu-se e aos meninos de preto com um tipo de vigor solene. Após o funeral, ela acomodou Jiro no santuário da família para copiar sutras para a alma do Montanha enquanto ela fazia dúzias de visitas a amigos e antigos alunos do pai para participar-lhes a triste notícia e às pessoas com quem negociava para pedir um adiamento de um mês ou dois para o pagamento de contas havia muito vencidas. Ela rascunhou cartas para uma lista dos extensos contatos do Montanha, e tendo colocado Jiro para escrevê-las, limpou a casa. Ela mudou os pertences do marido do Anexo da Árvore Curvada para o gabinete do pai junto ao jardim e mudou as coisas do pai do gabinete para a torre-depósito. Jiro demonstrou iniciativa fazendo uma busca na torre à prova de fogo, desenterrando os tesouros de 12 gerações de mestres de chá, tentando identificar pergaminhos e utensílios de chá valiosos o bastante para pagar o funeral, mas não tão valiosos que sua venda comprometesse a honra da família. Após todo o seu trabalho naquela estação, ele encomendou bolsas de brocado para algumas peças veneráveis — inclusive Inazuma, a tigela de chá de Rikyu que ele havia quebrado e consertado — mas não vendeu nada.

No começo, Tai dormiu no mesmo canto do gabinete do jardim, ao lado do pai em vez do avô. Mas uma noite, depois de aproximadamente uma semana, ele veio timidamente para o quarto de cima e recusou-se a voltar para baixo.

— Srta. Ura, será que poderia ver qual é o problema? — pediu Yukako.

Para uma mulher que descera para ver o próprio pai morto, havia algo de estranho na voz dela. Enquanto eu tateava no escuro das escadas para o tatame, meus pés intensamente cientes da textura do veio da madeira e da palha trançada, perguntei-me por quê? Como eu suspeitara, o aposento iluminado pela lua estava vazio: Tai estava com medo de dormir sozinho. Aquele *era* o quarto onde o avô dele havia morrido.

Jiro tinha passado a maioria das noites fora de casa nos últimos seis anos, pensei: por que Yukako estranharia agora? *Pelos meninos*, percebi. *Eles não sabiam.* Pelo que Inko me dissera uma vez, eram os pais que apresentavam o mundo flutuante aos filhos — mas talvez não com as idades de 4 e 5 anos.

— Acho que você devia deixar ele dormir aqui em cima hoje — eu disse com firmeza quando voltei.

NA MAIORIA DOS casamentos, eu sabia por causa das conversas na casa de banho, a esposa permanecia acordada a noite toda até que o marido voltasse para casa dos seus passeios noturnos, para ajudá-lo a se trocar e para aquecer o banho dele — mas na maioria dos casamentos eu suspeitava de que o marido não evitava o futon da esposa com tanta ênfase quanto Jiro evitava o de Yukako. No começo, Yukako não admitia os passeios noturnos de Jiro nem mandava Tai embora quando ele subia furtivamente no meio da noite. Mas naquele outono, após o dia dos Sete, Cinco e Três de Kenji no templo, tivemos apenas algumas noites como deveriam ter sido, com os dois garotos crescidos dormindo no andar de baixo. (Eu tive um resfriado forte e fiquei em um estado tão deplorável que não pude apreciar o fato de ter Yukako só para mim após todos aqueles anos.) Depois disso, quando os dois meninos passaram a voltar para o quarto de cima à noite, Yukako desistiu da história de mandá-los para a cama com o pai. Em vez disso, enquanto Jiro e os meninos tomavam banho à noite, Yukako passou a preparar um dos quimonos elegantes do marido — de seda escura pesada com um forro pintado de forma extravagante — e deixava também um quimono de casa de banho envolto em um lenço para ele. Se ele quisesse tomar um segundo banho antes de dormir, teria que tomá-lo na casa de banho da vizinhança.

Yukako se dedicou a criar seus meninos. Ela lhes ensinou tudo o que sabia escrever, e então, já que Jiro estava sempre ocupado, contratou um mestre de escrita para lhes ensinar os caracteres chineses que ela nunca aprendera. Eu moía bastões de tinta para o professor, traçando cada *kanji* novo em água, forçando os meninos a me ajudarem a ler seus textos em voz alta após cada aula. No ano em que completei um ano a mais do que minha mãe tinha vivido, Yukako pediu-me para ensinar os meninos a falar com estrangeiros, e fiquei feliz com a chance de ouvir minha própria voz falando a língua de Claire Bernard. Contudo, quando Jiro ouviu os filhos contando em francês, traçando os números dentro de uma espiral como os *arrondissements* de Paris em um de seus três livros de estudo, ele pôs um fim naquilo. Estimulou-os, no entanto, após as aulas de chá da manhã, a repetir cada aula com a mãe. Yukako também contratou um mestre de música para ensinar os meninos a tocar a flauta comprida de bambu, e um professor de artes marciais para ensiná-los a lutar com varas e punhos. As flautas de bambu eram usadas por monges pedintes tanto para ganhar dinheiro como para se defender, ela nos contou, mas acho que Yukako também gostava, como eu gostava de falar francês, de ouvir a música do irmão dos lábios de seus filhos.

MAS OS MESTRES de música custam dinheiro, assim como os prazeres do mundo flutuante. A remuneração do Imperador, depois que tudo foi resolvido, pagava as duas longas viagens anuais a Tóquio para agradecer-lhe pelo dinheiro, e enquanto os alunos da Sala Comprida garantiam a nossa comida, os honorários deles não eram suficientes para saldar as nossas crescentes dívidas. Agora que finalmente tinha autoridade para dar nome aos utensílios de chá, Jiro carecia dos fundos para patenteá-los, embora ainda fosse bem-vindo duas vezes por ano ao estúdio de Raku, onde apenas o ato de ele dar um nome a sua tigela de chá preferida — mesmo que não a comprasse — aumentava o seu valor. Jiro se satisfazia, em grande parte, em pintar caracteres em caixas para velhas peças que escavara no depósito cujas histórias haviam se perdido. Não faltavam tesouros entre os quais escolher: mesmo com suas reuniões semanais de chá, até mesmo com os seus convites pagos para celebrar eventos de chá em santuários, em templos e nas casas de mercadores novos-ricos e bajuladores imperiais, ele ainda podia passar o ano sem nunca usar a mesma tigela de chá duas vezes.

Os dois elementos de um *chakai*, ou reunião de chá, que Jiro podia criar ele mesmo eram o pergaminho, um prazer que ele só se permitia uma vez por ano, pois era caro, e a concha de bambu, que era barata de fazer se, como os alunos do Montanha, você tivesse aprendido essa arte. Além disso, elas eram armazenadas em tubos de bambu baratos que eram um convite para caracteres suntuosos. Quase todas as reuniões *chakai* incluíam um momento em que alguém ritualmente examinava a concha e perguntava seu nome e o nome do artista que a fizera, e isso dava a Jiro a chance de dar o seu próprio incentivo, sua própria palavra ilustre, ao poema de imagem e gesto que formava o evento de chá.

A vida de Jiro estava organizada em torno de suas obrigações — ele tinha pavor das viagens a Tóquio, as aulas da manhã com os alunos jovens, as aulas da tarde com os alunos crescidos que herdara do Montanha (menos, intencionalmente, o Conselheiro Kato), os eventos de chá pagos — e do prazer: as reuniões *chakai* com os amigos, os retiros ansiados no Um Pinheiro no templo Sesshu-ji, as visitas noturnas ao mundo flutuante, as tardes dedicadas à caligrafia e à arte de entalhar. Ele gostava de perambular pelos jardins de tempos antigos ou esquadrinhar construções, como a casa da cidade do Conselheiro Kato, que ficava perto do Palácio, feita de madeira e papel, que as duas senhoras americanas mandaram derrubar para construir uma escola de tijolos. Ele costumava voltar com alguns pedaços de bambu que escolhia para trabalhar: alguns pedaços verdes, alguns dourados, alguns enegrecidos pelo fogo. O seu trabalho carecia da inevitabilidade inflexível do de Akio, mas tinha um encanto próprio: ele tinha muito orgulho de uma peça feita da madeira de uma casa exposta às intempéries na qual um inseto havia perfurado o bambu exatamente abaixo do nó. O resultado era uma concha enegrecida e fina, de um tipo que eu nunca vira antes, com um buraquinho perfeitamente centrado no cabo.

Embora Jiro não estivesse ganhando muito dinheiro, estava ao menos fazendo um esforço para não gastá-lo em utensílios de chá. E ele parecia gastar cada vez menos em suas rondas noturnas com o passar dos anos: o perfume sutil de incenso de gueixa nas costuras dos quimonos que eu lavava cedeu espaço a aromas mais vulgares e baratos, até que suas roupas começaram a cheirar a álcool de cereais e levemente a urina e acidez. A mãe de Jiro havia sido ordenada no templo da família perto da Terceira Ponte, e os rumores na casa de banho eram de que ela era a força por trás de sua repentina falta de fundos. As pessoas cochichavam que quando Chugo, seu irmão mais velho, parou de pagar suas contas, Jiro foi proibido de comprar fiado em um bordel após o outro até que atingisse uma faixa de prazeres que pudesse pagar adiantado com a mesada modesta que Yukako lhe dava. Ele não contestava o direito dela de controlar o dinheiro: embora fosse filho de mercadores, Jiro considerava os livros contábeis dos Shin um tipo de bordado denso, intricado e sujo com o suor dos dedos de mulher. Enquanto isso, tendo moído tinta e tomado notas para o Montanha todos aqueles anos, Yukako teve apenas que retomar de onde o pai tinha parado.

Yukako dava aula para os alunos da Sala Comprida apenas quando o marido estava em retiro, e quando ela o fazia, concentrava-se no *temae* que o pai dela havia criado para o uso com mesas e banquinhos, que Jiro se recusava a ensinar. Já que Jiro preferia ver uma gueixa a um bárbaro na sala de chá, ela tinha a permissão do marido para ensinar a cerimônia do chá a garotas cantoras, mas o *temae* Shin entrou e saiu de moda entre elas, então ela ganhava dinheiro dando aulas a um punhado de mulheres cristãs e algumas senhoras mais velhas da família imperial que tinham decidido permanecer em Kyoto. Quando os meninos chegaram à idade de estudar com o pai, eu a ajudava nessas aulas, algumas nas casas das próprias mulheres, algumas na Baishian. Era tão estranho caminhar atrás de Yukako carregando seus utensílios de chá, exatamente como eu costumava carregar o seu *shamisen*, fazendo a sério agora o que fizéramos meio de brincadeira com Koito anos antes.

A PROSPERIDADE DE cabeleireiros empreendedores como o pai da Srta. Miki continuava, uma vez que mais e mais homens passaram a usar o cabelo no estilo ocidental, de forma que, quando os meninos tinham 12 e 13 anos de idade, o penteado de Jiro o colocava na quase excêntrica minoria. Prestando atenção às notícias da prima de Miki, esperando em vão que ela tivesse voltado a Tóquio para que eu pudesse saber de Inko, soube, em vez disso, que o pai dela estava progredindo tanto que deixara que Miki comprasse uma máquina fotográfica, desajeitada e frágil, para seu marido-criança, o nosso Zoji, que começara a aprender, por si mesmo, a tirar retratos. Ele era popular, já que as ruas estavam cheias de pessoas ansiosas para se mostrar: homens em quimonos e chapéus-coco, quimonos e sapatos de couro, quimonos e guarda-chuvas ocidentais — chamados de guarda-chuvas "morcego" em japonês por serem pretos e terem armações curvadas —, quimonos curtos e tamancos usados com calças ocidentais, aqui e ali um homem vestido dos pés à cabeça em um terno ocidental, enquanto as ruas cantavam com o som do couro guinchando do progresso: todos, até mesmo o jardineiro Bozu, estavam alterando seus sapatos ocidentais para torná-los mais barulhentos.

Embora sobrancelhas raspadas e dentes enegrecidos estivessem em dramática minoria, as roupas das mulheres mudaram menos que as dos homens, observaram Hazu e suas amigas da casa de banho, entre elas a Srta. Ryu, sobrinha de Chio, que nos deixara para se casar com o filho de um enrolador de fio. Afora as famílias de colarinho alto, apenas dois tipos de mulheres japonesas usavam trajes ocidentais completos: as "ovelhas", ou amantes de homens brancos (que caminhavam, cochichavam as garotas da casa de banho, *lado a lado* com as suas mulheres! Abriam as portas para elas! Ajudavam-nas a entrar nos jinriquixás!), e as professoras, das quais havia visto poucas.

As mais notáveis de todas eram as professoras contratadas pelas duas senhoras americanas do Conselheiro Kato, cuja escola de tijolos para jovens moças ficava entre nós e a parede do Palácio. Os nomes das senhoras eram Sutoku-*sensei*, a Srta. Starkweather, uma mulher grande e ossuda, parecendo um pé de milho ou girassol, e Pamari-*sensei*, a Srta. Parmalee, que infelizmente parecia com o lulu-da-pomerânia que ela carregava para todo lado em uma pequena cesta com tampa. Em japonês hesitante elas incitavam todos a ir à igreja, e muitos homens jovens iam, provavelmente para poder ver as professoras.

A Srta. Starkweather e a Srta. Parmalee haviam contratado um punhado de mulheres japonesas que falavam inglês como professoras e fizeram as jovens usar as roupas remendadas que as americanas não usavam mais até que pudessem comprar vestidos feitos sob medida por um alfaiate de Kobe. As jovens japonesas pareciam muito desajeitadas no começo, com suas silhuetas estranhas, cinturas espartilhadas, anquinhas, seios salientes, mangas justas e chapéus ostentosos. E tantos botões! Do outro lado da parede da casa de banho, ouvimos o filho de um carpinteiro anunciar que as professoras usavam 14 botões só no corpete.

Apenas uns poucos alunos frequentaram a Escola das Senhoras Cristãs no começo, embora mais viessem com o tempo, e eu costumava observar as moças enquanto elas subiam a rua em pares ou grupos de três. Em menos de dez anos, o número delas aumentou para duzentos. Como o restante da jovem e esperançosa Kyoto, elas usavam tantas roupas ocidentais quantas pudessem: sapatos de couro aqui e ali, crucifixos de ouro com frequência. Uma garota talvez segurasse uma sombrinha francesa de babados em vez da redonda de papel-manteiga com a qual crescera, ou a manga de um quimono talvez se erguesse revelando o franzido do punho de uma blusa em estilo ocidental por baixo. Víamos alguns chapéus adornados com frutas ou flores e às vezes um vestido ocidental inteiro usado por uma moça de uma família bem relacionada. Com o tempo, contudo, todas elas começaram a usar o cabelo como a esposa do patrono da escola, que era ninguém menos que a primeira aluna cristã de Yukako, a Senhora Kato. O seu penteado à Pompadour, que personificava o ideal feminino de beleza do ilustrador Charles Dana Gibson, era chamado de *sokuhatsu*, uma palavra que evocava os beirais de um telhado amplo, pois abrigava o rosto com "beirais" de cabelo que se dilatavam a partir de um coque central.

Um artigo ocidental de vestimenta que ocupava uma posição de destaque naquela época, usado tanto por homens como mulheres sobre o quimono ou o terno, era um xale xadrez de lã chamado *ami*, ou rede, porque a estampa de linhas cruzadas lembrava o entrelaçado de uma rede de pescar. O Conselheiro Kato, o homem responsável por vestir o novo exército com uniformes no estilo ocidental logo após a revolução Meiji, influenciou a Escola das Senhoras Cristãs de uma maneira ainda mais visível do que seu dinheiro ao exigir que cada aluna, não importando o caos de roupas familiares ou ocidentais usadas por baixo, usasse um xale *ami* sobre os ombros na escola: de gaze no verão, de lã no inverno. Embora quase todas as garotas usassem quimono, juntas elas formavam uma cena moderna, caminhando pela rua em direção à escola, rápida e jovialmente com seus xales e cachos no cabelo.

Nós não conhecíamos bem nenhuma dessas alunas, talvez porque Jiro se esforçasse para influenciar seus próprios contatos a repelir o Conselheiro Kato, tanto porque não gostava do homem como porque tinha aversão ao projeto mais recente de Kato. Encorajado pelo sucesso do Canal Asaka, em Tóquio, Kato falava sobre canais com o fervor de um convertido, tirando vantagem da sua posição de Conselheiro Imperial para promover suas ideias. Na primavera, quando introduziu os bailes públicos das gueixas; no verão, quando abriu a procissão do Festival de Gion; no outono, ao se dirigir à multidão reunida para ver os bordos em seu apogeu, ele anunciou seu sonho: um canal que viria do lago Biwa para dentro da cidade. Teríamos uma água potável mais limpa, o que combateria doenças; os nossos pequenos canais e córregos iriam fluir com muita água o ano todo, o que combateria o fogo; teríamos um curso de água navegável desimpedido e sujeito a imposto de Osaka até o arroz barato de Hikone, o que combateria a pobreza. Kato conseguiu que uma equipe holandesa de especialistas em abastecimento de água concordasse que o projeto era viável. Ele conseguiu um jovem engenheiro premiado de Tóquio com projetos à mão. Ele conseguiu que a maior parte do dinheiro fosse posta a sua disposição pelo governo Meiji. Tudo o que precisava, ouvíamos incessantemente, era o apoio da comunidade de mercadores de Kyoto. Embora pessoas de Hikone como o Sr. Noda, o mercador de arroz bajulador que usava o seu berloque *netsuke* em uma corrente de relógio ocidental, estivessem ansiosas para que o canal fosse escavado, os amigos mercadores de Jiro, desconfiadas, evitaram Kato e seu engenheiro Tanabe o quanto puderam em seu pequeno universo social, prometendo examinar o pedido dele enquanto esperavam para ver o que seus colegas iriam fazer. Por isso, a maior parte das alunas da Escola de Senhoras Cristãs eram filhas de funcionários do governo Meiji, como o próprio Conselheiro Kato; era mais provável que os mercadores contratassem as professoras das Srtas. Starkweather e Parmalee como tutoras particulares do que mandassem as filhas para a escola das americanas.

Por exemplo, Shige, o mercador de seda, a quem primeiro imaginei como o Urso quando ele e Jiro eram alunos do Montanha, contratou uma professora de piano da Escola de Senhoras para ir a sua casa e dar aula para suas filhas, mas se desviou do caminho para pedir a Yukako que ensinasse chá a sua esposa. Com o passar dos anos observamos várias professoras indo e vindo da casa Shige, e a atenção de Yukako foi atraída por suas vestes ocidentais: as professoras de inglês e de francês usavam roupas ocidentais desde o começo, mas agora as professoras de música e dança japonesas também vestiam roupas no estilo ocidental. Chio, envelhecendo mas mais forte do que nunca, ficou chocada ao saber na casa de banho exatamente quanto mais do que Yukako as mulheres japonesas que vestiam roupas ocidentais ganhavam, e exatamente quanto mais do que as outras as professoras de inglês e francês estavam recebendo.

Era uma manhã de primavera no Décimo Oitavo Ano da Era Meiji quando eu passei essa informação para Yukako, o mês em que levamos Tai ao templo para pedir sabedoria no seu décimo terceiro ano, enquanto Jiro estava em Tóquio fazendo seus oferecimentos de chá ao Imperador. Yukako examinava suas contas com o cenho franzido enquanto ouvia, mas eu sabia que tinha a sua total atenção pela sua maneira de segurar o pincel cheio de tinta sobre a pedra de moer para reter a tinta enquanto pensava.

— Muito interessante — disse.

21

1885

UMA SEMANA DEPOIS DE TOMAR conhecimento das novidades contadas por Chio, quando fomos com os meninos às atividades de primavera no templo, Yukako escapuliu sozinha, reclamando de dor de estômago. Naquela noite ela me dirigiu um olhar presunçoso e disse:

— Quando formos dar aula na casa dos Shige amanha, use o vestido ocidental que você fez para a Expo.

Na manhã seguinte, enquanto eu esperava Yukako no portão, exposta e desajeitada em meu vestido de criança crescida, vi uma moça branca com uma sombrinha deixar a nossa casa. Uma missionária, nada mais nada menos, deduzi pelo modo de andar, com passos rápidos, e sua figura curvilínea. Eu parei, assustada. Era como se o tempo não tivesse passado; eu era um gato perdido se escondendo das freiras.

Sua maneira de andar, será que estava doente? Bêbada? Ela abaixou a sombrinha: era Yukako.

— Eu acho que cai muito bem, não acha?

— O que aconteceu?

Yukako sorriu triunfante em suas roupas ocidentais e seu penteado japonês.

— Eu as comprei da irmã daquele engenheiro Tanabe. Ela dá aulas na Escola de Senhoras; nós temos exatamente o mesmo tamanho.

— Quando foi que isso aconteceu? — perguntei espantada.

— Ontem, quando você e os meninos estavam no templo.

Pisquei.

— Você simplesmente foi até ela e *comprou* o vestido que ela estava usando?

— Não o que ela estava usando, mas outro. A moda ocidental muda a cada estação, dá para imaginar? Agora a Srta. Tanabe pode comprar um novo. O que é que você acha?

— Bem...

— Eu *realmente* dei muito dinheiro para ela. Mas eu vou recuperar tudo bem rápido se eu souber representar corretamente diante dos alunos.

— Volte para dentro comigo; acho que alguns desses colchetes não estão direitos — eu disse.

No vestíbulo, prendi e apertei os cordões com força até que ela parecesse um pouco menos esquisita, sem conseguir acreditar que ela tinha tido aquela aventura sem mim. Ela parecia mais do que apenas um pouco descabida, uma mulher com uma silhueta de lápis em um vestido em forma de ampulheta. Mais espantoso ainda, ela parecia *outra pessoa.*

— Eu teria ajudado você a levá-lo para casa — eu disse, com a língua inchada na boca enquanto saíamos de novo da casa.

— Bem que eu queria — admitiu ela. — Senti-me tão chamativa indo para casa sozinha com aquela caixa enorme. Eu usei o xale xadrez dela de forma que as pessoas precisariam olhar duas vezes para saber que era eu.

Yukako, com os pés virados para dentro em seus sapatos de couro, ficava olhando para trás, para sua anquinha, surpresa e desconfiada. Da melhor maneira que podia, ela observava a si mesma andando para cima e para baixo no caminho de pedra. Ela parecia um homem em um vestido.

— É meio apertado, não é? — ela perguntou jovialmente, rindo. Então sua risada morreu no meio.

Voltei-me para ver o que tinha atraído sua atenção: um homem no portão. Ele examinou Yukako cuidadosamente; seu rosto controlado não demonstrava nenhum choque com a roupa dela. Ela estava com medo. Segui o olhar dela até a mão do homem enquanto ele passava para ela um estojo de pergaminho envolto em brocado: ele não tinha a ponta do quarto dedo, que chamávamos de dedo do remédio, aquele usado para experimentar pós e espalhar pomadas. A reverência dele era profunda, o quimono, limpo, e o tom humilde como se estivesse se desculpando por trazer aborrecimento a nossa casa. Mas Yukako tremeu um pouco quando aceitou a mensagem que ele trazia, olhando fixamente o toco do quarto dedo do homem, a fenda entre a manga e o pulso que revelava um lampejo de arabescos vermelhos e verdes no antebraço. Uma tatuagem!

Yukako começou a enfiar o pergaminho dentro da manga de quimono ausente, parou e, recuperando a serenidade, fez uma reverência quando o homem partiu. Ele foi embora em um jinriquixá gracioso e chamativo, pintado nos lados com flores e beldades, cujos trajes em camadas rivalizavam com as cerejeiras em flor acima.

— Qualquer pessoa pode sofrer um acidente — refletiu Yukako, segurando seu próprio quarto dedo.

— Mas poucas pessoas não têm um dedo *e* têm uma tatuagem — eu disse, tremendo. Eu nunca tinha visto um gângster, mas quem já não tinha ouvido falar deles?

— Não diga essa palavra! — chiou Yukako.

— Tatuagem?

— Pare já!

NÓS SÓ ABRIMOS a mensagem do homem muito mais tarde, bem depois de Yukako ter negociado com a esposa do Urso uma remuneração melhor e ter vestido novamente o bom e velho quimono. Sentamo-nos com o pergaminho misterioso na privacidade da Baishian: ele não continha uma carta, apenas três linhas de texto, escritas com simplicidade suficiente para que uma mulher pudesse lê-las, com os *kana* fonéticos explicativos ao lado. Uma data: primeiro de agosto, dali a cerca de quatro meses. Um lugar: a agência central de gueixas em Pontocho. E uma quantia em dinheiro: um grande montante, uma cifra comparada à qual o aumento dos Shige era insignificante.

Quando Yukako abriu a mensagem sucinta, uma pequena bolsa de brocado caiu no chão: um talismã de um templo. As mães compravam esses talismãs para suas casas e seus filhos nas mais diversas ocasiões: uma viagem segura, um empreendimento de êxito, um bom casamento. Eu peguei o talismã; era bordado com caracteres que pareciam familiares, mas ainda mais impressionante era o cheiro. Eu reconheci o perfume sutil que costumava impregnar as roupas de Jiro depois de suas noitadas, nos dias antes de seu irmão parar de pagar suas contas. Quando passei a bolsa para Yukako, ela cheirou-a, olhou para mim e acenou com a cabeça, amargurada. Então olhou para o *kanji* estranhamente familiar bordado no talismã; ela arregalou os olhos e seu maxilar endureceu. Ah! Eu tinha acabado de ver dúzias de bolsas em brocado adornadas exatamente com aqueles caracteres no dia em que levamos Tai ao templo com as crianças de sua idade. Enviar esse talismã era como sugerir que o menino poderia precisar da proteção dele, que o homem tatuado estava pronto para fazer o que fosse preciso para forçar Jiro a pagar suas dívidas. Yukako deixou a bolsinha cair, com um calafrio. "Como eles se atrevem a ameaçar o meu filho?"

Naquela noite outro mau agouro ocorreu em nossa casa. O marido de Chio, Matsu, com 70 e tantos anos agora, agarrou o peito e parou de respirar por dois minutos inteiros. Ele não morreu, mas quando abriu os olhos novamente no dia seguinte, não reconhecia ninguém. As mãos dele se estendiam involuntariamente para cortar pedaços de carvão vegetal, moldar tocos de carvão e alga em forma de esferas para combustível, mas não conseguia mais falar e não conhecia mais suas ferramentas. Dia e noite ele ficava sentado perto do fogo, olhando para a parede oposta.

NÓS FOMOS AO TEMPLO todos os dias naquela semana e rezamos pela segurança de Tai. Eu nunca tinha notado como Benten-*sama*, a deusa protetora de Yukako, carregava não apenas instrumentos musicais mas espadas e flechas em seus muitos braços: em uma estátua, o rosto redondo e meigo sorria vitorioso. Yukako tomou o meu lugar na porta exposta ao vento no andar de cima à noite, a fim de pôr o corpo entre os filhos e o perigo. Rezamos, também, pelo retorno do juízo de Matsu. Como o jardineiro Bozu vinha trabalhando havia anos sob as ordens de Matsu, Yukako pediu a ele que continuasse no lugar dele e garantiu a Chio que não tinha intenção de deixar Matsu por conta própria. No entanto, rezávamos principalmente por dinheiro.

Depois de cinco dias, deixando suas preces apenas para dar aulas em seu vestido ocidental, Yukako decidiu agir. Primeiro, ela dispôs todos os seus quimonos, como fizera quando o infortúnio atingira a casa dos Shin pela primeira vez. Enquanto ela guardava as deslumbrantes túnicas de brocado que ela, e depois eu, tínhamos usado quando crianças, ouvimos Kuga vir com seus passos pesados até o andar de cima para entregar uma carta que dois visitantes haviam deixado.

Observei Yukako desatar ansiosamente a segunda carta inesperada do mês, esta endereçada ao Mestre Professor, e vi o rosto dela relaxar enquanto lia. A cidade ia realizar outra Exposição naquele verão, depois do exuberante Festival de Gion em julho — a família Shin estaria disposta a participar novamente?

Com um movimento rápido e determinado, Yukako escreveu a resposta, "assinando-a" com o selo quadrado de jade do marido. Ele ficaria encantado em participar, educando o mundo bárbaro sobre os triunfos culturais do Japão, e estava disposto a doar o seu tempo — e um recipiente inestimável de chá da época de Rikyu — por uma pequena remuneração: aqui Yukako copiou, sem hesitar, a enorme cifra apresentada pelo homem tatuado.

Cheia de esperança, Yukako continuou as suas rondas de aulas nas casas de senhoras. A viagem de Jiro à capital fora planejada para acontecer depois que os alunos do ano velho se formassem e antes que as aulas dos alunos do ano novo começassem. Mas Yukako estava muito ocupada, mesmo assim, enquanto instruía o filho mais velho sobre as tarefas normalmente realizadas pelo chefe da família naquela época do ano: lavar o Buda no santuário da família com chá de hortênsia, organizar eventos para a observação de flores e oferendas para honrar os grandes patronos do passado. Com Jiro viajando, eu tive permissão para seguir Yukako e os meninos na peregrinação anual dos Shin ao templo Sesshu-ji, onde a família oferecia chá na Casa Um Pinheiro para marcar a sua construção trezentos anos antes. Já que Jiro normalmente fazia a oferenda, e o pai dela antes dele, era a primeira vez que Yukako via o velho templo ou seu jardim, uma cunha branca e comprida de pedras em declive. Embora fosse limpo pelos monges diariamente, Um Pinheiro — uma casa bonita de quatro tatames e meio, com uma grande janela redonda — havia muito tempo tinha cruzado a linha entre o estilo *wabi* e o estilo decadente, as paredes de papel rasgadas e remendadas precariamente, os tatames amarelados com o tempo, o telhado de palha ficando careca. Tai fez um desenho bonito e confiante, erguendo sua oferenda de chá aos ancestrais enquanto Yukako, com tanto decoro quanto possível, removeu um grande besouro do cabelo. Percebi que ela ficou cruelmente satisfeita com a deterioração do lugar: ao menos seu marido errante não estava gastando todo o dinheiro deles *aqui*. Os utensílios de chá tinham sido confiados a mim, enquanto Aki, aos 7 anos, carregava o carvão cerimonial feito com os últimos cortes precisos de carvalho de seu avô Matsu, cada qual cortado com o comprimento ritualmente determinado. Sob a luz fraca do pôr do sol que iluminava o caminho para casa, ouvi Tai dizer ao irmão:

— No ano que vem, você vai ser o anfitrião, certo?

Compridos e delgados como os pais, os meninos haviam raspado a cabeça como os outros estudantes de chá, e ambos usavam faixas brancas de pano em volta da testa para distingui-los como peregrinos. Kenji havia laçado uma gorda libélula com um fio de seda quando paramos em um santuário em um declive para comer na varanda para piquenique e beber na fonte; depois, enquanto o irmão falava, ele libertou o inseto.

— Não diga isso — disse ele. Ele era tão bonito, todos falavam a respeito, ainda mais bonito do que os rapazes escolhidos para andar nas balsas no Festival de Gion. Aki estendeu a mão para pegar a libélula que fugia; Yukako observava os filhos, com a respiração tensa.

— Você será velho o bastante então; por que não poderia? — perguntou Tai.

Kenji olhou para o outro lado e juntou as mãos nas costas:

— Eu só tomaria o seu lugar se você estivesse morto — disse simplesmente.

Yukako retraiu-se. Kenji continuou explicando:

— Quando você for o Mestre Professor, eu quero ser o primeiro de seus alunos. E quando você tiver um filho, eu quero ensinar a ele tudo o que sei. Só isso. Eu só quero ser seu irmão mais novo — disse ele.

— Você *é* meu irmão mais novo, *baka* — disse Tai, constrangido com a sinceridade de Kenji.

— *Baka* é você — disse Kenji pacatamente.

Fiquei me perguntando se a maioria dos garotos com pais pareciam tão felizes quanto aqueles dois.

Abril também era a estação das peças e das pantomimas no Templo Mibu. De noite os meninos costumavam imitar os samurais que os atores interpretavam no palco, fazendo caras de gárgula um para o outro e duelando com as flautas de bambu no lugar de espadas. E exatamente como Hiroshi e Nao fizeram antes deles, Yukako me contou, Tai e Kenji desencavaram o *hakama* do Montanha para brincar: as amplas saias-calças pregueadas que antes eram usadas apenas por samurais agora eram usadas apenas por atores no papel de samurais — e meninos no papel de atores no papel de samurais.

No ano anterior, eles tiveram permissão para ir às peças sozinhos e comer batatas-doces assadas e bolos grelhados de arroz, mas naquele ano Yukako insistiu que os filhos comessem apenas comida de casa e — sob o pretexto de dar um agrado aos criados — que eles ficassem o tempo todo acompanhados de pelo menos dois de nós, armados com pequenas facas afiadas.

Um dia, quando os meninos estavam no teatro, eu voltava para casa com Yukako, vindo de sua aula na casa dos Shige. Embora fosse incomum e bizarro ver Yukako usando anquinhas e botões, habituando-se a uma nova maneira de mover o corpo, da minha parte, eu me sentia como um palhaço na minha roupa ocidental, e sempre atravessava o nosso portão aliviada. Naquele dia, no entanto, uma figura familiar estava bloqueando o caminho para casa.

— "Meu venerado senhor." — Era Jiro, com a voz cheia de sarcasmo. — "Tenho esperado por você noite e dia. Quando não estou orando para que volte em segurança, estou moendo arroz com as próprias mãos para fazer farinha."

Por um momento fui levada de volta a outro encontro em outro caminho: lembrei-me do pai de Yukako batendo nela do lado de fora da casa de Koito. Olhei para ela, com o coração acelerado. E então vi todo o medo e toda a raiva, todo o veneno que vinha se acumulando nela desde que o homem tatuado fizera sua visita cruzarem o rosto dela ao mesmo tempo. Diante do rancor de Yukako, o de Jiro parecia exagerado e superficial. Ela lentamente tirou as longas luvas brancas de couro e ficou imóvel, olhando para o marido, com sua cabeça em formato de enxó, as sobrancelhas espessas, e lhe disse friamente:

— Gostaria que eu lhe preparasse um banho, meu senhor?

Essa era uma tarefa que normalmente cabia a Bozu ou Chio.

— Sim, eu gostaria — disse ele.

E foi o que ela fez. Eu a desabotoei e tirei os cordões; colocamos rapidamente nossos quimonos e eu trouxe combustível enquanto Yukako abanava as brasas da casa de banho, transformando-as em uma cama incandescente de carvão. Carregamos balde após balde de água enquanto Jiro dormia; depois ele veio nos observar, satisfeito com a penitência de Yukako. Enquanto a água esquentava, ele se lavou, esfregando os espaços entre os dedos com sua bolsa recheada de farelo de cereais, ensaboando a parte de trás do pescoço e atrás das orelhas. Ele estremeceu com o toque de Yukako quando ela lavou suas costas. Depois de enxaguar o corpo com mais baldes de água fria, ele se acomodou na banheira e começou a questionar Yukako.

— Eu não teria sabido que era você no caminho se os criados não falassem em outra coisa — ele olhou para mim. — Você e a sua *dama de companhia* — ele cuspiu a expressão em inglês: *reidizu meido, lady's maid.* — O que eu devo dizer aos meus convidados quando me perguntarem por que a minha esposa desfila pela cidade inteira vestida como uma puta estrangeira?

— Diga-lhes para olharem ao seu redor e verem por eles mesmos — respondeu Yukako. — É assim que as professoras se vestem. Certamente você as viu na Escola de Moças?

— Eu tive lugares melhores para ir — replicou ele.

— Sim, suponho que teve — disse Yukako, com a voz ácida. — Quanto à Srta. Ura, não é óbvio? É humilhante ver aquelas senhoras estrangeiras andando por aí com criadas japonesas e garotos do jinriquixá. Nós nos vestimos assim porque eu quero ganhar tanto quanto as professoras estrangeiras.

Jiro cruzou os braços sobre o peito nu e, no meio do vapor, lançou um olhar mal-humorado.

— Sabia que acabei de passar duas semanas em Edo ouvindo a mesma bobagem todos os dias? O Primeiro-Ministro... — ele estava falando de Ito, o homem cuja amante gueixa o tinha seguido desde Gion — ...colocou rios de ouro na construção de um pavilhão chamado O Cervo Bramidor, onde senhores e senhoras aprendem a dançar e a comer como os bárbaros, para que os bárbaros alterem os tratados a nosso favor. Eles cortam suas próprias fatias de carne como se fossem açougueiros e zurram uns com os outros sobre como está saboroso. Eles aprendem danças bárbaras durante as quais homens e mulheres se tocam e se olham com malícia. Não há esposas suficientes dispostas a dançar, por isso eles aliciam prostitutas para enganar os convidados estrangeiros.

Quando ele mencionou isso, Yukako ergueu a sobrancelha, enquanto Jiro prosseguia, condenando *gorufu, tenisu* e outros jogos ocidentais que ele fora forçado a testemunhar ou suportar, suas palavras loucas se esparramando uma sobre a outra. Ele estava descansando na banheira e ela estava de pé, esperando, então ele teve que esticar o pescoço para poder vê-la.

— É melhor que você esqueça toda essa bobagem sobre os bárbaros antes da Segunda *Eppo* neste verão — disse Yukako. — Você irá apresentar o chá para eles de novo.

— *O quê?* — gaguejou Jiro, agarrando o pulso de Yukako de forma que ela por pouco não caiu na banheira.

— Eles aceitaram os seus termos esta manhã. Eles pagam bem — disse Yukako. — E nós temos dívidas. — Eu vi as palavras não ditas no rosto dela: *Você* tem dívidas.

Jiro também as viu e largou o pulso dela, aturdido.

— Você gostaria que eu fosse em seu lugar? — Yukako se ofereceu gentilmente. — Os estrangeiros não vão saber a diferença, e então as pessoas daqui saberão qual é a sua posição. — Jiro assentiu com a cabeça quase imperceptivelmente, e Yukako, encorajada, continuou: — A cidade está cheia de homens que aplaudiriam você por tirar o ouro dos bárbaros e envergonhá-los ao mesmo tempo.

A cabeça de Jiro se inclinou novamente e percebi que ele não estava fazendo isso em sinal de gratidão, mas em sinal de repugnância.

— Está bem, então — disse ele.

SE JIRO JÁ vinha evitando a cama da esposa antes daquela primavera, ele levou isso às últimas consequências depois, ostensivamente esfregando o lugar onde as mãos dela haviam tocado a bandeja no café da manhã, insistindo que os criados, exceto eu, estendessem as roupas dele à noite. É claro que ele não confiava no gosto deles para vesti-lo, então a tarefa recaía duplamente sobre Yukako: ela tinha que escolher os trajes e instruir as outras mulheres sobre como manuseá-los. Mas o pior ainda estava para acontecer: ele sabotou a decisão de Yukako de usar o dinheiro da Expo para saldar dívidas. Um dia, uma semana depois de uma das visitas anuais de Jiro ao ateliê Raku, Yukako recebeu uma segunda conta com uma cifra inacreditável, dessa vez vinda do Herdeiro de Chojiro.

— O *chakai* da lua cheia dele é hoje à noite — disse Yukako, segurando a conta a um braço de distância, entre dois dedos, como se o papel pudesse contaminá-la. — Talvez encontremos algumas respostas lá.

— Vou tentar — eu disse, fazendo uma reverência.

TREZE ANOS DEPOIS do primeiro *chakai* de Jiro na Muin — a rígida Casa Sem Casa de quatro tatames onde o Montanha o repreendera pela primeira vez, para onde Yukako, grávida do filho deles, tinha trazido comida a pedido dele pela primeira vez —, o filho Tai servia tigelas de peixe *ayu*, cozido lentamente, aos convidados do pai. Com 30 e poucos anos, Jiro havia perdido a ansiedade do seu primeiro *chakai*, mas manteve um certo olhar jovem de avidez, de vontade de ser admirado.

E eu sabia que naquele momento ele estava tendo êxito, aos olhos de seu convidado principal, o mercador de seda Shige. Embora eu tivesse visto a esposa dele nas aulas, eu não via o Urso desde a multidão na Expo no Quinto Ano da Era Meiji. Eu sabia que Shige podia ver a semelhança de Tai com o pai, podia "ler" a estampa cuidadosamente escolhida para a *obi* estreita de Tai. Como a estampa trançada Edo-chique popular uma geração antes, era uma série de retângulos se alternando, azul-marinho e cinzentos, dos quais todos os blocos azul-marinho exibiam floretas quase imperceptíveis trabalhadas em fio de ouro. Os medalhões de ouro espectrais traziam à mente, da forma mais delicada e com tanto bom gosto quanto possível, o fato de que se filhos de mercadores como Jiro e Shige tivessem usado um fio assim quando tinham a idade de Tai, poderiam ter sido punidos com a morte. Embora o ramo de folhas novas de cerejeira, iluminado pela lua dentro de um vaso suspenso, pranteasse a perda das flores, dos samurais, dos dias que se haviam ido, a mera existência daquele jovem marcava uma vitória para Jiro e para seus convidados, encontrando prosperidade naquele mundo novo.

Após 13 anos, metade deles passados sob o domínio do pai adotivo, a outra metade poupando em relação a tudo, exceto seus prazeres mais básicos, Jiro havia colocado uma nova caixa de pinho na entrada da sala de chá, grafada com um nome novo. Eu decifrei o *kanji* que representava *primavera*, e outros dois embaixo dele. *Chuva*: uma janela estilizada, com a persiana de bambu enrolada para mostrar uma tempestade estilizada, quatro rápidos riscos diagonais de chuva. E *campo*: uma caixa quadrada dividida em quatro por uma cruz. Campo da Chuva de Primavera. Fazia sentido, já que as flores davam lugar às árvores verdejantes enquanto Tai se juntava ao pai na sala de chá. Eu senti um choque dormente de simpatia por Jiro, mesmo que ansiasse por abrir a caixa, para roubar qualquer tigela de chá com a qual ele nos houvesse levado à bancarrota.

No começo eu não conseguia ver a tigela de chá enquanto me inclinava em direção ao aposento, escutando o convidado principal esvaziar o seu *matcha* com prazer.

— Trovão de Primavera — declarou Jiro, quando lhe perguntaram o nome da tigela de chá: Shunrai.

Ele a tinha selecionado, disse Jiro, entre todas as tigelas feitas pelo Herdeiro de Chojiro naquela estação.

— Talvez Kaminari fosse um nome melhor — disse Shige, inclinando a cabeça em direção às folhas de cerejeira.

O que ele queria dizer? Ele falou com uma certa aspereza indistinta, usada pelos homens quando estavam sendo poéticos, mas a escolha das palavras não poderia ter sido pior. Eu nunca esquecera o primeiro *chakai* de Jiro, quando deu um nome à tigela consertada de Rikyu. Será que ficaria de mau humor de novo? Discutiria com o convidado? Friamente colocaria o Urso em seu lugar?

No entanto, Jiro respondeu com uma expressão neutra.

— Você acha?

Kaminari, Kaminari, refleti. É claro, era outra palavra para trovão! Eu estava lendo *chuva* e *campo* separadamente quando juntos eles formavam o *kanji* para *trovão*.

Kaminari versus *Shunrai*, *Trovão* versus *Trovão de Primavera*, folhas de cerejeira *versus* flores de cerejeira. Não existe um grupo mais minucioso e complicado do que as pessoas do chá, pensei, dirigindo-me para o furo que eu fizera 13 anos antes para poder espiar.

Eu vi as delicadas folhas de cerejeira, o brilho de mica da areia nas paredes de argila da Muin. Vi um clarão de luar no esmalte preto, como o olho brilhante de um animal: eu quase gritei. Será que o Herdeiro de Chojiro sabia que estava fazendo não uma cópia, mas uma parente sinistramente semelhante à tigela que Jiro havia quebrado havia tantos anos?

Eu ouvi Shige suspirar profundamente.

— Eu estava lá, naquela aula — murmurou.

Ele tinha visto a tigela quebrar também. Eu vi, brilhando nas mãos argutas de Shige, a mesma solenidade assimétrica e sombria que me fascinara todos aqueles anos, como se ela nunca tivesse sido quebrada, nunca tivesse sido consertada, como se tivesse sido lançada de um vulcão, intacta.

Após um longo silêncio, o mercador depositou a tigela de chá diante de si

— Quando seu irmão souber dessa peça, vai ficar com inveja — disse.

Era um reconhecimento tanto ao conhecido bom gosto de Chugo, irmão de Jiro, como colecionador, quanto à sua vasta riqueza.

— Você acha? — repetiu Jiro, satisfeito consigo mesmo. — Talvez eu possa fazer chá para vocês dois nela algum dia.

Desobedecendo a regra lembrada com mais frequência por seu descumprimento, o Urso levou a conversa para um tópico fora da sala de chá.

— Ele te disse alguma coisa sobre o canal do Conselheiro Kato? — perguntou.

Jiro riu.

— Aquele indivíduo rude já pediu para você investir?

— Eu pretendo seguir o exemplo do seu irmão, não importa o que ele decida — disse Shige.

Os outros convidados acenaram com a cabeça solenemente. Recentemente, o Conselheiro Kato pedira a *Okura* Chugo mais dinheiro do que a todos os outros mercadores de Kyoto juntos.

— Tenho certeza de que ele irá ridicularizá-lo — disse Jiro.

— Ele ficava falando sobre aqueles teares da França movidos a energia hidráulica. Dá para imaginar?

— Ele não sabe nada sobre o seu negócio e lhe diz para importar equipamento — zombou Jiro.

— As ideias dele são bobagens, mas ele tem uma boa conversa — disse Shige.

— *Un*. Se o meu irmão quiser gastar o dinheiro dele em Kyoto — disse Jiro, usando com repugnância a palavra no lugar de *Miyako*, que ele continuava preferindo —, eu tenho uma ideia melhor.

— Sim?

— Em todos os lugares para onde olho eles estão demolindo lindas casas antigas e construindo caixas de tijolos — suspirou Jiro. — A escola de Kato, e assim por diante.

— Verdade — concordou Shige.

— Costumava haver uma linda sala de quatro tatames e meio chamada Pérgula da Lua Nova atrás daquela casa. E agora? A casa, o jardim, a Pérgula da Lua Nova, perdidos. Provavelmente há meninas costurando bandeiras americanas exatamente no lugar onde ficava a casa de chá. — Jiro parou por um momento, perdido em pensamentos. — Eu deveria receber você na Casa Um Pinheiro um dia desses — disse.

— Um Pinheiro... — murmurou o Urso nostalgicamente.

— Está realmente em más condições desde os nossos dias de estudantes. O que eu gostaria — disse Jiro — era de ter fundos para restaurar a Um Pinheiro e comprar casas de chá antes que sejam demolidas. Eu as levaria para Sesshu-ji e a Cidade de Kyoto poderia vender bilhetes. É contra o propósito de uma casa de chá, é claro, mas atrairia homens de bom gosto e recursos como nenhuma *Eppo* jamais atrairá.

— Um lugar para casas de refúgio se refugiarem. Um lugar de isolamento para lugares de isolamento. Você é um verdadeiro poeta, meu amigo — disse Shige, fazendo uma reverência. — Você me faz lembrar do que mais devemos valorizar. — Com isso, ele ergueu a tigela maciça e escura novamente e a depositou de volta, oferecendo-lhe uma profunda reverência de despedida. Desajeitada e primitiva, a tigela pulsava como areia preta atingida por um raio. Eu também fiz uma reverência, diante do buraco para espiar, um pequeno gesto de admiração.

NAQUELA NOITE, muito tempo depois que Shige e seus amigos partiram, eu rastejei para dentro da *miʐuya* onde a tigela de chá estava secando na prateleira. Eu guardei Shunrai dentro de sua nova caixa de pinho e a levei para Yukako ver.

— Isso explica a conta de Raku — eu disse, revelando o meu achado.

Nós a examinamos juntas na varanda enquanto os meninos dormiam do lado de dentro.

— Dá para entender por que ele tinha de comprá-la — murmurou ela, inesperadamente terna sob a luz do luar.

Quando lhe contei sobre o sonho de Jiro, ela inclinou a cabeça, sardônica e gentil. Ela girou a tigela em suas lindas mãos, oferecendo ao seu criador, como o restante de nós fizera, uma reverência inconsciente.

NA MANHÃ SEGUINTE, depois de levar os pratos do café da manhã, Yukako colocou outra bandeja diante do marido. Eu vi a caixa de pinho e uma carta aberta: a conta do Herdeiro de Chojiro. Sem uma palavra de acusação, Yukako perguntou humildemente:

— Devo falar com ele e pedir mais alguns meses para pagar?

— Se você insiste. — Jiro encolheu os ombros, embora suas palavras fossem firmes.

O seu desgosto com a oferta não solicitada de Yukako para ajudar com a Expo — com os estrangeiros cujo dinheiro ela traria daqui a *alguns meses* — crepitou no ar. E então Jiro olhou para Yukako enquanto ela se levantava, suas narinas sutilmente dilatadas de desespero, vendo seus filhos se fecharem e se voltarem contra ele.

— Embora você vá perceber que não há necessidade de se intrometer — ele acrescentou, com a voz um pouco estridente.

A VOZ DO HERDEIRO de Chojiro era tranquilizante e generosa.

— Alguns meses não são nada diante da história que as nossas famílias compartilham.

Com quase 70 anos de idade, ele quase não envelhecera desde a nossa visita muito tempo antes, quando Kenji dormiu em meus braços e Tai pediu para ver o estúdio: agora, como naquela época, ele parecia tão redondamente robusto como um cavalo alazão. Do lado de fora, a chuva de primavera sibilava suavemente nas pedras, enquanto do lado de dentro o chá torrado que o Herdeiro serviu deixava escapar um cheiro aconchegante de terra e ferro.

Yukako havia se vestido com cuidado para aquele encontro. Ela era a esposa em dificuldades financeiras com dois filhos que ainda não eram adultos, mas ela também era uma linda mulher de 30 e poucos anos, aproximando-se, embora as noites com Akio e Jiro fossem passado havia muito tempo, da plenitude sexual. E por isso se vestiu para parecer apenas um pouco mais velha do que precisava, escolheu uma estampa de capim do começo do verão que acabava um pouco mais abaixo do que o necessário, atou a sua *obi* e o cordão da *obi* apenas um milésimo abaixo do que o uso exigia, a fim de contrastar o peso de seu fardo com o relativo frescor do seu rosto. Mas aquele capim branco se inclinava em um fundo de seda verde-ardósia, um primo modesto do azul-esverdeado que realçara sua beleza quando moça, e ela deixara exposto apenas um pouquinho mais da nuca — um atrativo que contrastava com o colarinho branco da túnica de baixo — do que qualquer coisa em sua vestimenta solene indicasse. O Herdeiro de Chojiro não conseguia evitar de se curvar na direção dela.

— Eu preciso persuadi-lo em relação a outro assunto. — A voz dela parecia hesitante enquanto a chuva suave caía lá fora.

— O que é, *Okusama?*

— Meu marido tem um pedido incomum — disse. — Eu não sei como introduzir este assunto.

— Não pode ser tão ruim.

— Não deve ser surpresa o fato de ele ter se apaixonado pelo seu trabalho. Ele fez uma caixa para a sua tigela de chá com as próprias mãos e chamou-a de Shunrai. — Quando ouviu isso, o Herdeiro de Chojiro inclinou a cabeça de satisfação. Yukako prosseguiu: — Em uma reunião de chá na última lua cheia, ele até a colocou junto com Gota de Lágrima, a concha de chá do próprio Rikyu.

Uma vez que em um evento de chá todos os utensílios tinham que ter uma importância semelhante, esse gesto realmente demonstrara grande apreço à nova tigela de chá. Vi o Herdeiro de Chojiro suprimir um sorriso.

— Mas sabe como as coisas são para ele — concluiu ela. Eu só conseguia ver um quarto de seu rosto, mas seu queixo tremia como se ela fosse uma menina a ponto de chorar.

A perspectiva de aceitar de volta uma tigela de chá cujo valor tinha acabado de aumentar junto com a intenção de consolar uma bela mulher parecia abrandar a preocupação do Herdeiro de rever o dinheiro devido.

— Às vezes as pessoas precisam devolver algo pelo que não conseguem pagar — disse ele.

— Não — disse Yukako comovida. — Aqui está. Neste verão a nossa família vai se apresentar na Segunda *Eppo*. Eles irão pagar bem.

O Herdeiro de Chojiro concordou. O apelo de Yukako por mais tempo fazia sentido.

— E precisamos de presentes para oferecer a todos os envolvidos. Então... Bem, meu marido pede que considere trocar a tigela Shunrai por uma centena de tigelas feitas pelos seus alunos quando praticam.

— Ora, eu as daria a você só pelo pedido — riu o Herdeiro de Chojiro.

— Eu não posso me dar ao luxo de que as pessoas saibam — explicou Yukako. — Certamente compreende. Daria uma impressão melhor se elas fossem trocadas pela Shunrai.

É claro: um presente que as pessoas soubessem ter sido conseguido a um preço elevado seria muito mais valorizado.

Ela continuou:

— Mas se a *Eppo* for melhor do que o esperado, se acontecer de podermos comprar a Shunrai uma segunda vez, o senhor faria a gentileza de não subir o preço?

Vi como a beleza, a vulnerabilidade e a garantia de dinheiro fácil agiam sobre o Herdeiro de Chojiro.

— Não seja tola, *Okusama* — disse ele, aceitando a proposta e regozijando-se na confiança e na gratidão que emanavam dos olhos de Yukako. — Quando precisará delas?

— Podemos trazer a Shunrai para cá e pegar as tigelas dos alunos na primeira noite da *Eppo* — disse Yukako, com a voz baixa, um pouco rápida e firme demais. A mudança de comportamento de Yukako acordou um pouco o Herdeiro do seu transe.

— Eu não me preocupo com os estrangeiros na *Eppo* — disse ele. — Mas não gostaria que essas tigelas acabassem no mercado aqui. Não queremos que os comerciantes as vendam como legítimas Raku — explicou.

Yukako concordou, retomando a conduta de menina.

— Talvez pudesse fazer um entalhe no pé da tigela para mostrar que foi feita como exercício — sugeriu humildemente. — Ou, como meu marido sugeriu, poderia estampar as tigelas com algo assim — disse, tirando uma pequena caixa da manga e entregando-a a ele: continha um selo entalhado em pedra usado para marcar documentos ou argila.

Yukako manteve deliberadamente um olhar de ingenuidade enquanto o Herdeiro de Chojiro lia cuidadosamente o *kanji* virado em sentido contrário em voz alta:

— *Feita pelos alunos de Raku para os alunos da Shin Chanoyu.*

— Verdade? — perguntou Yukako, fingindo não saber ler.

O Herdeiro de Chojiro parecia desconcertado pela cautela e pela audácia do selo de pedra.

— Vejo que ele previu a minha preocupação — disse ele com um tom formal.

— Estou envergonhada — disse Yukako humildemente, com o rosto luminoso e a cabeça curvada no pescoço gracioso. — Peço-lhe que leve o tempo que precisar para refletir sobre esse pedido inoportuno.

Ela usou uma linguagem com a qual se humilhava tanto que eu não consigo reproduzi-la em inglês, mas o fitava direto no rosto enquanto falava, os olhos brilhantes e os lábios delicadamente abertos.

— Você planejou a coisa toda — eu disse, maravilhada, enquanto nos protegíamos da chuva em uma ponte coberta. — Você fez aquele selo! Você sabia que ia pedir aquelas tigelas dos alunos quando se ofereceu para ir no lugar do Mestre Professor!

Yukako sorriu tristemente.

— Lembra-se do dia do meu casamento, quando estávamos sentadas olhando o ouro de Okura Chugo?

— Sim? — lembrei-me de que chorava de olhos fechados.

— Senti-me tão pequena — disse ela. — Eu tinha trabalhado tanto, lembra? Mesmo que eu não tivesse sido pega, mesmo que a nova moeda não tivesse vindo e desvalorizado tudo o que eu tinha ganhado, era tão pouco quando comparado àquelas *koban* — ajeitando o queixo, explicou: — Eu decidi que nunca mais ia me sentir tão impotente de novo. *Migawa Yuko* jamais iria ser tão bem-sucedida quanto a *Esposa do Mestre Professor*, não é?

Fiquei triste ouvindo ela dizer aquilo, mas concordei.

— Foi por isso que me ofereci para vir em vez de fazê-lo sorrateiramente — disse. — Da mesma forma como me ofereci para fazer as apresentações na Expo no lugar do Mestre Professor: — Um sorriso malicioso surgiu em seu rosto. — Mas... talvez eu não tenha contado tudo a ele.

DURANTE O MÊS SEGUINTE, Yukako me liberou de todas as minhas tarefas ajudando-a durante as aulas ou servindo as refeições. Durante as longas chuvas de junho, ela me pôs na varanda mais próxima da porta da cozinha para descosturar todas as roupas sujas e costurar as lavadas, de forma que eu pudesse ver cada mensageiro que chegasse. E assim eu fui quem ofereceu chá e bolos ao menino que veio do estúdio de Raku, escondeu a resposta que ele trazia e a apresentou a Yukako mais tarde aquela noite. Era uma caixa contendo uma tigela de chá, humilde mas bonita, com um par de entalhes no pé. Na base havia uma grande estampa quadrada: exatamente o selo que Yukako havia feito.

DEPOIS QUE A TIGELA chegou, Yukako vendeu todos os seus lindos quimonos de menina. Eu passei a mão uma última vez no quimono que um dia eu usara.

— Eu nunca terei uma filha — disse Yukako pesarosa a caminho de casa, com a manga cheia de moedas.

Mas você teve a mim, pensei. Segui-a a uma série de lojas onde ela fez grandes encomendas, sendo que a mais interessante delas envolvia outro objeto que Yukako projetara.

DEPOIS DA MORTE do Montanha, Jiro não foi mais acometido por frequentes doenças misteriosas. Então, certa noite, quando ele planejava jantar com Shige, não muito depois que o Conselheiro Kato presenteou ao mercador de seda um tear de Jacquard, ficamos surpresas ao descobrir que Jiro estava doente.

Como os meninos ainda estavam tomados pelo entusiasmo da atuação — fazendo discursos em *hakama* e atacando um ao outro com varas de bambu —, eles me pediram para ler uma das minhas peças de Shakespeare para que eles a representassem no jardim. Exatamente quando estávamos descobrindo que Lear não se adequava à sede deles por sangue — "Agora você, chame-o de *duque aguado!* Agora você, *implore que declarem o amor que têm pelo rei!*" —, fomos surpreendidos por Jiro, que abriu a porta do seu estúdio de repente com um estrondo. Nós nos voltamos na direção dele boquiabertos.

— Vocês não precisam ficar tão chocados — disse ele. — Afinal, eu *moro* aqui. Eu estou com febre; vou ficar em casa. — Enquanto os meninos faziam reverências para se desculpar por importuná-lo, ele os dispensou com um aceno de mão como se fossem mosquitos. — Uma moça estrangeira usando roupas estrangeiras, contando uma história estrangeira, é o que eu gosto de ver — eu ainda estava com as roupas que usara para acompanhar Yukako às aulas. — Tudo combina tão perfeitamente. — O sarcasmo dele tinha um tom de aprovação que me surpreendeu. — Vocês dois, por outro lado, parecem ridículos. Guardem isso — disse, apontando para as *hakama* dos meninos. — Traga-me algo para comer.

A explosão de Jiro despertou os meninos de seu transe teatral para a outra brincadeira preferida deles: *Jiyu Minken*. Na zona rural, ouvimos dizer, os impostos tinham subido tanto que os fazendeiros do *Jiyu Minken*, ou o Movimento do Povo, haviam começado a explodir órgãos oficiais, imitando o que os rebeldes de Satsuma fizeram anos antes. Um dos meninos fazia o papel do cobrador de impostos tirânico, e o outro andava em volta de sua "casa", na ponta dos pés, cantando em voz baixa a canção mais popular do Décimo Oitavo Ano da Era Meiji: "Dinamite, bum!" E então a "casa" explodia e um dos meninos rolava no chão em agonia enquanto o outro cantava o mais alto possível. Preocupados com a saúde do pai, apenas moveram os lábios: "Pelos nossos mais de 40 milhões de compatriotas, não temos medo do sacrifício..."

Devido ao zelo dos filhos, sem dúvida, Jiro se recuperou com uma velocidade surpreendente e ficou fora na noite seguinte até o amanhecer.

22

1885

JIRO GUARDAVA RELÂMPAGO e Trovão de Primavera, suas duas tigelas mais valiosas, lado a lado em uma prateleira especial no seu gabinete, atrás de um painel deslizante. A tigela de Rikyu restaurada com ouro ficava um pouco mais no alto que aquela que o Herdeiro de Chojiro havia feito, mas as duas juntas formavam um tipo de unidade hipnótica, como um par de olhos escuros. Yukako encontrou as duas tigelas e suas caixas caligrafadas facilmente e, naquele verão, visitou a prateleira com frequência para garantir que a tigela Shunrai estivesse lá quando precisasse dela.

Na manhã da Expo, no entanto, a caixa elegante da Shunrai estava vazia no fundo do guarda-louça. A tigela tinha sumido. Segui Yukako enquanto ela andou preocupadamente do gabinete de Jiro até a sala de aula onde ele estava com os alunos, ajoelhando-se perto da janela de treliça como se pudesse extrair uma explicação dele apenas olhando. No meio do caminho para a torre à prova de fogo — será que ele tinha trancado a tigela no depósito? — ela parou.

— Ele não vai realizar outro evento de chá amanhã à noite? — perguntou, constrangida consigo mesma. — Vá e olhe na *mizuya* Muin.

— Eu não acho que ele use a mesma tigela mais de uma vez por ano com convidados — objetei. Eu tinha razão: a área de preparação no fundo da Muin, embora o barril de água estivesse cheio e a cesta trançada aguardasse recém-suprida de carvão, nada revelava.

— Não temos tempo para isso — queixou-se Yukako. Vamos olhar em *todas* as *miẓuya*.

Nós olhamos rapidamente, examinando até a *miẓuya* sala de aula, embora isso exigisse que engatinhássemos às vezes, mas nenhuma delas estava pronta como a Muin.

— Que tal *dentro* da sala de chá? — perguntei.

— Onde ele a colocaria? — bufou ela.

Mas de fato não havia nenhuma caligrafia pendurada na alcova do pergaminho. Em seu lugar, como uma pequena maçã atrevida no peitoril de uma janela, havia uma rechonchuda bolsa de seda amarrada com cordões brilhantes. Aberta, a bolsa desinflou e formou um disco perfeitamente redondo de brocado, no qual a Shunrai reluzia como preto-azeviche polido.

— Você tinha razão — disse Yukako arrependida. Aliviada, ela pegou a tigela de chá e, olhando rapidamente para trás, substituiu-a pela sua irmã com veio de ouro.

— Isto não vai dar *problema* depois? — cochichei enquanto saíamos às escondidas.

— Depois daquela conta, ele deveria ficar feliz por eu não tê-la substituído por um repolho.

NO CALENDÁRIO ANTIGO, a festa dos mortos frequentemente coincidia com os primeiros dias sussurrantes do frescor de outono: no começo de setembro com o seu ar puro, através do qual os mortos podiam passar tão facilmente como a fumaça de uma fogueira. Agora ela caía nos dias de cão de agosto, com os membros das pessoas que dançavam movendo-se pesadamente no calor apático da noite. Da mesma forma, agosto, o pior dos meses, era, no passado, o mês do Festival de Gion, durante o qual homens sem roupa da cintura para cima arrastavam balsas de dois andares abarrotadas de flautistas, tocadores de tambor e meninos sagrados, e moças em túnicas de gaze ofegavam perto do rio, abanando languidamente seus leques em forma de lua. Cada gesto no Festival de Gion costumava dizer: "Chega. Depois disso, o calor vai ceder." Agora o festival caía no meio de julho, justamente no olho quente do verão, com semanas pela frente antes de um sopro de ar outonal.

E nesse forno, a cidade de Kyoto (toda gaze e leques de papel, pés descalços e gelo raspado nas varandas à noite) recebia os estrangeiros: sapatos de couro e linho sufocante, espartilho com barbatanas e sais aromáticos.

— Seremos um oásis — disse Yukako, exigindo a barraca mais fresca da Expo para os Shin. Ela tomou emprestadas algumas poltronas, do tipo em que uma senhora estrangeira poderia afundar, dos escritórios da Expo para misturar com os banquinhos espartanos projetados por seu pai, e contratou um fazedor de raspadinha de gelo de uma das confeitarias mais prestigiosas de Kyoto para trabalhar nos fundos, dentro da *mizuya*.

— Ouvi dizer que eles gostam de doces, por isso preciso lembrar ao homem da Toraya para dobrar a quantidade de xarope — disse ela.

Embora tivesse assentos para seus convidados, ela resolveu abster-se do *temae* de mesa do pai e mandou trazer tatames para o seu uso.

— Dá uma impressão mais relaxante — decidiu.

Depois de examinar o corredor de cima a baixo, observando as barracas serem montadas — uma exibição duvidosa de tecnologias e produtos, desde brocados até velocípedes e uma quantidade de mapas do ambicioso canal do Conselheiro Kato, de dar dor de cabeça, desenhados por seu protegido Tanabe — Yukako concordou consigo mesma.

— Acho que os estrangeiros vão gostar de nos ver no chão.

Ela me deu um conjunto para escrever e algumas folhas de papel, e me colocou para trabalhar em nossa tenda.

— Faça um letreiro no idioma dos estrangeiros para as coisas de chá — ela me disse, saindo apressada para falar com o homem da raspadinha.

Eu raramente escrevia, e minha mão segurando o pincel parecia o punho rígido de uma criança, mas o papel áspero me encorajou. Experimentei com o inglês e o francês, tratei a ortografia com descaso completo, escrevi descrições curtas e longas, desde a mais tosca — "Coisas de Chá" — até a primeira frase do que poderia ter sido um ensaio sobre a história e a importância cultural do chá. Yukako reapareceu e escolheu um dos meus letreiros apenas pela aparência:

Utensílios para
o Ritual Japonês
do Chá

— Isto é um dicionário? — perguntou, apontando para outra folha que eu havia preenchido: uma coluna de palavras do chá e as explicações delas em inglês — *chawan, chasen, chashaku, natsume, kensui.* — Vamos levá-la para casa para que os meninos aprendam algum dia.

Então ela se sentou no tatame ao meu lado, afastou a manga direita com a mão esquerda e carimbou um quadrado vermelho no letreiro usando um selo de pedra semelhante àquele que dera ao Herdeiro de Chojiro. Ela pegou o pincel e acrescentou dois caracteres *kanji* à minha legendinha tensa: *Chá* e *Caminho, Cha Do,* O Caminho do Chá.

— Pronto — disse. — Agora deixe secar.

O PRIMEIRO DIA da Expo era reservado somente para os estrangeiros mais importantes. Embora a percepção de Yukako em relação ao que os estrangeiros pudessem querer ver nela fosse perspicaz — sentada no chão em vez de à mesa, vestida em um quimono apenas um pouco mais revelador do que o apropriado para a idade dela ou a estação —, ela não se aplicava a mim, por isso sentei-me em um banquinho ao lado dela em meu vestido de menina que crescera demais, feito de tecido para quimono, com o cabelo untado e penteado em um *shimada,* a voz aguda de mulher e o meu inglês enferrujado, cheio de arcaísmos em desuso. Diante do gordo embaixador britânico, sua esposa de pele excessivamente branca e o séquito de narizes grandes atrás deles, eu estava constrangida demais para saber se eu era motivo de constrangimento.

Eu comecei o discurso que Yukako havia preparado para mim, após horas de interrogatório sobre os hábitos estrangeiros.

— Se vocês vão à igreja vazia e tentam ouvir a voz de Deus — eu disse, os artigos aparecendo junto com a minha autoconfiança — e então vão a um jardim botânico e olham para mil flores, e então vão a um museu e olham uma centena de pinturas e esculturas, e então vão a um balé, *ao balé*, corrigi-me a tempo — e veem vinte bailarinas, e então vão a um restaurante e comem uma refeição de dez pratos, e então se sentam e conversam em uma sala cheia de amigos, será que não ficam cansados, Eminências? — perguntei.

Minhas palavras pareciam falsas, grotescas, ainda assim, parecia muito pobre e grosseiro não acrescentar aquele apêndice, tão humilde em minha mente, tão pomposo em meus lábios.

— Especialmente quando um calor como este sobrecarrega o corpo? Simplesmente *fale*, eu disse a mim mesma, seja natural!

Os visitantes reunidos olhavam com indulgência um para o outro, suprimindo o riso, mas algumas mulheres, abanando seus leques de pena, inclinaram as cabeças, concordando.

— Eminências, peço que imaginem, se puderem — eu disse, preparando-me para invocar o grupo de palavras mais queridas pelo regime Meiji —, uma forma Civilizada e Esclarecida de experiência artística.

Nesse momento, percebi que duas jovens americanas no fundo, com as mãos enluvadas segurando sombrinhas de renda, reviravam os olhos. Em todos os lados aonde iam no Japão Oficial, sem dúvida eles ouviam a expressão *bunmei kaika*, Civilização e Esclarecimento. No silêncio que se seguiu, quando eu me apavorei ouvi, de longe, um homenzinho meticuloso — o missionário americano de quem eu me lembrava da última Expo — traduzindo para seu companheiro de rosto vermelho em um ríspido idioma germânico.

— *Ah, bunmei kaika* — acrescentou, quando terminou a minha última frase, e os dois homens compartilharam uma risada à minha custa.

O sotaque japonês do americano era infame, pensei, e aquelas sombrinhas com babados eram redundantes sob os beirais acentuados do pavilhão da Expo, um desperdício de espaço. O golpe de superioridade, por mais insignificante que fosse, me deu o incentivo para prosseguir:

— No *Chado*, o Ritual Japonês do Chá, vocês são convidados a passar tempo com *uma* flor, *uma* pintura. A tocar e apreciar *uma* peça de escultura, a experimentar *algumas* iguarias, a assistir aos movimentos de balé de *um* artista treinado. Vocês estão livres para conversar ou admirar em silêncio. Uma atividade relaxante e saudável, não é?

As minhas sílabas pareciam erradas, duras, como moedas em um balde de latão, mas os estrangeiros, cansados da viagem, pareceram entender e inclinaram as cabeças entre si, felicitando-se em seu prazer. Aliviada, conclui:

— Todas as artes do Japão giram em torno do *Chado*... — aqui Yukako inseriu mais um pouco de *bunmei kaika* —, da mesma forma que os planetas orbitam em torno do sol.

— Antes de apresentarmos o Procedimento do Chá para vocês — eu disse, atrapalhando-me ao tentar encontrar um equivalente para *temae* —, Shin Yukako irá mostrar os utensílios usados no *Chado*.

Eu tinha terminado! O pior da minha humilhação já tinha passado, o rubor do meu rosto transformou-se em ar úmido enquanto a voz ríspida que traduzia ia se afastando.

Os anos de treinamento em chá tornaram fácil para Yukako ajoelhar-se silenciosamente enquanto eu continuava a tagarelar em meu inglês ofegante e afetado e os estrangeiros olhavam para o seu quimono de gaze, seu cabelo untado, seus *olhos amendoados* — que não pareciam nada com amêndoas —, sua pele cor de chá com leite. Ela fez uma reverência de boas-vindas e mostrou uma trouxinha de pano para que a inspecionassem. Quando eu lhe contara sobre os estrangeiros na primeira Expo, ela ficara intrigada com a noção de um Jogo de Chá.

— Como podemos demonstrar a nossa habilidade em coordenar os utensílios de chá se eles vêm todos em um conjunto?

Ela ficara muito mais confusa do que quando soube que os planetas giravam em torno do sol. E ao passo que nunca demonstrara interesse na língua dos estrangeiros, muito menos se dera o trabalho de lembrar que havia *línguas*, no plural, a palavra *set* — conjunto em inglês — a fascinava e confundia. "*Setto, setto*", ela murmurava, a palavra não muito distante de *Seto*, uma região famosa por sua cerâmica. E agora, sorrindo enquanto eu traduzia, ela anunciou que aquele embrulho envolto em pano era um *Chado no Setto*.

— Parece uma caixa de chapéu — uma das Garotas de Sombrinha cochichou para a amiga.

E parecia, mesmo que ligeiramente menor. A versão de Yukako de um *setto* de chá estava envolta em um tecido de algodão modesto — azul-marinho com listras brancas — e atada com um cordão vermelho. A minha etiqueta no papel salpicado de nódoas cor de palha parecia reluzir em contraste com o pano escuro.

— O papel japonês é tão rústico, tão encantador — ouvi as vozes Eminentes concordarem. Então lembrei-me de Yukako inspecionando a minha diminuta coleção de livros estrangeiros e percebi que ela havia escolhido o papel que iria parecer menos familiar ao público. *E, além disso, mais barato* — observei.

Envolto no cordão vermelho, disposto diagonalmente sobre a etiqueta caligrafada, o utensílio que chamávamos de *chashaku* parecia uma vareta desbotada.

— Uma colher de chá feita de bambu — anunciei solenemente. Parecia tão tolo em inglês, mas mantive o rosto sério.

Ah, respondeu a multidão.

Yukako abriu os invólucros e levantou a tampa da caixa de chapéu, colocando-a diante de si: era uma versão rústica de madeira da bandeja laqueada utilizada no *temae* mais simples. Dentro, como uma série de bonecas aninhadas, havia um recipiente de madeira para água usada e, sobre ele, um pano de enxugar feito de linho branco; dentro dele, uma das tigelas dos alunos de Raku, e dentro *dela*, envolto no guardanapo de seda do convidado para o chá, sobre um pacote de chá verde em pó, havia um cilindro de bambu. Muito esperta, a Yukako! O alto e o pé do cilindro se encaixavam para formar uma caixa de chá modesta mas durável, enquanto um tubo no centro abrigava o misturador *chasen*.

— Será que é uma peteca para jogar *badminton?* — ouvi alguém perguntar. — Um pincel para espuma de barbear?

— Este é um misturador para chá. Quando batemos a parte transparente do ovo... — eu não aprendera a palavra em inglês, percebi —, podemos fazer uma musse ou um suflê. De maneira que chá batido é igualmente uma iguaria aerada. — *Eu não devia improvisar,* lamentei comigo mesma.

O grupo, todavia, estava pronto para ser entretido. Durante aquele descanso longe do sol, dos jinriquixás e da sopa de alga, sem ninguém pedindo que concordassem que estavam visitando uma nação Civilizada e Esclarecida, estava lhes sendo oferecido um vislumbre especial do Japão Antigo, não importa que tivesse sido planejado para proveito deles. O *setto* de Yukako era feito dos materiais mais baratos existentes e ainda assim os estrangeiros murmuravam e se assombravam com cada utensílio novo como se ela estivesse lançando fogos de artifício. Eles suspiraram de prazer quando mencionei a relação de trezentos anos das famílias Shin e Raku. Eles quase bateram palmas quando o misturador surgiu do tubo de bambu.

Lentamente acostumei-me ao estranho eco tradutor do americano a distância, e a seu jovem amigo que inclinava a cabeça constantemente, com o cabelo louro ondulado balançando como as madeixas de um pajem. Eu não me incomodava com as frases ásperas que se seguiram às minhas, mas me incomodava com a maneira como o homem louro olhava para Yukako, depois para mim, e de volta para ela, avaliando-nos com seus olhos azuis de cachorro.

Olhei para o outro lado, constrangida, e vi um fantasma daquele mesmo olhar no rosto de um japonês de uma das outras barracas, atraído pela multidão. O jovem de rosto maduro, com as maçãs do rosto salientes e bonitas como as de um lorde e o avental pesado de um artífice, observava Yukako com as mãos nos quadris, o que eu achei perturbador. Algo à esquerda atraiu sua atenção e ele olhou para o lado: seu mestre estava acenando, chamando-o de novo para a banca deles. Vi-o olhar de volta para Yukako enquanto ela terminava de guardar o seu *setto*. Ela fez uma reverência para o embaixador britânico, estendeu a caixa para ele e inclinou-se novamente.

— Por favor, aceite esse presente em nome da família Shin — falei.

Os agradecimentos sinceros e graciosos do embaixador e de sua esposa desencadearam uma rajada de olhares e sussurros invejosos entre as Eminências.

— Será que seria possível — começou uma das moças de sombrinha, com a voz extraordinariamente alta para a fragilidade da sua origem nobre — encontrar outros jogos de chá?

Antes que eu traduzisse, já sabia que Yukako ouvira a palavra *setto* claramente: embora ela controlasse o rosto, os pulmões inflando visivelmente revelaram o seu júbilo.

— Estarão à venda aqui amanhã — eu disse, minhas palavras claras e treinadas.

— Por quanto? — perguntou um homem, obviamente fazendo a vontade da esposa.

Eu não precisei traduzir a pergunta, mas o fiz, sabendo que as palavras seriam mais bem-vindas se viessem de uma misteriosa rainha encantada do que de uma palhaça ofegante. Falando depois de Yukako, esperei um pouco e calmamente mencionei uma quantia alta o bastante para esvaziar a disposição dos homens, mas baixa o bastante para fazer com que os olhos das mulheres brilhassem ainda mais.

Não fizemos mais nenhuma referência a dinheiro quando Yukako se ajoelhou diante do fogareiro para começar o *temae* com os seus próprios utensílios, trazidos de casa. Os estrangeiros se inclinavam de lado a lado para examinar as variações nos objetos que tinham acabado de ver.

— É aquele mesmo quadrado de seda: olhe como ela o está dobrando.

— E lá está a caixa de chá de novo; essa aí é preta.

— Lá está a peteca.

— Você já viu algo assim na Holanda? — ouvi uma das Garotas de Sombrinha perguntar ao homem louro.

Ele sorriu para elas com seus grandes dentes quadrados, com o amigo traduzindo com muito boa vontade. Havia holandeses entre os estrangeiros na última Expo — engenheiros especializados em abrir canais, eu me lembrava vagamente —, mas eu nunca tinha visto um de tão perto.

E então as pessoas gritaram excitadas quando, vestidas em trajes alegres e coloridos, as moças da Taroya apareceram com suas bandejas de doces, e seguiu-se o silêncio enquanto os convidados levantavam as tampas de seus pratos laqueados e cheiravam o xarope de cidra derramado sobre o gelo raspado. Tudo estava indo bem. Yukako misturou o chá para o embaixador, um incenso sutil queimava na alcova do pergaminho e as Eminências suspiravam sobre suas raspadinhas doces.

NAQUELA NOITE, Tai e Kenji, que juraram segredo, chegaram com as cem tigelas de chá dos alunos de Raku. Eles não sabiam que Yukako pagara pelo carregamento com a tigela Shunrai do pai deles, mas salvo aquele detalhe, estavam entusiasmadamente cientes do plano da mãe quando nos sentamos no local da Expo, montando os *setto* às dúzias. Eu copiei a minha etiqueta cuidadosamente e a decalquei cinquenta vezes enquanto os meninos enfiavam misturadores em tubos e forravam tigelas para água usada com panos de enxugar feitos de linho. A pilha de jogos de chá envoltos em pano que saía da linha de montagem lembrava a época em que os meninos eram recém-nascidos, quando o vestíbulo ficou cheio de caixas de ovos de presente.

— Eles vão comprá-los todos amanhã — previu Tai confiante.

— O que vamos fazer com as outras cinquenta tigelas? — perguntou Kenji.

— Vamos guardá-las para os novos alunos — explicou Yukako. — Lembra-se de quando vocês eram crianças e queriam que Aki e Toru tivessem tigelas de chá também?

Os meninos assentiram, e pude vê-los olhando ansiosamente para Yukako, querendo que ela dissesse mais alguma coisa. E também pude ver Yukako dando espaço para que eles chegassem às suas próprias conclusões.

NO DIA SEGUINTE, Yukako resolveu que eu não iria acompanhá-la. Ela não queria que os estrangeiros fizessem perguntas; ela queria que eles pagassem e fossem embora. Não sei como Tai e Kenji convenceram o pai a deixá-los ir no meu lugar sem revelar o plano de Yukako, mas sei que estavam desesperados para ver os monstros de nariz grande e olhos azuis por si mesmos. Jiro não pareceu muito feliz com esse plano, mas seus alunos mais avançados receberam com alegria o privilégio de poder ajudar na reunião de chá daquela noite no lugar dos meninos.

JIRO ESTAVA MAL-HUMORADO; seu café da manhã fora interrompido por um mensageiro de Shige, que era um dos convidados daquela noite. Ele sentia muito, mas nada podia fazer, pois Kato, aquele caipira, implorara para acompanhá-lo ao *chakai* e ele estava em dívida com ele; não havia como evitar, teria que levar o sujeito.

— Eu tinha feito preparativos para uns poucos escolhidos — queixou-se Jiro, depois de enviar sua resposta. — Eu já tinha me livrado de Kato em outras ocasiões, mas acho que o homem está determinado a insinuar-se pela porta dos fundos. E Shige é fraco. Primeiro foi aquele tear francês, e agora Kato lhe deu um grande contrato para uniformes, por isso Shige não pode negar nada a ele. — Jiro esvaziou a tigela de caldo de *miso.* — Uniformes. Será que existe algo que se afaste ainda mais do brocado? O pai dele teria tanta vergonha. — Ele falava comigo como se eu não estivesse lá, e mesmo assim fez com que deixar a sala fosse extremamente descortês. — Por que eu deveria sofrer para que ele se venda para aquele tolo de colarinho alto? — disse ele. — Quero dizer, como alguém poderia viver consigo mesmo se falasse como o Conselheiro Kato?

Sob toda aquela irritação e raiva, eu vi a ansiedade infantil no rosto de Jiro, como se, no fundo, Shige não o estivesse incomodando, e sim deixando-o para trás. Lentamente me dei conta de que ele estava me mantendo no aposento com ele. Percebi que eu raramente ficava sozinha com ele.

Já que Jiro passava muito tempo em retiro, nunca me ocorrera que ele pudesse sentir falta da companhia da família, mas como eu estava servindo o café da manhã para ele sozinha — Yukako e os meninos tinham partido antes do nascer do sol —, ele parecia fora de seu ambiente. Suas oferendas matinais aos ancestrais pareciam um pouco vagas, e eu me perguntei o que significaria para ele fazê-las sem os filhos, a sua ligação com a linhagem Shin. Perguntei-me se isso fazia com que se lembrasse do primeiro ano como filho adotivo. Ele era um homem crescido encarando os ancestrais da tímida perspectiva de uma nova esposa. Lembrei-me de como Madame Cachimbo (e ela não era a única) costumava repudiar as esposas dos netos na cara delas: "Um útero é uma coisa emprestada", ela costumava dizer. "Podemos facilmente conseguir outras de onde você veio." Perguntei-me se Jiro alguma vez se sentira tão desprezível.

— Normalmente eu o vejo com os seus alunos, com seus convidados ou com seus filhos — comentei e parei, pronta para sair correndo.

Mas Jiro me deu um raro olhar acessível e concordou.

— Ou estou com meu irmão ou com meu *sempai* — refletiu.

A palavra que descreve aqueles que estão acima da categoria de uma pessoa podia estar se referindo aos monges no templo Sesshu-ji ou simplesmente aos amigos de bebida mais velhos.

— Hoje eu sou como o seu Rie — disse ele, olhando para mim.

Os olhos dele eram lâmpadas suaves e sua voz estava embargada. *Quem é Rie?* Perguntei-me, intensamente ciente do olhar dele.

Fiquei ali, constrangida, com a minha bandeja, para retirar o arroz e o chá que haviam sido as oferendas do dia anterior para os ancestrais, e Jiro puxou a minha manga com seus longos dedos de calígrafo.

— Eu realmente não pensava em você como estrangeira até o dia em que leu a peça para os meninos — ele disse em voz baixa, sem me largar. — Você. não é tão feia quando penso em você dessa forma.

Ele puxou a minha manga com firmeza, mais forte, e ainda assim, era como se ele não a estivesse segurando, como se eu tivesse decidido me deitar no chão, soltar a bandeja que ele tirou das minhas mãos, olhar para cima quando ele virou o meu queixo em direção ao seu rosto assombrado e solitário. Ainda segurando a minha manga, ele me envolveu com o outro braço, encaixando a palma da mão no meu esterno, e me manteve ali enquanto a mão com que ele pintava abria o orifício do tecido embaixo do meu braço e penetrava furtivamente entre o meu seio e a minha *obi*. Eu olhei para ele enquanto ele colocava a mão sobre o meu seio, aquele homem que um dia fora o Menino Vara. A minha compaixão se transformou em uma coisa inchada e trêmula, e fechei os olhos, sentindo a sua respiração irregular contra a minha nuca. *Yukako não teria ciúme,* o pensamento veio a minha mente e se completou um momento depois: *porque ela o menospreza.*

Meus olhos se abriram e em uma fração de segundo percebi que a porta do gabinete estava aberta, com o *shoji* para o jardim escancarado. Chio — ou qualquer outra pessoa — poderia nos ver. Seria tão fácil perder o meu lugar ali. As minhas mãos seguraram os pulsos dele. Eu passava os dias erguendo panelas de ferro e enchendo baldes; Jiro passava os dias na sala de chá. Por isso não foi difícil segurar as mãos dele, removê-las do meu corpo, empurrá-las para o lado e pô-las para baixo. Afinal, ele apenas fizera o que eu deixara que fizesse. Levantei-me e olhei para ele no chão, semiajoelhado, olhando melancolicamente para mim. Senti-me superior, distante, como Kannon olhando do alto o sofrimento dos mortais. Eu estava feliz pela bandeja que pegara, pois queria tanto voltar, colocar a mão sobre a testa dele e dizer algo tranquilizador e tolo. Senti-me triste por ele e, uma vez na vida, muito orgulhosa. E senti-me exposta, agitada e zumbindo como uma colmeia despedaçada. Deixei a bandeja com Chio e caminhei, e depois corri para a Baishian, arrastei-me para dentro através da porta quadrada e fechei-a firmemente, tranquei-me e ao meu coração pulsante na casa de chá. Por que um homem que deixara de dormir com a esposa quando ela começou a parecer um pouco estrangeira iria demonstrar algum interesse por mim? Estávamos sozinhos, suponho. Eu estava lá. *Preciso ter cuidado*, pensei. A minha felicidade aqui não significa nada para ele, e *os homens gostam de terminar o que começaram*. Quem tinha me dito isso? *Inko*, lembrei-me, a minha noite confusa com ela voltando ardente e penetrante, enquanto meu corpo, embora eu não quisesse o homem, se convulsionasse de desejo. Sentia meus seios sensíveis e alertas e as coxas úmidas. Naquele momento, havia apenas uma pessoa no mundo que eu queria. Enfiei a mão entre as pernas e a agitei e sacudi até conseguir pensar de novo. Pensar, pensar, localizar mentalmente uma faca na cozinha que possa usar para defender meu lugar na cama dela, embora casto, a qualquer custo.

Ao deixar a Baishian, voltei pelo caminho mais longo até a entrada da cozinha, o que me fez passar pelo portão da frente. Eu vi um extravagante jinriquixá que me parecia familiar: damas da corte corriam pela sua superfície com os cabelos negros encaracolados e uma dúzia de túnicas em camadas, intrincadas como alcachofras. Quem tinha um assim? O garoto do jinriquixá, sentado no vestíbulo com o chá frio de cevada de Chio, não me era familiar, mas quando vi o seu elegante mestre, congelei. Um lampejo de cor se agitou embaixo do quimono de gaze do homem.

Por isso, não fiquei surpresa ao ver uma adaga no suporte de espadas fora de uso do lado de fora da porta da sala de aula de Jiro. Será que ele sabia do homem tatuado e do prazo antes daquele dia? Eu achava que não, e o meu palpite se confirmou quando subi no barril que ficava nos fundos, na *miyuya* da sala de aula. O rosto de Jiro, desprovido de qualquer ardor, estava abatido e tenso, e ele não deu atenção quando os alunos colocaram a concha de chá para baixo com um movimento em vez de dois. Senti pena novamente, e um arroubo de prazer vingativo: deixe que *ele* sinta como é frágil sua posição!

Entre o meu estranho encontro com Jiro e a reaparição do homem sem a ponta de um dos dedos, eu me esquecera da pequena bomba envolta em brocado fazendo tique-taque na Muin. Mas naquela tarde vi o Mestre Professor limpando o jardim mais meticulosamente do que o normal: no crepúsculo, quando as ipomeias ou damas-da-noite floriram, vi-o arrancando todas rigorosamente, guardando o espécime mais perfeito para a casa de chá. *Ah*, lembrei-me. *O chá de hoje à noite!* A família Shin não dava tanta atenção aos jardins desde que retiraram todas as íris quando o sobrinho do antigo Imperador viera visitar-nos quando eu era criança. O que ele estaria planejando?

RECONHECI A VOZ de Shige na reunião enquanto transportava bandejas da cozinha e a de Okura Chugo também. A voz do Conselheiro Kato também sobressaía no grupo, alta e inábil, forçando até a mais tênue das ligações entre Okura Chugo e seu jovem engenheiro.

— Gosta de *natto*, Sr. Okura? Ora, o nosso Sr. Tanabe também gosta! Qual é a diferença, em sua opinião, entre o *natto* de Tóquio e o de Kyoto, Sr. Tanabe?

O jovem respondeu com uma voz controlada e reticente e, louvável da sua parte, parecia constrangido com a impetuosidade de Kato.

— O de Kyoto é mais saboroso e sutil — disse diplomaticamente. — Sou muito grato por estar aqui.

— Eu não tinha planejado isso, mas o senhor me inspirou, Conselheiro Kato — disse Jiro, com a voz gélida. — Ficará satisfeito em saber que a concha de chá que verá esta noite, Lua Nova, recebeu esse nome em homenagem à casa de chá que o senhor destruiu para construir a Escola de Senhoras. O bambu foi retirado de um exemplar especialmente encantador do teto.

O Conselheiro era calejado demais para sentir a alfinetada.

— Valeu a pena se as moças estão aprendendo, não é? Talvez o senhor tenha uma sobrinha ou prima que gostaria de se juntar à filha do Sr. Shige na próxima primavera?

Ouvi Jiro apoiar o peso na outra perna, surpreso.

— Isso é novidade — disse.

— Bem — disse Shige.

— É verdade. Eu abri mão do pagamento. Nós finalmente conseguimos que participasse do canal; era o mínimo que eu podia fazer, não é, Sr. Shige?

— É mesmo? — disse Jiro. A voz dele parecia estrangulada diante dessa nova revelação.

O Conselheiro Kato preencheu o silêncio constrangedor que se seguiu:

— Mas a minha gratidão mais profunda vai para o seu irmão. Foi com grande prazer que lhe concedi o contrato para escavar o canal, em função do grande apoio dele.

Com esse terceiro golpe a voz de Jiro era um chiado dolorido.

— Parabéns.

— As obras devem começar em setembro — disse o Conselheiro Kato, radiante.

Jiro dava a impressão de que iria tombar quando deixou a sala de chá. Ele se sentou no chão e bateu nos pés dormentes, tentando ferozmente livrar-se do formigamento. Perguntei-me se ele pensava em abandonar o evento de vez. Mas ele tinha tido tanto trabalho! Ainda não estava claro para mim o que ele pretendia com o *chakai*, quanto mais se ele ainda podia esperar ter êxito. A quem ele pretendera impressionar? Claramente não a Kato ou Tanabe.

Fiquei surpresa quando espiei dentro da sala e vi que enquanto não dava para distinguir os homens espalhados no fundo, Shige voltara a ser o convidado principal, com Okura, o irmão mais velho de Jiro, ao seu lado. Ambos vinham com tanta frequência: por que Jiro tinha se dado tanto trabalho? Junto com os petiscos cuidadosamente elaborados por Chio, ele havia encomendado caixas de iguarias em um restaurante, e o tatame, que já era novo quando substituímos o forno de inverno pelo fogareiro de verão, havia sido restaurado mais uma vez. O seu cheiro de capim fresco, o leque pintado pendurado na alcova de exibição, os doces gelatinosos e translúcidos em suas tigelas verdes esmaltadas contribuíam para a sensação de serenidade que Jiro se esforçara para evocar no *chakai* daquela noite.

Minhas perguntas foram respondidas durante o intervalo entre as partes da refeição e da cerimônia de chá do evento quando Jiro, com as mãos tremendo por causa da cascata de más notícias, trouxe a tigela de chá embrulhada da alcova da sala de chá e colocou-a na *mizuya* ao lado de uma caixa de pinho fresco. No lugar de *Shunrai, Trovão de Primavera*, a caixa tinha um nome diferente. Eu decifrei os *kanji* grandes na tampa: *Campo de Chuva*. Os dois juntos compunham o caractere para *Trovão* ou *Kaminari*. Não tinha sido esse o nome que Shige sugerira que Jiro desse a sua tigela Shunrai no chá de primavera deles? Na poesia — eu sabia muito pouco a respeito; o conhecimento era uma luz bruxuleante, ainda malformada, em mim —, a única estação que *Trovão* evocava era o verão. A pedido de Shige, Jiro transformara uma tigela de primavera em uma de verão.

Enquanto durante a refeição eu sentira um prazer vingativo ao ver as coisas dando errado para Jiro, quando vi a caixa que ele pintara, a mesma compaixão que havia drogado o meu corpo naquela manhã brotou em mim novamente. Pobre Jiro. Não bastava que ele estivesse prestes a desembrulhar uma tigela de chá que não estava esperando. Muito pior: agora parecia que ele havia encenado toda aquela reunião de chá como uma oportunidade para fazer com que Shige — ou seu irmão — comprasse a tigela Shunrai. Ou quem sabe antes de saber que eles haviam sido conquistados pelo Conselheiro Kato, Jiro planejasse presentear a tigela ao amigo ou ao irmão, para amaciar o caminho para pedir um enorme empréstimo? Era daquela forma que ele planejara quitar as nossas dívidas? Lembrei-me da sua voz penetrante na manhã em que Yukako colocou a conta do Herdeiro de Chojiro diante dele: "Você verá que não há necessidade de intrometer-se." Mordi o lábio. Graças a mim e a Yukako, quando Jiro desembrulhasse a sua amada tigela de Rikyu, quebrada e consertada com ouro, ele seria forçado a abrir mão dela. *Nós tínhamos cometido um erro terrível*, pensei.

Enquanto Jiro estendia a mão para desatar o nó da bolsa de brocado, movime sem pensar. A casa de chá Muin, como a maioria das construções japonesas, ficava a cerca de 40 centímetros do solo, para protegê-la de insetos e da decomposição. Sem ser ouvida sob o som de Shige e dos outros saindo em direção à pérgula de espera, peguei a última bandeja que deveria levar para a cozinha, deitei-me sobre o caminho de seixos e deslizei para debaixo da casa de chá.

Eu não conseguia ver nada. Senti a terra úmida e o limo. Ouvi um silêncio profundo acima de mim. E então ouvi uma explosão de passos indo em direção à casa principal. Uma explosão de passos voltando. Sussurros urgentes, zangados. Alguém dando vinte passos em direção à torre-depósito, primeiro impetuosos, depois estupefatos e finalmente sonâmbulos. Então a pessoa parou de andar; pareceu tomar uma decisão, voltou-se e, com determinação, caminhou de volta para a Muin.

NO MUNDO DO CHÁ há uma expressão: *ichigo ichie*. Um momento, um encontro. Cada momento é o que é. Embora as pessoas do chá vigiem umas às outras buscando deslizes na conduta, e fofoquem vergonhosamente sobre as técnicas umas das outras, em última instância, no seu sentido mais profundo, não há erros. Isso que o Montanha pretendera ensinar ao dar aos alunos aquela antiguidade preciosa com a fenda, o defeito, que certamente se quebraria com o uso.

Durante anos eu me culpei pela morte da minha mãe — eu poderia ter ficado em casa, poderia tê-la salvado. Eu poderia ter feito alguma coisa e falhara. Mas não era motivo maior para me culpar, percebi, deitada sob a casa naquela noite, do que ter sido a responsável por a tigela de Rikyu finalmente abrir mão do seu caráter de tigela e tornar-se argila novamente. Ela morreu e eu não estava lá. Não havia erros. *Ichigo ichie*. Os atores compreendem isso, seguindo em frente e se arriscando enquanto deixam escapar uma palavra aqui, uma deixa acolá. Jiro compreendera isso, ao consertar a tigela com ouro, e compreendera novamente quando reuniu a grande calma necessária para abrir a porta quadrada e baixa da sala de chá, sinalizando para os convidados, querendo ou não, que voltassem para a Muin.

DEITADA NO CHÃO, eu podia sentir o frio da noite deixando o solo e penetrando no meu peito. Meus olhos se ajustaram à escuridão e se contentaram com a luz de uma vela em uma pequena lanterna de pedra sobre o chão junto à porta quadrada dos convidados. A luz da vela refletia um brilho amarelo sobre as pedras do calçamento, e os tamancos dos quatro convidados pareciam pequenas pontes sobre a luz. E então um inesperado quinto par de pés ficou visível. Na sala de chá escura, eu distinguira apenas Shige e Okura e ouvira somente a voz dos dois outros, Kato e Tanabe. Eu não sabia que havia cinco convidados. E o que havia de errado com aqueles pés? Algo curioso, confuso: eu vi mãos, dedos, cordões. Um homem estava tirando um par de sapatos estrangeiros! Deviam ser de Kato, pensei. Não bastava que tivesse se intrometido no evento e se gabado do seu canal, será que não sabia como Jiro era purista? O tipo de homem que deixava a esposa andar por aí em um vestido estrangeiro porque ainda não tinha se recuperado do choque provocado pelos dentes e pelas sobrancelhas dela. O último homem na rua Migawa que ainda usava trança. O homem que queria que os japoneses fossem japoneses.

Um homem que queria que os estrangeiros fossem estrangeiros, pensei, lembrando-me do que ele dissera antes de me tocar. Estremeci e me forcei a inspirar silenciosa e profundamente, escutando o *temae* acima. Ouvi os convidados mudarem de posição, examinando os utensílios que Jiro trouxera. Ouvi o barulho do chapinhar de água na água e percebi que Jiro estava executando um *temae* especial para o alto verão, no qual o anfitrião apresenta uma tigela de chá cheia de água e um pano de linho suspenso dentro como um lótus branco. Quando o anfitrião torce o pano de linho, o som da água esguichando transmite uma sensação adicional de frescor aos convidados. Imaginei o reflexo da água nos veios de ouro iluminados da tigela de chá.

Eu sabia que seria ouvida se me arrastasse para fora de debaixo da casa, por isso esperei, ouvindo os sons de água e bambu, os convidados deslizando os corpos pelo piso acima de mim. Contive a respiração quando Shige fez as perguntas de protocolo sobre a tigela de chá.

— Nesta primavera — disse Jiro — você me deu a honra de expressar interesse em uma tigela preta Raku nova, chamada Shunrai, feita pelo atual herdeiro do primeiro mestre Raku de Rikyu, Chojiro. Com esse objetivo organizei este evento.

Ouvi um tom tenso na voz de Jiro quando disse aquelas palavras, deixando bem claro que havia participantes que não haviam sido convidados.

— Eu queria retribuir o seu interesse com algo extraordinário — improvisou Jiro. — Quando você disse que devia chamar a tigela Shunrai de Kaminari, eu tive que ficar quieto, pois já existe uma tigela de chá com esse nome. Da mesma forma que o trovão da primavera é fraco e abafado se comparado com o do verão, assim é Shunrai se comparada com a tigela que você tem em mãos. Kaminari foi feita para o próprio Rikyu, por Chojiro. — Ele parecia tão convicto como se tivesse tido a intenção de usar a tigela remendada todo o tempo.

Enquanto os convidados exclamavam surpresos e encantados, ouvi a voz baixa do engenheiro Tanabe repetindo a história elegantemente improvisada de Jiro. Não, não estava exatamente repetindo. O que eu estava ouvindo? Eu estava ouvindo japonês, mas não fazia o menor sentido. E então entendi: uma voz japonesa, usando sílabas japonesas, estava traduzindo as palavras de Jiro para outro idioma. Havia um estrangeiro lá! Prestei atenção, mas o idioma não era nem francês nem inglês. E então uma voz repetiu o que o tradutor dissera, perguntando algo em uma língua áspera e amarga. Era o holandês da Expo.

Eu quase quebrei a cabeça contra a trave do piso acima de mim de tanta surpresa. Será que Jiro estava tão chocado com a presença de Kato — e com a traição do irmão e do amigo — que o insulto adicional de um convidado bárbaro tinha passado despercebido? Ele deve ser uma daquelas pessoas do canal, pensei. Tanabe tinha sido muito gentil, parecia, de traduzir os procedimentos anteriores entre os homens. Eu estava impressionada que Jiro só tivesse deixado transparecer uma pequena tensão na voz quando disse: "Organizei este evento."

No final do *chakai*, depois que Jiro retirara todos os utensílios da sala de chá e entrara novamente para se despedir dos convidados, ouvi a voz do holandês, e as sílabas pouco à vontade de Tanabe tentando calá-lo. O holandês repetiu a sua pergunta curta, e Tanabe, colocando as mãos sobre o piso e fazendo uma reverência profunda diretamente sobre a minha cabeça, perguntou a Jiro algo no japonês mais elaborado e humilde imaginável, como se estivesse tentando contrabalançar a grosseria do estrangeiro. Ele estava perguntando se Jiro cogitaria, em algum outro momento, receber um intermediário para discutir a possibilidade de fazer negócios, quando lhe fosse conveniente, relativos a um assunto de interesse comum.

— Ah, é mesmo? — perguntou Jiro.

Eu sabia que a única coisa que ele queria menos no mundo do que vender aquela tigela de chá ao bárbaro era que seu irmão e Shige o vissem fazendo isso. Eu sabia também que o prazo do homem tatuado pairava sobre ele e que ele ainda não tinha pagado pela Shunrai. O que salvaria as aparências, é claro, seria Jiro não encorajar a proposta do holandês diante do irmão e de Shige, mas tampouco desencorajá-lo.

"É mesmo?" teria marcado o final daquela noite se o holandês não tivesse, naquele momento, falado por si mesmo em um japonês cheio de erros, melindrado, como se tivesse sido forçado a se repetir:

— *Quanto pela tigela?*

As palavras grosseiras retumbaram. Eu podia sentir o constrangimento de Shige e Tanabe e podia sentir o ódio de Jiro perfurando uma cratera quente e escura através do chão. O Conselheiro Imperial tentou atenuar o silêncio causado pela afronta:

— Nós sentimos muito. Não está claro sequer se esse é um assunto possível de discussão em algum momento...

Então Jiro falou. Muito lenta e claramente ele mencionou uma quantia, uma quantia impossível, uma quantia que trocava insulto por insulto. Uma quantia que deixava bem claro para todos que ele nunca iria querer receber um estrangeiro em sua sala de chá novamente. Acima de mim, o piso estalou e rangeu com a movimentação dos convidados, como se sutilmente, sentados, eles estivessem apoiando Jiro contra o bárbaro.

E então ouvi a voz do holandês novamente, direta como o sol sobre uma folha de flandres.

— *Hai.*

O aposento ficou muito quieto.

E então ouvi a voz de Jiro mostrando que não havia erros no chá, mostrando que merecia, naquele momento, com aquele sacrifício, ser chamado de herdeiro do Montanha.

— *Hai* — concordou. Eu sabia que os outros iriam respeitá-lo por manter sua palavra.

O estrangeiro então fez outro pedido a Tanabe, que se recusou a repeti-lo com uma rapidez que me surpreendeu. Sem desanimar, o holandês repetiu o que dissera, dessa vez em japonês:

— *Mo onna.*

Como se estivesse pedindo outra bebida! "Eu quero uma mulher também."
Ou talvez: "Eu quero a mulher também." O meu queixo caiu. Aquela criatura
nojenta achava que Yukako estava à venda.

— O meu convidado não tem ideia de como está sendo desrespeitoso —
disse Kato. — Peço desculpas. Não há motivo para gastarmos mais um momento que seja com esse assunto hoje.

— Nenhum motivo, com certeza — disse Jiro, com uma indiferença tão
zombeteira que seu irmão e Shige riram.

Sem dúvida se fossem casados com Yukako iriam querer se livrar dela também. Mais animados, eles saíram da sala de chá, com o holandês finalmente
calado, amarrando os sapatos de couro.

Eu fiquei deitada embaixo da casa por um longo tempo enquanto Jiro limpava a sala de chá, esfregando o chão com pancadas hábeis e raivosas. Eu ainda estava apertando as correias de algodão dos meus tamancos com os dedos
dos pés, com medo de que fizessem barulho se eu as soltasse. Senti câimbra
nos pés. Algo rastejou sobre a minha perna. Contorci-me. Ouvi Jiro deixar a
sala de chá, ouvi-o dispensar os alunos-ajudantes, ouvi-o afastar-se com a lanterna em busca da tigela de chá Shunrai. Arrastei-me para fora, tremendo na
noite de verão, e subi para o quarto de Yukako, com os tamancos na mão, olhando primeiro para os lados em busca de Jiro. Uma camada fina de sujeira e limo
cobria o meu quimono, e eu rapidamente o tirei e vesti o quimono da casa de
banho. Quando ouvi um barulho conhecido de sapatos do lado de fora da entrada da cozinha, corri para baixo para contar a Yukako o que tinha acontecido, mas era um mensageiro.

O jovem estava vestido com as cores do Conselheiro Kato.

— Isto foi escrito em nome do convidado estrangeiro do meu mestre —
disse ele, mostrando-me uma carta enquanto eu lhe servia chá. — Ele queria
ter certeza de que o seu Mestre Professor a receberia esta noite. Ele está?

Ouvi passos no saguão: era Jiro procurando a tigela Shunrai.

— Ele está ocupado — respondi, examinando o papel silenciosamente.
Distingui alguns números e o caractere que representava a palavra *amanhã*.
Vi o *kanji* para *mulher* também, mas distraí-me com uma conhecida tirinha de
papel que estava no canto dobrado do fundo da carta, com um conhecido selo
grande e quadrado.

— O que é isso? — disse Jiro por trás de mim, com a lanterna na mão.

Ele tomou o papel do mensageiro e o leu, retirando a etiqueta que eu tinha feito para o *setto* de Yukako. Os *kanji* de Yukako haviam sido rasgados, deixando apenas o meu inglês e o selo vermelho, que Jiro aproximou da sua lanterna. Ele me dirigiu um olhar frio e acenou rapidamente com a cabeça para o mensageiro.

— Isso não será problema — disse decidido. — Diga a ele para trazer o dinheiro ao meio-dia.

O meu coração estava batendo na garganta. *Não haja como se tivesse culpa,* pensei, paralisada. *Faça apenas o que sempre faz. O que é que eu sempre faço?* Quando o rapaz partiu, constrangida, abaixei-me para levar a xícara de chá para a bacia, e Jiro me agarrou pelo cabelo.

Mesmo após tantos anos, cada nova visita das cabeleireiras machucava o meu couro cabeludo de novo, com os puxões e a cera, e a mais leve das pressões fazia com que eu me encolhesse.

— O que é isto? — disse Jiro, esfregando a etiqueta na minha cara.

Eu não disse nada.

Eu era mais forte, mas estava em uma posição ruim: tentei pegar o braço dele, mas dei um passo em falso quando ele puxou com mais força e então caí contra o cabo duro da faca de cozinha guardada desnecessariamente na minha *obi*. O meu couro cabeludo ardia.

— *Raku. Shin.* O que é isso? — insistiu ele.

Eu não disse nada, mas, ofegante, cambaleei na direção dele para aliviar a dor. Ouvi a faca deslizar pelo chão.

— Parece que um homem viu a apresentação de jogos de chá à venda na Exposição ontem — relatou Jiro friamente. — Ele gostaria de adquirir a criada de minha propriedade que escreveu isto — prosseguiu, brandindo a etiqueta — contanto que ela seja virgem e de bom gênio. — Outra explosão de dor irrompeu na minha cabeça quando ele me puxou para cima em sua direção. — Olhe para você. Está coberta de sujeira — disse ele, com a boca retorcida. — Vou domá-la eu mesmo; o porco não vai notar a diferença.

Ele torcia o meu cabelo enquanto o puxava, e eu podia sentir alguns fios sendo arrancados do couro cabeludo em uma onda de pequenos estalos. Enfiei as unhas nos pulsos dele enquanto ele me arrastava até o barril de água.

— Lave-se, animal — disse ele, empurrando minha cabeça para dentro d'água.

Se ao menos eu pudesse me arrastar de volta e pegar a minha faca, pensei, antes de tentar respirar e engolir água. *Ah meu Deus, meu Deus*, entrei em pânico, a cabeça queimando. Eu engasguei com um grito de bolhas dentro d'água e ele puxou minha cabeça para fora.

— O que faz você pensar que ela não ia comprar a Shunrai de volta, seu *bastardo*? — gritei a última palavra em francês rudimentar. — É muito mais do que você merece.

Queria ter dito aquilo a mim mesma quando era criança, no colo do meu tio: se um homem a ameaça, pergunte-lhe algo. Não sei por que dá certo.

— Do que está falando? — gritou Jiro, a confusão fazendo com que ele afrouxasse a pressão sobre os meus cabelos o suficiente para que eu lhe desse uma cotovelada na virilha e corresse rapidamente para fora da cozinha, descalça, para o quintal iluminado pela luz do lampião, onde encontrei Yukako, que acabara de chegar em casa.

Eu estava ofegando de raiva e terror. Tentei falar mas não consegui. Eu simplesmente fiquei abrindo e fechando a boca, olhando para ela, enquanto Jiro aparecia atrás de mim com sua adaga na mão.

— Saia do caminho, Srta. Urako — disse ele em voz baixa, olhando para Yukako, lívida.

A adaga brilhava, com uns 30 centímetros de comprimento, curvada e com um gume como as espadas reluzentes de Akio muito tempo atrás. Pensei na minha faca de cozinha que eu deixara para trás no chão e soltei uma risada inapropriada, histérica, que mais parecia um ganido. O que eu achava que podia fazer, *podá-lo*?

Alta em seu quimono de gaze, Yukako olhou para o marido e para a adaga com o mesmo olhar que dirigia aos filhos quando se comportavam mal. Ela me deu uma olhada rápida, protetora e libertadora ao mesmo tempo. Sem tirar os olhos do marido, ela se sentou calmamente numa caixa de madeira. Ouvi o ruído metálico de moedas na manga dela.

Jiro também ouviu.

— Quero saber o que você fez — disse ele, com a voz áspera de raiva. — Mas primeiro quero ver quanto dinheiro conseguiu pela Shunrai. Mostre as mangas.

— Agora? — Yukako olhou para ele, fascinada, e retirou uma pequena bolsa de uma das mangas e algumas moedas da outra. No banco do lado de fora do vestíbulo, sob o lampião pendurado, Yukako depositou as moedas e Jiro sentou-se para contá-las. Eu fiquei de pé na porta, um pouco atrás de Yukako, com o sangue pulsando na cabeça.

— Você acha que vendi a sua tigela Shunrai a algum estranho? — perguntou ela.

— Cale a boca.

Com a interrupção, Jiro recomeçou a contagem do começo.

Yukako observou-o.

— Eu não a vendi. Empenhei-a a Raku por uma centena de tigelas de chá feitas por alunos. Hoje vendi cinquenta.

— Cale a boca! — rosnou Jiro, brandindo a faca.

Ele piscou para as pilhas de moedas e começou a contar uma terceira vez, colocando a faca de lado para poder tocar o dinheiro com ambas as mãos. Com tanta facilidade e tão hipnoticamente como seu pai fazendo chá, Yukako deslizou na direção dele e tomou a faca. Ela guardou-a dentro da casa, voltou e não disse nada, com os braços cruzados.

Finalmente Jiro terminou. Ele se levantou e olhou para Yukako, com os punhos junto ao corpo.

— Então isso foi tudo o que conseguiu? Você roubou a Shunrai por isso? Eu sacrifiquei a tigela de Rikyu por *isso*? Sua puta desprezível, piranha do açougueiro — recitou ele, procurando uma palavra bem baixa. — *Cocô de rato* — disse ele e deu-lhe uma bofetada.

Ele *bateu* nela. Subi no banco e pulei para baixo, atacando Jiro de cima, com toda a vantagem para mim. Imobilizei-o no chão e forcei o braço dele para trás das costas como um capanga irlandês.

— Tire o seu cachorro de mim — Jiro ordenou à esposa, arfando.

De pé, Yukako olhou para o marido deitado no chão.

— Eu vendi as cinquenta tigelas de chá — disse ela, prosseguindo com a explicação como se nada tivesse acontecido. — E recolhi a minha remuneração da Expo. Você tinha algumas dívidas em Pontocho que precisavam ser quitadas — disse ela, referindo-se ao homem tatuado. — Então saí diretamente da Expo e tratei do assunto. E depois, porque a última coisa no mundo que eu ia querer era desagradar o meu senhor, fui a Raku e comprei a Shunrai de volta para você. — Yukako segurou a sua caixa pelo lenço de carregar. — O que você acabou de contar é o dinheiro que sobrou. Urako, pode parar. Você o está envergonhando — concluiu ela.

Eu o soltei e Jiro sentou-se, em silêncio, de pernas cruzadas no chão. Yukako colocou a caixa no colo dele com ambas as mãos. Com uma expressão vazia, Jiro desatou o tecido; seus dedos longos acariciaram sua própria caligrafia.

As cabeças de Jiro e Yukako se levantaram abruptamente ao som da música de um instrumento de sopro, e eles olharam um para o outro, unidos por um momento de perplexidade. Jiro começou a tremer enquanto desfazia a camada de seda dentro da caixa e pegava a tigela de chá Shunrai, negra como a noite. Ele a examinou com um olhar perdido.

— O que eu faço com isto agora? — murmurou.

Uma pequena procissão surgiu: os dois meninos, trazendo cuidadosamente dois condutores de carroça. Com uma lanterna na mão, Tai pagou os carroceiros enquanto Kenji tocava a sua longa flauta de bambu. A boca de Jiro formou um pequeno "o" entorpecido enquanto os carroceiros descarregavam cinquenta tigelas de chá feitas pelos alunos de Raku, cada qual em seu próprio saquinho.

Olhei para Jiro e me dirigi a ele, como se em seu choque ele pudesse me ouvir. Apontei para a tigela no colo dele.

— Talvez o estrangeiro queira negociá-la pela tigela de Rikyu que você lhe vendeu — eu disse. — Não tente me negociar, pois não estou à venda.

De repente, Jiro levantou-se, deixando a Shunrai em sua caixa no chão. Ele tomou a flauta de bambu das mãos de Kenji, ergueu-a sobre a cabeça como um porrete e golpeou-a contra uma das tigelas feitas pelos alunos.

Uma tigela Raku quebra com um ruído surdo, oco, como um homem levando um chute no peito. Os meninos assistiam boquiabertos enquanto o pai quebrava e triturava até que a flauta se partiu nas mãos dele, até que se tornou um toco pontiagudo de bambu, e lágrimas correram por seu rosto. Ofegando, ele disse algo a Yukako. O que foi? Ele era, disse ele, como Rie, como Lear sem a tempestade, traído pela família e pelos amigos, com o rosto desprotegido tomado pela tristeza. Ele fitou Yukako. Ela havia lambuzado as roupas dele com fezes quando ele era garoto e ele carregara aquele segredo, para que pudesse se tornar um homem como o pai dela. Não: para que pudesse viver no sonho de ser tal homem, em seu próprio *mundo flutuante*, no qual bastava amar o chá. Jiro olhou para Yukako e repetiu, com a voz úmida de desespero, a verdade cômica de uma noite trágica:

— Não foi para isso que me casei com você.

BEM CEDO NA manhã seguinte, Jiro partiu para a casa de chá Um Pinheiro, aposentando-se permanentemente aos 33 anos de idade para fazer os votos no templo Sesshu-ji.

HORAS DEPOIS de sua partida, Jiro mandou avisar à mulher que Tai já tinha idade suficiente para chefiar a casa sozinho. Ao ouvir isso, Yukako despachou as coisas do marido em uma frota de carros de mão e mandou Kenji com eles ao retiro do pai para dizer que se Jiro preferisse ficar, ela financiaria com prazer a restauração da Um Pinheiro. Kenji voltou à noite com a notícia da aceitação de Jiro. Naquela mesma noite, enquanto os meninos tomavam banho, ajudei Yukako a levar a roupa de cama deles para baixo, as poucas roupas, livros e tesouros, e acomodá-los no gabinete do jardim do pai deles. Solenes e reservados, os meninos já não eram crianças: naquela noite ninguém voltou correndo para o andar de cima para dormir na cama da mãe.

ACHO QUE NINGUÉM conseguiu dormir na noite em que Jiro explodiu. Os meninos ficaram acordados o tempo todo, cochichando. Yukako saiu sozinha, para a Baishian, com certeza. Jiro saiu para a sua libertinagem noturna e voltou se arrastando na manhã seguinte, permanecendo apenas o tempo necessário para procurar umas poucas coisas em seu quarto e cambalear de volta para o jinriquixá que o aguardava. Eu sei disso porque passei a noite inteira acordada até que o céu, de preto, se tornasse branco, com o meu couro cabeludo ardendo, arrasada de pena, nojo, medo e vergonha. Eu não conseguia parar de me preocupar com os mesmos três fatos. Eu havia deixado que ele me tocasse. Eu tive muita sorte que Yukako tivesse chegado em casa a tempo. O holandês ia trazer o dinheiro ao meio-dia. Eu me senti ferida e muito sozinha. O mosquiteiro, invisível no escuro, tornou-se uma névoa na manhã cinzenta, quando ouvi o jinriquixá de Jiro chegar e partir.

Os meninos fingiam dormir quando passei. Encontrei Yukako no andar de baixo, no santuário da família, sentada com as mãos entrelaçadas diante de um desenho a nanquim do pai dela, feito por um artista. Uma varinha nova de incenso queimava diante do quadro, a fumaça subindo como as sementes de asclépia levadas pelo vento.

— Suponho que você ouviu ele indo embora também — eu disse.

— *Un* — resmungou ela.

— Sinto muito que isso tenha acontecido...

— Não há realmente nada para se dizer. — Era difícil decifrar a voz dela, nem zangada nem triste, mas opaca, gasta, como vidro desgastado pelo oceano. Ela ficou em silêncio por um longo tempo e então tomou uma decisão: — Acho que, se ele não voltar agora de manhã, eu vou dar a aula no lugar dele — ela disse em voz alta.

— *Hai* — eu disse. — Gostaria de um pouco de chá?

— Muito. — A voz dela era fria mas suas mãos envolveram a xícara, agradecidas. Contei-lhe, envergonhada, sobre o holandês, e ela riu.

— Vou resolver isso.

Jiro havia levado as duas tigelas de chá pretas, a velha e a nova, por isso, quando o holandês veio, Yukako pegou metade do dinheiro dele em troca de outra tigela que diziam ser da época de Rikyu e mandou-o embora com uma recomendação de onde poderia comprar uma moça jovem, já que eu certamente lhe transmitiria uma doença desagradável.

NAQUELA NOITE, depois que os meninos foram dormir em seu novo quarto, eu fiquei deitada sozinha no quarto de Yukako, esgotada. Quando ela subiu, vi que tinha tirado todos os pentes, grampos, cordões e enchimento de crina de cavalo do cabelo, que caía, recém-lavado, em longas faixas molhadas.

— Acho que este foi o meu último — disse ela, despedindo-se do penteado de mulher casada.

Lembrei-me da história de Inko sobre a mãe dela repelindo o marido com o penteado *obako* de viúva depois que dois de seus filhos morreram. Eu sentia tanto a falta dela. Yukako sentou-se diante do espelho, experimentando um coque com beirais acentuados como o de uma senhora estrangeira.

— A Srta. Miki com certeza ficará surpresa quando vier amanhã — eu disse.

Enquanto eu estava sentada na cama observando Yukako, imaginei a filha da cabeleireira trazendo notícias da prima, que por algum milagre estaria morando em Tóquio de novo. *Ela vai ter um recado para mim de Inko, um presente.* A exaustão fez com que eu facilmente sonhasse acordada, repousando o queixo sobre os joelhos.

Toquei o meu próprio cabelo. Eu escondera meu penteado arruinado sob um lenço grande de criada durante todo o dia, jogando vez ou outra pedaços soltos de crina de cavalo e cordões no fogareiro da cozinha, meu estômago dando nós com a lembrança das mãos de Jiro. *O que iria acontecer quando ele voltasse?* Preocupei-me durante toda a manhã, e então veio a mensagem dele. Ele não ia voltar. Por que, então, não lavar o meu cabelo também e começar de novo? Naquela noite coloquei o meu braço sobre o peito de Yukako e dormi como uma pedra, em segurança.

23

1885

O PRIMEIRO CONVITE formal para o chá que Tai fez como o novo chefe da casa foi, sob ordens de Yukako, para o Conselheiro Imperial Kato: Tai seria o anfitrião e ela iria ajudar. Com os trabalhos do canal em andamento, a corte Meiji pedira a Kato que concentrasse sua atenção nas escolas públicas, um problema ao qual ele tinha se dedicado esporadicamente desde a sua chegada. Era outono, a estação da cavalinha, e a venerável tigela de chá que Yukako escolhera era de um raro azul-metálico com manchas, como o corpo da cavalinha; tracejada com nanquim, uma *ami* ou rede de pesca. Era um cumprimento tanto à estação quanto à escolha de Kato de xales axadrezados *ami* para a Escola das Senhoras Cristãs.

Embora ele tivesse vindo de quimono antes, em deferência aos sentimentos de Jiro, naquele dia Kato vestia um terno de três peças e uma cartola, que pendurou no suporte de espadas do lado de fora da sala de chá. Ele também tirou os sapatos ocidentais, novos e chiantes.

Cada detalhe na Baishian, embora estivesse em harmonia com o começo do outono, também fora claramente escolhido para homenagear o Conselheiro Kato, desde o arranjo floral que evocava a folha de bambu do seu pai samurai (um único crisântemo em um vaso recém-cortado de uma seção de bambu verde

313

e que ainda conservava algumas folhas verdes) até o prato de doces, um caqui gelatinoso em calda de lichia, lembrando que a família de sua mãe era do ramo de atacadistas de frutas.

— Embora as condições nem sempre fossem propícias no passado — disse Kato, com a pronúncia do sul dando um tom áspero à sua voz, referindo-se delicadamente às muitas vezes em que Jiro o repelira —, estou feliz de estar aqui hoje.

— Sei que a tragédia do meu marido é do conhecimento de todos — disse Yukako, como uma forma de se desculpar. — Ele não estava sempre em seu juízo perfeito.

QUANDO AS MINHAS tarefas de levar e trazer bandejas terminaram, sentei-me na *mizuya* da Baishian e assisti orgulhosa ao primeiro *chakai* de Tai. O novo Mestre Professor parecia tranquilo enquanto espanava o fogareiro com seu feixe de penas. Embora, em particular, eu continuasse a chamá-lo de Tai, ele acabara de receber seu primeiro nome adulto, Rensai, em Tóquio, quando foi apresentar o chá na corte: ele usava o nome novo com uma modéstia elegante. O seu *temae* era claro e moderado, suas respostas às perguntas cerimoniais de Kato mostravam o seu conhecimento, mas eram despretensiosas, embora um pouco curtas. Yukako teve que interferir e explicar por que Tai — na verdade ela — escolhera a tigela de chá com a estampa de rede, embora eu soubesse mais tarde que ela planejara assim.

— Meu filho ficou impressionado com a sua escolha simples mas eficaz do uniforme para as alunas — explicou. — De onde veio a ideia?

Koito nos contara havia muito tempo que não há nada que um homem goste mais do que ser convidado a falar sobre até mesmo a menor das suas realizações. Embora o Conselheiro Kato, como qualquer bom samurai, se esforçasse para soar humilde no começo, o conselho foi muito útil a Yukako.

— Quando eu trabalhei com os rapazes do exército, a coisa mais importante no começo era fazer com que o mundo os visse — e que eles vissem a si mesmos — como uma unidade moderna a serviço do Imperador, não como filhos de fazendeiros, mercadores ou artesãos desta cidade ou daquela — disse ele. — É o que eu queria para a equipe do canal, trabalhadores e engenheiros como iguais, e é o que eu queria para a Escola de Senhoras. Algo que as igualasse e as caracterizasse como parte do mundo moderno, onde as filhas não são simplesmente mantidas em casa, em caixas. Ainda assim, enquanto as roupas ocidentais dos homens são itens mais ou menos padrão — explicou —, as roupas ocidentais das mulheres têm que ser feitas sob medida, e isso é muito dispendioso para a maioria das famílias. Então escolhi algo acessível mas que ainda transmitiria a ideia de novidade e respeito ao comando. — A voz dele tornou-se melancólica: — E não seria condizente, todas aquelas belas jovens usando mangas estreitas e pequenas, não acha?

A boca de Yukako retorceu-se quase imperceptivelmente com aquele desprezo pela roupa que ela usava como professora, e então juntou-se a Kato em uma risadinha.

A coisa mais impressionante sobre o *temae* de Tai era que quando o Conselheiro Kato e Yukako por fim começaram a conversar, ele não fez nada para atrair atenção para si mesmo, embora seus pés estivessem, sem dúvida, dormentes e ardendo. Ele se moveu para aliviá-los tão naturalmente que nenhum dos convidados olhou para ele e assim mesmo ambos inconscientemente seguiram o seu exemplo.

Yukako escutou o convidado com atenção, e então, com cuidado e hesitação, falou:

— Quando meu pai estava vivo — disse ela, fazendo imediatamente com que o Conselheiro Kato se inclinasse para a frente em sinal de solidariedade —, ele sonhava que o chá se tornasse um tipo parecido de nivelador, um uniforme.

— É mesmo? — disse o Conselheiro Kato.

— Quando escreveu à corte Meiji, ele disse que o objetivo do chá era que as pessoas encarassem umas às outras como iguais. Exatamente como acabou de dizer, ele queria encontrar uma forma para que mercadores e samurais, homens comuns e artesãos, nascidos em Kyoto e homens de Satsuma — disse ela, inclinando a cabeça em direção ao Conselheiro Kato — colocassem suas diferenças de lado e se reunissem em casas de chá como iguais, como irmãos... — inspirada, ela se agarrou à retórica de Kato — ... sob o comando do Imperador, cidadãos de um novo Japão.

Eu nunca tinha ouvido Yukako falar daquela forma antes.

— Algumas pessoas do chá não pensam assim — disse Kato.

— Meu marido não estava bem — concordou Yukako. Ela fez uma pausa e depois prosseguiu: — Eu sei que parte do seu trabalho é determinar o que os jovens de hoje deveriam saber. — Tendo deixado escapar a alusão, ela rapidamente mudou de assunto: — Eu admiro muito as medidas que tomou. Quantas escolas disse que já abriu?

— Em Kyoto, cinco para meninos e uma para meninas até agora, sem contar as escolas cristãs. Leva-se apenas alguns segundos para declarar a educação compulsória — disse ele, referindo-se à proclamação do Imperador no começo da Era Meiji. — Mas construir escolas pode levar anos. Então estamos começando com os filhos dos pais mais ricos, já que eles estão em posição de lucrar mais com o treinamento ocidental. Mas dê-me dez anos...

Yukako ficou em silêncio, e então, como se as palavras tivessem acabado de lhe ocorrer, Kato disse:

— Um uniforme. Um nivelador.

Yukako fez um som de encorajamento sutil.

— Os velhos estão reclamando da Escola Superior de Mulheres em Tóquio, eles dizem que produz moças preparadas apenas para serem professoras e esposas de estrangeiros. Essas moças sabem falar francês ou dançar uma valsa no Cervo Bramidor com o Primeiro-Ministro, mas elas nunca fizeram arroz ou recitaram algo do *Hyakunin Isshu*.* Eu vou abrir duas novas escolas de moças na primavera e vinha pensando em como responder a essas críticas. Mas hoje...

— A voz dele foi morrendo, e passou a falar mais consigo mesmo do que com Yukako: — Além disso, angariei tanto rancor dos sacerdotes por fechar as escolas dos templos. Eles acham que uma escola *secular* é por definição uma escola *cristã*. — Ele fez uma pausa. — Não são eles que sempre dizem: "Chá e Zen têm o mesmo sabor?"

Eu quase ri com o dito que Jiro usava para se justificar, proferido sempre que ele partia para Sesshu-ji, falado com o sotaque pesado do Conselheiro Kato.

— Sempre fui um homem de ação — declarou Kato. — Na época de nossos pais costumávamos esperar, sugerir e fazer uso de um intermediário,

---

*Antologia de poesia *tanka*, reunindo os cem maiores poetas do período Heian. (*N. da T.*)

mas os tempos são outros. Eu vou simplesmente perguntar-lhe, Mestre Professor... — nesse momento ele fez uma reverência profunda ao filho de Yukako — ...será que você e seus alunos estariam dispostos a pensar na possibilidade de ensinar O Caminho do Chá nas escolas de moças que estamos construindo?

Os olhos de Tai se arregalaram. Afinal, ele era um menino de apenas 13 anos. Eu pude ver como ele se controlou para não se voltar para a mãe em busca de conselho na frente daquele homem. Por um momento ele não disse nada.

— A cidade pagaria, é claro — acrescentou Kato.

Vi Yukako fazer uma cara pensativa para refrear um sorriso.

— Tenho que pensar a respeito — disse Tai.

— Existem velhos que perguntam: "Por que deveríamos educá-las afinal? Não é preciso ler para dar um neto ao sogro ou obedecer a sogra na cozinha. Mas no Ocidente uma jovem não é um mero útero emprestado. Ela é uma boa esposa e uma mãe sábia: ela educa os filhos e dá conselhos ao marido. Há 15 anos, a corte enviou cinco jovens para serem criadas nos Estados Unidos, a fim de que voltassem e ensinassem às mulheres japonesas como serem boas esposas e mães sábias também. As moças voltaram há três anos; estou ansioso para saber no que resultou a experiência.

Inclinei-me para mais perto: já que eu mesma era um tipo de experiência, também queria saber. Kato prosseguiu:

— O meu patrício Saigo Takamori costumava dizer que não devemos jogar fora o melhor do antigo para favorecer o novo, e aqui eu concordo com ele. Uma mãe sábia pode usar o chá para ensinar aos filhos as Cinco Virtudes Constantes; não consigo pensar em uma forma melhor de ensiná-las. E uma boa esposa? Sabe como eu ficaria feliz, como cristão, de ver o chá em casa e não no mundo flutuante. Ora, todos os filhos e maridos do Japão se beneficiariam se as mulheres aprendessem a tradição do chá.

Eu podia ver que Yukako, embora estivesse contente, estava um pouco surpresa pela direção que o entusiasmo do Conselheiro Kato havia tomado.

— Fico pensando se os meninos não iriam se beneficiar com o estudo do *Ocha* também — ela disse cuidadosamente.

Parecia demais salientar que a família dela vinha treinando jovens senhores no Caminho do Chá havia centenas de anos.

— E onde melhor para aprendê-lo do que em casa? Como seu pai dizia tão bem, o chá ensina a sabedoria, a honestidade, a lealdade ao Imperador. Imagine, todas as vantagens de um currículo centralizado, transmitido durante os anos mais impressionáveis de uma criança, em casa! Veja os seus próprios resultados! — disse ele, com um gesto em direção a Tai.

— Eu sei que o *temae* dele não é impressionante, mas meu filho de fato *aprendeu* com o pai e o avô — Yukako corrigiu-o gentilmente:

Ela parecia confusa e um pouco ressentida. Por que ele estava insistindo com as escolas de moças quando era óbvio que elas eram uma reflexão posterior?

A voz do Conselheiro Kato tornou-se animada e confiante.

— Um argumento válido. Sabe, os dias dos meninos são totalmente planejados em cada detalhe, ao menos pelos próximos anos. Engenharia, matemática, ciências. Não depende mais de mim. Tenho mais controle sobre as meninas, já que essas escolas estão sendo criadas agora. Espero, Mestre Professor — disse ele, fazendo uma reverência para Tai —, que pense bem a respeito do meu pedido. Talvez possamos começar nas escolas de moças na próxima primavera e ver o que acontece. Em seis anos o Ministério da Educação virá de Tóquio para ver como nos saímos, e então, será uma boa oportunidade para tentar conseguir o *Ocha* para os meninos.

Apreensivo com o vigor arrogante de Kato e porque, afinal, ele tinha sido criado mergulhado na aversão do pai por aquele homem, Tai ficou um pouco irritado com a voz impetuosa e negligente do homem de Satsuma.

— Ficarei feliz de estudar o seu pedido — disse ele, um pouco constrangido.

A boca do Conselheiro Kato contraiu-se com aquela demonstração de arrogância juvenil. Yukako dirigiu um olhar velado para o filho.

— Vou esperar a sua resposta ansiosamente — disse Kato e mudou de assunto. — Como cristão — começou —, tenho receios em relação à dança mista no pavilhão Cervo Bramidor, mas um assunto sobre o qual eu e o Primeiro-Ministro Ito estamos de pleno acordo é o do *vidro*.

— Ouvi rumores a respeito — disse Yukako, contente porque o momento constrangedor havia passado.

A Escola de Senhoras Cristãs tinha janelas de vidro, assim como outros prédios ocidentais sendo construídos em Kyoto, mas o Conselheiro Kato era o primeiro japonês que qualquer um de nós na casa de banho dos criados soube que instalara *garasu* em sua própria casa. Jiro tinha visto dezenas de janelas de vidro em Tóquio e as descrevera com um arrepio, enquanto Yukako e Tai maravilharam Kenji a respeito delas quando voltaram.

— Na nova capital visitamos um oficial que tinha um salão ocidental para receber diplomatas estrangeiros na frente e uma casa normal para sua família nos fundos. Por isso tinha vidro no salão e papel *shoji* nos outros quartos — disse ela, as palavras inglesas adaptadas para o japonês ásperas em sua língua: *garasu, paaraa.**

— É esse o seu plano?

— Ah, não. Descobri uma equipe de *gureijeẓu* japoneses — disse ele. *Gurei-je-ẓu? Glaẓiers*, vidraceiros em inglês. — Eles instalam vidro em nossas próprias portas e janelas, exatamente onde vai o papel. É caro e leva tempo, mas o dinheiro volta direto para o Japão, e veja os resultados!

Veja os resultados: eu movi os lábios dizendo silenciosamente a expressão favorita de Kato para mim mesma, zombando.

— Estou incentivando todos os que conheço a considerar esse passo, especialmente as pessoas que estejam se beneficiando da generosidade do Imperador — disse ele, tornando-nos apenas mais cientes da nossa remuneração, que era pequena, e da dele, que era grande. — Há forma melhor de demonstrar o comprometimento com um Japão Civilizado e Esclarecido do que trazer essa clareza direto para casa? Ora, imagine só como ficaria linda esta casa de chá!

Yukako olhou ao seu redor para as paredes e janelas da Baishian, a luz leitosa e brilhante suavizando o rosto de seu filho.

— Que interessante — disse ela, impassível. — Preciso do nome do seu vidraceiro.

DESDE QUE OS meninos haviam deixado o quarto de cima, Yukako permitia que eu usasse óleo para massagear seus pés maltratados à noite. Ela trouxera uma escova estrangeira de cerdas de Tóquio, e eu costumava escovar seu ca-

---

***Garasu, glass* — vidro em inglês; *paaraa, parlor* — salão em inglês. (*N. da T.*)

belo espesso: ela não tinha ideia de como iria gostar de pentear o cabelo até que começou a usar um penteado estrangeiro. Eu percebi, no começo do exercício das minhas novas obrigações, um trecho de couro cabeludo do tamanho de uma moeda no alto da cabeça dela exposto por causa dos anos nas mãos das cabeleireiras. Ela o havia coberto com um punhado de cabelo falso antes da partida de Jiro, e agora o seu coque macio de beirais acentuados o escondia. Mas eu o via à noite, assim como, aqui e ali, os fios brancos, que recebi ordens para arrancar. Fiquei impressionada com esses segredos, talvez ainda mais do que ficara com o milagre dos seus exuberantes cabelos negros, sedosos após anos sendo untados para ficarem rijos, meus de uma forma que nunca tinham sido, pesando em minhas mãos enquanto os penteava. Todas as noites eu fazia uma trança frouxa para evitar nós enquanto Yukako bebia o seu *soba-cha*, um chá quente feito de trigo-sarraceno torrado. Eu estava mais feliz do que tinha estado em anos. Os meninos estavam crescidos e ela era minha para afagar e almejar. Pouco tempo depois que Tai e Kenji começaram a dormir no andar de baixo, eu me atrevi uma vez a tocá-la não apenas para abraçá-la, mas para apertar meu corpo carente contra o dela. Ela enrijeceu, voltou-se abruptamente e, sem uma palavra, me afastou.

Naquela noite, depois do primeiro *chakai* de Tai, enquanto eu escovava os cabelos de Yukako, ela ficou passando o dedo nervosamente na borda da xícara de chá e franziu as sobrancelhas. Ela ainda tinha aquele olhar intrigado, ofendido.

— Escola de moças — murmurava de vez em quando, surpresa.

Eu escovei o cabelo dela bem mais do que o necessário até que o seu rosto suavizou-se e ela suspirou como se estivesse tomando um banho quente.

— Ele é um homem estranho — disse ela, adormecendo.

SE TAI TINHA mostrado resistência à ideia do Conselheiro Kato, bastou dar uma olhada no livro contábil da família para que ele enxergasse a sabedoria da posição da mãe. Quando o pedido formal do homem de Satsuma veio, Tai, com o incentivo de Yukako, respondeu que teria prazer em fornecer instrutores para ensinar o Ocha Shin nas escolas de moças na primavera seguinte, contanto que os pais ou as escolas se dispusessem a comprar — de nós, é claro — os utensílios necessários para cada aluno. Quando a aprovação de Kato veio, Tai ficou feliz de deixar que a mãe se encarregasse do projeto, assoberbado como estava, aos 13 anos, com a quantidade de cerimônias de chá e aulas que se esperavam dele.

POUCO DEPOIS da visita do Conselheiro Kato, a saúde de Matsu entrou em seu último declínio. Quando o marido de Chio já não podia usar o banheiro sem ajuda, ela e Kuga se reuniram com Bozu, o jardineiro com a cabeça raspada. Nao, o filho de Matsu, deveria ter assumido o lugar do pai como jardineiro-chefe, mas não tivemos notícias do rapaz da fotografia de Chio — além dos votos de um ano-novo com saúde e prosperidade — desde o ano em que sua filha Aki chegou até nós. Em vez disso, Bozu e seu neto Toru, meigo e bobo aos 14 anos, haviam assumido o trabalho de Matsu durante a doença dele. Na casa de Chio e Matsu do lado de fora da cozinha, os adultos resolveram casar Toru com Aki e declararam Toru filho adotivo de Nao. A menina, no entanto, ainda era menor de 10 anos, então o casamento foi adiado até que ela começasse a menstruar.

Eu era anos mais velha que Toru, mas entre os meus 14 e os meus 24 anos de idade, o menino lento, com marcas de varíola, que tinha aquele nome por causa da rainha Vitória, estivera entre os portadores de lábio leporino, ou corcundas e surdos-mudos que as garotas da casa de banho haviam mencionado como maridos potenciais para mim. Nada jamais resultou daquelas conversas, e agora que eu tinha quase 30 anos, era impróprio falar de tal forma de uma mulher da minha idade. A casa de banho estava cheia de crianças que me chamavam de *Tia*, e Chio encurtara discretamente as mangas de menina de todos os meus quimonos: eu usava o nome e o vestido que me acompanhariam por décadas dali em diante.

MATSU MORREU no final de setembro. Ele havia sido tão forte; foi um ato de misericórdia ele ter sido poupado da consciência de sua fragilidade no final. Ele aceitara o nosso cuidado com a placidez de uma criança e suportara dor e desconforto com a falta de memória de uma criança. A raiva e o carinho do luto de Chio e Kuga já haviam passado quando ele morreu, e eu compreendi: a visão do exterior dócil de Matsu adormecido na cozinha não arrancava lágrimas como alimentá-lo fizera, ou a visão de suas mãos quando perdera a razão segurando bolas de neve imaginárias.

A teoria de Matsu para explicar por que eu não falava nada de japonês quando vim para a casa dos Shin e me tornara totalmente fluente vinte anos depois era que o fogo queimara a linguagem em mim, que eu não estava *aprendendo* japonês na Casa da Nuvem mas apenas *relembrando*. No verão, quando fazia gelo raspado para as crianças (seu neto Zoji, no começo, e mais tarde Tai, Kenji, Toru e Aki), Matsu sempre se assegurava de que eu recebesse uma tigela cheia, mesmo quando eu já tinha deixado de ser criança havia bastante tempo, para lutar contra o gosto do fogo. Dessa forma ele tinha algum crédito pelo japonês que eu aprendi. Quando eu estudava com os meninos, ele costumava repreender-me: "Nunca diga que está velha demais para gelo raspado. Veja só o quanto esqueceu." Eu desejei, no final, que eu tivesse sido capaz de lhe dar o mesmo conforto. Quando começamos a deixar oferendas de comida no túmulo dele, a estação do gelo raspado já havia passado, então eu deixei uma esfera perfeita de arroz branco, redonda como o carvão vegetal moldado que ele fazia, branca como uma tigela de neve.

Talvez para compensar a ausência de Matsu, no dia em que ele morreu, Chio mudou a fotografia de Nao do seu lugar na cozinha para uma prateleira na casinha dela. Ela, Kuga, Aki e Toru usaram roupas negras durante 49 dias, evitando santuários xintoístas, sangue e álcool. Esta última proibição mostrou-se especialmente difícil para Kuga, a quem o saquê havia consolado durante as mais longas vigílias com o pai. No quinquagésimo dia, Yukako, Tai e até mesmo Kenji — embora Jiro exigisse que ele ficasse em Sesshu-ji a maior parte do tempo — compareceram à cerimônia em memória de Matsu no templo da vizinhança. Yukako segurou a mão de Aki enquanto Chio, Kuga e Toru faziam suas oferendas e traziam água para lavar a pequena lápide de Matsu.

Enquanto atravessávamos o pequeno cemitério em direção às sepulturas dos criados, eu tive a incômoda sensação de estar sendo observada. Havia um homem sentado calmamente em um banco perto do túmulo de Matsu: ele se levantou quando nos aproximamos, como se estivesse esperando por nós. Ele usava botas de trabalho ocidentais, feitas de couro, perneiras de criado e um quimono curto de mangas retas, como um condutor de jinriquixá ou um carpinteiro. No entanto, ele não parecia estar lá a trabalho: a sua postura, com as mãos nos quadris, era muito calma, suas roupas, muito limpas. Ele tinha entre 35 a 45 anos, sólido como um buldogue, com um aspecto de menino, com as maçãs do rosto acentuadas e delicadas. Ele era mais alto até do que Yukako, com os cabelos quase tão compridos quanto os dela. Estavam atados para trás com tiras de couro, mas não estavam untados, o que lhe dava a aparência de um salteador. Quando os olhos dele e os de Chio se cruzaram, ele fez uma profunda reverência diante dela.

— Mãe — disse ele.

24

1885-1890

CHIO FICOU PARALISADA quando viu o homem. Eu nunca a tinha visto tão imóvel. Por um momento eu era uma criança de novo, enfeitiçada pela fotografia, indistinta mas venerada, de um jovem solene. E então vi o braço de Chio no ar, vi-a dar um tapa no rosto do filho, vi-o se retesar e aceitar a bofetada.

Chio fez uma reverência em agradecimento com lágrimas no rosto.

— Tome isto e ajude-nos — disse ela asperamente, entregando-lhe um balde de madeira cheio d'água para lavar a lápide de Matsu.

— Obrigado — disse ele.

— Aquele é Nao, não é? — eu disse ofegante.

Yukako lançou-me um olhar de reprovação: "Quem mais podia ser, *baka?*" O rosto dela estava rígido e mordaz. Ela deve ter apertado a mão de Aki com muita força, pois a menina tentou se soltar.

Nao executou todos os procedimentos para Matsu — desde acender o incenso até pagar o sacerdote — exatamente como Jiro fizera para o Montanha, exatamente como o Montanha, no lugar de seu irmão que estava preso, fizera para Madame Cachimbo. Ele desempenhou o papel de filho mais velho enlutado corretamente e com sinceridade, e mesmo assim eu podia sentir, além da curiosidade dos mais jovens e da extrema incredulidade de Chio e Kuga, a irritação e a raiva de Yukako.

— ONDE ELE ESTEVE todo esse tempo? Será que ele não tem roupas de luto apropriadas? Será que nunca ouviu falar de um barbeiro?

O embrulho de Nao repousava intencionalmente ignorado sobre a penteadeira de Yukako enquanto ela tirava a roupa, pendurando o quimono no cabide para arejar. Nao trouxera presentes para Chio, Kuga e Aki, e quando descobriu que tinha um filho adotivo ele simplesmente deu ao garoto o presente de Aki. "Cuide disto para a sua esposa."

— Você viu como a menina olhou para ele quando descobriu que era seu pai? — Eu concordei, lembrando da ânsia evidente no rosto de Aki. — Não dá para acreditar que ele estivesse aqui todo esse tempo e nós nunca soubemos — disse Yukako. — Ele tem muita coragem, fazendo-se de filho enlutado. Foi ele que alimentou o pai? Limpou o traseiro dele?

— Acho que você não vai abrir o presente dele — eu disse.

O embrulho branco parecia brilhar sob a luz da lanterna, como uma lua particular. Lembrei-me do homem alto olhando para Yukako, sua voz oferecendo humildemente o presente, os olhos deles se cruzando por um momento.

— Abra você — disse ela asperamente.

Eu desamarrei a carta presa ao presente, escrita em *kana* cuidadoso. Depois das preliminares habituais, ele dizia: "O conteúdo é para sorvete, oferecido em respeito àquele que pranteamos, e em honra do seu triunfo em um mês quente de agosto."

Lembrei-me de Matsu arrastando blocos da fábrica de gelo, raspando-os com o seu raspador. Eu conseguia imaginar montículos de raspas brancas em tigelas de madeira, cobertos com a calda espessa e doce de açúcar mascavo de Chio.

— Que triunfo? — murmurou Yukako, confusa e vagamente ofendida.

Eu continuei lendo. "Eu também queria dar-lhe uma amostra do trabalho do meu mestre, já que o patrão atual dele mencionou que poderia ser de seu interesse."

— Grosso — disse Yukako. — O que mais ele diz?

— Nada, na verdade: "Seu humilde servo lhe saúda e à sua família, sinceramente."

— Você já ouviu falar de alguém tão insensível? — disse Yukako, irada.

— Devo abrir?

— Vá em frente.

Eu desenrolei o papel barato mas delicadamente dobrado e encontrei cinco pequenos objetos embrulhados em algodão cru e um lenço macio: quatro tigelas translúcidas de vidro, de um branco gélido com uma faixa azul. Eu sabia exatamente o que ele queria dizer: o gelo *teria* um gosto muito mais gelado naquelas tigelas do que em tigelas de madeira ou laqueadas.

— São lindas — murmurei.

Yukako apertou os lábios e concordou.

— É verdade.

Será que era possível que eu não tivesse visto louça de vidro em 19 anos?

— Ele é um dos vidraceiros do Conselheiro Kato, não é?

Yukako segurou uma das tigelas contra a luz da lanterna. Um feixe de luz branca caiu sobre o seu rosto.

— Acho que sim — disse ela.

Observei-a enquanto refletia. E percebi ao mesmo tempo que ela: as delicadas maçãs do rosto, as mãos nos quadris. Havia um artesão na *Eppo* que nos observara atentamente, sim.

— Eu sei a que agosto ele se refere — eu disse, lembrando-me daquelas raspadinhas doces que oferecemos aos nossos convidados estrangeiros.

Yukako deu um sorriso cansado.

— Eu também — disse.

NAO VISITAVA A MÃE com frequência, sempre trazendo algum presente. Eu sentia a censura silenciosa de sua irmã Kuga quando ele a visitava, mas Chio nunca perguntou onde ele estivera todos aqueles anos ou por que ele ficara tanto tempo em Kyoto sem contar a eles, sem falar em não ter voltado para casa para cuidar do pai. Ela nunca pediu a ele para morar com a família, mas parecia feliz de saber que ele vivia na casa do mestre-vidraceiro com os outros aprendizes, no alojamento dos trabalhadores. Como era possível que ela tivesse sentido tanta falta dele durante tanto tempo e agora não insistisse para que ele vivesse com ela, se casasse novamente, que lhe desse netos? Ela parecia até mesmo acanhada de receber os presentes, envergonhada quando ele enviou massagistas para cuidar dos seus ombros e de suas mãos endurecidas, constrangida quando ele trazia tecido para que ela, Kuga e Aki costurassem quimonos novos.

Ele não deu mais nenhum presente para Yukako e dirigia-se a ela com nada além das palavras rituais de humildade exigidas quando nos visitava. O Conselheiro Kato, entretanto, rapidamente se gabou para Yukako de que a colocara em uma prestigiosa, mas longa, lista de espera pelas janelas do mestre-vidraceiro. Yukako suprimiu o seu desconforto: era uma honra que ela não podia recusar.

Alguns meses depois Yukako levou todos os quatro ex-alunos de Jiro que eram mais velhos que Tai com ela à primeira escola de moças. Como a escola lhe pedira que, além de professores, também treinasse professoras, Yukako escolheu quatro jovens solteiras entre suas alunas particulares e levou os rapazes e as moças à escola em dias alternados, treinando-os na escola Shin o resto da semana. (A semana de sete dias e o domingo de descanso haviam chegado no Segundo Ano da Era Meiji.) Eu carregava as ferramentas de Yukako e mantinha registros, notando que enquanto era paciente e cuidadosa com as pequenas alunas — que se inclinavam, viravam-se e se erguiam como um corpo de balé sério embora pouco atlético — Yukako era tão severa com os professores-aprendizes como fora com Koito anos antes, embora menos maldosa. Na primeira vez que um de seus aprendizes dava uma aula, ela costumava corrigi-lo — uma humilhação — diante de uma turma de meninas, mas daí em diante ela só os corrigia diante dos outros jovens professores, o que também era humilhante, mas um pouco menos.

ENTRE ESSES FUTUROS professores, que eram apenas um pouco mais velhos que os alunos dela, estava a filha de Kato, Mariko, com seu rosto de querubim. Era a que largava mais rapidamente as cinzas no fogareiro posto pela metade e a que demorava mais para lembrar para onde as coisas deveriam ir; ela não era a primeira escolha de Yukako, mas o relacionamento com o Conselheiro Kato era importante demais para ser comprometido. Eu ainda me lembro do som da voz dela um dia enquanto caminhava para casa da escola Shin com as outras jovens; eu tinha acabado de ser convocada para ajudá-las a varrer uma nuvem de pó de chá que caíra no chão. Cada garota se ajoelhou em silêncio, com penas na mão, empurrando o chá verde para uma folha limpa de papel branco. O ar estava denso de acusação. Elas partiram, ainda caladas, mas eu ouvi um grito inimitável no caminho.

— Estava no *caminho* — explodiu Mariko, chutando uma pedra cuidadosamente colocada.

AS ALUNAS DA ESCOLA estudavam chá durante dois anos: da primavera até a abertura do fogareiro embutido no chão em novembro, elas estudavam o *temae* mais simples, o de bandeja, ao passo que de novembro até a primavera aprendiam o chá diluído e espumoso usando o fogareiro embutido. Durante o segundo ano elas aprendiam o chá diluído com o fogareiro de tempo quente, e tanto o *temae* de verão como o de inverno para o chá espesso e viscoso. Após dois anos de treinamento, os professores de Yukako iam trabalhar nas novas escolas para moças que estavam sendo abertas e cada escola comprava os utensílios de chá de Yukako e negociava com ela os serviços dos professores. Ela pagava bem aos professores, mas guardava parte do dinheiro que recebia como pagamento pelo uso do nome e da tradição de sua família. Com frequência, quando eu voltava da casa de banho para casa e encontrava o ábaco e o livro contábil na escrivaninha de Yukako, além de estender o futon para ela, eu também moía tinta e trazia lâmpadas para seus cálculos noturnos. Ela estava encantada com o uso que os ocidentais faziam de tinta vermelha e preta para dívidas e créditos, e eu estava orgulhosa de ver a coluna de números vermelhos diminuir conforme ela terminava de pagar pelo trabalho na Um Pinheiro.

Da mesma forma que Yukako começara a cobrar os professores pelo uso do nome Shin, quando as escolas começaram a demandar mais utensílios de chá do que podíamos carregar, ela resolveu fazer o mesmo com os artesãos.

Ela fez com que eu estampasse uma licença para cada misturador, concha e pano de linho que ela encomendava, e então ela os vendia aos artesãos, que vendiam os utensílios com a licença às escolas por um preço fixo. No ano em que propôs essa prática, ela adoçou o negócio vendendo grandes quantidades de licenças para fazer utensílios que ela mesma comprou para a próxima apresentação imperial de chá, para marcar o quinto ano de ensino de chá nas escolas para moças: uma para cada senhora na corte em Tóquio. Ela pagou um preço mais alto por esses utensílios do que pelos usados nas escolas, já que o trabalho envolvido era mais delicado. Além disso, para manter os artesãos felizes nos anos vindouros, ela concordou em vender algumas licenças adicionais para que cada um deles pudesse vender utensílios a estrangeiros ou novos-ricos pelo preço que quisessem. Esse trabalho estaria mais próximo em qualidade dos utensílios reais do que daqueles usados nas escolas, mas como as peças eram novas e um mestre de chá não lhes tinha dado um nome individualmente, ainda teriam preços mais acessíveis do que os de quaisquer utensílios mais antigos. E tiveram grande saída.

— E se os artesãos tentarem passar a perna em você? — perguntei uma noite, surpresa com a ingenuidade de Yukako.

Ela tinha encerrado as atividades do dia conversando com o Herdeiro de Chojiro, que concordara com o esquema dela contanto que o trabalho dele e o de seus aprendizes fosse sempre devidamente discriminado. Yukako o tranquilizou e partiu com o dinheiro das licenças nas mangas. Nós fizemos uma pausa a caminho de casa junto à ponte da rua do Canal e ficamos observando um bando de gansos voando em forma de "v".

Yukako me repreendeu:

— Eles têm fornecido utensílios de chá para a nossa família há gerações e agora estão ganhando mais dinheiro do que nunca. Eles não vão nos passar a perna. — Ela franziu a testa. Desde a morte do pai, ela sempre teve uma ruga entre as sobrancelhas, que agora estava mais acentuada. — Eu podia ir às lojas verificar ou mandar alguém que eles não conheçam — murmurou. Então sorriu. Se eu descobrisse que um artesão estava tentando me passar a perna, eu venderia licenças para o rival dele também — resolveu.

— Deixe que briguem entre si.

Satisfeita consigo mesma, ela atirou uma pedra na água rasa; a pedra quicou três vezes, afundando com um leve *splash*.

— Onde aprendeu a fazer isso? — perguntei.

— Observando meus filhos — disse Yukako encolhendo os ombros.

— Não estou falando disso — eu disse, atando novamente o meu lenço de carregar coisas.

— Acho que esse grande pedido para Tóquio ajuda. — Ela pareceu preocupada por um momento. — O nosso presente para as senhoras da corte irá custar baldes de dinheiro — disse. — Mas acho que vai valer a pena — e atirou outra pedra.

Eu não estava falando daquilo também. Onde ela havia aprendido a manipular o mundo exterior e não ser manipulada por ele? Talvez eu estivesse vendo o outro lado da palavra proteção. Yukako não tinha ninguém que a protegesse: não tinha pai, marido nem mãe. E mostrou que não era uma florzinha delicada: o sol bateu forte nela, e ela cresceu alta e ereta, uma viga, um mastro.

QUANDO YUKAKO VOLTOU de Tóquio mais tarde naquela estação, parecia em dúvida sobre a recepção dos seus *setto* de chá. A corte estava em estado de transição, mudando de líderes constantemente depois que dois fatores terminaram com o longo reinado do Primeiro-Ministro Ito, o homem cuja visão ampla, mesmo que ingênua, havia proposto o salão de baile Cervo Bramidor como uma forma de estimular as nações ocidentais a revisar seus tratados desiguais com o Japão. Um navio britânico recentemente afundara na costa do Japão e todos os sobreviventes eram britânicos, enquanto todos os 26 japoneses a bordo haviam se afogado. Por causa de tratados que favoreciam os estrangeiros, o capitão do navio não foi julgado sob as leis japonesas e sim sob as leis britânicas, e acabou absolvido. Parecia que umas poucas valsas e vestidos de baile não iriam convencer os estrangeiros a tratar os japoneses como seres humanos plenos. Além disso, Ito foi pego em posição comprometedora com a mulher de outro homem. Após a aposentadoria apressada de Ito, Yukako disse, o Primeiro-Ministro mudava a cada visita a Tóquio: ainda não estava claro qual seria o tom do novo governo.

E foi nessa incerteza que Yukako ofereceu os utensílios de chá de presente. Será que eles iriam parecer civilizados e esclarecidos o suficiente? Eram produzidos em massa; será que iriam parecer *demasiado* ocidentais? Eu massageei seus pés congelados enquanto ela falava: o caminho para casa fora longo, como sempre, e já havia neve na Passagem Hakone.

— Você se lembra do homem da corte imperial que o meu pai recebeu quando éramos crianças? O sobrinho do antigo Imperador?

— É claro que sim. — Era estranho pensar em mim e Yukako como *crianças* juntas; quando tínhamos 9 e 16 anos, respectivamente, ela parecia tão mais velha.

O Augusto Sobrinho, ela me contou, ainda amigo íntimo e confidente do Imperador, acabara de ser nomeado Ministro da Educação pelo novo Primeiro-Ministro.

— É *ele* que virá inspecionar as escolas neste outono — explicou, preocupada. Ele não expressara nem satisfação nem descontentamento com o presente de Yukako. — O silêncio dele me deixou tão nervosa — disse ela. — Como se meu Pai estivesse vendo.

Ela estava em casa, finalmente em casa: eu descansei a bochecha sobre seu pezinho frio.

25

1891

UM POUCO ANTES do ano-novo, Yukako teve sua resposta, mesmo que não do Ministro, mas pelo menos vinda da corte imperial: pediram-lhe que levasse um professor de chá para morar e trabalhar na corte quando fosse para lá na primavera seguinte.

— Isso é muito bom — disse ela, meneando a cabeça.

Havia tantos selos vermelhos estampados na carta que tive medo de tocá-la.

O VIGÉSIMO QUARTO ANO da Era Meiji, embora coincidisse com o feliz evento do sexagésimo aniversário de Chio, não começou bem para ela. No ano-novo ela engasgou com um pedaço de *mochi*, um bolo difícil de mastigar feito de arroz socado, e o rosto dela ficou roxo. Aki, com apenas 15 anos, gritou como se estivesse arfando para conseguir ar para a avó. Nao, de visita, deu uma pancada precisa nas costas da mãe e expulsou o *mochi*, mas Chio nunca mais foi a mesma depois daquilo. Alguma parte resistente dela esmorecera, contentando-se em seguir Kuga em vez de dar as ordens. Na casa de banho eu a vi perder a noção de si mesma e perambular, ensaboada pela metade, em direção à banheira: Kuga e eu pulamos e a levamos de volta para terminar de se enxaguar primeiro. Depois da segunda vez que isso aconteceu, passamos a vigiá-la constantemente embora fingíssemos não o fazer, e na cozinha Kuga lentamente afastou a mãe de trabalhos que envolvessem fogo e facas.

Depois do ano-novo, Nao conseguiu permissão de seu mestre-vidraceiro para deixar sua guilda por um mês ou dois e trabalhar em um projeto individual: o nosso. Dessa forma, ele podia ver Chio todos os dias, e entre todos nós sempre havia alguém para tomar conta dela. Yukako, nesse meio tempo, decidira treinar suas professoras como internas em vez de semi-internas: as primeiras janelas de vidro no complexo Shin surgiram na recém-construída casa de banho para mulheres. Eu mal percebia Nao no começo. Ele dormia na casinha junto à cozinha; trabalhava nas janelas; tomava conta da mãe e era quieto. Se Yukako ainda nutria a contrariedade que mostrara com a volta dele, o sentimento, como o projeto para o qual o contratara, foi algo que ela pôs de lado.

Fiquei imaginando por que Yukako havia escolhido uma parte tão insignificante da casa para esbanjar o seu dinheiro com vidro. E vidros opacos! Com janelas de vidro ela poderia ver os jardins de chá do futon dela o ano todo, se quisesse, ou então o vidro poderia transformar a cozinha sombria em um mundo novo.

Então compreendi: apesar de todas as novidades relativas aos utensílios e ao ensino do chá, Yukako não queria um mundo novo. Ao mandar que o instalassem, ela estava fingindo gostar do vidro como forma de agradar ao Conselheiro Kato. Com o dia da inspeção se aproximando, ela não podia se dar o luxo de fazer diferente.

O Conselheiro Kato, nesse meio tempo, estava trabalhando arduamente para manter as suas próprias ligações. Ele não pôde reunir-se com Yukako no ano-novo porque estava recebendo convidados de Tóquio, buscando fundos para um novo estágio — *stage* em inglês, *su-tei-ji* em japonês — do canal que já estava quase cavado. O dinheiro fora liberado, parecia, sob certas condições. Quando os convidados de Kato finalmente partiram, o anúncio já tinha sido enviado a todos os diretores, pais e professores de que, com o começo do novo período escolar em abril, a roupa obrigatória das moças iria mudar. Os xales xadrez não seriam mais exigidos. Em seu lugar, todas as moças teriam que usar *hakama* sobre as roupas, fossem elas quimonos ou trajes ocidentais. Eu estava feliz que Madame Cachimbo não estivesse viva para testemunhar mais outra desfeita à sua casta abolida: moças vestindo *hakama*, as saias-calças usadas pelos homens samurais! Sumie, a neta de Madame Cachimbo, estava morando em Tóquio com os pais de seu falecido marido agora, mas quando o governo Meiji libertou seu pai e seu irmão mais velho, eles, assim como muitos ex-partidários do Xogum, se mudaram com as famílias para Yezo, no norte, para propriedades rurais o mais longe possível da Tóquio da Era Meiji. Os irmãos de Sumie ficariam muito aborrecidos ao ver os uniformes novos das moças, pensei: aqueles meninos haviam se gabado de seus *hakama* tanto quanto de suas espadas.

Embora ninguém mais usasse *hakama* (exceto as virgens sagradas nos templos, que usavam *hakama* vermelhos), as casas samurais por todo o Japão os mantinham guardados. Já que filhas de samurais e mercadores foram as primeiras admitidas nas novas escolas, o *hakama* seria, como os xales xadrez, uma forma barata de padronizar as roupas, mas a escolha marcava uma mudança clara do Ocidente para o Oriente. Da mesma forma, os meninos, que vinham usando uma confusa mistura de roupas japonesas e modernas sob chapéus de palha ocidentais, foram instruídos a deixar os chapéus em casa.

Quando o Conselheiro Kato finalmente se juntou a nós para o chá, era Setsubun, no começo de fevereiro, o dia em que os pais usavam máscaras de demônio-*oni* com chifres e perseguiam os filhos pela casa, quando as crianças jogavam feijões torrados e recitavam feitiços para expulsar os demônios de casa. Kenji veio de Sesshu-ji naquele dia, e embora aos 18 e 19 anos eles fossem velhos demais para os jogos de Setsubun, os irmãos compraram uma máscara para Nao e o importunaram e afastaram do trabalho até que cedesse e, constrangido, perseguisse Aki pelo corredor. Rindo e gritando, ela se escondeu atrás de mim, embora fosse mais alta do que eu, e então ele me perseguiu também até que os rapazes, triunfantes, o atacassem com feijões. Jiro não se juntava a nós para Setsubun havia seis anos, observei: não era à toa que os rapazes se apoderaram de Nao. Até Chio se lembrou de pendurar os talismãs de Setsubun contra os demônios no umbral da porta da cozinha: um ramo de azevinho e a cabeça de uma sardinha. Na sala de chá, Yukako escolheu uma caixa de incenso com tampa no formato de uma máscara de demônio-*oni*, mas depois mudou de ideia porque Kato era cristão.

Era a época em que as flores de ameixeira faziam o seu intrépido espetáculo no gelo e no granizo, e os pratos que eu trazia da cozinha tinham sardinhas e ervas de inverno. Yukako resolveu realizar um *temae* especial, destinado aos meses mais frios, no qual o chá era servido em uma tigela alta e estreita para manter o calor. Ela até encontrou uma tigela de chá de inverno guardada chamada Hakama para usar em homenagem a Kato: estreita na base, ela se alargava em um dos lados, como a perna de uma saia-calça inflada.

Kato chegou vestindo um terno e um casaco grande e grosso com um cachecol de seda que ele não tirou na sala de chá. Ele estava usando sapatos ocidentais, como sempre, mas eles não faziam mais ruídos agudos enquanto ele se aproximava. A moda do ruído agudo, causado por tiras extras de couro adicionadas aos sapatos, tinha desaparecido das ruas: até Bozu havia parado de guinchar enquanto trabalhava.

Depois que Kato comeu, bebeu e apreciou formalmente os utensílios, ele e Yukako conversaram um pouco.

— Espero que venha ver o trabalho do seu vidraceiro na casa de banho nova — ela convidou, antes de se dirigir a ele com seriedade. — Eu gostaria de que as moças que estou treinando como professoras ficassem alojadas comigo, mesmo as que moram em Kyoto, se os pais delas permitirem — disse ela, fazendo uma reverência. — Quero que se sintam tão parte da família quanto possível.

— É mesmo? — disse o Conselheiro Kato. — Uma ideia interessante.

— A Srta. Mariko é muito boa aluna — acrescentou Yukako.

Será que ela queria que a filha de Kato, de todas as pessoas, fosse viver conosco?

— Ela pode ser bem desobediente — disse Kato, desviando-se educadamente do elogio. — A obediência é uma virtude cristã e confuciana — disse ele afavelmente. — Com frequência penso em escrever um pequeno tratado sobre as semelhanças. Toda essa bobagem de Oriente e Ocidente! Somos mais parecidos do que queremos admitir.

Yukako não insistiu no assunto.

— Está pronto para a inspeção? — perguntou ela.

Ela soubera que não só Kato havia conseguido fundos para o próximo *estágio* do seu canal, mas que na verdade também estava adiantado com a última leva de escolas.

Do meu cantinho de observação na *miʒuya* da Baishian, vi o homem reluzir.

— Muita coisa para fazer, muita coisa para fazer, mas as escolas novas deste ano já estão construídas e prontas para abril. Agora estou preparando minha casa para a visita do Ministro. Estou planejando uma nova casa de hóspedes junto ao lago para observação da lua.

— Espero que dê tudo certo. Gostaria de perguntar-lhe, acha que seria possível que eu me encontrasse com o Ministro a sós depois que ele inspecionar as escolas de moças? Gostaria de falar com ele a respeito do chá nas escolas de rapazes também.

Yukako raramente ficava nervosa, mas após aquele pedido audaz, ouvi-a falar incoerentemente para preencher o silêncio de Kato:

— Conversamos sobre isso há alguns anos, que depois da Inspeção...

— Ah! É verdade. E tenho certeza de que ele vai adorar o que você fez. Sem dúvida terá muitas oportunidades de encontrá-lo durante essa visita — Kato se excitou, vago e bem-disposto.

Yukako engoliu visivelmente em seco.

— Aguardo ansiosamente — disse ela.

— ELE QUIS DIZER que sim ou que não? — perguntei mais tarde, admitindo que tinha ficado para ouvir.

— Ele não vai nos ajudar — disse Yukako, vestindo o seu quimono de banho.

Enquanto eu cuidadosamente colocava carvão vegetal nas cinzas e brasas do fogareiro, Yukako praguejou, com a mão presa em uma das mangas. Kato não tinha sequer pedido para ver o vidro novo.

ALGUMAS NOITES MAIS TARDE, enquanto Yukako estava curvada sobre seus cálculos — a cifra que a casa imperial ia lhe mandar pelo novos serviços de ensino de chá; a quantia que ela iria reter antes de dar o restante aos jovens professores —, suas costas se endireitaram de repente. O rosto dela se iluminou; uma gota de tinta caiu do pincel e manchou o livro.

— Talvez eu não precise de Kato para me encontrar com o Ministro. Ora, poderia falar com ele eu mesma.

JIRO, CONHECIDO no seu retiro como Grande Professor, havia chegado a um acordo com seu amigo Shige, o atacadista de seda que no passado eu costumava chamar de o Urso. O mercador também havia mandado parte dos lucros de sua fábrica para ajudar a restaurar a Um Pinheiro, o que sem dúvida adoçara suas boas intenções. Era uma primavera agradável quando Yukako e Tai partiram para Tóquio naquele ano, com o aluno mais avançado de Tai — o segundo filho de Shige — a tiracolo. Após dois anos de serviço ferroviário entre Tóquio e Kobe sem nenhum problema sério, Yukako finalmente se decidira a favor dos novos trens no lugar da árdua estrada montanhosa: ela e Tai voltaram dentro de dias em vez de semanas, jubilosos. Kenji ficara para tomar conta da casa na ausência do irmão, e quando Yukako e Tai voltaram nos encontraram a todos na sala de costura, onde Kenji estava dando uma aula de leitura a Aki. Os textos — os contos das aventuras de um ninja e um ronin com os quais ele e Tai haviam sido criados — foram fonte de diversão para o restante de nós.

Mas não tão bons quanto as aventuras que Yukako e Tai nos relataram.

— Nós fomos tão rápido! — gritou Tai, excitado.

— Eles venderam o salão de dança de Ito para um clube particular, dá para imaginar? — perguntou Yukako. — O Cervo Bramidor não existe mais.

— Nem cheguei a vê-lo — disse Kenji, decepcionado.

— Você virá conosco um dia, prometo — deleitou-se Tai. — E em Ginza, onde todas as casas são de tijolo, dá para ver luzes ocidentais acesas a noite toda! Luzes *ii-re-ku-to-ri-ku*, elétricas!

Eu tinha visto uma daquelas luzes na Expo — uma coisa volumosa, delicada e hesitante, a maior parte do tempo desligada ao invés de ligada —, mas nunca imaginara uma rua inteira iluminada pela eletricidade.

— Eu finalmente entendi por que Kato fica falando sem parar sobre o seu próximo *estágio* do canal — disse Yukako. — Pode-se usar água para gerar eletricidade!

— Em Tóquio, eles estão construindo um hotel ocidental do tamanho de um palácio! — disse Tai. — E um arranha-céu! Um prédio com 12 andares, dá para imaginar?

Os olhos de Kenji se arregalaram. Nao estava lá, sentado junto à mãe, de olho na agulha de Chio e em seu chá frio de aveia. Até ele, que testemunhou de forma pouco clara tanto da pompa da Era Xogum quanto do deslumbramento da Era Meiji, inclinou-se para a frente, excitado. Então franziu as sobrancelhas.

— Aposto que vão arrumar um exército de coitados para subir e descer os 12 andares levando carga e sentindo-se gratos pelo trabalho — resmungou para Kuga.

— Não, não! — insistiu Tai. — Eles estão importando um elevador dos Estados Unidos! Já ouviu falar?

Eu nunca ouvira. Enquanto Tai explicava como um *erebeta* funcionava, Yukako pensava sobre como, em meio às luzes brilhantes e aos arranha-céus, Tóquio estava se afastando do seu leviano abraço inicial do Ocidente em direção a um modo mais seletivo.

— Eu não vi nenhum homem com o penteado de antigamente — admirou-se. — Mas fora do Palácio, também não vi nenhum vestido ocidental, a não ser os usados pelas mulheres brancas. No ano passado mesmo eu vi alguns deles em cada multidão.

— Como é que as pessoas andavam antigamente? — perguntou Aki timidamente.

Eu e Yukako nos pegamos olhando para Chio usando seu penteado *obako* de viúva para ver se ela tinha ouvido.

— Você se lembra de quando meu pai morava aqui? — perguntou Kenji.

Yukako prosseguiu:

— Eles ainda estão jogando jogos ocidentais como *gorufu* e *tenisu,* mas os antigos jogos estão de volta. Eu não jogava um jogo de adivinhação com incenso desde antes de vocês nascerem — contou aos rapazes.

Tai claramente já ouvira aquilo antes, pois afastou-se vagarosamente dela para contar mais de suas façanhas de velocidade e barulho.

— Você não pode imaginar — ele me disse, gabando-se e tomado de espanto ao mesmo tempo.

Lembrei-me da minha infância, um trem deserto à noite atravessando Suez.

— Posso sim — eu disse gentilmente.

Ele moveu-se em direção a Nao, que demonstrara interesse pelo *erebeta*.

— Os estrangeiros medem a força em quantos *cavalos* seriam necessários para puxar uma carroça, então eu andei em uma centena de cavalos ao mesmo tempo!

— Parece uma forma de destruir a pequena autonomia que as pessoas pobres têm em seus vilarejos e a tentativa de arrastá-las de lá para trabalhar em cidades e fábricas — disse Nao, desanimado.

Tai fitou-o. Eu também; eu nunca ouvira alguém falar daquela maneira. Voltei a me perguntar o que Nao havia feito naqueles anos que passara longe de casa.

Tai voltou-se para Aki, sem perder a animação, e prometeu a ela uma viagem de trem um dia.

— Você não viveu até que tenha andado de trem.

— Então alguns de nós talvez nunca vivam — disse Kuga, com um olhar azedo e ansioso em direção a Chio, que tinha acabado de se espetar com uma agulha.

— Por que não estava vigiando ela? — perguntou Nao em voz baixa, sob o som da história de incenso de Yukako.

— *Você* estava vigiando ela — cochichou Kuga, apertando um trapo contra o dedo da mãe.

— Você também — criticou Nao.

— *Eu* gostaria de andar de trem — assegurou Kenji ao irmão, decidido.

— Você vai — prometeu Tai.

EMBORA YUKAKO houvesse falado de bom grado sobre todas as mudanças que vira em Tóquio, ela nada disse sobre sua missão lá. Naquela noite, contudo, em particular, ela quase ronronou enquanto eu penteava seu cabelo.

— Tantas pessoas encomendaram seus próprios jogos de chá — gabou-se. — Todos querem lavar o gosto de Ito e do Cervo Bramidor da boca, e *Ocha* é exatamente do que precisam. O filho de Shige vai ter mais alunos do que poderá dar conta, e a corte quer mais professores!

— Parabéns — eu disse cautelosamente.

Eu sentira falta dela e detestava qualquer indicação de que ela ia partir de novo.

— E as mulheres ficavam todas em cima do nosso Mestre Professor. Quando demos jogos de chá para cada uma delas, na verdade demos a cada uma delas uma lembrança daquele rapaz bonito de Kyoto, não é? "Gostaria tanto que pudesse ficar e ser *meu* professor" — disse com um sorriso bobo. — E todos perguntavam sobre o chá nas escolas de moças: "Então quando as moças vão começar a aprender chá em Tóquio também?" Está dando certo! Está dando certo!

Ela sorriu, exaltada, e coroou a noite com mais uma boa notícia:

— E eu mesma falei com o Ministro. Eu o convidei para o chá na lua cheia do equinócio de outono durante a visita dele, e ele aceitou!

— Simples assim?

— Ele disse: "O que poderia ser mais adorável?"

Yukako tinha um *daruma*, um boneco tão gordo e redondo que quando fazíamos bonecos de neve nós os chamávamos de *daruma* de neve. Quando os compramos no templo, eles vêm com apenas um olho pintado; quando o nosso desejo se realiza, pintamos o outro olho. Yukako saltou pelo quarto, moeu um pouco de tinta e desenhou o olho que faltava enquanto eu aplaudia. Fora tão audacioso da parte dela marcar uma data: a lua cheia do equinócio de outono acontece apenas uma vez ao ano, no décimo quinto dia do Oitavo Mês do antigo calendário, ou em algum momento de setembro no novo. A coisa tímida e mais segura a fazer teria sido propor uma reunião de chá e esperar para saber mais a respeito dos planos do seu atarefado convidado. Ela estava tão bela, olhando para o seu *daruma*, agora com dois olhos, na prateleira, a cabeça inclinada para trás de orgulho.

26

1891

A IDEIA ERA COMEÇARMOS alojando apenas três professoras em treinamento: a filha mais nova de Sumie, a mais nova do Urso e Io, a filha de Noda, o mercador de Hikone, que ficaria tremendamente rico assim que o canal do Conselheiro Kato abrisse. Depois do sucesso de Tai na corte, entretanto, três homens abastados de Tóquio pediram que Yukako treinasse as filhas deles também, inclusive Sono, o pioneiro da rodovia, que recentemente recebera o título de barão por seus serviços prestados ao Japão. O Barão Sono, que estava acumulando uma segunda fortuna vendendo antiguidades japonesas para os museus de arte ocidentais, enviou Tsuko, sua filha de olhos grandes. E o Conselheiro Kato, pigarreando, veio pedir se a Srta. Mariko podia continuar os estudos com Yukako na condição de interna. Ele ainda estava lutando para que o seu estágio elétrico corresse tranquilamente e precisava de todo o apoio que conseguisse.

Havia um sótão na casa de costura onde a mãe de Yukako, como muitas senhoras bem-nascidas, costumava criar bicho-da-seda como passatempo. Yukako mandou adaptar o quarto para ser usado como dormitório pelas moças e mandou que as refeições delas fossem servidas no quartinho do lado de fora da cozinha onde Kuga e Aki costumavam dormir antes que Chio ficasse doente e onde as novas costureiras residentes, duas irmãs chamadas Tama e Hisui — Gema e Jade —, dormiam agora. Yukako tomou emprestados os *hakama* do pai dela, em posse dos meninos, que costumavam usá-los quando crianças para encenar suas peças samurais. As sóbrias saias-calças riscadas tinham sido usadas pelo próprio Montanha na infância, antes de ter sido adotado pelos Shin, que tinham prestado serviços a membros de famílias samurais, e frequentemente se casado com eles, mas que tecnicamente pertenciam à casta dos mercadores e não podiam usar trajes de guerreiro. O Montanha tivera quatro pares de *hakama* em uma mistura de lã e seda: preto, azul-marinho, marrom e cinza. Yukako escolheu o par preto, eu escolhi o marrom, e ela guardou os outros dois para alunos de famílias de mercadores. A casa de banho das mulheres estava pronta, vidro e tudo o mais.

O trabalho ficara pronto logo depois que Yukako e Tai voltaram da capital e Kenji partiu novamente para o retiro do pai no templo Sesshu-ji. Na manhã seguinte, enquanto Yukako servia o café da manhã para o filho no gabinete do jardim que pertencera a seu pai e depois a seu marido, Nao entrou e fez reverências profundas para ambos.

— O meu *Sensei* perguntou quando eu iria voltar, mas se você estiver precisando de algo mais aqui... — ele disse, com olhos abaixados.

Ele lançou um olhar rápido em direção da cozinha. Yukako seguiu o olhar dele em direção ao aroma da enguia grelhada de Kuga, quase tão gostosa quanto a de Chio.

Acho que Tai havia esquecido que o homem estava conosco apenas para executar um trabalho. Nao havia lhe emprestado um livro e uma plaina. Ele ia ensiná-lo a caçar com uma espingarda. Tai comprimiu os lábios e olhou para a mãe, alarmado; ela olhou para ele. Ela não planejava colocar mais vidro na casa, mas disse:

— Na verdade, meu filho conseguiu dinheiro para você fazer a casa de costura também, se eles puderem passar sem você.

Tai sorriu. Nao inclinou-se repetidamente e saiu.

EMBORA YUKAKO não tivesse dito que se sentia estranha usando as roupas de um morto, ela se recusou a vestir o *hakama* até que tivesse sido lavado. Logo que terminamos de unir os painéis na sala de costura, entretanto, ela veio experimentar as saias-calças. Nao estava no quarto, tirando cada resíduo de papel das armações das portas deslizantes, por isso Yukako me levou pela escada até o novo dormitório situado no sótão, um espaço silencioso de tatame fresco que seguia o formato do telhado, com o teto alto no centro e baixo nas extremidades, com faixas horizontais estreitas de janelas *shoji* nos quatro lados.

Yukako me fez tirar a minha *obi* larga e ficar de pé vestindo meu quimono. Graças a todos os cordões e faixas usados para prender um quimono, a *obi* não era, para ser exata, necessária para fechá-lo, embora nenhuma mulher se sentisse vestida sem uma. Mas era isso que Yukako estava demonstrando, sob aquela luz opaca, leitosa e ao nível do chão, enquanto se desfazia da sua *obi* e se enfiava no *hakama*. Ela puxou as enormes calças para cima e as amarrou firmemente em volta de si mesma com as suas fitas: cada perna do *hakama* era tão larga que eu e ela poderíamos nos enfiar confortavelmente dentro de apenas um *hakama*. As quatro fitas eram atadas como as de um avental e formavam uma faixa larga no lugar da *obi*. A divisão das calças era tão baixa, abaixo do joelho, que eu não conseguia ver nem uma protuberância onde o quimono dela se amontoava e pendia aberto nas laterais; eu só conseguia ver o sino, semelhante a uma saia, formado por dois barris. Quando já estava vestida, Yukako me ajudou a colocar o meu *hakama* e recuou.

— Você está diferente — ela disse, aprovando a roupa.

Eu realmente estava; dava para sentir. Enquanto o meu vestido ocidental, baseado em um modelo para crianças, parecia um saco, quando eu usava um quimono, a minha *obi* me atava da metade dos seios até a metade dos quadris, assentando tão mal como um anel de charuto em um amendoim. O *hakama*, no entanto, projetado mais para o esforço do que para a ostentação, atava-se à cintura de verdade, não à parte tão abrangente sobre a qual a *obi* se concentrava. Enquanto Yukako parecia mais magricela do que nunca em sua roupa de homem, eu me sentia como se, pela primeira vez, estivesse usando um traje destinado ao meu desajeitado corpo feminino: cheio no busto, justo na cintura, cheio nos quadris. Eu me senti bem.

— Venham mostrar pra gente! — gritou Aki do andar de baixo.

— Há um espelho lá embaixo; você quer ver? — perguntou Yukako, como se eu fosse uma menininha de novo.

Tímida mas ansiosa, eu a precedi escada abaixo.

— *Ara!* — gritaram Kuga e as novas costureiras em coro, e Aki me deu um olhar de franca curiosidade, um olhar que Nao repetiu discretamente, mas por mais tempo. Era estranho que, em todos aqueles anos usando roupas baseadas no modelo da minha mãe, eu nunca tivesse sido vista por eles como nada além de uma jovem japonesa vestindo roupas ocidentais: um acessório de Yukako, às vezes chique, às vezes bizarro. Agora, no entanto, diante do espelho com a minha nova silhueta, o quarto de criados me inspecionava. Aki perguntou:

— O seu pai era estrangeiro?

— Ela perdeu os pais em um incêndio — recitou Kuga. — Ela não sabe.

Mas vi Nao lançar um olhar para a irmã, vi-a encolher os ombros, concordando: "Talvez fosse."

— Ela não parecia contaminada, e a Jovem Senhora a acolheu, não foi? — disse Chio, para a nossa surpresa.

Ela raramente falava agora e com frequência parecia perdida em pensamentos. Espantada mas agradecida, eu lhe fiz uma reverência.

Então Yukako chegou ao pé da escada e dirigiu-se ao espelho. Ela estava muito bonita, uma filha de samurai até o último fio de cabelo. Aki saudou-a. Kuga e as irmãs costureiras ficaram sem fôlego. Tai, passando do lado de fora, parou para olhar. Surpresa mas contente, Yukako ergueu os braços numa postura de luta.

— Vai precisar de uma espada! — gritou Tai, sorrindo.

Yukako riu e Chio imitou-a com uma risada própria dela, no fundo da garganta e levemente reprovadora.

— Sr. Shuji!

A saia-calça de Yukako girou quando ela se virou em direção a Chio.

— *O quê?* — perguntou um pouco sem fôlego.

Eu não sabia o que Chio tinha dito, mas eu nunca a ouvira usar aquele tom de voz.

— Quem? — perguntou Aki.

Chio piscou letargicamente.

— O quê? — perguntou na sua voz normal.

Yukako lançou-lhe um olhar severo. Aki continuou a me fitar. Ela perguntou ao pai:

— Se você nasceu em Kyoto mas seu pai é um estrangeiro, você continua sendo nativo de Kyoto?

— Não seja mal-educada — ralhou Nao. — Ninguém tem culpa dos pais que tem.

Desistindo, Aki inclinou-se novamente sobre sua costura.

Detestei que Aki tivesse ficado magoada por minha causa; dirigi-lhe um olhar compreensivo. Nao olhou para Yukako:

— Você está muito parecida com o seu irmão — disse ele.

Era a primeira vez que ele se dirigia apenas a ela, desde que lhe dera tigelas de vidro de presente anos antes.

Yukako parou de fitar Chio e fixou sua confusão e seu choque em Nao.

— Ah — disse, constrangida, e subiu as escadas novamente para se trocar. Ela se voltou para lançar um último olhar indagador para Chio, mas a velha olhou direto para a frente, com os olhos semifechados fitando o dia iluminado.

Lembrei-me de Yukako dizendo uma vez que Hiroshi e Nao brincavam de vestir os *hakama* do Montanha quando crianças.

— As pessoas chamavam o seu irmão de Shuji? — perguntei no andar de cima, enquanto colocava a minha *obi*.

— Não! Aquele era um dos nomes de criança do meu pai — sussurrou Yukako.

— Sinistro — eu disse, concordando.

— Não é? Ele *e* meu irmão, na mesma peça de roupa? — ela dobrou o *hakama* no comprimento de um braço, estremecendo.

— Aposto que isso está acontecendo com alunas de escolas de moças por toda Kyoto esta semana — ocorreu-me.

Yukako voltou a surpresa dela em uma terceira direção, a minha, por pensar em algo que ela não pensara.

— Aposto que sim — disse ela, concordando.

NAQUELA NOITE, a caminho da casa de banho, Aki caminhou mais devagar para poder ficar comigo.

— Desculpe-me por ter perguntado aquilo a respeito do seu pai — disse ela. — Foi uma grosseria.

— Está tudo bem — encolhi os ombros.

— É que... — disse ela, justificando-se. — Eu fico me perguntando... sobre a minha mãe.

Ah, então era isso.

— Eu só sei o que lhe contei, Srta. Aki.

— Bem, ninguém mais me conta *nada* — disse ela, mostrando lealdade.

CHIO MORREU UMA semana mais tarde, um dia antes de as aulas começarem e as águas do grande canal serem liberadas. Ela tinha ido tirar uma soneca na pequena cabana do lado de fora da cozinha, e quando Kuga foi ver como ela estava uma hora mais tarde, Chio não estava respirando. Todos corremos do quarto de costura até lá: estava morta. Ela foi cremada rapidamente, suas cinzas enterradas com as de Matsu na parte do jardim do templo destinada aos criados. Tudo foi limpo antes que os alunos chegassem, os rapazes vestidos como morcegos, as moças, como guerreiros que já não existiam. Quando tento me lembrar dos seus últimos dias, vejo o giro de um *hakama* solene e pétalas caindo, a água passando em quantidade pelas ruas Migawa e Canal. Eu a pranteei mais na primeira semana de aula durante um passeio de barco que fizemos com os alunos novos, na água que acabara de chegar do lago Biwa. Onde o canal de Kato fluía mais cheio, no lado oriental da cidade, nas margens havia fileiras de cerejeiras recém-plantadas, rosadas como doces. Ela nunca veria aquilo, pensei. Ela parecera tão velha quando a conheci, mas eu tinha 35 anos agora, a idade dela naquela época. Pensei nela no abrigo escuro de um quarto que ela raramente vira durante o dia, estendida em seu futon embaixo da fotografia em sépia do filho. Havia cada vez menos mulheres criadas nos velhos costumes; que nunca pararam de enegrecer os dentes e ignoravam, sem presunção, o calendário ocidental. E sempre houve apenas uma Chio. Quando a encontramos, Kuga cobriu o corpo encolhido e os pequenos pés que mais pareciam garras com uma túnica de algodão, de modo que pudéssemos ver apenas o seu rosto, severo e meigo, como uma pedra exposta às intempéries.

UMA DAS PRIMEIRAS coisas que Chio me ensinara fora a importância de presentes, de manter a harmonia social. Quando me juntei à família Shin como criada, outra menina já tinha sido escolhida para o cargo que eu ia ocupar, e Chio me forçara, na minha primeira noite na casa de banho, a suborná-la e à mãe dela com doces de presente para adoçar a injustiça. Eu não tinha compreendido a enorme importância daquele gesto: os doces eram meus, pensei. Chio me dera os doces, por que eu deveria entregá-los? E por isso Chio esfregara com força a minha cara egoísta, e a Pequena Hazu fizera caretas para mim por detrás da manga de Fujie, sua mãe.

Acontece que a Pequena Hazu, embora quatro ou cinco anos mais jovem do que eu, tornou-se uma das minhas maiores atormentadoras na casa de banho, especialmente na puberdade, quando o vaporoso desconhecimento do idioma que primeiro marcou a minha diferença transformou-se em carne e osso. Com o tempo, eu não tinha mais sotaque, mas também não tinha marido nem vergonha: afinal Hazu e todos os outros não tinham me visto naquele vestido ocidental esquisito?

O meu único mérito, como Chio se esforçou para explicar para as outras mulheres, era que eu não estava sendo esquisita de propósito. *Okusama** podia ser estranha, mas ela salvara a casa da pobreza sem a ajuda daquele principezinho mercador e se ela escolhera um vestido ocidental para mim, então era o que eu ia usar; e se *Okusama* dissesse que eu não ia me casar, então eu permaneceria solteira.

Mas com Chio morta, Kuga não iria se incomodar por minha causa. E Hazu, com seus tamanquinhos de correias amarelas, recém-saídas da loja duas vezes por mês, era a esposa de um condutor de jinriquixá agora, com quatro filhos. Na semana em que comecei a seguir Yukako às escolas usando as calças *hakama*,

---

*Senhora. (*N. da T.*)

eu atraí a atenção do filho mais novo de Hazu, cujos lamentos estridentes e comentários irritantes fizeram com que eu o apelidasse de Garoto Mosquito. Quando deixei cair minha bolsinha de esfregar na banheira uma noite, ele apontou o queixo para mim.

— *Pamari-sensei!* — gritou.

Pamari? Eu tinha sido vítima de desprezo e escárnio na casa de banho a vida toda, mas ninguém nunca dissera que eu parecia aquela pequena missionária que tinha um cachorrinho!

Hazu assustou-se e repreendeu o filho com indulgência.

— Isso não foi bonito — cantarolou, dando uma boa olhada em mim. — *Pamari-sensei*, hein? — riu ela.

Eu olhei em outra direção e ajustei o lenço sobre os meus cabelos. As ruas estavam cheias de alunas usando *hakama* agora, mas ninguém disse que *elas* pareciam estrangeiras. A última vez que eu vira tantos *hakama* passando fora no primeiro cortejo do Imperador a Edo, na época em que ainda se chamava Edo. As roupas ocidentais e as moças que as usavam haviam sido ridicularizadas, mas naquela estação, embora todos ficassem olhando para as moças usando roupas de homem, ninguém disse um palavra de zombaria. Era como se usar as roupas agora proibidas aos seus pais conferisse às moças uma certa gravidade, uma certa sinceridade de propósito. Por que os *hakama* lhes davam um ar de seriedade e me faziam parecer tola? Agora que podiam me comparar a estrangeiras de verdade em vez de demônios de cabelos vermelhos típicos de xilogravuras, será que eu parecia menos japonesa? O rosto caído, com papadas, veio à minha mente sem querer: uma vez eu a vira andando pela rua com suas botas abotoadas e seu chapéu chamativo, com uma cesta embaixo do braço. Um espirro de cão cortava caminho para fora da cesta, a Srta. *Pamari* abriu a tampa e falou carinhosamente com a velha e ofegante criatura do lado de dentro. Ela parecia, como muitas missionárias, uma velha vestida de boneca: laços azul-claros no chapéu, as anquinhas, a alça da cesta, a bainha da saia. O vestido dela inchava nos quadris e nas anquinhas e novamente no corpete, apertado na cintura — exatamente como eu usando *hakama*, percebi, corando sob a sombria luz das lanternas. Nós éramos mulheres pequenas e redondas que não pareciam japonesas. Eu mergulhei na água por um longo momento, mortificada. Quando emergi, vi o Garoto Mosquito cochichando com um amigo.

— Não vá se afogar, *Pamari-sensei*! — gritaram os meninos.

A caminho de casa, Kuga caminhava rapidamente, nunca se voltando para ver se eu vinha atrás.

27

1891

DEPOIS DA MORTE DE CHIO, Nao começou a trabalhar em um frenesi, levantando-se tão cedo quanto Kuga, que herdara os olhos sonolentos da mãe assim como a cozinha dela. O tinido do carvão vegetal tocando carvão vegetal no fogareiro, seguido pelo barulho de madeira que Gema e Jade faziam ao arriar as venezianas, o som abafado dos alunos dobrando seus colchões de algodão — a todos esses ruídos se juntavam os sons de Nao raspando, aplainando e cinzelando enquanto cortava e encaixava lâminas de vidro.

Desde que os filhos se mudaram para o andar de baixo, Yukako se tornara ferozmente protetora do seu sono da manhã: quando eu acordava, ficava deitada por longos minutos, tentando ouvir os sons do fogão e dos utensílios laqueados que significavam que era hora de trazer o café da manhã da *Okusama*, enquanto Yukako continuava dormindo até que eu colocasse a bandeja ao seu lado e tocasse seu ombro. Mas algo no trabalho que tinia, raspava e chiava lá embaixo fazia Yukako enrijecer todas as manhãs: eu sentia o coração dela bater mais rápido e seu corpo ficar tenso.

Numa dessas manhãs eu estava flutuando em um semissonho. Alguém estava tocando uma melodia no *shamisen*, *Auprès ma blonde, il fait beau, fait beau, fait beau*. Semiacordada, os ossos líquidos de desejo, agarrei-me a Yukako enquanto ela se revirava na cama, para impedir que a música evaporasse.

— Ouça só esse barulho — disse a voz de Yukako, e, ao mesmo tempo, eu sabia, acordada, que ela estava falando no quarto onde estávamos deitadas e imaginava, sonhando, se ela se referia à música da minha mãe. Senti ela afastar o meu braço dormente, e acordei totalmente: Nao trabalhando a borda de um vidro com uma lima de metal, e Yukako sentada na cama, aborrecida.

Ela se vestiu em uma onda de irritação, prendeu o cabelo e desceu. Eu vesti meu quimono de banho correndo e arrastei-me atrás dela, piscando e bocejando. Na luz tímida e cinzenta, vi que Nao já havia retirado as venezianas de madeira que cobriam as portas deslizantes da casa de costura. *O orvalho vai danificar o papel*, pensei comigo — mas não havia mais papel, apenas vidro e buracos onde o vidro ainda seria colocado. Circundei a casa e vi Yukako, alta e formal em seu quimono, Nao desleixado em suas perneiras e seu avental grosso. Com um gesto, ela o chamou para fora da casa de costura por um momento e falou com ele em voz baixa.

— O meu filho lhe disse para começar a trabalhar tão cedo?

— Ele nunca se opôs também, Senhora.

Os olhos abaixados dele e a voz equilibrada a enfureceram ainda mais.

— Está ciente de que há alunas dormindo diretamente acima de você? Você as está incomodando.

— Ninguém me disse nada antes, Senhora — disse Nao, mas não sem antes observar, com um olhar sem disfarces, que fora *ela*, e não uma aluna no andar de cima, que se havia levantado para confrontá-lo.

— Você não costumava fazer isso; eu não sei qual é o problema.

Nao fitou-a com um olhar frio, vazio e franco.

— Eu sinto muito pela sua mãe — disse Yukako, envergonhada.

— Eu só queria acabar aqui e voltar para os outros vidraceiros — murmurou ele.

Ele não disse *os outros vidraceiros*; ele disse *uchi*: meu mestre, minha guilda. A palavra *uchi* normalmente significava *minha família* ou *minha casa*.

Vi Yukako dar um passo para mais perto dele.

— Este lugar não é um lar para você?

Nao desviou o olhar de Yukako e encolheu os ombros, com a cabeça baixa.

— Não.

Em seus tamancos elegantes e o cabelo preso no alto, Yukako estava tão alta quanto Nao em suas sandálias de palha. Ela permaneceu onde estava, um pouco mais perto do que era realmente apropriado.

— Você se apressou em partir da última vez também, logo após a morte do Irmão Mais Velho...

— Ele era a única coisa que me prendia aqui — disse Nao.

Ah, percebi. Exatamente como Chio fora a única coisa que o prendera ali daquela vez.

— O Irmão Mais Velho morreu, o filho do Lorde Ii foi para Edo e você partiu — disse Yukako, seus olhos brilhando com uma mágoa antiga.

As narinas de Nao se alargaram em fúria. No olhar dele para Yukako havia ressentimento.

— O que você quer? — disse ele furioso. Dava para ver o sangue pulsando na testa dele.

— Eu acho que você deveria colocar vidro no meu quarto também — disse ela, com um tom de desafio e lisonja ao mesmo tempo. Então, como se tivesse se lembrado de sua posição, ela cruzou furiosamente os braços sobre o peito.

— É o que quer? Ótimo — vociferou ele.

Eles se encararam, respirando fundo.

Yukako virou-se para ir embora.

— E não comece a trabalhar antes que tenham lhe trazido o café da manhã.

UMA HORA MAIS TARDE, quando eu estava ajudando Kuga com as bandejas do café da manhã, uma das moças não apareceu: Mariko, a filha do Conselheiro Kato.

— Algum problema? — perguntou Yukako quando passou pela cozinha.

— Ela está doente — disse Tsuko, a filha do Barão Sono, tocando o abdômen e parecendo aflita.

Yukako inclinou a cabeça rapidamente em solidariedade: que mulher não sabia das cólicas menstruais? Mas então Io Noda tentou reprimir uma risada.

— O que foi? — ameaçou Yukako.

— Excesso de saquê! — disse Io, e as outras moças riram, mas nervosas, em voz baixa, olhando para Yukako.

— Bem, a barriga dela também está doendo — disse Tsuko, com uma reverência, desculpando-se.

NAQUELA TARDE, enquanto acompanhava Yukako a uma das escolas, ela mencionou o incidente com as meninas no café da manhã como se o confronto com Nao nunca tivesse acontecido.

— Bêbada aos 17 anos? Você acha que o pai dela sabe? Será que Kuga está vendendo saquê para ela? Kuga bem que gosta de tomar um pouco. Mas foi bondade de Tsuko tentar proteger a filha de Kato. Ela contou de uma forma que não estava *realmente* mentindo, não foi? Não sei o que a Srta. Noda pensou que ia ganhar com mexericos. — A voz dela estava pensativa e jovial, mas seus olhos brilhavam novamente, como tinham brilhado quando ela falou com Nao.

— Está claro que elas precisam de mais supervisão — concluiu ela.

Naquela noite, enquanto as moças estavam jantando, Yukako me disse para levar o seu livro contábil para o gabinete de Tai. Então me fez carregar um biombo volumoso pelas escadas estreitas da sala de costura, seguido por seu futon, suas cobertas, seu espelho e suas caixas de quimonos. Enquanto eu ofegava para cima e para baixo, pensei sobre *uchi*, a palavra que Nao usara, e em como eu tinha sorte de ter aquele lar. Ele era meu, a textura da madeira das escadas que eu sentia através das minhas meias marrons gastas, o próprio gesto de atar firmemente um pano de carregar ao redor da caixa de miudezas de Yukako. *Estas são as coisas dela,* pensei, apertando o nó. *Estas são as coisas dela, e o meu lugar é aqui com elas.*

No alto das escadas do dormitório das moças no sótão, Yukako separou o canto mais distante do quarto com o biombo e estendeu seu futon no chão.

— Nada mal — ela concordou consigo mesma, olhando a sua volta.

— Você quer algo mais do outro quarto? Ou devo trazer o meu futon agora? — perguntei-lhe, ainda meio sem fôlego.

— Por quê? — surpreendeu-se ela, puxando a caixa laqueada em sua direção pelo lenço de carregar feito de algodão listrado.

— Por que o quê? — perguntei.

Com um dedo Yukako abriu o nó do lenço.

— Por que traria o seu futon? — repetiu ela, surpresa. — Se dormir aqui, não vai ouvir quando o café da manhã ficar pronto.

Ouvi-a muito lentamente, como se estivesse embaixo d'água. Formulei uma pergunta.

— Então onde devo dormir?

— Com as outras, boba — disse ela, acenando com a mão na direção da cozinha enquanto os nomes das outras vinham a sua mente. — Gema e Jade.

— Mas e se você precisar de algo? — perguntei, estupefata.

— Já está na hora de começar a mandar uma *delas* fazer isso — disse ela, com um movimento de cabeça cheio de determinação em direção à pilha de roupa de cama das alunas. — Quero ver do que elas são feitas.

Na luz que ia escurecendo olhei para as longas mãos de Yukako sobre a tampa laqueada. Eu tinha me enganado. *Uchi* significava uma coisa para mim, percebi: aquilo que eu acabara de perder.

ANTES DE CAMINHAR até a casa de banho, arrastei meu futon até o quarto de três tatames junto à cozinha onde Gema e Jade dormiam. Dava para ouvir Kuga e Aki servindo o jantar para Nao na casinha do lado de fora da cozinha, exatamente como Chio costumava fazer para Matsu quando eu era jovem. Senti-me entorpecida e distante enquanto estendia o meu futon junto aos de Gema e Jade.

Foi somente durante o banho, depois de desenfaixar a minha *obi* justa e esfregar a sujeira do dia, depois de relaxar nos braços cálidos da água, que finalmente senti algo.

A minha respiração saiu em forma de pequenos soluços enquanto eu tentava não chorar. Por que ela havia me deixado? Ela não fazia realmente questão de *supervisionar* suas alunas, fazia? Eu sabia que Nao a tinha afastado, mas será que eu a empurrara? Se eu não a tivesse envolvido com o braço, será que ainda assim teria partido? Lembrei-me do sonho que tivera aquela manhã, da voz da minha mãe quando eu era muito pequena, lembrei-me de ter tocado o corpo quente de Yukako na escuridão. Chorei.

COM OS OLHOS fechados dentro d'água, comecei a perceber uma voz familiar e abominável: Hazu havia chegado com seu bando de filhos. Dava para ouvir seus dois filhos mais velhos no lado masculino da sala, a filha e o filho mais novo, o Garoto Mosquito, por perto.

Embora ela estivesse falando com Fujie, a sua velha mãe, naquele momento, senti os olhos de Hazu sobre mim enquanto eu fungava, e me recompus.

— Conte à Srta. Momo a respeito da Garota dos Espirros, lembra-se? — Hazu insistiu com a mãe.

— Foi a coisa mais egoísta que já vi. Pouco tempo antes de ir a Osaka para se casar, ela veio à casa de banho uma noite com um resfriado horrível e espirrou diretamente na água. *Fum! Fum!* Como um trovão! E o muco que saiu do nariz dela?

— Que nojo! — gritou a filha de Hazu, atenta à narrativa.

As amigas de Hazu se juntaram ao redor dela na água, ouvindo e lançando olhares ocasionais na minha direção enquanto eu tentava controlar meu rosto.

— Era verde? — perguntou o filho de Hazu, o Garoto Mosquito.

— Verde, marrom e amarelo! E grande como uma libélula! Tivemos que esvaziar a banheira e esfregá-la, enchê-la com água limpa e aquecê-la de novo — concluiu Fujie.

— Minha Mãe disse que levou um século antes que alguém pudesse entrar na banheira de novo — acrescentou Hazu. — Dá para imaginar?

As amigas de Hazu se inclinaram na direção dela enquanto ela ria estridentemente, e os filhos a imitaram. Sentia que todos estavam olhando para mim. Funguei de novo, fiz uma reverência de boa noite e saí da banheira com a intenção de ir embora.

— Estão sentindo o cheiro de manteiga? — riu uma das mulheres.

No canto da banheira, Kuga, Gema e Jade olhavam constrangidas para as mulheres que riam e depois para mim, não querendo tomar partido. Fui embora, sequei-me e caminhei para casa rapidamente a fim de poupá-las do constrangimento da minha companhia. Mantive a minha lâmpada com luz baixa para que ninguém pudesse ver meu rosto no caminho e chorei em paz até que as outras chegassem em casa. Ouvi a voz baixa de Nao perguntando algo a Kuga do lado de fora e senti um fraco lampejo de esperança. *Ele não vai ficar aqui para sempre*, prometi a mim mesma. *Ele quer ir embora tanto quanto eu quero que ele vá. E será que Yukako não vai se cansar de bancar a mãe para sete garotas?*

Ocorreu-me que embora eu tivesse percebido desejo nas críticas dela naquela manhã, podia ser que Yukako realmente não soubesse que desejava Nao: ela podia estar confundindo o desejo por ele com irritação. Ela detestava o som do vidro e das limas, dizia ela, mas não tinha movido a cama para mais perto do lugar de trabalho dele? Ou talvez, com a pequena parte dela que tinha ciência do próprio desejo, ela se mudara porque o temia, porque — mais do que aquelas moças precisavam de *supervisão* — ela própria precisava de alguém que a vigiasse: um quarto cheio de moças. Por que eu não era suficiente? Em meu futon, rangi os dentes e abracei o meu corpo bem apertado. Quando as costureiras chegaram, fingi estar dormindo.

28

1891

EU NÃO TINHA PERCEBIDO, mas todos queriam que Nao ficasse. Tai e o neto do jardineiro, Toru, embora não tivessem nada para dizer um ao outro, não paravam de falar dele — Toru, seu futuro filho adotivo, agindo mais como uma nora, correndo para lá e para cá com a bandeja de tabaco e xícaras de chá. Ele era o primeiro a aparecer com uma vassoura quando Nao terminava de trabalhar na casa de costura e o primeiro no alto da escada junto à cozinha com um pano protetor de respingos quando Nao começou a trabalhar no quarto que Yukako havia desocupado.

Sempre que conseguia fugir de suas aulas e tarefas, Tai também subia as escadas da cozinha e ficava por lá enquanto Nao trabalhava. Ele falava com Nao de uma forma que eu nunca ouvira antes, uma voz áspera, informal, dominadora, desvirtuada pela especificidade sedenta de suas perguntas: Como se controla a temperatura quando se fabrica vidro? Como é que os trens mudam de uma bitola de trilhos para outra? Quanta água tem que passar por uma turbina para gerar eletricidade? Quando eu passava do lado de fora, eu o via com uma postura relaxada junto à janela, fumando um cachimbo ocidental — algo que ele nunca teria feito no quarto da mãe se ela ainda estivesse lá.

Até Kenji, quando não estava isolado na sala de aula com Aki, corrigindo-a pacientemente enquanto ela lia em voz alta, parando para fazer ou solicitar comentários sobre um trecho aqui e ali, costumava aparecer para observar Nao de baixo, em pé do lado de fora, timidamente hipnotizado. A beleza radiante de criança desvanecia — sem dúvida, por causa de todo aquele tempo no templo Sesshu-ji com o pai — em algo mais hesitante e lento. Eu o observei enquanto passava os dedos nas finas lascas de madeira que saíam da plaina de carpinteiro.

— Você já as cheirou, Aki-*bo*? — ouvi-o perguntar uma vez, como se ela fosse uma criança muito mais nova.

É claro que sim. Aki e Kuga estavam encantadas por Nao, mesmo que mantendo uma certa distância de mágoa, como se, de prontidão para a sua partida, estivessem juntando um estoque de indiferença. E ainda assim, cada tigela de arroz temperado, cada costura de quimono, cada esfregada sobre o tatame onde ele dormia parecia um ato de adoração. As novas costureiras, todavia, não sentiam tal ambivalência e cochichavam a respeito dele noite adentro.

— Ele gosta de você.

— Não, ele gosta de *você*!

— Ele tem aquela esposa.

— Quem?

— A mãe da Srta. Aki.

— Não! Ele a expulsou!

— Não, ela ainda está em Asaka, esperando-o.

— Ouvi dizer que ela morreu.

— Ouvi dizer que ele tem uma amante, uma rica mulher casada que o visita de tarde.

— Você inventou essa história!

— Como é? *Você* é que mente o tempo todo.

— Mas ele gosta de você, eu sei.

— Não, ele gosta de *você*!

Eu tentava dormir antes que elas chegassem a esse refrão uma terceira ou quarta vez; eu dormia aos seus pés, com um canal entre o meu futon e os delas.

As alunas de Yukako, no entanto, eram as fofoqueiras mais espalhafatosas de todas e como eram bem-nascidas a conversa delas era mais variada: podia ser sobre Mariko Kato e Io Noda se embebedando com a bebida de Kuga perto da torre à prova de fogo. Podia ser sobre como o Primeiro-Ministro escolhera Lorde Ii — o avô da moça tímida e arredia que Sumie nos enviara — para escrever um poema para o portão que conduzia à usina elétrica de Kato, em um esforço para construir pontes entre os conservadores e os homens *bunmei kaika*. Ou podia ser sobre Mariko amarrando um barbante nas escadas que Nao subia, para poder ajudá-lo a se levantar quando ele tropeçasse.

Naquele dia Mariko estava cochichando na sala de costura com Io: o Imperador havia autorizado o pai de Tsuko Sono a abrir um museu de arte japonesa em Tóquio. Todas as senhoras finas tinham esperança de ver o irmão de Tsuko casado com suas filhas, mas o rapaz se casara com uma gueixa consideravelmente mais velha por iniciativa própria.

— Ela é a favorita da *Sensei*, notou?

Era verdade: com frequência Yukako levava Tsuko nas incumbências que, até alguns meses antes, costumavam ser nossas. Eu me peguei intencionalmente prestando atenção à conversa das moças, em busca de notícias de Yukako, o tipo de conversa noturna que antes eu costumava ignorar: o Ministro da Educação — o Augusto Primo do Imperador — tinha uma nova esposa que ele planejava trazer para Kyoto quando viesse naquele outono, uma ex-gueixa que falava francês. Em homenagem a esse acontecimento, Yukako havia incumbido uma *pâtisserie* em Kobe de desenvolver um doce francês que combinasse com um *matcha* verde e espumoso.

Fiquei imaginando se seria desenterrada da obscuridade para falar francês com essa mulher — mas, com certeza, não seria. Lembrei-me de Yukako exibindo a tesoura de cortar flores, e não as flores, durante a estação das flores de cerejeira, e pude imaginar a voz dela: *Usar comida francesa* lisonjeia *as realizações da esposa dele; falar francês seria* testá-las. *Que atitude você acha que vai deixá-lo com a melhor impressão?* Tentei responder-lhe em francês na minha mente e peguei-me buscando uma palavra em inglês. Os distritos do meu cérebro haviam sido redesenhados, de forma que em vez de francês e não francês, que eram parte do mundo oral da minha infância, eu conhecesse japonês e não japonês.

Embora fosse uma ótima ideia da parte de Yukako incluir a nova esposa do Ministro com esse toque francês, fiquei pensando como ela se sentiu a respeito. Será que tantos anos se haviam passado que convidar uma ex-gueixa para o chá não mais traria à tona lembranças desagradáveis? *A Gueixa que Fala Francês*, pensei. Perguntei-me o que teria acontecido à *Gueixa que Fazia o* Temae Shin e à sua criada. Perguntei-me se Inko ainda estaria casada com o rapaz da loja de doces, se tinha filhos agora, se ela recebera o presente que eu enviara tantos anos antes. De repente, ouvi Io provocar Mariko:

— Aposto que você está contente porque seu marido vai ficar mais tempo, não é?

— Que marido?

— Todas sabemos que não foi um barbante qualquer! O cordão que você usou para ele tropeçar era o fio vermelho do destino!

— Ah, *ele* — disse Mariko, revirando os olhos em direção ao local de trabalho de Nao no andar de cima.

— Não se faça de boba!

— O quê?

— Você provavelmente disse a seu pai para pressionar a *Sensei* a respeito das janelas, não foi, Srta. Kato? Admita!

— *Como assim?* — explodiu Mariko.

— Você não sabe mesmo?

— Vamos ter que continuar com esta brincadeira o dia todo?

— A *Sensei* pediu ao Sr. Fio Vermelho para colocar vidro na Baishian para a visita do Ministro.

— É só isso? — zombou Mariko, mas enquanto Io se gabava de ser a primeira a saber, vi um sorrisinho surgir no rosto da Srta. Kato.

Ah, eu o detestava, o Sr. Quieto e Habilidoso, o Sr. Maçãs do Rosto! Por que ele concordara em ficar mais tempo? A única coisa que vinha mantendo o meu desespero sob controle era o pensamento de que ele partiria em breve. Fiquei contente de estar sentada atrás de Mariko e Io, fora do campo de visão delas, quando lágrimas de raiva molharam a costura que estava na minha frente. Quem dera ele partisse! Yukako iria perceber que sentia a minha falta. E eu teria o meu lugar de volta.

Fechei os olhos. Desde que perdera as noites e as incumbências com Yukako, eu ia da casa de costura para a casa de banho, e da casa de banho para o futon, vendo os outros quartos apenas para limpá-los. Sem as excursões diárias, eu estava passando mais tempo esfregando tatames com as outras empregadas, com as costas totalmente curvadas, os nós da *obi* no ar. Tínhamos finalmente deixado a temporada de chuvas do começo do verão, e aquela, enfadonha e encharcada, tinha sido a mais longa para mim.

Massageei a região lombar por um momento e fiz um intervalo, aparentemente para buscar chá para as outras, mas fiz uma caminhada mais longa do que o necessário. Aki também deixara a sala de costura; eu a vi junto ao portão da frente sob a última luz do dia, com ainda menos justificativas para sua indolência do que eu: ela estava junto ao portão dos criados, olhando as moças de Starkweather indo para casa em seus *hakama*. Ela tinha 15 anos, era magra como um palito, e a cabeça e os olhos pareciam grandes demais para o seu corpo pequeno. Ela estava comendo cada vez menos, percebi, ao ver como sua cabeça descansava sobre o alizar da porta, como se o seu peso fosse demais para ela. Embora seus olhos estivessem abertos, era como se ela tivesse voado para fora do corpo e estivesse indo, invisível, para casa com as moças de Starkweather, com os livros unidos por uma correia de couro. *Mantenha-se longe enquanto pode, Srta. Aki,* pensei, severa. *A qualquer momento você vai ficar menstruada e terá que se casar com Toru.* Lembrei-me de Hazu na casa de banho, gabando-se de como perdera um dente para cada filho que dera à luz. Eu estava infeliz, percebi, mas tinha sorte. Eu tinha feito a minha própria sorte antes e podia fazê-la de novo.

29

1891

NÓS MORÁVAMOS perto de um templo, ao qual eu havia acompanhado Yukako em muitas visitas ao longo dos anos. Ao lado havia um santuário. O templo fechava seus pesados portões antes do pôr do sol todos os dias, mas o santuário mantinha suas lâmpadas queimando a noite toda: o *torii* não tinha portão para fechar. As paredes do santuário encerravam três tipos de objetos venerados. Primeiro, coisas sagradas do mundo natural: grandes pedras ou árvores com cordas sagradas de palha em volta, adornadas com borlas de corda e zigue-zagues de papel branco. Segundo, objetos de devoção xintoísta como espelhos ou joias, protegidos por guardiões de pedra, como raposas ou javalis. Terceiro — embora tivessem sido banidos no Primeiro Ano da Era Meiji, voltaram rapidamente —, divindades budistas que haviam sido adaptadas para as necessidades xintoístas, como uma estátua de Benten reverenciada como uma face da deusa xintoísta da agricultura, ou uma de Kannon venerada como a deusa xintoísta do nascimento. Havia com frequência uma atração principal nas áreas xintoístas, conservada na construção maior — no caso do nosso templo, um par de sábios guerreiros —, mas tantos outros seres sagrados e pavilhões se amontoavam nas terras do santuário que o deus principal parecia mais uma estrela brilhante em um banquete do que um monarca rodeado por sua corte. O Japão teria aceitado o cristianismo sem pestanejar se pudesse ter enfiado outro altar — com uma cruz, guardado por anjos de pedra — no terreno sagrado, vasto e democrático, existente atrás de um portão *torii*.

Pessoalmente, acho que os deuses budistas voltaram tão rapidamente aos santuários xintoístas para o caso de alguém — como eu, quando fiquei sabendo que Nao ia ficar mais tempo — precisar fazer uma oração quando os templos estivessem fechados. Antes do jantar, eu esquadrinhei a gaveta do meu travesseiro de madeira e enfiei na manga a moeda que encontrei. Fui para o banho mais cedo naquela noite, com as cigarras chiando no anoitecer de verão.

Atravessei o *torii*. Havia uma lâmpada ao lado da bacia de pedra do santuário, dentro da qual um fio de água escorria por um tubo de bambu. Lavei a mão esquerda, a mão direita e a boca. Havia um enorme salgueiro entre mim e os peixes gourami prateados do santuário que abrigava a deusa xintoísta com o rosto de Kannon. A lâmpada no chão iluminava algumas folhas de verdedourado; em cima, a árvore era um vulto negro contra o céu estrelado. Eu afastei a cortina de galhos ásperos do salgueiro com as duas mãos e segui pelo caminho de pedra iluminado por uma fileira de lanternas.

Entre as lâmpadas acesas, lá no fundo, atrás de uma série de portões e cortinas cada vez menores, a deusa era um lampejo de ouro. Os japoneses a chamavam de avatar da compaixão; para mim ela era a patrona das escolhas, de outras vidas possíveis. Eu disse: "Faça algo acontecer." E também: "Faça ele ir embora."

NA CASA DE BANHO, como todas as noites, tirei as sandálias no aposento externo e as deixei no seu cantinho no lado das mulheres. Olhando para o favo de mel de compartimentos de sapatos que cobria as paredes, cada qual um cubo perfeito, era fácil saber quantas pessoas haveria na casa de banho e quem eram elas. Um certo par de sandálias com tiras amarelas novas nunca deixava de contrair os meus ombros: Hazu já estava lá naquela noite.

Eu fui, como sempre, para o canto do vestiário que fora de Chio, onde guardávamos uma caixa com um pente e bolsinhas recheadas de farelo de cereais, e um pano de esfregar que ficava pendurado para secar na alça de cada caixa. Naquela noite minha toalha estava, estranhamente, dobrada e enfiada dentro da caixa. Levantei os olhos: será que eu tinha pegado a caixa de outra pessoa por acidente? Não, aquele era o meu pano, o penacho do grou dos criados dos Shin bem claro. Será que alguém na casa de banho lavara, secara e dobrara todas as toalhas? Não, as de Gema e Jade estavam penduradas exatamente como elas as haviam deixado.

— Srta. Urako, com licença.

Olhei para Hazu. Algumas das amigas dela estavam por perto, olhando para nós com os braços cruzados.

— Será que eu podia falar com você um minuto?

— Por que a formalidade? — perguntei calmamente, com nós no estômago.

— É que meus filhos têm lhe causado problemas, e eu quero me desculpar.

— Seus filhos são encantadores — menti. — Eles não me causam nenhum problema.

— Será que poderíamos ir lá fora um momento? — pediu Hazu.

Ela pegou a minha caixa pela alça e me levou até o aposento externo, onde ficavam os sapatos.

— O que você está querendo me dizer, Pequena Hazu? — perguntei, esvaindo-me em condescendência, eu esperava, em vez de medo.

— Bem, você tem tido que aguentar muito desrespeito e insinuações. E isso não é direito. Então, eu vou falar francamente. Você não é japonesa.

— É mesmo? — eu disse calmamente, tentando ganhar tempo.

— Talvez não soubéssemos quando crianças, mas eu já vi estrangeiros e vi você. Eu não me importo se alguma prostituta tola de algum marinheiro a colocou no mundo, mas o fato é que você é estrangeira e esta é uma casa de banho japonesa. Você entende? — perguntou ela, com a voz ainda sincera e amigável.

Eu gostaria de tê-la dissuadido mencionando que os estrangeiros só haviam chegado a Kobe muito depois de eu ter nascido, mas eu estava perturbada demais para pensar naquilo.

— Eu não acho que isso tenha sido um problema — eu disse, e tomando emprestado o ímpeto de Yukako, acrescentei: — exceto pelo que você está me causando agora. Além disso... — a minha garganta começou a se contrair nesse ponto — ...eu não acho que você saiba nada sobre a minha mãe.

— Sinto muito se eu disse isso de uma forma que confundiu você antes — disse Hazu, compassivamente. — Sinto mesmo. Eu não deveria esperar que uma estrangeira compreendesse, e por isso estou tentando ser clara esta noite. Eu não me importo com a maneira como sua *Okusama* age e nem com a maneira de agir de o-Chio. Existe a limpeza e a sujeira, e nós japoneses vamos à casa de banho para nos limparmos.

Eu estava corando e podia sentir meus olhos congestionados de raiva.

— Eu também — insisti em voz baixa.

— Veja bem. Se você alguma vez entrar nesta banheira de novo... — ela começou. Fiquei imaginando qual seria o fim da ameaça dela. Será que ela iria quebrar os meus joelhos se eu sujasse a água dela? — ...nós vamos ter que retirar a água, esfregar a banheira e começar do início. Você entende quanto aborrecimento isso vai causar para todo mundo?

Eu estava tão atordoada que soltei uma risada, meio balido, meio tosse.

— Não foi isso que pensei que você ia dizer.

— Eu acho que não preciso dizer mais nada — disse ela, entregando-me a caixa da casa de banho. — Boa noite.

Ela abriu a porta atrás de si e vi que as outras mulheres no vestiário tinham se aglomerado para escutar, inclusive a mãe, vigorosa e com olhos de lince, e a filha dela, uma menina tão bonita e vaidosa como ela tinha sido um dia.

Olhei para a mãe de Hazu que estava de pé junto à porta. A mulher me olhou nos olhos e acrescentou um adeus que soava como uma ferroada. O significado da palavra para adeus, *se tem que ser assim* — que sugere resignação e pesar passivos, sugere que somos impotentes diante das forças que nos distanciam uns dos outros —, soava sarcástico se comparado com os atos resolutos da filha.

— *Sayonara* — disse ela.

Encolhida, voltei-me para a parede para pegar minhas sandálias. Elas tinham sumido. No fundo do meu compartimento de madeira, recém-limpo e brilhante, repousava um pequeno prato de sal.

— Elas estavam sujas — disse a filha de Hazu. As outras mulheres concordaram. — Então as queimamos.

— Espero que isso ajude você a lembrar — disse Hazu.

Ela deu um passo de volta para a casa de banho e a porta para o vestiário fechou-se.

A caminho de casa, descalça e tremendo, passei por um grupo de criados da família Shin a caminho do banho e fiz uma rápida reverência para eles. Nao viu o meu rosto e me lançou um olhar inquisitivo; eu quase rosnei para ele.

Passei pelo portão do santuário.

— Bom, eu rezei para que algo acontecesse — eu disse.

Um som amargo, quase uma risada, saiu de mim.

EU NÃO VIRA AKI com os outros no caminho, mas quando fui até Yukako no escritório do jardim que ela compartilhava com o filho, vi que a menina estava de serviço e imaginei que a *Okusama* a mantivera em casa para trazer chá e moer tinta. Por que não uma de suas alunas?, perguntei-me junto à porta.

— Srta. Ura — chamou Yukako, com a voz relaxada e contente.

Quando entrei vi que ela não estava sozinha. Sua aluna Tsuko Sono estava sentada com ela junto à mesinha baixa sob o mosquiteiro, parecendo bem-disposta e determinada em seu quimono azul-escuro e sua *obi* de listras vermelhas e brancas.

— Entre e experimente isto — saudou a *Okusama*.

Quando levantei o mosquiteiro para poder entrar, vi um bule de chá na mesa, duas pequenas xícaras e uma bandeja com os biscoitos *sembei* mais estranhas que eu já vira.

— Prove isto e me diga o que acha — disse Yukako, como se nunca tivesse me mandado dormir no andar de baixo.

Olhei para ela e depois para Tsuko, com o rosto solene iluminado como o de uma criança que teve permissão para ficar acordada até mais tarde com os adultos, e compreendi por que Aki, e não as outras alunas, haviam sido convocadas para ficar de serviço: as outras moças ficariam com ciúmes.

Controlando a minha própria inveja, mordi uma das massinhas redondas na bandeja.

— É doce! — eu disse surpresa.

— Esse é o meu favorito — disse Tsuko, concordando. — *Yuzu*.

O disco crocante com sabor de cidra derreteu rapidamente na minha boca, com um chiado suave, de carvão vegetal, como — o que era muito irritante — o vidro de Nao.

— É gostoso — eu disse melancólica. Era estranhamente, primitivamente familiar, e isso me deixou ainda mais irritada.

— Iremos tê-los em *yuzu*, gergelim preto e castanha. Acho que vão fazer sucesso com o Ministro e sua esposa — disse Yukako, e eu me lembrei da Gueixa que Falava Francês. — Eles se chamam *macarons*.

O sotaque francês forçado que ela usou fez com que eu reconhecesse um sabor da infância: suspiro! Corei, num tom intenso e complicado, e senti, em meio à ira e à inveja, orgulho de ter defendido minha mãe na casa de banho.

— *Okusama*, será que eu poderia falar-lhe a sós em algum momento? — pedi.

Tsuko parecia surpresa.

— As outras com certeza estão se perguntando onde estou — disse ela, com os olhos abaixados. — Por favor, perdoe a minha grosseria, mas tenho que ir.

— Tenho certeza de que está tudo bem — disse Yukako, mas a jovem se inclinou rapidamente e saiu. Preocupada, Yukako mordiscou um *macaron*. — Eu não tenho intenção de receber a esposa do Ministro na sala de chá, é claro, mas estes biscoitos deverão causar uma boa impressão enquanto ela espera.

O tom de voz dela era frio, e dava para perceber que o tempo não tinha abrandado os seus sentimentos diante da perspectiva de receber uma gueixa — mesmo uma ex-gueixa, na casa Shin.

— Então, Srta. Ura — disse Yukako, com uma olhada em direção à porta pela qual Tsuko havia saído. — Do que você precisa?

Ela parecia desapontada com a saída da garota.

— *Okusama*, eu tenho que fazer um pedido especial. — As palavras formais pareciam tolas em minha boca. — Será que eu poderia tomar banho aqui à noite? — Contei-lhe, da forma menos emotiva possível, o que acontecera, endurecendo a voz sempre que ela começava a hesitar. — E será que poderia me dar outro par de sandálias? — terminei. *Aceite-me de volta* eu não disse. *Afinal, houve um dia em que tomamos três xícaras juntas.*

Yukako anuiu, com o rosto suavizado pela compaixão.

— É claro. Isso é terrível — disse ela. — Não há o que fazer com um grupo de pessoas assim, se estão todos contra você. É claro que você vai tomar banho aqui.

— Quando eu cheguei aqui, acho que a mãe da Srta. Hazu queria que ela trabalhasse para a sua família, mas você e o-Chio me escolheram.

— Eu me lembro dela — Yukako inclinou a cabeça com uma careta.

— Acho que elas me odeiam desde então.

— Ah, você acha que se não tivesse aparecido, nós teríamos admitido a Pequena Hazu daquela mulher no seu lugar? — ela riu. — Lembro-me de o-Chio reclamando de que ela havia insistido muito. *Eta.*

Arregalei os olhos. Eu nunca tinha ouvido uma mulher, muito menos Yukako, dizer a palavra usada para párias. Os *eta*, reclassificados pela lei Meiji como Novos Cidadãos, eram famílias que manuseavam animais mortos como açougueiros e aqueles que trabalham com couro, anátemas em um país budista. Eles eram tão profundamente rejeitados que, embora eu tivesse passado quase toda a minha vida em Kyoto, eu tinha apenas uma vaga ideia do lugar na cidade onde eles provavelmente viviam. Lembro-me de Chio, nas poucas vezes que mandamos buscar carne de porco, jogando água na rua que ficava em frente à casa depois da partida do revendedor, que não era *eta.*

— Ele negocia com pessoas muito desagradáveis — ela resmungou quando perguntei por quê.

Eles eram tão desprezados que, embora adolescentes facilmente chamassem uns aos outros de *baka*, eu nunca ouvira ninguém chamar nem mesmo um inimigo declarado de *eta*. Isso me fez concluir que Yukako não estava falando figuradamente.

— O que está querendo dizer? — perguntei.

— Aquela mulher sempre insistiu um pouco demais que não era isso — disse Yukako, e foi a terceira vez que percebi que ela evitara chamar a mãe de

Hazu pelo nome, Fujie, ou Glicínia Pintada. — Mas não sabemos muito sobre a família dela. A mãe do pai dela era casada com um carpinteiro chamado Toshio. Uma mulher muito virtuosa, quatro filhos. Mas quando ela morreu, descobriu-se que ela tinha um amante secreto o tempo todo. Um açougueiro. Pode imaginar? Então será que Toshio era o pai daqueles filhos? Ninguém sabe, mas escute só: com exceção do avô de Hazu, todos os filhos partiram em peregrinação... — de acordo com as leis antigas, nenhum plebeu podia deixar sua cidade natal, exceto em peregrinação religiosa — ...e nunca mais voltaram para casa.

Yukako me deu um olhar significativo.

— Entendeu? O-Chio nunca iria tolerá-la: "Eu tenho os olhos do meu avô Toshio" — zombou. — "A Pequena Hazu tem o queixo do meu avô Toshio." É claro que não íamos admitir a filha daquela mulher. — Ela sacudiu a cabeça, e eu me assustei quando ela soltou uma risada. — É verdade, nós ficávamos usando de evasivas com aquela mulher, mas acabou ficando embaraçoso. Você apareceu no momento certo.

Yukako me serviu um pouco de chá, e me apressei em retribuir o favor.

— Coitado do avô corno Toshio — ela concluiu com um suspiro. — E coitada da o-Fujie, na verdade — refletiu em um momento efusivo. — Então dá para entender por que aquelas duas iriam comandar a massa para expulsar a estrangeira, para encobrir o seu próprio sangue ruim.

Era difícil ouvi-la falar assim.

— Você alguma vez pensou que eu podia ser uma *eta* quando me encontrou?

— Não seja ridícula, isto é, a coisa sobre eles é que parecem perfeitamente com japoneses. — Na verdade, eles eram japoneses: as pessoas não se esquivavam deles até que o budismo chegou ao Japão. — Mas eles não podiam se casar fora de suas castas até a Era Meiji, então eles realmente se pareciam uns com os outros. E você não se parece nada com eles. Por isso.

Eu olhei em direção a Aki que estava sonhando acordada junto à porta, com uma bandeja nas mãos. Envergonhada, eu repeti em voz baixa o que Hazu tinha dito sobre a prostituta do estrangeiro.

Yukako baixou a voz para que se igualasse à minha.

— Quando a encontrei, você parecia tanto com uma coisinha estrangeira, um gatinho que se perdera do mundo dos espíritos. Eu nunca achei que você era japonesa, embora com o tempo e o treinamento você se parecesse cada vez mais com um ser humano. Eu sei que deve ter sido difícil para você. Sei que os outros criados devem ter pensado que você talvez fosse um bebê da água — ela disse, referindo-se a um feto abortado — ou talvez filha de uma *ovelha*.

Os meus olhos se arregalaram de novo ao ouvi-la dizer a gíria usada para referir-se a mulheres dispostas a dormir com estrangeiros. Eu também nunca a ouvira dizer a palavra *ovelha*.

— Até mesmo as filhas-mantidas-em-caixas têm ouvidos — disse ela, com um sorriso que zombava dela mesma. — Mas seja lá o que os outros pensaram, nunca teriam pensado que você era uma *eta* — ela me consolou —, pois ninguém teria expedido para uma *eta* uma licença de prostituição. Mesmo que *houvesse* mulheres que se relacionassem com marinheiros estrangeiros que não soubessem disso, nenhuma *eta* teria tido permissão para viajar tão longe para deixar uma criança em Miyako. Nenhuma *eta* teria tido dinheiro para comprar aquelas roupas estrangeiras. Você entende? Ninguém teria pensado isso de você.

Senti-me tão feliz e grata por toda aquela atenção finalmente, e mesmo assim as palavras de Yukako eram pequenas picadas vermelhas sob a minha pele. Ouvi-la fazer tamanho esforço para deixar isso claro me perturbava.

— Obrigada — murmurei, constrangida.

— *Sa* — disse ela pensativa. — Eu não acho que seja apropriado que você tome banho com as alunas, então por que não toma banho comigo?

— Como assim?

— Eu não ia querer lidar com o que os pais delas iriam dizer.

— O que os pais delas *iriam* dizer? — insisti, ainda ofendida com o que ela dissera.

— Bom, eu não sei — disse Yukako e pigarreou de embaraço, ouvindo a acusação na minha voz. — Mas é muito provável que se sentissem como as pessoas da casa de banho.

— É por isso que você não me leva mais quando sai a trabalho ou para fazer compras? — perguntei, procurando atiçá-la.

— É por *isso* que está chateada? — perguntou Yukako. — Ura-*bo*, o que deu em você?

Ela tomou o meu rosto nas mãos, como se eu fosse uma criança de novo, e olhou em outra direção, envergonhada, não querendo que Aki visse, ou não querendo ver o quanto aquilo era importante para mim. Felizmente, a menina estava semiadormecida junto à porta, com a bandeja caindo dos braços pendentes.

— Você não percebe? Estou fazendo a tarefa mais difícil que uma mãe deve fazer.

— Como? — Do que é que ela estava falando?

— O que você acha que ando fazendo, passando todo esse tempo com aquelas mocinhas fúteis? Estou escolhendo esposas para os meus filhos.

O quê? Aqueles meninos? Durante todo o tempo em que me lastimava, o pensamento nunca me ocorrera.

— Verdade?

— É claro! — Yukako riu alto. — Qualquer nora minha vai ter que aguentar uma companheira de banho inesperada. Ela não terá escolha — Yukako assegurou-me. Senti um pouco de mágoa ao ouvi-la dizer *aguentar* e um pouco ignorada quando o comportamento dela mudou. Ela se esticou, seu longo tronco se expandindo com um sentimento de confiança. O doce som de flauta das nossas noites juntas no quarto escuro dela se dissolveu, substituído por tambores, vivazes e orgulhosos. — Bem, amanhã eu vou mandar levar esta carta ao Grande Professor — disse ela, referindo-se a Jiro. Perguntei-me se Yukako usava o título dele com tanta frequência para não ter que dizer *meu marido*, uma expressão que na verdade significava *meu senhor*. — Quando eu tiver o consentimento dele, enviarei intermediários para requisitarem Encontros.

— Esposas? — falei, surpresa.

— Bom, Sono é um sonho realizado, não é? Boa família. Muito bem posicionada em Tóquio. Patronos das artes, muito generosos. O Grande Professor nunca simpatizou com a ideia da ferrovia, mas tenho certeza de que vai adorar ter acesso à coleção de Sono.

Levei um momento para perceber que Yukako estava avaliando o pai de Tsuko Sono para se tornar um parente por afinidade.

— Sono realmente agarrou com unhas e dentes a oportunidade de mandar a filha para cá, então não é loucura ter esperança de que ele aceite. Além disso, o filho dele acabou de se casar com aquela *geiko*. Até mesmo Sumie tentou conseguir aquele rapaz para a sua filha mais nova, mas todos estão decepcionados agora. Nós estamos bem cotados.

Era irônico que a filha de Sumie — aquela que a casa de gueixas quisera comprar um dia — crescesse e fosse deixada de lado por uma gueixa.

— Quanto à garota, ela é esperta, mas adaptável. Graciosa, trabalhadeira, quer que gostem dela. Tem um *temae* agradável, impecável, e aprende rápido. Está tão ansiosa para começar a trabalhar nas escolas de moças, é comovente. E é bonita o bastante para que o Mestre Professor não fique zangado comigo — Yukako acrescentou com um sorriso maroto. Enquanto fazia uma pausa, pensativa, ela tamborilava os dedos na borda da xícara e eu a enchi de novo.

— Eu sei, eu sei, por outro lado, há quem vá dizer que estou queimando meus navios ao não querer a filha de Kato — refletiu ela, servindo chá para mim em retribuição. — Quero dizer, essa seria a aliança óbvia. Mas ela poderia causar muito dano para a família como esposa do Mestre Professor. E, ao mesmo tempo que precisamos da ajuda de Kato em Kyoto, precisamos de raízes em Tóquio também. — Ela inclinou a cabeça na direção em que Tsuko saíra. — Então, o que fiz foi me assegurar que um pequeno rumor chegasse aos ouvidos de Kato sobre o hábito de beber da Srta. Mariko, de forma que ele saiba o que tive que aturar e fique grato que eu a tenha mantido aqui mesmo assim. Será ótimo se ela se casar com Kenji em vez de Tai.

Eu tive apenas um momento para me admirar com a confiança de Yukako — será que Jiro dependia tanto do dinheiro dela que aceitaria ter Kato na família? — antes que uma bandeja ressoasse no chão. Aki se sacudiu acordada e fez uma profunda reverência, envergonhada.

— Vá tomar seu banho, Srta. Aki — acalmou-a Yukako. — E veja se dorme um pouco. A Srta. Ura ficará aqui; você não precisa ficar acordada por minha causa.

Sentei-me com Yukako enquanto ela escrevia para Jiro e então a segui para a casa de banho da família. Em todos os nossos anos juntas, eu nunca a vira se lavando. No lugar da minha bolsa de farelo ela usava um pedaço de sabão ocidental de Kobe e um conjunto de sete toalhas de lavagem que variavam em espessura e textura para as diferentes extensões de sua pele. Rapidamente e por completo, ela esfregava cada membro apenas uma vez, jogava algumas canecas de água fria sobre ele e seguia em frente. Eu ainda estava me esfregando quando ela entrou no banho quente, seu rosto relaxando de prazer.

A nudez a transformava em uma estranha para mim. Quando me juntei a ela, percebi que nunca tinha visto como o cabelo dela se enrolava no vapor, como seus seios pequenos se erguiam na água. Eu ainda estava magoada com as coisas que ela dissera. De repente a minha condição de estrangeira fez de mim algo que uma nora deveria *aguentar*. Será que eu não era mais importante para ela que uma *nora* com a qual ela ainda não tinha nenhum parentesco? Eu achei um farelo de *macaron* na minha bochecha e senti o gosto de suspiro. Parecia extraordinário que eu alguma vez já tivesse provado aquilo antes, que eu tivesse vivido em outro lugar que não ali. Será que eu era realmente uma estrangeira? Será que eu realmente comera suspiro com morangos em um mês de junho distante? Vi um par de mãos e um batedor de ovos, os dedos pequenos e pálidos da minha mãe contrastando com os picos brancos e brilhantes. Eu não conseguia ver o rosto dela.

A água quente realizou o seu lento trabalho. O corpo de Yukako reluzia na banheira escura como as lâmpadas do santuário. A beleza e a bondade dela me confundiam. Ela estava ali junto a mim, e ainda assim parecia estar escapando, a Yukako que eu pensava que conhecia. Eu não tinha percebido tão claramente antes que se eu tivesse nascido *eta*, eu não poderia compartilhar a banheira com ela. Eu me sentia como se estivesse equilibrando uma xícara de chá no dorso da mão, sentada cautelosamente ao lado daquela mulher.

— Obrigada — eu disse em voz baixa.

— *Iie* — disse ela, sorrindo. *Não há de quê.*

30

1891

DESDE QUE A *Okusama* se mudara para o dormitório, as minhas tarefas matinais também mudaram. Andando na ponta dos pés entre duas fileiras de moças adormecidas, eu agora levava o café da manhã de Yukako para a casa de costura, onde ela dormia, no andar de cima, atrás de um biombo. Depois da primeira xícara de chá, Yukako costumava levantar-se, vestir-se e comer enquanto eu abria as venezianas. Enquanto eu dobrava o biombo e o futon de Yukako e limpava o lado dela do chão, as moças acordavam e gemiam, empilhavam a roupa de cama, limpavam seus tatames e se vestiam em silêncio sob a supervisão cuidadosa da *Sensei*. Então desciam em fila para tomar o café da manhã; Yukako descia cerca de um minuto mais tarde enquanto eu levava a louça dela para Kuga.

Um dia depois que rezei no santuário, Aki me seguiu até a casa de costura.

— Acordou cedo — eu disse.

— Você também não o ouviu? — sonolenta, Aki brandiu um pacote que chegara para Yukako. — Aquele mensageiro me acordou — queixou-se. — Espero que nada ruim tenha acontecido.

Depois que acordei a *Okusama* com o seu primeiro chá, Aki entregou-lhe o pacotinho, com um selo familiar.

— Peço desculpas, o homem disse para que eu entregasse isso pessoalmente o mais cedo possível — explicou.

Yukako esfregou os olhos e olhou para o selo.

— O Grande Professor — murmurou. Todas olhamos umas para as outras, alarmadas. Por que Jiro estava enviando uma mensagem tão cedo? — Kenji! — Yukako preocupou-se em voz alta, quase rasgando o papel. Dentro havia uma pequena bolsa de moedas e uma carta; enquanto Yukako lia, a preocupação se transformou em um divertimento irritado. — Ele precisa de seu *jarro de água do Santuário Superior de Kamo, transportado adequadamente,* assim que possível.

Ele tinha incluído um esboço de onde encontrar o jarro na torre à prova de fogo e dinheiro para o jinriquixá.

Ela suspirou irritada.

— Ele deve ter algum convidado surpresa que precisa impressionar. Bem, isso *pode* esperar até eu ter comido; depois iremos à torre juntas. Srta. Aki, vamos precisar de uma criada jovem para manusear a água sagrada; por que você não a traz? E pode levar minha carta para o Grande Professor também. Vamos casar esses meninos mais rapidamente do que eu pensava.

Aki respondeu alegremente que sim e deixou que Yukako enfiasse o dinheiro em sua manga. Uma moça mais jovem, percebi, teria ficado impressionada com o passeio de jinriquixá, teria ficado um pouco envaidecida por ter sido escolhida para levar a água sagrada. A conduta de Aki, no entanto, não era a de uma criança diante de um passeio especial, mas a de uma adulta diante de uma tarefa simples e agradável, como escolher flores em uma loja. Ela fez uma reverência determinada e saiu, uma mulher adulta encarando o dia.

Yukako inclinou a cabeça e deu uma última olhada pesarosa para a carta, com uma expressão mais indulgente para com Jiro do que jamais fora quando eles viviam juntos.

— Ele sempre teve uma caligrafia tão bonita.

Com o fim das longas chuvas de junho veio o calor do verão verdadeiro, e uma mudança na bebida rotineira da casa, do chá verde quente em bules de ferro para o chá de cevada em jarros de cerâmica, mantidos frios no poço da cozinha. Durante todo aquele dia eu levei chá frio para Nao enquanto ele começava a trabalhar na Baishian. Yukako estava visivelmente ansiosa quanto à visita de Tóquio: ela o tinha colocado para trabalhar na casa de chá antes mesmo que tivesse terminado de envidraçar o quarto de cima. Durante todo o dia, enquanto eu colocava cada jarro cheio no lugar do que Nao esvaziara, eu tentava não detestá-lo. Durante o dia ele usou vapor para remover pacientemente o papel das portas, retirando delicadamente o excesso de cola com um pano macio e úmido: tentei não gostar dele.

Mais tarde, enquanto eu ajudava Kuga a cortar os legumes do jantar, um mensageiro veio de Sesshu-ji, um pouco antes de Yukako e Tai saírem para um evento de chá de lua cheia. Eu encontrei a *Okusama* esperando no gabinete do jardim, as portas de papel *shoji* abertas para a extensa luz noturna.

— Ótimo — disse ela, lendo a carta de Jiro. — Ele não está contente, é claro, mas sabia que ele não seria problema. Começarei a falar com os intermediários; podemos dizer-lhes para mandar os pedidos de Encontro hoje à noite. E Kenji está vindo nos visitar, não é? — Ela levantou as sobrancelhas e percebi que se ela tivesse vivido uma geração antes, aquele gesto furtivo e enfático teria se perdido em um rosto com sobrancelhas raspadas. — Ele provavelmente quer dar outra olhada na Srta. Kato por si mesmo. Bem, ao menos ela é bonita.

— Você contou ao Mestre Professor sobre a sua escolha? — deixei escapar.

— Estou ansiosa pelo passeio de jinriquixá de hoje à noite — disse ela. Ela hesitou um pouco, e ambas nos lembramos de um dia no bairro das gueixas, um forte golpe no rosto. — Acho que eles podem acabar sendo felizes juntos — disse ela em voz baixa.

Antes que eu pudesse fazer outra pergunta, Tai veio correndo, com uma caixa de presente embrulhada em pano pendendo de cada uma das mãos:

— Mãe, o carro está aqui.

Quando voltei para a cozinha, Kuga me mandou partir as extremidades das favas de uma tigela de feijão-chicote.

— Será que a carta da *Okusama* dizia algo sobre Aki? — perguntou Kuga.

— Será que ela volta para casa hoje à noite ou amanhã?

NA MANHÃ SEGUINTE, enquanto os alunos estavam em aula, assustei-me com o alto clamor de tamancos e carregadores resmungando parando diante do nosso portão. Eu depositei o chá frio de Nao no lugar e fui olhar: quatro homens estavam colocando no chão um palanquim de madeira do tipo que eu não via havia anos. Eles eram conduzidos por um jinriquixá do qual uma mulher mais jovem do que eu, mas bem mais acabada, se arrastou para fora e se dirigiu para o portão dianteiro. Atarracada em seu quimono salpicado castanho-amarelado e uma *obi* com um brocado formoso, ela parecia familiar; quem era ela? Fiz uma reverência e olhei para o seu rosto redondo e gentil, a boquinha pequena e cansada, a almofadinha do seu coque alto, uma cruz pendendo do pescoço: era a mãe de Mariko, a Senhora Kato.

— Bom dia — eu disse humildemente. — A Srta. Mariko está em aula agora; devo chamá-la?

— Eu gostaria de falar com a sua *Okusama* — disse ela.

Lembrei-me dela recém-casada, com o primeiro penteado ocidental da cidade, dizendo a Yukako, em sua voz de passarinho, que o marido não deixava que ela mexesse em seus utensílios. A voz dela havia caído uma oitava.

— Receio que ela esteja dando aula agora. Mas se for uma emergência... — deixei que a minha voz morresse, o que em Kyoto significava: "Não há como você falar com ela agora."

— Acho melhor você ir chamá-la — disse ela.

Eu fui.

EU SERVI BISCOITOS *sembei* e chá de cevada frio para Yukako e sua convidada, depois de quase bater na jovem Jade quando ela se ofereceu para fazê-lo no meu lugar. Eu estava tão ansiosa para ouvir o que tinha acontecido. Pelo tom de voz dela, estava claro que a Senhora Kato não tinha passado apenas para agradecer a Yukako pelo pedido de Encontro. E o que os carregadores haviam trazido, ou quem?

A Senhora Kato elogiou os *sembei* sem comer nenhum, e então disse:

— *Sensei*, meu senhor está em Osaka e eu tenho que lidar com o assunto sozinha.

— Eu espero que o intermediário não lhe tenha dado motivo para pensar que isso não possa esperar até que o Conselheiro Kato volte. — A Senhora Kato estava calada. — Espero que ele leve o tempo que precisar para refletir sobre o meu pedido, mas se ele disser ao intermediário que não está interessado, eu irei respeitar plenamente a decisão dele. Eu só espero que a amizade entre nossas famílias permaneça intocada.

A voz de Yukako era cordial, com apenas um toque de ansiedade. Por que aquela mulher estava lá? Se eles já tinham outro rapaz em mente, por que simplesmente não dizer ao intermediário? E se não era isso, por que não esperar até que Kato voltasse para casa? E o palanquim?

— Eu entendo — disse a Senhora Kato. — Existe outro problema.

— Sim?

A mãe de Mariko falou, no começo tão afetada e formal como o nó da sua *obi* marrom e dourada:

— Eu e os pais do meu senhor recebemos a sua solicitação ontem à noite e ficamos muito lisonjeados. Foi, na verdade, o primeiro pedido de Mariko, e ficamos duplamente felizes por ter vindo da sua casa. Sob circunstâncias normais, quando o meu senhor voltasse para casa, acho que posso dizer com segurança de que teríamos dado ao seu pedido a nossa mais séria e calorosa consideração. — Ela fez uma pausa. — Mas depois desta manhã eu tenho motivos para acreditar que o casamento não seria auspicioso.

Era isso o que eu queria perguntar a Yukako na noite anterior, quando ela disse que acreditava que Tai e Tsuko poderiam ser felizes juntos: a parte de trás do meu pescoço comichava e eu tive um pressentimento.

— O que está dizendo? — perguntou Yukako.

A acusação da Senhora Kato aumentou a intensidade da sua voz.

— Eu devia saber que você não tinha ideia de onde seu filho estava.

Yukako, embora não soubesse por quê, sabia que estava sendo atacada.

— O pai de Kenji deseja que ele fique a seu lado no retiro — disse ela com ansiedade. — Quem sou eu para me opor a ele?

— Seu filho não está ao lado do pai. Hoje de manhã ele estava ao lado de uma jovem que ele evidentemente prefere à minha filha.

Aki! Pensei e percebi que o mesmo pensamento ocorrera a Yukako. É claro: todas aquelas aulas de leitura! Por que eu não tinha percebido antes? O rosto de Yukako endureceu de raiva. Fora tolo e extremamente desnecessário da parte de Kenji ser apanhado se divertindo assim. Será que ele não aprendera nada com o pai?

— É mesmo? — perguntou, controlando a emoção.

— Com certeza — a Senhora Kato respondeu friamente. — Normalmente tentavam ignorar tais ligações. Mas... — a voz dela cedeu, e ela pareceu, por meio segundo, vulnerável e frágil.

— Sim? — disse Yukako.

— Quando os encontramos, as crianças haviam se amarrado uma à outra e tentavam se afogar no jardim. Acredito que estavam tentando nos dizer alguma coisa.

KENJI VOLTOU PARA casa com uma perna quebrada. Aki permaneceu na casa dos Kato, inconsciente. No fim do dia, o pai dela havia arrumado suas coisas e desaparecido, deixando as janelas da Baishian cheias de lacunas. Depois que Yukako foi dormir naquela noite na casa de costura, eu escapuli da companhia dos outros criados pela cozinha e fui ao santuário de novo. Eu me culpava. Eles disseram que o rosto de Aki parecia uma ameixa despedaçada.

NO FINAL DA SEMANA chegou uma carta do intermediário que estava lidando com o Barão Sono, para dizer que Sua Excelência estava muito feliz com a nossa oferta e estava pronto para enviar, com os objetos da noiva, um baú de *koban* de ouro e uma seleção de utensílios de chá antigos que Jiro sabidamente apreciava. Também no final da semana, soubemos que Aki não estava nem inconsciente nem na casa dos Kato: ela tinha sumido.

QUANDO EU ERA CRIANÇA, eu levava em segredo comida para um inválido, que retribuía os presentes com poemas. O noivo de Yukako me parecera um homem tão crescido; lembro-me de ficar impressionada com a sua habilidade de entalhar, com o tremeluzir da sua espada curvada e fria. Como adulta, ao visitar Kenji no mesmo anexo, ocorreu-me que Akio deve ter ficado tão entediado e emburrado como Kenji estava agora.

— Não posso falar com ela — queixou-se, depois de ficar calado quando Yukako viera vê-lo. — Porque se eu disser alguma coisa, terei que dizer que estou arrependido, e não estou arrependido. Só me arrependo de não termos conseguido. Só me arrependo de simplesmente não poder me levantar e achá-la. Você tem alguma notícia?

— O-Kuga foi à casa dos Katos para buscá-la e ela já tinha ido. É tudo que sei.

— Eles não sabem de nada? Nenhuma ideia? Qualquer coisa que ela possa ter dito?

— Eu não estava lá. Eu não sei.

— *Obasan*. — A maioria dos jovens me chamava de tia, mas vindo do filho de Yukako, a palavra me fazia desejar que ela ainda me chamasse de irmã. — Tia, eu acho que se *você* perguntasse a eles descobriria para onde ela foi.

— Eu?

— Você observa as coisas, você presta atenção. Poderia descobrir mais.

— Você acha que eles sabem e não querem dizer? Por que é que eles fariam isso?

— Está entendendo o que eu quero dizer? Se fosse o-Kuga que estivesse aqui agora, ela diria "Sim, senhor" ou "Bem, senhor, não sei..." — Eu segurei o riso. — Você sabe ao que estou me referindo. Ela com certeza foi e disse: "Vim buscar a Srta. Aki," e eles disseram: "Ela não está aqui", e ela disse: "É mesmo", deu meia-volta e foi para casa.

— Não seja mesquinho.

— Você sabe que é verdade.

— O marido se divorciou dela. Vendeu o filho dela. Eu não acho que ela tenha sido sempre assim.

— Ah, por favor. A minha mãe pediu que eu vá com ela me desculpar quando for se encontrar com o Conselheiro Kato hoje. Será que você não pode acompanhá-la e perguntar a eles?

— Bem, senhor, eu não sei — eu disse, brincando e séria ao mesmo tempo.

Eu *seria* a escolha óbvia de acompanhante para evitar a fofoca das alunas. Mas será que eu poderia ajudá-lo? Vi novamente a total desolação no rosto de Yukako quando trouxeram Kenji para casa. Ela ficou sentada no banquinho na casa de banho naquela noite com os braços em volta de si, os olhos fixos no chão, uma toalha esquecida pendendo da mão frouxa. "Ele nem quis olhar para mim", disse ela.

— Será que há algo que eu possa lhe dar? — rogou o rapaz. — Há algo que eu possa fazer?

A pura necessidade na voz dele trouxe à tona outro dia: Kenji com uma mochila de livros ocidental, caminhando rua acima em nossa direção vindo de Sesshu-ji. Eu fiz uma reverência de boas-vindas e o seu lindo rosto de criança de procissão brilhou como ouro no sol de fim de tarde. *Eu tenho um livro novo para Aki-bo!*, anunciou ele.

— Você estava tão apaixonado por ela — eu disse, usando as palavras em inglês, *in rabu — in love.* — Estava bem na nossa cara e nós nunca percebemos.

— Eu também não, no começo — disse ele. No silêncio permeável, delicado, que se seguiu, fiquei imaginando se ele pretendia me contar a história toda. Ele pigarreou.

— Faria esse favor e falaria com eles?

— Eu o farei por uma aula de leitura — eu disse, para a minha própria surpresa.

Kenji parecia constrangido. Senti que ele olhava para o meu corpo arredondado, meu rosto de quem caíra de cabeça no chão quando criança, meus primeiros fios de cabelo branco, descobertos nos últimos dias na luz mais forte da banheira de Yukako.

— *Aki wa...* — disse ele, explicando que não me desejava. Ele se referia tanto ao nome da menina quanto ao outono, *aki*, o que a minha idade sem dúvida evocava.

— Não foi isso que eu quis dizer — eu disse impaciente. — Apenas sei que é o melhor que você tem para me dar, e é por isso que eu quero.

— Eu sabia que você era a pessoa certa para pedir — disse ele, impressionado.

Eu vi a esperança e a ansiedade dele e me senti culpada por ajudá-lo.

— Você tem alguma ideia de como magoou sua mãe? — eu disse.

Kenji olhou para o outro lado. Naquela mesma manhã, tomando chá, ela me perguntara: "Kenji já comeu? Será que eu devia levar o café da manhã para ele?" Ela se controlou e respirou fundo. "Eu não vou perder a cabeça por causa disso. Irei visitá-lo uma vez ao dia, e quando ele estiver pronto para se desculpar, ele vai falar."

Kenji murmurou alguma coisa.

— Nós não fizemos aquilo por causa dela.

— O quê?

— Pular daquele jeito — disse ele, de costas para mim.

E o que ele disse em seguida deslocou algo dentro de mim, como um barquinho de vime encalhado na areia, um pensamento ainda sem forma que surgiu em mim sem amarras.

— Nós fizemos aquilo um pelo outro.

O HOMEM ERA MUITO BONITO. Usava o cabelo dividido no lado e cortado acima das orelhas, lustroso como a asa de um corvo. Ele tinha um bigode da largura de um dedo, um cavanhaque aparado, um maxilar forte no formato de "L". A mulher era viçosa e jovem, levemente estrábica. O homem usava uma dragona de tranças douradas que parecia um esfregão; um vestido de baile expunha os belos ombros da mulher. Em sua elegância em tons pastel, coloridos à mão, os dois olhavam diretamente para a máquina fotográfica, com o olhar cauteloso e determinado de quem havia endurecido como aço para sair bem na fotografia.

— Por que aquelas pessoas parecem conhecidas? — perguntei a Yukako enquanto esperávamos.

— Não reconhece Suas Majestades? — retumbou a voz de Kato.

Eu me sobressaltei e olhei novamente. A fotografia de quem mais estaria pendurada na entrada? Yukako me lançou um olhar aflito e começou a fazer reverência para o Conselheiro Kato, somando a minha ignorância à tremenda dívida pela qual tinha que responder.

— A construção terminou e a casa está pronta para a visita do Ministro neste outono — anunciou Kato com uma cortesia cruel, lembrando a Yukako a sua relativa falta de influência. — Gostaria de dar uma olhada?

Yukako, nervosa, aceitou e eu a segui uns passos mais atrás, afinal ela ainda não tinha entregado a ele o presente que eu carregava.

— Soube que o meu vidraceiro fez um trabalho bonito na sua casa — disse o Conselheiro Kato, enterrando a faca um pouco mais.

Nós não tínhamos ideia de onde Nao estava.

— Por que não vem tomar chá na Baishian? — disse Yukako, com bravura na voz. — Pedi que ele deixasse as janelas descobertas nesta estação. É uma oportunidade única: os vaga-lumes passando através das treliças vazias.

— Parece uma oportunidade que não deve ser perdida — disse Kato de uma maneira que expressava total falta de interesse.

Lembrei-me de quando Sumie morava naquela casa, muito antes de Kato comprá-la. Ao se aproximarem do lago de observação da lua onde no passado eu alimentara as carpas, Kato e Yukako se desviaram dele em direção à casa recém-construída.

— Sabe, em consideração a quem seu pai era, providenciei para que cuidassem da menina até que ficasse boa. Ofereci-lhe trabalho com a família da minha mulher, a oportunidade de se sustentar em um ambiente cristão, com certeza nenhum homem irá casar com ela agora, e é assim que ela agradece.

Nesse ponto Kato apertou o seu relógio de bolso.

— Eu peço as mais profundas desculpas por tudo o que aconteceu — disse Yukako, em um tom que indicava que ela estava preparada para dizer aquilo várias vezes.

A nova casa de hóspedes, generosa e graciosa, ostentava uma bela ala ocidental com janelas de vidro e um pequeno jardim francês, simétrico e opulento. Havia uma ala japonesa também, com uma janela redonda de papel que se abria para um pequeno vale entre montes de cascalho e seixos.

Depois que eles se retiraram para conversar em particular, voltei para o lago e caminhei pela plataforma estreita que ia até o mirante. Tentei ver além do frescor sedutor da água, além do bruxuleio dos corpos alaranjados das carpas, dentro das mentes das crianças que haviam pulado. A plataforma havia sido construída a uma boa distância acima do lago, para oferecer uma vista das montanhas orientais. Havia uma vara de pescar ornamental feita de bambu recostada contra o parapeito. Olhei para trás para ver se havia alguém observando e então coloquei a vara na água: escura e misteriosa, era bem rasa, na verdade, com o fundo entalhado de pedras. Eu soube então como Aki e Kenji tinham ficado tão machucados. *Que coisa horrível descobrir algo assim na queda*, pensei.

Quando uma criada me trouxe chá no vestíbulo, perguntei se ela sabia algo sobre a menina que encontraram no lago. Não havia forma delicada de perguntar aquilo: ela me dirigiu um olhar de repreensão e, pelo meu esforço, encolheu os ombros.

— Ela partiu — disse ela.

EU SEGUI O NÓ achatado e macio da *obi* de Yukako para casa. Ela se vestira penitentemente: a estampa do seu quimono era de listras cinzentas e brancas compactas, e a *obi* era de um verde tão escuro que parecia preto a não ser sob o sol, com carpas verdes espalhadas que anunciavam silenciosa mas enfaticamente a vergonha dela. Da mesma forma, Kuga — na ausência de Nao — fora, naquela semana, vestindo seu melhor quimono, à casinha dos jardineiros onde Toru vivia com o avô, para ajoelhar-se com a cabeça quase tocando o chão. Eu sei disso porque ela fez com que eu e as outras costureiras a seguíssemos, cada uma de nós levando um vaso de saquê para oferecer com o pedido de desculpas.

— Ah, está tudo bem — disse o prometido de Aki constrangido enquanto seu avô estava ajoelhado na porta, aceitando silenciosamente os presentes de Kuga.

— É verdade, se vocês não se incomodarem de eu continuar aqui cuidando do carvão vegetal, eu não tenho nenhuma reclamação. Não era para ser, é só isso.

Kuga não disse nem que sim nem que não, mas manteve a cabeça bem abaixada. O emprego, a única coisa de valor que a família tinha para trazer ao casamento, era destinado ao marido de Aki. Ela estava relutante em comprometer as perspectivas de Aki, mas, por outro lado, quanto mais ela ainda teria que se esforçar por causa da filha egoísta do irmão?

— Talvez exista um viúvo que não se incomode com isso — eu a ouvi murmurando para si mesma —, talvez exista um cego.

Eu sabia que ela detestava a ideia de dar adeus a tanto saquê.

Toru continuou a falar nervosamente enquanto nos ajoelhávamos com nossos presentes.

— Quero dizer, eu tinha alguma esperança de sair do ramo do carvão vegetal e aprender um pouco mais sobre vidro, mas parece que eu teria que me mudar com frequência e meu avô já não é tão jovem. O carvão está ótimo. Está bom.

Com aquelas palavras — mais eloquentes que as reclamações de Mariko sobre o caldo de *miso* no café da manhã, mais eloquentes do que a visita malhumorada de Tai ao canteiro de obras da Baishian, mais eloquentes que Kuga esfregando ferozmente sua casa, mais eloquentes até mesmo do que as mentiras brilhantes de Yukako —, Toru expressou o amor que todos sentiam por Nao e a sensação de traição por tê-los deixado.

YUKAKO FEZ UMA pausa na ponte da rua do Canal e ficou observando a água brilhante, rasa antes de o canal Biwa de Kato começar a fluir, profunda agora. As hortênsias estavam em flor, um esquadrão azul robusto.

— Bom, acabou. Ele tornou aquilo o mais desagradável possível sem usar as garras — disse Yukako. — Não posso dizer que isso não estragou as minhas perspectivas com o Ministro no outono, mas fico feliz que ele tenha sido civilizado.

— O avô de Toru também foi cortês — comentei, contando-lhe a respeito do pedido de desculpas de Kuga.

— Pobre Toru — disse Yukako. — É difícil não sentir admiração por Kenji, com aquele negócio da água sagrada.

— Como é?

— Uma falsificação. Tenho certeza de que fizeram aquilo para que, quando Aki menstruasse pela primeira vez, ela pudesse fugir para Sesshu-ji em vez de se casar com aquele rapaz.

— Uma falsificação?

— É claro que fui enganada. Ele realmente tem o dom do pai com o pincel, não é? Mas eu devia ter percebido quando vi o dinheiro para o jinriquixá. Aquele homem nunca pagou por nada na vida.

— Espere um pouco, o que está dizendo?

— Você se lembra de que, na noite anterior, Aki nos entregou a carta do "mensageiro" que ninguém mais viu? Ela ficou em casa com dor de barriga e não foi à casa de banho.

— Ah — eu disse.

Ela suspirou.

— Se ele ao menos tivesse *pedido*, eu teria alegremente mandado ela trabalhar em algum lugar perto de Sesshu-ji. Tenho certeza de que o Grande Mestre teria ajudado a encontrar algo para ela. Ela poderia ir até mesmo agora, se o menino ainda a quiser.

Então o barquinho de vime encalhado na praia — aquela coisa que começara a se desprender dentro de mim quando falei com Kenji — começou a tomar forma de novo. "Nós fizemos aquilo um pelo outro", ele me disse.

— Sabe, se você pedisse desculpas a Kenji por não ter pensado na felicidade dele, ele provavelmente falaria com você. Você podia deixar que eles se casassem.

A risada de Yukako foi atordoada e amarga.

— A *felicidade* de Kenji! É claro! Eu podia ter me poupado o trabalho de introduzir o chá nas escolas, treinar professoras, levar todos aqueles *setto* para a corte. Rápido, casamenteira, diga a Toru que ele terá que arranjar um novo emprego. Kenji será o nosso novo encarregado do carvão, e todos ficarão *felizes*.

— Peço desculpas — eu disse, magoada. — É que o que você disse sobre Tai e Tsuko, que eles talvez pudessem ser felizes juntos...

Mais calma, Yukako olhou para mim arrependida.

— Foi rude da minha parte. — Ela olhou em direção ao canal. — Eu não estava pensando nos dois meninos — refletiu, ela própria uma mulher que não se casara para ser feliz. — Eu estava pensando na casa Shin.

Inclinada sobre o parapeito da ponte, ela ficou observando uma folha passar boiando na água.

— É um remédio amargo — concluiu. — Eu tenho que pensar melhor e durante mais tempo antes de beber.

Senti a mesma grande cautela que na noite em que ela me deixara compartilhar sua banheira, como se eu estivesse prendendo a respiração, como se eu estivesse equilibrando uma xícara de chá nas costas da mão.

Yukako esfregou as mãos rapidamente uma na outra para tirar a poeira e seguiu em frente. Eu fui atrás dela em meus tamancos, feliz de ter alguma coisa para dizer a Kenji, já que a nossa visita ao Conselheiro Kato não resultara em nada. Todos tinham ideias sobre o que fazer com Aki, se a encontrassem. Yukako planejava mandá-la para Sesshu-ji, Kuga, para um viúvo cego, Kato, para um lar cristão. Eu parei.

Yukako continuou andando e eu corri para alcançá-la.

— Desculpe-me por não entrar — eu disse quando chegamos ao portão Shin. — O-Kuga me pediu para passar no mercado.

— A CRIANÇA LHE disse que estava aqui?

A minha cabeça estalou. De pé no escritório principal onde uma jovem secretária britânica me havia pedido, em um japonês vacilante, para esperar, fiquei olhando distraída para duas cartas sobre uma mesa ocidental alta. Elas estavam abertas sob pesos de papel, e em meu tédio eu tinha começado a decifrá-las. Uma era de um carpinteiro, a outra do pai de uma aluna. As caligrafias deles, embora muito diferentes uma da outra, eram claras, mesmo quando as declarações eram vagas. O carpinteiro escrevera apenas em *kana*, ao passo que o cavalheiro havia acrescentado *kana* explicativos menores para indicar a leitura dos *kanji* raramente utilizados. Eu tinha acabado de ler a segunda carta e estava me perguntando por que alguém deixaria esse tipo de coisa à vista, quando a voz de uma mulher americana me trouxe de volta ao presente: aquele escritório ocidental de madeira, cheirando a óleo de limão, aquelas palavras em inglês — "A criança lhe disse que estava aqui?" Eu me senti suja de pé ali, vestindo meus sapatos.

— Não, eu só pensei — eu disse em meu inglês desconjuntado. Ela não pareceu surpresa que eu falasse a língua dela. — Nós vemos as suas alunas todos os dias, andando na rua.

— Ela certamente era esperta o bastante para ser uma de nossas alunas — disse a americana. — Minhas professoras disseram que ela lia bem em japonês. Mas não estamos dirigindo esse tipo de escola: nós não temos fundos. Descobrimos que as famílias dispostas a pagar pelo tipo de educação que oferecemos são também as mais adequadas para introduzir as moças em ambientes onde essa educação irá fazer a maior diferença.

A minha cabeça estava girando, o meu pescoço doía de tanto inclinar a cabeça para trás para conseguir ver o rosto da mulher. Então aquela era Alice Starkweather, com seus grandes cachos de aço. Eu mal conseguia acompanhar o inglês que ela estava utilizando.

— Ela esteve aqui?

— Nos Estados Unidos isso jamais aconteceria — disse a Srta. Starkweather enquanto se sentava à escrivaninha e me deixava em pé em meu quimono índigo e meus tamancos de criada.

Exceto por mim mesma, eu não via uma mulher branca de perto havia anos. O nariz dela era pálido, coberto de pó, torto; a boca estava coberta de rugas finas. Eu estava desconfortavelmente consciente do sangue dela: os capilares vermelhos nos olhos, as veias azuis nas mãos.

— Mas aqui em Kyoto — prosseguiu — somos tão poucos que estamos aprendendo muito mais sobre o verdadeiro significado da cristandade. Eu desenhei um mapa para ela e a mandei para a madre Margaret.

— Quem?

— Papistas! Dá para acreditar? Mas a menina queria seguir uma vida em Cristo, então quem sou eu para impedi-la?

— Freiras?

— São irmãs enfermeiras. Eu sei que elas têm dinheiro para preparar mulheres desonradas para trabalhar em hospitais.

— Desculpe a minha grosseria, mas poderia me desenhar um mapa também?

Ela me fez repetir o pedido, aquela mulher com um corpete descomunal e mangas apertadas como luvas.

— O seu sotaque é terrível — riu-se.

Olhei para ela, surpresa. Quem era *ela* para viver no Japão havia tantos anos e falar comigo em inglês?

— Sugiro que dobre suas cartas — eu disse friamente, articulando as palavras o mais cuidadosamente possível.

Ora, qualquer japonês poderia entrar ali a qualquer momento e ficar sabendo que o chão estava em mau estado e que homens importantes estavam tirando as filhas da escola no meio do ano.

— A nossa tradutora está fora, sabe; as cartas estão esperando a substituta — disse ela como se eu tivesse falado sem intenção de insulto.

— Entendo — eu disse.

Então ela nunca aprendera a ler em japonês, nem contratara uma secretária que soubesse. Eu li cada frase em japonês em voz alta, depois as repeti em inglês, com muito cuidado, desejando que a criança que eu fora havia muitos anos se levantasse, falasse claramente, respondesse à altura às meninas irlandesas, dissesse àquela freira que minha mãe era mais que dois braços e um esfregão.

— Imagino que saiba que as mensalidades não serão mais pagas — disse eu, orgulhosa e zangada.

— Ora, obrigada — disse ela, impressionada.

Ela me examinou, aquela mulher não-tão-jovem em trapos pagãos. "Semisselvagem", dava para sentir ela pensando, e então ela fez um movimento com a cabeça como se tivesse me decifrado.

— Então você é uma eurasiana? — perguntou.

— Tenho que ir — eu disse.

— Desculpe-me, mas a nossa tradutora, você sabe...

O que ela ia fazer em seguida, contar a história do marinheiro estrangeiro e da prostituta de Kobe? Eu estava tão irritada que mal podia ouvi-la. Fiz uma reverência determinada e voltei-me em direção à porta.

— Desculpe a grosseria — foi como eu me despedi.

Eu a tinha julgado mal.

— O que quer que os católicos ofereçam, nós podemos oferecer mais — gritou ela enquanto eu saía.

Fiz uma pausa, corando com uma energia repentina, e fui embora.

QUANDO EU CHEGUEI a Miyako pela primeira vez, eu não passei nem uma noite em nossa casa nova antes que ela pegasse fogo. Em seu lugar havia agora uma casa de tijolos entre muitas outras, um lugar — como a igreja do outro lado da rua — que eu nunca tinha visto, e ainda assim, uma certa luz enviesada me deixou arrepiada. Olhei rua acima, mas vi uma alfaiataria francesa onde esperava ver um portão *torii* vermelho. Ouvi um badalar de sinos e vi um grupo de monges, brancos e velhos, cruzar o caminho de ardósia da igreja em uma discussão animada. Eles pareciam sapos carecas.

Encontrei o convento no lado mais distante da quadra da igreja. Uma freira japonesa pediu que eu esperasse junto ao portão: ela não perdera completamente a linguagem ornamentada, barroca, do mundo flutuante. Lembrei-me do silêncio do bairro das gueixas de Pontocho depois que o Imperador deixou Miyako e imaginei que muitas de suas flores e de seus salgueiros provavelmente receberam o auxílio de braços abertos.*

Aki foi até o portão segurando uma tesoura de jardim, como se tivesse sido interrompida enquanto trabalhava e esperasse voltar a qualquer momento. Ela estava vestindo um casaco, e calças índigo rústicas de quem trabalha na terra e o chapéu pontudo de palha de um catador de chá, mas onde um lavrador teria usado apenas um fragmento de mosquiteiro para cobrir o rosto uma gaze mais espessa cobria o dela, como as cortinas de um santuário. Senti-me muito envergonhada.

— Vim porque era você, Tia — disse ela.

Porque eu *tinha* sido uma tia para ela, medíocre, a palavra me deixou ainda mais culpada. Eu tinha rezado para que algo acontecesse — qualquer coisa que fizesse Nao ir embora — e ali estava, na minha frente, coberto por um véu, o resultado.

— Ele mesmo teria vindo — eu disse. — Mas a perna dele está quebrada; ele não pode sair da cama.

Ela não reagiu ao que eu disse. Em vez disso perguntou:

— Faria uma coisa por mim?

Eu me aproximei para ouvir, quase tocando as barras do portão.

---

*O mundo das gueixas é conhecido como o mundo das flores e dos salgueiros. (*N. da T.*)

— Quero ficar e estudar para ser enfermeira — disse ela. — Se você é noviça, pode ficar por três anos e então resolver se quer ficar para o resto da vida. Em três anos eu poderia aprender a fazer algo além de costurar e limpar. Eu poderia ir para qualquer lugar. Aqui temos livros, Tia, e aprendemos os nomes estrangeiros de partes do corpo e de remédios, entende? — Ela tocou várias partes do braço e do ombro enquanto repetia de memória palavras que pareciam o latim de igreja que eu ouvira quando criança.

Ouvindo aquela voz, que era tão dela, senti uma enorme esperança brotando em mim. Estendi a mão através do portão até a mão que segurava a tesoura de jardim.

— Srta. Aki, vocês dois estão vivos. Vocês poderiam se casar. Vocês poderiam fugir.

Ela deu um passo para trás e virou-se para o outro lado. Eu não viera para fazer aquilo. A minha intenção fora vir e escutar penitentemente, oferecer toda a ajuda que ela quisesse, sutilmente sondar o que Kenji poderia esperar.

— Por favor! Espere... — eu disse.

Quando ela, cautelosamente, voltou-se na minha direção de novo, percebi algo. Ela parecia um pouco menos magra do que quando estava em casa, como a diferença entre o primeiro e o segundo dia de uma lua crescente. Um pensamento me ocorreu:

— Você comeu esta semana, não foi? — Mantive minha voz meiga e persuasiva. — Você tinha parado de comer para não ficar menstruada?

— Eu fiquei ontem — cochichou ela, prestes a fugir. — Por favor...

— Shh — eu disse. Mudando deliberadamente a minha conduta, eu a tranquilizei: — Mesmo que não possa ficar aqui, ninguém vai dar você em casamento no dia em que sair daqui. — Ela se aproximou enquanto eu lhe contava a respeito de Toru. — Então você ainda poderia... — em vez de *casar-se com Kenji*, eu disse — voltar se quisesse, certo?

Aki tossiu e prosseguiu com sua argumentação:

— Ouça, disseram-me que normalmente os pais têm que pagar um dote para que as filhas entrem no convento, mas neste aqui, elas próprias pagam por algumas das moças. Elas dizem que me deixarão ficar por algum tempo e vão perguntar às madres em Roma se posso me tornar uma noviça. A irmã Theresa diz que eu não deveria, porque elas precisam gastar o dinheiro com pecadoras *de verdade*, não com garotas como eu. Mas até *ela* disse que se eu tivesse um dote, elas me aceitariam na hora. Elas escreveram isto para mim.

Ela procurou dentro da manga do quimono que estava usando embaixo da roupa de jardineiro e entregou-me uma carta escrita em inglês e em japonês. Eu passara a vida inteira fugindo de freiras e lá estava Aki, querendo *se juntar* a elas.

— Será que poderia pedir a meu pai? Ou talvez a *Okusama?*

Eu guardei a carta e fitei a jovem com o rosto coberto atrás do portão, aquela catadora de chá, aquela apicultora. Eu tinha vivido com ela e nunca a conhecera.

— Eu peço se me contar o que aconteceu.

Ela cruzou os braços.

— O que quer saber? — disse com um tom áspero.

Sentei-me em um banco, sem dúvida para famílias visitantes, posicionado na frente de outro banco que ficava além do portão do convento.

— Por que não me conta o que aconteceu depois que você entrou no jinriquixá com a água do Santuário Kamo? A propósito, aquilo era realmente água sagrada? Ou será que Kenji deixou uma água velha qualquer na torre-depósito?

Nós tínhamos seguido o mapa com facilidade e encontramos, como tínhamos sido instruídas, uma jarra de madeira arqueada decorada como um santuário xintoísta com zigue-zagues de papel e corda de palha.

— Eu tenho que ir — disse ela.

— Eu posso tentar conseguir o dinheiro ou posso contar a Kenji onde você está, e quando ele ficar bom, você sabe que ele virá aqui todos os dias até que eles a expulsem. A decisão é sua. — O fato de que eu não conseguia ver o rosto dela — e a minha raiva por ela quase ter se matado — fez com que eu me sentisse mandona. — Por que não se senta?

Ela se sentou. Não disse nada por um momento e depois começou:

— Eu subi no jinriquixá levando as cartas, e então ele me pediu para esperá-lo no santuário enquanto ele falava com o pai. Ele disse ao Grande Mestre que ia voltar para casa e dar outra olhada na Srta. Mariko.

Aki fez uma pausa e então recomeçou a falar, com mais intensidade na voz:

— O santuário fica no alto de um morro, e não havia ninguém por perto exceto os falcões sobrevoando. Era tão bonito lá. Lembra-se? Nós paramos lá a caminho de casa vindas de Sesshu-ji muito tempo atrás, quando eu era criança. Lembro-me do vento, dos pinheiros, dos morros distantes, tão azuis, como outra cor do céu. Eu senti... algo diferente. Como se, além dele, ninguém no mundo soubesse onde eu estava, e eu gostei daquilo. Vi dois falcões voando em círculos; suas asas eram douradas. "Éramos nós dois", pensei, "voando acima do mundo." O meu coração parecia tão grande dentro de mim. Eu gritei e agitei os braços. — Ela riu um pouco, um som de menina turvo de arrependimento. — E então vi um falcão voando sozinho.

Ela hesitou e recomeçou com um discurso diferente:

— Quando eu era pequena, uma vez ele me deu um boneco Imperador e uma boneca Imperatriz no Dia das Meninas e na minha cabeça sempre pensei que aqueles bonecos éramos nós dois. Eu nunca disse nada. Mas então, quando fiquei mais velha, quando ele... — quando nós, pela primeira vez, bem, *ele* disse que também pensara que eles eram como nós.

Ela se virou, como se tivesse esquecido que eu não podia ver seu rosto por trás do véu.

— Mas lá estava eu sozinha, em segredo — disse —, e lá estava ele mentindo para o pai a respeito da Srta. Mariko. De repente eu me senti tão pequena. Como se, no momento em que eu passasse pelo portão *torii*, aquela se tornasse a minha vida dali em diante, esperas e segredos. Eu fiquei olhando aquele falcão totalmente sozinho no ar até que ele se aproximou.

Eu fiquei surpresa com a franqueza de Aki quando ela prosseguiu:

— Depois do santuário havia uma varanda para piqueniques. Ele trouxe comida e um mosquiteiro e ficamos a noite toda na encosta. Nunca tínhamos passado uma noite inteira juntos antes. — A voz dela era carinhosa e sem rodeios, e ela disse metade do verso de um velho poema: — Enquanto estávamos deitados lá, *em nossas roupas sobrepostas*, a lua surgiu por trás das árvores. Olhamos um para o outro. Nós dois estávamos pensando sobre Mariko Kato, e aquele lago para a observação da lua.

Eu estava admirada com a segurança da voz, a centímetros de mim, que sabia o que seu amado estava pensando.

— Ele disse que preferia morrer nos meus braços naquele lago do que visitá-lo como genro. Quando ouvi aquilo, senti-me tão grande e tão pequena ao mesmo tempo, e eu disse: "Prove". A voz dela era enérgica e clara.

— O resto você sabe — disse ela. — Enchemos nossas mangas com pedras.

Ela levantou as mãos e ergueu a gaze que escondia o rosto, e eu me controlei para não recuar.

A bochecha direita dela era uma cicatriz esverdeada no formato de um anel grosso, cujo centro, incluindo grande parte do seu olho fechado, parecia carne crua. Eu estremeci, lembrando-me daquela água rasa e turva, daquelas pedras pontiagudas.

— Você perdeu o olho — murmurei.

— Talvez, não sei. Não consegui abri-lo ainda, mas já está melhor.

Obriguei-me a continuar olhando, com atenção e carinho, para aquilo que ela me confiara ver. Em volta da cicatriz havia uma crosta branca de pele que sarava, e todo o lado direito do rosto estava coberto de hematomas. O lado esquerdo do seu rosto precioso não estava machucado, mas estava cheio de hematomas também, em forma de nuvens. Ou da mão de um homem.

— O que aconteceu? — eu disse, ofegante, colocando a mão sobre a minha própria bochecha. — Ele fez isso?

Eu mal pude ouvi-la por um segundo, enquanto ela dizia que sim. Então ela falou mais alto, afastando-me um pouco:

— Quando estávamos amarrados juntos na água. Foi sem querer — disse ela, encolhendo os ombros.

Ficamos em silêncio por um momento.

— Eu não sabia o quanto o corpo quer viver e respirar — disse ela —, mas ele quer. O dele quis. Mais do que queria morrer ou amar. O meu também. — Ela baixou a gaze enquanto falava, por isso não pude ver a expressão em seu rosto. — Eu sei no meu coração que foi sem querer — ela disse em uma voz tanto impiedosa como clemente. — Mas foi uma lição também.

Kenji teria desejado que eu fosse falar direto com ele, mas a minha cabeça estava cheia de falcões, santuários e hematomas no formato de mão. Contei a Yukako primeiro.

— Quanto ela quer? — perguntou ela, abrindo a carta das freiras.

Lembrei-me daquela manhã na ponte da rua do Canal, de como eu parecia estar prendendo a respiração enquanto a observava pensando sobre um casamento entre Aki e seu filho. Como ela tinha ficado imóvel então, como se estivesse parada diante de uma porta fechada. Como lia rapidamente agora, fazendo um sinal com a ponta do dedo para que eu servisse mais chá. Eu servi. Ela ergueu os olhos.

— Pronto.

Será que eu já a vira desembolsar dinheiro tão rapidamente? Senti, na minha alegria por Aki, uma pontada de decepção, o bastante para impelir o ar preso para fora de mim. Antes que seu chá esfriasse, Yukako havia contado moedas e chamado um jinriquixá.

— O pai dela não está aqui — suspirou asperamente. — Não tivemos notícias dele a semana toda. Mas eu posso levar Kuga. Faremos com que guardem o dinheiro para Aki até conseguirmos a aprovação de Nao.

Kuga ainda estava desamarrando as mangas do quimono dos cordões de trabalho quando o jinriquixá as levou embora.

Enquanto eu terminava de cortar as berinjelas e pepinos deixados sobre o bloco de madeira, comecei a perder a coragem de contar tudo a Kenji. Lavei o arroz, salguei os legumes, abri o alçapão no chão da cozinha e misturei os tonéis de conservas como fazia todos os dias. Sequei tigelas laqueadas que já estavam secas. Justamente quando eu tinha resolvido que era melhor que ele ouvisse tudo de mim, em vez da mãe, vi um jovem de pé junto à porta. *Ele sabe*, pensei, receando seus olhos ansiosos e seu andar vacilante. Mas era Tai.

Agitado enquanto o irmão era sereno, rápido enquanto o irmão era meditativo, o Mestre Professor entrou repentinamente, radiante e impetuoso.

— Pensei que podia ser você. Parecem gostosos — disse ele, servindo-se de uma fatia refrescante de pepino. — Tia, eu queria te perguntar uma coisa.

Você também? Olhei para ele incrédula, o que ele interpretou como estímulo. Ele retirou algo da parte da frente do quimono, um embrulho branco atado com um cordão vermelho.

— É sobre a Srta. Sono... — disse ele.

— Com licença — eu disse, saindo rapidamente em direção ao banheiro como se não o tivesse ouvido. Eu já tinha jovens amantes suficientes com os quais me preocupar. Fiquei comovida, no entanto, pensando sobre o pequeno embrulho branco. O cordão com seus nós intrincados não só fazia alusão ao fio vermelho que ligava os dois destinos, mas também ao nome de Tsuko: *tsuna* significava *corda*; *tsunagu* era *amarrar*; *tsunagari* era um *relacionamento*. Garoto de sorte, gostar da garota que a mãe escolhera para ele. Eu tinha certeza de que alguém iria ajudá-lo. Escapuli e fui ver Kenji.

— ESTOU ME SENTINDO um pouco melhor hoje — disse o menino, sorrindo em seu futon.

— Olhe, eu procurei por aí e trouxe este para você.

Ele acenou com a cabeça quando viu o livro fino com nós de encadernação roxos e em forma de estrela.

— Senhora Shonagon — murmurei. Jiro o havia mostrado para mim uma vez, e o Montanha me havia emprestado. Eu nunca o decifrara. — A sua mãe o leu quando criança.

— *Un* — disse ele, abrindo o volume.

Na dobra de cada página havia uma folha solta com a bela caligrafia de Kenji, escrita com grande clareza, com caracteres explanatórios junto a cada um dos *kanji* dele.

— Eu fiz isso para Aki — disse ele. — Foi escrito na Era Heian, há quase novecentos anos, por isso essas páginas — continuou, apontando para o livro impresso — estão escritas no velho estilo. E essas — disse, apontando para as suas próprias folhas — eu reescrevi do jeito que as pessoas falam agora. Todas as listas dela. *Coisas adoráveis. Coisas deprimentes. Coisas que se beneficiam se forem pintadas* — recitou. Eu coloquei o peso do meu corpo sobre a outra perna, desejando que tivesse trazido chá ou algo que eu pudesse apenas depositar no chão para ele e ir embora. — Nós apenas lemos metade dele juntos. Mas talvez um dia... — suspirou. — Então, você foi com minha mãe à casa do Conselheiro Kato?

Que dia longo eu tivera.

— Esqueça a aula de leitura — eu disse. E então contei a ele.

— Ah — disse ele.

Ficou deitado durante muito tempo, completamente calado. E então arrastou ambas as pernas, a intacta e a quebrada, para junto de si como se estivesse enfiando todas as suas esperanças dentro de um saco. Quando falou, a voz dele estava entorpecida.

— Podia tirar o livro daqui?

NO PRIMEIRO DIA em que pôde andar lá fora, Kenji sumiu por horas. Ele tinha parado de falar comigo, fora um resmungo ou outro quando eu trazia a bandeja dele, como fizera Tai, uma vez que seu Encontro ocorrera sem nenhum empecilho, sem nenhuma ajuda da minha parte. Naquela noite, quando Kenji voltou para casa, vi seu rosto tenso de determinação.

— Isso é para você — disse ele. — Uma das freiras me entregou.

— Você a encontrou? — perguntei.

Eu evitara contar-lhe onde Aki estava no dia em que a vi, e ele não perguntara desde então.

— Quantos conventos existem em Kyoto? — perguntou ele.

— Ah.

Abri o bilhete e passei rapidamente os olhos pelos *kana* cuidadosos. Dizia: "Você já sabe que lhe sou grata. Por favor, agradeça à *Okusama* também. E diga a ele que pode esperar o dia todo se quiser; eu não vou sair."

E FOI O QUE ELE FEZ. A não ser no dia do casamento do irmão, Kenji ia ao convento todos os dias e ficava sentado junto ao portão. O pai mandava chamá-lo regularmente, mas o menino não voltou a Sesshu-ji naquele verão, e Aki não deixou o convento da madre Margaret. Yukako, talvez como forma de se desculpar, disse ao intermediário para esperar pelo menos até que a próxima primavera trouxesse uma nova turma de moças. Em Tóquio, naquela estação, o amigo de Kato, o Ministro dos Impostos, foi morto em seu jinriquixá por um atirador desconhecido, causando todos os tipos de rumores e honrarias, mas depois que a agitação amainou, Mariko ficou noiva, soubemos, do Sr. Tanabe, o engenheiro de canais. Por sua insistência, e para a nossa surpresa, o pai dela declarou que ela só poderia casar-se depois que tivesse dado aula de chá por dois anos.

NA NOITE EM QUE encontrei Aki, muito depois que Yukako havia voltado, comido e se banhado, descobri que estava sem sono algum para me deitar no meu canto do aposento ao lado da cozinha. Levei uma lâmpada e o livro de Kenji e fui às escondidas para a Baishian. Sem o papel *shoji*, a casa de chá parecia miserável como uma boca com dentes faltando. Acendi uma espiral contra mosquitos e sentei-me em silêncio no quarto de dois tatames, assistindo à noite que flutuava em quadrados ao meu redor. Pensei em todas as pessoas que vira naquele dia: Yukako na ponte, Aki no portão, Kenji com suas esperanças esmagadas. O Imperador colorido à mão, Alice Starkweather, as freiras. Aqueles monges, como sapos carecas, conversando em francês. "Bem, senhor, estes são os nativos. Em Roma, faça como os romanos. Em Roma, faça como os romanos. Em Roma, faça como os romanos." Meu estômago se revoltou. Eu conhecia aquela voz. Ela pertencia ao homem que um dia me alimentara.

Fiquei deitada de costas, respirando profundamente até que a tonteira passasse e sentei-me de novo.

— *Sa* — eu disse para mim mesma. *O irmão Joaquin nunca deixou Kyoto.* Muito bem. Lembrei-me de um par de botas grandes e pretas, de uma casa em chamas, de uma estátua de ouro reluzente. Da próxima vez que eu visse Aki, ela ainda seria Aki ou estaria submetida à expiação e usando touca de freira, Lourdes, Agnes ou Pauline?

Passei os dedos sobre o livro de Shonagon, escrito aproximadamente no ano 1000. Dama de companhia da Imperatriz, Sei Shonagon guardava um caderno de anotações no compartimento oco do travesseiro, e por isso seus escritos são conhecidos como *O livro do travesseiro*. Eu o abri aleatoriamente: "Quando nos surpreendemos com o som de gotas de chuva; o vento batendo nas venezianas." Na mesma seção também vi: "Quando nosso elegante espelho chinês fica embaçado." Foi bom que Kenji tivesse me lembrado de que Shonagon tinha o hábito de fazer listas porque as frases me confundiram no começo. Eu voltei um pouco e encontrei o título da lista: "Coisas que fazem o coração bater mais rápido."

E acrescentei: "A voz de um monge. Um hematoma em forma de mão. A palavra *eurasiana*. Quando descobrimos como a água é rasa onde os amantes não conseguiram se afogar."

E ACRESCENTEI, embora enquanto o fazia eu soubesse que as palavras não pertenciam a mim, mas a uma Urako cuja senhora nunca a decepcionara, uma cujo coração batia mais rapidamente de desejo, e não, como o meu, de cautela: "Quando a nossa empregadora entra na banheira, com pentes de marfim no cabelo. Quando ela estende os braços compridos e brancos sobre as bordas da banheira fumegante. Quando seus olhos relaxam de alívio, os seios pequenos se erguem enquanto ela inspira profundamente. Quando a cabeça dela pende para um lado, um cacho de cabelo da grossura de um pincel de escrever afunda de repente na água."

31

1891

TALVEZ SHONAGON PUDESSE de fato ter escrito o último item da minha lista se tivesse tido o privilégio de ver a Imperatriz na banheira. Ela anotou todas as vezes que pôde moer tinta para a soberana, todo papel ou seda que recebeu como presente, todas as vezes que foi escolhida para servir Sua Majestade no lugar de alguma outra mulher. Eu reconheci, dolorosamente, a minha própria lealdade na dela.

O livro de Shonagon apareceu bem na hora para mim naquele verão, já que eu tinha ainda menos tempo com Yukako. Querendo evitar um noivado longo e desastroso como o que ela vivenciara com Akio, assim como qualquer chance de o Barão Sono mudar de ideia, Yukako fez pressão para que o casamento acontecesse o mais rapidamente possível. Antes do fim de julho, Tai e Tsuko foram alojados na privacidade do quarto em cima da cozinha onde eu e Yukako havíamos dormido até aquela primavera. Embora Tai e a mãe continuassem a compartilhar o gabinete do jardim, que servia de escritório, percebi que um livro de cada vez, um pincel, as coisas dele pareciam se mudar para o andar de cima. Yukako continuou a dormir a um biombo de distância das moças no quarto em cima da sala de costura, e eu só podia contar de encontrá-la a sós quando levava o seu café da manhã. Agora que fazia parte da família, Tsuko auxiliava *Okusama* quando ela saía, e de noite elas tomavam banho juntas enquanto eu me banhava perto.

— Como foi a sua visita e do Sr. Kenji aos Kato hoje? — perguntou Tsuko na banheira, com a voz suave e precisa.

Que visita?, levantei os olhos. Eu não conseguia acreditar que Kenji finalmente concordara em ir. Talvez ele tivesse aceitado a sua suspensão temporária do mercado de casamentos como a única penitência que Yukako pôde oferecer.

— Sabe, eu queria tentar acalmar as coisas — disse Yukako. — E foi bom que o Conselheiro Kato tenha aceitado os nossos presentes e as desculpas de Kenji. Mas agora ele não quer vir aqui nem para tomar chá — lamentou. — Eu entendo, primeiro a vergonha em relação à filha e depois o assassinato do amigo. Coitado. Mas desse jeito eu não vou ter a minha chance com as escolas para garotos. — Ela fez uma pausa, preocupada. — Ao menos terei a reunião com o Ministro para defender o meu caso.

Tsuko espremeu a toalha quente sobre os ombros expostos de Yukako e a mulher mais velha suspirou, grata.

— Fico pensando se não devíamos instalar você e o Mestre Professor em Tóquio, perto da corte — murmurou Yukako parcialmente para si mesma. — Você gostaria?

— O que você achar melhor — disse Tsuko diplomaticamente.

Ela tem saudades de Tóquio, pensei.

— Menina esperta. — Yukako deu uma risada meio áspera e fechou os olhos por um momento. Será que Yukako iria com eles para Tóquio? Será que eu iria junto? Talvez aquele plano não fosse levado adiante, mas era mortificante descobrir a respeito por acaso, ouvir acidentalmente em vez de ser informada.

A voz de Yukako interrompeu meus pensamentos:

— E se eu comprasse um jinriquixá para a visita do Ministro? — pensou.

— Então, de certo modo, o *temae* poderia começar quando ele saísse da casa do Conselheiro Kato.

Observei Tsuko pensar, reluzente e opaca ao mesmo tempo. Em suas feições simples e bonitas, a hesitação era clara e reservada, como um reflexo de fogo vermelho em uma opala.

— Em Tóquio eu vi um tipo novo de jinriquixá — disse ela finalmente.

— Tem rodas de borracha cheias de ar, como... — Yukako parecia perplexa.

— Como uma barriga cheia d'água — concluiu Tsuko. — Ou o papo de um sapo.

Yukako fez algumas perguntas sobre o jinriquixá de Tóquio que andava suavemente, e a julgar pelas respostas de Tsuko ocorreu-me que o pai dela talvez tivesse o seu próprio. Eu não pude deixar de admirar o tato dela.

— Imagine só, sair da casa de Kato em um daqueles — murmurou Yukako, meio competitivamente. — Eu não devia ser assim — disse ela, contendo-se. — O homem está sofrendo com a morte do amigo. *Seria* melhor tê-lo como aliado... — A voz dela ficou embargada de raiva e ela não conseguiu se controlar. — Mas ele acha que passou à nossa frente, aquele arrivista! — disse em um acesso de cólera.

Noboru-han foi como o chamou: Senhor-Caipira-Visitando-a-Capital.

Uma objeção se formou no rosto de Tsuko; ela a fez sumir tão facilmente como uma menina colocando o cabelo atrás das orelhas.

— Ele sempre será um caipira — disse Yukako. — Não vai acreditar no que aconteceu. Eu entrei no escritório dele e lá estava uma pilha da altura de um homem daquelas fotos imperiais. "Uma para cada sala de aula em Kyoto", ele me disse. Quem pensaria em algo assim? E então me perguntou se eu gostaria de uma para cada uma das salas de chá! Dá para imaginar?

— O que você fez?

— Eu disse que era *muita* gentileza da parte dele pensar em nós, especialmente depois de tudo o que acontecera, e como estávamos honrados com a oportunidade de nos juntarmos à vanguarda das escolas usando a imagem de Suas Majestades para inspirar a próxima geração, e assim por diante, mas eu não me atrevi a tomar nenhuma decisão sem perguntar ao Mestre Professor. É claro que vamos aceitar: seria rude não aceitar. Mas que ridículo. Fico pensando se ele alguma vez chegou a entender o Caminho do Chá. Uma foto em cada sala de chá? Que coisa mais deselegante!

Ela usou a mesma palavra que Sei Shonagon usara novecentos anos antes, descrevendo um caipira que ela conhecia. Enquanto Tsuko concordava com um gesto e confortava Yukako, com mais elegância do que eu jamais poderia ter feito, fiquei pensando se a dama de companhia da Era Heian alguma vez tinha escrito sobre ter sido ofuscada aos olhos da Imperatriz por uma coisa mais jovem e moderna. Talvez estivesse em uma página que Shonagon arrancou e queimou, uma lista de *sentimentos deselegantes*.

Eu continuei a leitura durante o verão sufocante, refrescada pela prosa frugal e bela de Shonagon. *Gelo raspado com calda de liana em uma tigela de prata. Ovos de pata. Cravos silvestres. O rosto de uma criança desenhado em um melão.* Ao ler Shonagon, a pobreza esquálida dos meus dias com agulhas e panos de limpeza se expandiu em noites diáfanas na Baishian. *Uma xícara de argila. Uma esteira de junco.* Eu saboreei aquelas horas, lendo sozinha na bela casa de dois tatames, com a luz da lâmpada tremeluzindo no teto de vime trançado, uma sala tão devotada à beleza quanto as linhas de Shonagon.

Eu me sentia mais abandonada do que nunca de manhã, quando retirava a bandeja de Yukako, e à noite, quando me lavava em silêncio enquanto ela conversava com Tsuko, planejando cada detalhe da visita do Augusto Primo. Já que o Ministro preferia roupas ocidentais, o anfitrião também iria usá-las, e iria executar o *temae* que o Montanha tinha criado para salas ocidentais. Os banquinhos que o Montanha projetara não se destinavam a pisos de tatame, mas como Yukako queria usar a Baishian — ou uma das outras salas de chá, se as janelas não ficassem prontas —, ela projetou banquinhos que deslizassem facilmente sobre o tatame.

— E encomendei outro pedaço de madeira igual à tábua do assoalho da Baishian — anunciou, apontando para um ponto no ombro.

— Aqui? — Tsuko massageava enquanto Yukako falava.

No lugar da mesa do pai, Yukako queria fazer uso do elemento central já presente na Baishian: a tábua de assoalho que separava o tatame do anfitrião do tatame do convidado. Se houvesse uma mesa no mesmo lugar que a tábua, do mesmo tamanho e feita da mesma madeira, com pernas que não chamassem atenção para si, certamente ela atravancaria menos a pequena sala do que uma grande bancada laqueada de preto em um dos lados.

— Talvez os banquinhos devessem ser feitos da mesma madeira — pensou ela em voz alta. — Ah, vou precisar que você sirva chá quando o marceneiro vier amanhã.

— É claro — prometeu a jovem, colocando uma toalha sobre os ombros da sogra antes de pegar a sua. A palavra para noiva é a mesma palavra usada para nora, *yome*. Enquanto eu as observava, pensei na sorte que Yukako tivera de nunca ter sido uma nora: a garota tinha que trabalhar tão arduamente para agradar a *Okusama* quanto para agradar o marido. Ainda assim, quando deixaram a casa de banho antes de mim, eu sabia que eu preferia ter sido a *yome* dela do que um brinquedo descartado.

QUANDO EU ESTAVA com mais ciúmes, perdi a paciência com Shonagon. A montanha de neve que ela empilhou para Sua Majestade não amenizou o calor abafado de julho mais do que a gratidão da Imperatriz amenizou a minha solidão. Em noites como aquela, eu lia rapidamente e muito, como um bárbaro devorando uma refeição da cerimônia de chá: a intenção de Shonagon não era contar ao leitor o que ia acontecer em seguida, da mesma maneira que a intenção de um chef *kaiseki* não era encher a barriga. Mas foi em uma noite assim, passando a vista rapidamente pelas folhas que já tinham sido viradas tantas vezes para ver se algo resultara do seu amor pela Imperatriz, que descobri que tinha chegado ao fim do livro de Shonagon, mas não ao fim do livro de Kenji.

Bem enfiado na última dobra do *Livro do travesseiro* havia um monte de páginas finas escritas com a caligrafia mais clara de Kenji. Meia geração após Shonagon, ele explicava, outra grande escritora serviu na corte da Imperatriz seguinte: Murasaki Shikibu. Eu a conhecia como autora de *O romance de Genji*, que Yukako e Sumie adoravam quando meninas. Como Shonagon, Murasaki também mantinha um diário do tempo que passou na corte, e Kenji também reescrevera partes dele para Aki, atualizando as formas arcaicas e as palavras obscuras da autora para o ouvido contemporâneo. Eu quase o ignorei, já que começava com um relato tediosamente detalhado dos rituais imperiais de nascimento, mas continuei lendo e descobri um momento em que a narradora puxa a manga de uma mulher adormecida para ver o rosto dela. "Você parece uma princesa em uma história", diz ela à amiga que acorda.

Embora a prosa fosse menos inebriante, senti-me atraída por aquela voz mais tímida, menos maliciosa e conhecedora do mundo, aquela mulher bem menos à vontade do que Shonagon com a corte e suas fofocas, seus romances rápidos e sua falta de privacidade. Ela própria não estava acima dos rumores: invejava a corte espirituosa das virgens sagradas do Santuário Kamo e lamentava a estupidez das damas da Imperatriz. Eu ri alto ao ler sua descrição de Shonagon como *terrivelmente convencida. Ela se achava tão esperta e sujava seus escritos com caracteres chineses.* Foi interessante saber que a Imperatriz escolhera Murasaki para a tarefa secreta de ensiná-la aqueles mesmos caracteres chineses. "Isso não condiz com uma dama!", opinou Kenji, mas ele estava claramente orgulhoso dela: naquela época, mais ainda do que agora, explicou, os homens escreviam usando *kanji*, os ideogramas chineses, e as mulheres usavam *kana*, os caracteres fonéticos mais simples. Murasaki e Shonagon eram diferentes, pois usavam os dois sistemas de escrita. Pensei a respeito daquele livro, traduzido e copiado como um presente de amor, e imaginei Murasaki aguardando um encontro secreto com a Imperatriz, uma jovem resplandecente em trajes de 12 camadas e cabelo gracioso, aprendendo como Aki aprendera, um *kanji* de cada vez.

Enquanto eu continuava lendo, reconheci, na prosa mais seca de Murasaki, muitos dos momentos que pareciam ser exclusivos de Shonagon. "Sua Majestade estava tão radiante esta tarde que dava vontade de exibi-la..." E depois: "Sob a luz de uma pequena lamparina pendurada dentro das cortinas, a pele bonita de Sua Majestade era de uma delicadeza translúcida..." E ainda depois: "Sua Majestade também comentou mais de uma vez que pensara que eu não era o tipo de pessoa com quem poderia ficar à vontade, mas que agora eu me tornei mais próxima dela do que todas as outras."

Sob a luz da lâmpada, rodeada pelas folhas copiadas por Kenji, olhei do diário de Murasaki de volta para o de Shonagon. Com todo o seu coração, Shonagon, da mesma forma que Murasaki, amava Sua Majestade exatamente como deveria amar uma soberana, e Sua Majestade, com todo o *seu* coração, amava Shonagon exatamente como deveria amar uma súdita. Nada iria *acontecer.* Eu tinha confundido o fervor sensual de Shonagon com a coisa que ouvi na voz de Kenji quando o barco de vime se desprendeu da areia dentro de mim, quando ele disse por que haviam pulado: *um pelo outro.*

No DIA SEGUINTE, enquanto eu estava sentada com os olhos pesados na sala de costura quente, com os dedos suados manejando a agulha desajeitadamente, diante de mais uma costura sem fim, mais uma tarde sem fim com Gema e Jade tagarelando sobre para onde Nao poderia ter ido; diante das roupas que as alunas tinham acabado de sujar, das roupas nos jardins e nas salas de chá que elas estavam sujando naquele exato momento e das roupas que elas certamente sujariam em breve; diante de toda a roupa para descosturar, lavar e costurar, tudo de novo, todos os fios e pontos e água suja a que se resumiria o resto da minha vida — naquele momento eu vi Yukako passando do lado de fora, com o seu porte alto e rápido, inalterado em todos aqueles anos de convivência. Enquanto o meu peito se retesava sob a minha *obi*, de repente lembrei-me daquele dia no nosso período de maior escassez quando, naquele exato quarto, Yukako preferira queimar a própria roupa a costurá-la.

Meus olhos se abriram. Eu ia fazer o que Murasaki fizera, resolvi, e o que a própria Yukako fizera. "Você consegue se acostumar com qualquer coisa", eu tinha dito a ela na época, carinhosamente, porque eu ainda não tinha descoberto a única coisa com a qual eu não conseguiria me acostumar, e a sua resposta depreciativa me fortalecia agora: "Talvez você consiga," dissera ela.

Eu saí.

32

1891

— COMO DISSE? — Vocês gostariam de uma professora de inglês ou francês? — eu disse de novo na sala que cheirava a óleo de limão, fitando Alice Starkweather, cujo branco dos olhos estava avermelhados de veias.

— Poderia repetir, menina? Eu não entendi.

Comecei a corar de raiva e frustração.

— Lembra-se de mim? — perguntei.

— É claro que sim — disse ela, olhando em direção à pilha de papéis sobre a mesa.

O aposento estava cheio de pernas de madeira: a mesa, a escrivaninha, as quatro cadeiras de madeira e as duas poltronas excessivamente estofadas. A Srta. Starkweather estava sentada em uma delas, com as costas tão eretas, apesar das almofadas, quanto se estivesse sentada em uma sala de chá.

— Você foi um anjo com aquelas cartas na semana em que Noriko foi embora. Como pode ver, ela não voltou mais. — Os papéis, percebi, cobriam não apenas a mesa mas também todas as cadeiras. — São sempre os pais. Está aqui para ajudar?

Eu me concentrei enquanto estruturava a minha resposta, desejando que o meu inglês não resvalasse em densidade shakespeariana.

— Quanto vocês pagariam?

Ela mencionou uma quantia e eu pude sentir o meu corpo fazendo reverências incontrolavelmente.

— Você tem tempo hoje? — perguntou ela.

COM CINCO MOEDAS na manga, parei a caminho de casa, como Yukako fizera antes de mim, para comprar alguns espetinhos de *dango* grelhado: bolinhos de arroz embebidos em um molho denso e doce.

NO JANTAR, como de hábito, enchi minha tigela com a mesma quantidade de comida como em qualquer outro dia, mas esqueci que tinha acabado de comer. Cada bolinho *mochi* sacia o equivalente a seis vezes o seu volume em arroz; pela primeira vez tive dificuldades para terminar uma refeição na casa Shin. Lembrei-me de como minha mãe falava de *les nonnes* — as freiras — quando eu era criança e senti vergonha de ter caminhado na direção daquelas freiras protestantes. Mas pensei na liberdade que Aki encontrara atrás dos muros do convento e pensei no presente da minha mãe, em como ela abençoara o meu futuro. Você podia ser tradutora. As cartas que a Srta. Starkweather não entendera agora ela entendia, e eu tinha a barriga cheia como prova.

Nós estávamos em boa situação financeira, graças ao dinheiro das escolas, e até mesmo as costureiras podiam comer mais se quisessem. Observei Jade levantar a tampa da panela fumegante de arroz e cevada e enfiar dentro dela a concha de bambu para se servir de novo. Quando ela estendeu a mão para pegar a minha tigela, cobri-a com a mão.

— Estou satisfeita — eu disse.

Vi o vapor se elevar no ar mesmo depois que Jade tampou a panela. Comi outro bocado demorado de arroz. Todos éramos gratos a Yukako pelo nosso jantar, à esperteza e ao vigor dela; a grande panela fumegante continha horas da vida dela. *Este é o arroz dela,* pensei. Eu estava cheia demais para comer outro bocado: quase chorei. Lembrei-me de como a armação para costura permanecera preparada como se, a qualquer momento, eu pudesse voltar e me inclinar sobre aquela maldita roupa preta de aluno novamente, lembrei-me de Yukako desaparecendo no portão Shin, alta, ereta e pequena como a agulha que eu deixara para trás: a curta caminhada até a escola da Srta. Starkweather parecia o caminho mais comprido que eu já tomara. Usei as duas mãos para esconder o meu rosto em prantos. Eu estava cheia demais para comer. A minha independência tinha o gosto de exílio.

— Tia? — disse a voz jovem de Jade.

— Tinha algo no meu olho — eu disse.

LAVEI A LOUÇA rapidamente quando acabamos, sequei-a com um passar rápido de toalhas. Quando Kuga ficou sozinha, falei com ela, como Yukako falara com Chio no passado.

— O-Kuga, eu arranjei outro trabalho para fazer de tarde. Ainda posso servir as refeições e fazer a limpeza, mas quanto custaria para contratar alguém para me substituir na casa de costura?

Kuga refletiu lentamente. Kenji teria dito que parecia que ela estava mastigando.

— Uma amiga falou comigo ontem sobre levar trabalho de costura para casa — disse. — A filha dela já tem idade bastante. — Ela olhou para mim de lado e lentamente mencionou uma quantia que era evidentemente mais alta do que o que Gema e Jade recebiam, mas ainda a metade do que a Srta. Starkweather havia me oferecido. Eu concordei, imaginando quanto do dinheiro ela planejava gastar com bebida.

— Faça uma trouxa com a sua parte, deixe junto à porta e eu a entrego para o-Hazu.

— O-Hazu? Da casa de banho?

Eu não fingi estar mais feliz do que estava, mas Kuga encolheu os ombros.

— Você quer que eu ajude ou não? Ela não vai botar o pé aqui.

— Ah — eu disse. Kuga estava sempre disposta a ceder aos desejos de Yukako, mas se eu me sentisse traída, ela não ligava. — Muito bem.

E ASSIM COMECEI a usar *hakama* de novo, dessa vez descendo a rua Migawa em direção à escola, passando pelo muro do Palácio. Eu me sentia tão pesada por dentro, usando roupas que eu adorava para a Srta. Starkweather e não para Yukako, mas às vezes, quando eu caminhava na sombra, ou quando uma rara brisa de verão agitava repentinamente a minha sombrinha, eu desejava que Aki pudesse me ver desfilando pela rua, como as alunas que ela invejava, com o meu penteado moderno e minhas saias-calças ondulantes. Normalmente eu dava passos pequenos quando andava, de forma que meu quimono não se abrisse e me expusesse, mas com os *hakama*, quando as saias se agitavam, ninguém via. Senti os meus passos ficando mais largos e os meus tamancos repicando na rua.

Ler e traduzir as cartas e jornais da Srta. Starkweather era como aprender inglês de novo. Professora nata, a Srta. Starkweather era impiedosa e precisa nas correções, insistindo que eu repetisse tudo várias vezes até que ela ficasse satisfeita com a pronúncia de cada palavra. "*Required. Required*", tentei de novo, substituindo o som de "u" pelo som de "w" depois da letra "q", suprimindo assim uma sílaba desnecessária e acostumando a boca novamente com aqueles pares de consoantes juntas: *kw* e *rd*. Eu não cheguei a perder a diferença entre *r* e *l*, mas a Srta. Starkweather, que esperava de mim um nível de inglês que teria irritado profundamente qualquer um que não tivesse sido criado com ele, nunca comentava ou elogiava isso. Onde quer que a tradutora Noriko estivesse, eu tinha certeza de que ela estava feliz por não estar repetindo palavras em inglês.

— *You are required to show this photograph*** Posso usar *display* em vez de *show*?

— Sim, é mais adequado. Mas não "*displai*", querida, "*displei*". Repita.

— *Displai*.

Os meus únicos companheiros de língua inglesa em todos aqueles anos tinham sido *Histórias de Shakespeare* e *Paris para viajantes*, e eu só conseguia ouvir a voz deles no caprichoso ouvido da minha mente. Enquanto julho suava em direção a agosto, contudo, descobri que eu me lembrava cada vez mais, e o meu sotaque e o emprego do idioma, lesados pelos anos de solidão, fica-

---

*É obrigatória a apresentação desta fotografia. (*N. da T.*)

vam mais à vontade com a exposição a outro falante. O meu trabalho com a rigorosa Srta. Starkweather com seus olhos de coelho, embora árduo, era como um passeio guiado à cidade da infância perdida.

E o trabalho dela comigo era claramente uma área, entre poucas, na qual ela tinha controle total do ambiente. Nada parecia acalmá-la tanto quanto corrigir o meu inglês.

— É obrigatória a exibição desta fotografia em cada sala de aula, sob *perigo* de encarceramento ou multa — será que eu tinha me enganado e utilizado a palavra francesa?

A Srta. Starkweather lançou um olhar rígido sobre a pilha de retratos de Suas Majestades.

— Sob *pena*, querida — disse, com uma voz mecânica e calma.

Outro pai tinha tirado a filha da escola recentemente e teve a coragem de dizer o motivo: para melhorar as perspectivas de casamento dela.

— Um dia Yoshiko estava aqui, no outro não estava mais — suspirou a Srta. Starkweather. — E era uma moça tão promissora.

Em uma semana ou duas eu terminara de ler toda a correspondência depositada sobre as cadeiras e voltamos nossa atenção para a mesa. E então, no período mais quente de agosto, quando tigelas de gelo raspado doce se transformavam rapidamente em água com açúcar, eu estava sentada uma tarde decifrando uma notificação do inspetor de incêndio quando uma rajada de renda e franzidos invadiu o escritório anunciando a Srta. Frances Parmalee, rubra e ofegante, que trazia notícias:

— Ah, minha querida, um americano matou uma prostituta japonesa em Yokohama. Houve um tumulto e está em todos os jornais.

A Srta. Starkweather, energizada temporariamente pela aparição da Srta. Parmalee, afundou ainda mais na cadeira.

— Ah, Fanny, e logo antes do Festival de Obon.

— Obon é sempre um problema aqui — explicou a Srta. Parmalee, percebendo minha presença e minha confusão. Nós tínhamos sido apresentadas, mas nunca nos falamos. — Aqui é o Japão, então o período letivo vai de abril ao começo de março. Mas esta é uma escola cristã e por isso *não podemos* dispensar as alunas especialmente para os festejos do Obon. Simplesmente *não podemos*. Mas aqui é o Japão e por isso metade das meninas simplesmente não aparece. "Sim, *Sensei,* nada de bobagens pagãs, *Sensei;* nos vemos amanhã, *Sensei.*" E elas simplesmente não aparecem. Eu gostaria de que eles tivessem mantido a proibição.

— As fogueiras e as danças, proibidas nos primeiros anos da Era Meiji, haviam voltado discretamente a Kyoto uns nove anos antes.

A Srta. Parmalee desmoronou em uma poltrona vazia enquanto a Srta. Starkweather sacudia a cabeça melancolicamente, acrescentando:

— E esta é a época do ano quando, se as famílias têm intenção de casar as nossas meninas, elas desaparecem. E considerando o verão até agora...

— E agora *isso* — lamentou-se a Srta. Parmalee.

— Outro golpe infligido contra o pacto internacional. Fico imaginando quantas alunas ainda teremos depois do Obon — suspirou a Srta. Starkweather.

Suas mãos, grandes e com articulações vermelhas, se agarravam aos braços da poltrona.

— Não acha que deveríamos simplesmente suspender as aulas durante todo o mês de agosto? — perguntou-me a Srta. Parmalee, descansando a cesta franzida.

A cesta se mexeu: seu venerável cachorro abriu a tampa com o focinho, cheirou o ar sufocante e afundou de volta em sua gruta almofadada. Era difícil olhar para aquela criatura com corpo redondo e cintura fina sem ouvir a zombaria das crianças da casa de banho, e ainda assim lá estava *Pamari-sensei,* em todo o seu absurdo, sorrindo para mim, forçando-me a concordar.

— Afinal, as escolas americanas têm férias longas de verão na mesma época.

— Não se faça de inocente — disse a Srta. Starkweather. — Fanny, deixe-a em paz. Já não passamos por isso antes? Nós ficamos com essas garotas por um período tão curto que não podemos desperdiçar um mês todo ano. Moisés passou apenas quarenta dias na montanha quando seus seguidores começaram a adorar o bezerro de ouro.

— *E nós não somos Moisés* — disse a Srta. Parmalee, terminando a fala da Srta. Starkweather.

— E nunca houve tantos ídolos esperando essas moças como agora — disse a Srta. Starkweather sombriamente, recusando-se a sair dos trilhos. Ela apontou para a pilha de fotografias imperiais, intocada desde a sua chegada em julho. — Olhe para elas. Urako, onde estávamos? Pergunto-me se precisamos pendurá-las para a inspeção de incêndio.

Obedeci, mas era difícil não me lembrar de quando estivera ali à procura de Aki, do que a Srta. Starkweather dissera: "Não estamos dirigindo esse tipo de escola." Aquela jovem em Yokohama, e quanto a ela?

NA CASA DOS SHIN nós tiramos uma folga na época de Obon. Depois que os alunos e criados voltaram para suas cidades e vilarejos, o restante de nós virou a casa vazia de pernas para o ar. Os que dormiam no andar de cima se mudaram para as varandas para pegar uma brisa: Tai e Tsuko, Yukako no sótão da casa de costura, duas moças de Tóquio que permaneceram por causa de uma epidemia de cólera em casa. Kenji continuou passando as noites no Anexo Árvore Curvada e os dias em vigília na porta do convento. Kuga permaneceu na casinha que tinha sido de Chio. Mas todos os outros se foram, e o quarto junto à cozinha ficou enorme sem Gema e Jade.

Eu não sabia o quanto a presença delas abafava os sons da noite na casa: quando Kuga entrou para usar a privada de noite, ela fez muito barulho ao passar pelo meu quarto, com apenas uma porta de papel nos separando. Lembrei-me, quando Nao estava conosco, de como as meninas costumavam parar de fofocar sempre que ouviam a grade de fora se abrindo. "Será que é ele? Será que é ele?", costumavam cochichar. "Não, é a Srta. Aki. Não, é o-Kuga. Você tem certeza? Como pode saber?" Quando o visitante noturno saía, depois de usar o banheiro, as meninas costumavam cair na gargalhada antes de começar outra rodada de "Ele te ama. Não, ele gosta de você!". Mas eu precisava fazer um esforço muito grande para ouvir alguém passando naquelas noites; agora, na casa que parecia uma colmeia oca, o arrastar de pés de Kuga era como o vento forte no bambu.

Na primeira noite dos festejos de Obon, o quarto parecia tão vazio que eu não conseguia dormir, por isso fui à Baishian para ler, o ar quente da noite movendo-se lentamente através das armações vazias das janelas. Fora quente assim na cidade conhecida agora como Kyoto durante centenas de verões, me garantiu Shonagon. Daquela vez, junto à minha lâmpada tremeluzente, eu estava lendo não para extrair do texto a paixão dela por uma Imperatriz, mas para penetrar em um mundo mais fresco e cheio de flores: um mundo de estandartes se movendo e quimonos de 12 camadas, de espelhos chineses embaçados e rostos desenhados em melões, de mulheres cortejadas com poemas atados a ramos, de amantes entrando furtivamente para trocar carícias e desaparecendo com o orvalho fresco e frio. Naquele aposento frágil como gaze, eu me sentia uma dama de companhia, elegante e indolente, estimada pelo meu conhecimento e pelo meu refinamento. *Sossegue um pouco,* eu ri de mim mesma: traduzir uma notificação do inspetor de incêndio não exige nem resposta espirituosa nem um vasto conhecimento dos clássicos chineses. Ainda assim, voltei para a cama mais leve do que quando a deixara.

Na manhã seguinte fui despertada por uma pancadinha na armação da porta.

— Srta. Ura!

Era Kuga, com um tom de doçura raramente ouvido na sua voz.

— Eu não escutei você fazendo o café da manhã; não sei o que há comigo — desculpei-me.

— Ainda não é hora do café da manhã — disse ela. — Veja.

Nós tínhamos sido convocados para a casa de chá preferida de Tai, uma sala de sete tatames chamada Casa do Pardal, para um chá matinal. Kuga me deu uma tira de papel de Tai e Tsuko que representava tanto um convite como uma tarefa:

— A Jovem Senhora disse que eu sou a terceira convidada e você é a quarta.

Ainda confusa, sentei-me no banco de espera, olhei ao redor e percebi que todos os que permaneceram na casa tinham sido convidados: Kuga, eu, as duas jovens de Tóquio e, no papel de primeiro e segundo convidados, Kenji e Yukako, respectivamente.

Eu achei encantadora a ideia de, sem avisar, eles terem decidido fazer um chá surpresa para todos da casa, exatamente como estávamos, as moças de Tóquio ainda usando seus quimonos de dormir, Kuga ainda com as mangas arregaçadas e amarradas com cordões de trabalho. Yukako, surpresa, parecia feliz como uma garotinha, e até Kenji parecia discretamente comovido. Eu fiquei lisonjeada ao perceber que não estávamos sentados segundo a nossa posição mas de acordo com o tempo que tínhamos de casa: primeiro a família, depois os criados e finalmente as alunas. De acordo com esse esquema, era óbvio que Tai estava privilegiando o irmão ao colocá-lo antes da mãe. Talvez ao escolher Kenji para ser o primeiro convidado, ele estivesse tentando trazer o irmão de volta ao mundo dos vivos: gosto de pensar que ele estava declarando o seu amor. E, ao forçá-los a se sentar lado a lado, vi que Tai estava tentando acrescentar mais um fio à frágil teia da paz que se formava entre sua mãe e seu irmão. Eu abaixei os olhos, acanhada com a bondade dele.

Enquanto caminhávamos em direção ao banco de espera, várias velas iluminavam o caminho: elas gotejavam enquanto o céu se tornava perolado e nós entramos na sala de chá. As portas de papel *shoji* haviam sido retiradas e substituídas por paredes feitas de bambu, permitindo que o ar e a luz as atravessassem sem esforço. Quando começou a clarear, a sala, na verdade, pareceu mais fresca: o contraste entre o bambu escuro e a luminosidade do ar aumentava; o jardim, visível através dos caniços de bambu, se tornava de um verde mais intenso. Atrás de nós, o musgo parecia jade em ripas, enquanto na alcova, também atrás de nós, não havia flores penduradas. Em vez disso, uma janela quadrada estava completamente aberta e o vão protegido por um mosquiteiro. A janela servia de moldura para uma pedra no jardim cujo topo formava uma bacia rústica para água, na qual flutuava um botão de lótus. Senti uma pontada de desejo, lembrando-me de Inko anos antes: talvez aquela fosse a manhã em que eu iria ouvi-la desabrochar com um estalido claro mas suave.

Enquanto os nossos olhos se acostumavam, Yukako e Kenji murmuravam juntos, e as moças de Tóquio também. No lugar do fogareiro de carvão vegetal e da chaleira havia algo que eu nunca vira antes: sobre uma placa quadrada de madeira, em uma bandeja de ferro funda, no formato de um diamante, havia uma jarra de água, de grande diâmetro, feita de cerâmica. Pisquei os olhos, surpresa: a bandeja estava cheia de *gelo*.

Tai apareceu, trazendo uma tigela de doces, e começou um *temae* simples para chá ralo. Então Tsuko apareceu na porta para fazer o papel de *hanto*: assistente do anfitrião que entrega tigelas de chá aos convidados e dá explicações.

— Há duas noites estava muito quente para dormir — ela disse —, então ficamos acordados e falamos sobre coisas frias. Tivemos uma ideia: o que aconteceria se fizéssemos o chá *matcha* com água fria?

Tai concordou inclinando a cabeça, sorrindo de uma forma que sugeria que a ideia fora na verdade de Tsuko.

Ele levantou os olhos e acrescentou:

— Nós experimentamos água fresca e água fria, e o gosto era simplesmente horrível, mas então descobrimos que se a água estivesse fria o bastante, conseguiríamos tanta espuma quanto se estivesse fervendo.

— Não sabemos se vocês vão gostar, por isso este não é realmente um evento segundo as regras, apenas chá ralo com doces. Não queremos que vocês fiquem sentados sobre os pés a manhã toda. Mas apenas entre nós, sabem, está tão quente lá fora... — Tsuko estava nervosa e sua voz desvaneceu-se.

— Parece delicioso — disse Kenji, vindo em seu socorro com simplicidade e elegância.

Quando eu já ouvira um homem e uma mulher conspirando juntos para dar alegria a outra pessoa? Eu saboreei os dois juntos tanto quanto os doces: bocadinhos de pasta de feijão-branco com sabor de cidra, embrulhados individualmente em uma cápsula translúcida de *kanten*, uma gelatina à base de alga que fazia com que os doces parecessem suspensos no gelo. Além disso, no crescente calor da manhã, os doces estavam *frios*, como se tivessem sido mantidos em um poço a noite toda. Estavam deliciosos, e a minha tigela de *matcha*, cheia de espuma e pequenas lascas de gelo, me deixou refrescada e ativa.

Quando o *temae* terminou e Tai ofereceu sua última reverência junto à porta, Yukako, que estivera feliz mas quieta a manhã toda, fez uma profunda reverência ao filho.

— Só queria que seu avô estivesse vivo — disse.

Todos fizemos reverências em agradecimento e Tai humildemente fechou a porta.

Enquanto cada convidado se abaixava em fila para se arrastar através da porta quadrada, eu dei uma última olhada para trás, para ver se a lótus tinha florescido. Eu não estava esperando ver um homem na janela da alcova, e a minha surpresa foi compartilhada por Yukako, enquanto ela circundava a casa de chá para olhar para ele e para o estojo plano de madeira apoiado na perna dele, do tamanho e da forma exatos de uma pilha de painéis de vidro.

— Ora — disse ela, mandando as duas moças de Tóquio embora com um gesto, para que tirassem os quimonos de dormir.

Tai, alertado pela nossa demora, surgiu de repente, e enquanto Yukako se compunha de sua raiva, ele fez uma reverência de prazer e decepção genuínos.

— Você não precisava ficar do lado de fora nos observando dessa maneira. Eu preferia que tivesse entrado e experimentado um pouco de chá.

Nao dobrou os braços e fez uma reverência de lamento para o rapaz. Vestindo suas perneiras e o avental de artífice, ele parecia mais magro e cansado.

— Ah, não — disse ele. — De pé aqui, observando vocês, eu me senti como se realmente tivesse voltado para o vilarejo onde nasci a tempo para o Obon. Eu não trocaria essa sensação por nada neste mundo.

Tai se retraiu um pouco com o tom da voz de Nao, desprovida de nostalgia.

— Bem, é bom vê-lo de novo — disse.

— Eu tinha um trabalho para terminar — disse Nao, fazendo uma reverência.

— É CLARO QUE ELE DEU permissão quanto a Aki — disse Yukako à nora quando as duas estavam na banheira na noite da volta de Nao. — Eu não achei que ele iria se importar, especialmente levando em conta quem pagou o dote às freiras.

— Mas por que ele sumiu daquela maneira? — perguntou Tsuko. — E exatamente quando uma jovem mais precisaria do pai.

Era uma pergunta cuja finalidade era incitar *Okusama* a destilar sua raiva.

A resposta de Yukako foi surpreendentemente acanhada:

— Ele disse que o que um pai deveria fazer era punir Aki e colocá-la de volta no caminho certo. Mas se o caminho certo a fizera querer morrer, então talvez fosse o caminho errado. Ele não queria puni-la, então foi embora.

Ouvi a hesitação e a desconfiança dela, e a princípio pareceu que ela o estava julgando por disfarçar sua covardia em preocupação paterna. Mas não foi a voz de um juiz que ouvi. Era a voz de uma criança negligenciada que, com hesitação e desconfiança, aceita um presente.

Eu tive ódio dele de novo. Eu tive ódio das suas belas maçãs do rosto, de seu corpo longilíneo e de suas mãos, pequenas e vigorosas. E eu queria magoar Yukako pela tensão na voz dela quando falava dele. Por me substituir por Tsuko. Por demorar tanto tempo para pensar na felicidade de Kenji; por pagar às freiras para aceitarem Aki tão rapidamente. Por não ser o que um dia ela fora para mim; por se manter longe de mim até mesmo quando ficávamos juntas na banheira.

Depois de me vestir para dormir, andei pelo quarto de três tatames e sem janelas onde os criados dormiam: no fim, saí e fui de novo à Baishian. O meu rosto estava quente e eu mal via as pedras de pisar, o musgo, o bambu. Na minha pressa impaciente, eu quase não vi a luz na casa de chá, e quando vi, em vez de sair correndo para encontrar outro lugar para ler, coloquei a lanterna no chão, tirei os tamancos e caminhei em frente.

Yukako estava cara a cara com Nao na casinha. Dava para ver a parte de trás da cabeça dela, os corpos deles divididos em quadrados flutuantes pelas armações das janelas: meias novas com divisão para o dedão e a borda cor de índigo de uma túnica de gaze; perneiras rústicas e pés descalços prontos para lutar. Uma manga de gaze e o relance de um avental denso. O cacho de cabelo preto de uma mulher e os olhos abaixados de um homem.

— É inaceitável — dizia ela.

— O que o Mestre Professor preferir — ouvi-o responder, com a voz amena e submissa.

O chão estava coberto com panos ásperos e havia lâminas de vidro empilhadas cuidadosamente no canto. Não era o que estavam dizendo, era o fato de estarem sozinhos à noite, respirando juntos naquela sala feita de madeira recém-aplaina-da. Quando ele deu um passo para trás, ela deu um passo para a frente. Quando ela se voltou para sair, os olhos dele previram o caminho que ela iria tomar.

Mas um momento antes que ela olhasse de volta para ele para dizer boa noite, ele me viu do lado de fora; nossos olhos se cruzaram; ele viu a hostilida-de crua em meu rosto. E sorriu.

Corando, peguei minha lanterna e os tamancos e corri de volta para a casa, com o coração batendo forte quando me sentei no meu futon no quarto dos criados. Ouvi Yukako passar rapidamente em direção à casa de costura; ela não tinha me visto. Mas ele tinha: abracei as pernas contra o peito, sentindo-me esfolada, despojada de pele, *vista*. Ao mesmo tempo eu estava com muita raiva. Lembrei-me do sorriso dele quando me viu, presunçoso e ávido. *Yukako ficaria tão aborrecida se eu fizesse isso*, pensei irada, e quando ouvi os passos de Nao no caminho de volta da Baishian, estendi a mão em direção à porta de correr. Os meus dedos pareciam gordos e brutos; o suor deles era absorvido pelo papel grosso. Quando ele se aproximou da casa, eu abri a porta ruidosa-mente e esperei. Ouvi uma pausa nos passos e ele se aproximou:

— Com ciúmes? — disse a voz na escuridão.

Ele entrou e fechou a porta.

33

1891

A NOSSA RELAÇÃO FOI BREVE e sem emoção. Eu me separei do meu corpo
e olhei para baixo, vi o avental e as perneiras retorcidas sobre o chão de
palha, com a túnica preta aberta sobre as coxas da mulher, os corpos lutando abaixo
de mim sob a luz da lanterna. Lentamente comecei a sentir o meu corpo de novo,
uma sensação de peso e respiração, comecei a sentir a parte de trás da minha cabeça raspar, raspar, raspar contra o tatame. Então é isso que as mulheres espe-
ram, pensei. Não era nem melhor nem pior do que eu havia imaginado.

Quando terminou, ele começou a lamber os meus lábios e o lado de dentro da minha boca.

— O que está fazendo? — perguntei.

— Tem certeza de que é uma estrangeira? Nunca ouviu falar de um beijo?

É claro que eu me lembrava de beijos da minha infância, lábios na pele
que pareciam asas de borboleta, mas eles não eram nada parecidos com aquilo,
com aquela língua áspera e aqueles dentes duros. E quem era ele para dizer o
que os estrangeiros faziam?

— Você morou fora? — perguntei.

Ele riu.

— Ah, eu aprendi a beijar perto da ponte Gojo — disse, mencionando o nome de uma turbulenta zona de prostituição de Kyoto. — Mas meus amigos em Yokohama me contaram que os estrangeiros fazem isso o tempo todo, até mesmo mulheres e maridos.

Eu tentei. Aproximei a boca do lábio superior dele e passei minha língua no lado de dentro, tracei uma linha única como a ponta molhada de um pincel entre seus dentes.

— Delicioso — disse ele. E cobriu meus seios com as mãos, como se os estivesse pesando.

— Você *é* uma estrangeira — riu. — Sem sombra de dúvida.

Quando eu ia dizer a ele para ir embora, ele começou a passar a mão sobre a minha pele suavemente e eu me surpreendi sorrindo. Aquilo fez eu me sentir limpa e perfeita, como objetos laqueados. Como se eu fosse a armação laqueada do piso do fogareiro na sala de chá e os dedos dele fossem um feixe de penas usadas para limpá-la. Como se chamava aquilo?

— *Haboki* — murmurei. A palavra nunca me parecera tão surpreendente, tão carinhosa. — *Haboki.* — A mão dele era a asa de um cisne.

Então, do mesmo jeito que um homem que termina sua refeição costuma dar pancadinhas no estômago, ele deu pancadinhas na minha coxa, gentil e repetidamente, com a mão dobrando-se e relaxando de satisfação. Aquilo me irritava e segurei a mão dele.

— Sabe, eles arrancam as penas quando o pássaro ainda está vivo — disse ele.

— O quê?

— Para fazer o *haboki*. Para que dure mais. Quando eu era criança, o velho nos obrigou a fazê-lo.

— Você e o-Kuga? — senti frio de novo. Por que ele estava me contando isso?

— Eu e Hiro — disse ele. O irmão de Yukako. — Nós tínhamos que atingir as garças sem matá-las, e então eu segurava o pássaro enquanto Hiro arrancava as penas. O pobre bicho gritava como uma garotinha — disse ele.

Ele estava se mostrando, um garotinho exibindo um sapo em um jarro. Eu não ia dar a ele a satisfação de me ver recuar. Então fiquei contente porque, durante a relação, eu não tinha feito nenhum ruído.

— É mesmo?

— Certamente parece bonito na sala de chá, não é? — disse ele asperamente.

Ele estava tentando me intimidar, mas para quê?

— E então o Sr. Hiroshi morreu — eu disse, tentando obter vantagem.

— Sim — Nao cedeu um pouco, mas parecia que ele ainda tinha algo para provar. — Mas não antes que Akio viesse e a tarefa de pegar penas para o *haboki* passasse para ele. Eles levavam duas vezes mais tempo sem mim.

Ele estava sendo sarcástico, mas ouvi inveja em sua voz.

— E então? — voltei a incitá-lo.

— Hiro morreu, Akio voltou para a corte do Xogum e eu parti antes que alguém me mandasse matar outra garça. Viajei como clandestino até Fushimi. Enchi barris para um homem que fazia saquê e não fazia perguntas. Fui a Edo. Yokohama. Asaka. Eu não tinha intenção de retornar. — Ele voltou a dar tapinhas na minha coxa enquanto contava a história, um tapinha para cada frase curta. Eu o beijei para fazê-lo parar.

— Você aprende rápido — disse ele. — Deve estar no seu sangue.

Nós nos beijamos até que eu ficasse tonta e ele me penetrou de novo. Mais uma vez eu assisti a tudo do teto. Pairando acima do mosquiteiro, achei que estava ouvindo os outros sons da noite: a água na calha, o vigia com seus bastões de madeira, e os que dormiam e roncavam. De repente eu me dei conta de que Yukako estava bem acordada atrás de seu biombo, pensando em apenas uma coisa, e quando a imaginei, excitada e sentindo desejo, seus dedos longos e nervosos, voltei para o meu corpo e forcei Nao com mais força para dentro de mim. Eu me sacudi. Suei. Gemi. Rolei para o lado, arfando. Senti o triunfo.

— Eu não sabia que você se sentia assim — disse Nao, satisfeito e sonolento.

— De que jeito? — perguntei.

FUI PARA A ESCOLA usando meu *hakama* no dia seguinte, dopada e irrequieta, alerta. Lembrei-me de como me senti feminina, depois da minha noite com Inko, uma hora só para mim no vestíbulo enquanto Yukako dava aula de música, respirando o incenso *neriko* que Inko me dera, estremecendo de prazer.

Sentia a mesma coisa agora, mais discretamente, menos sonhadora e mais satisfeita comigo mesma, com a boca e as coxas agradavelmente doloridas. Na noite anterior, eu não sentira nada na cama com Nao até que imaginei Yukako contrariada. Mas naquela manhã, como se meu corpo e minha solidão tivessem se lembrado de seus anseios, eu o desejava tanto de novo. "Delicioso", ele dissera. Ele gostara dos meus seios. "Eu não sabia que você se sentia assim." Ele não queria me dizer o que aquilo significava para ele — torturar uma linda criatura para o prazer de seu senhor —, mas ao mesmo tempo ele havia me contado: fora o suficiente para fazê-lo sair de casa.

Naquele dia, como temíamos, várias moças faltaram às aulas. Entre os bilhetes de desculpas que li para a Srta. Starkweather, os pais de uma garota enviaram um presente em uma caixa grande: um melão, lindamente embrulhado.

— Na época de Sei Shonagon eles teriam desenhado o rosto de uma criança nele — eu disse.

Eu nunca conversava alegremente assim no trabalho, mas pela primeira vez a minha vida não era tão diferente do mundo de Shonagon; embora meu amante tivesse desaparecido, não em uma onda de tristeza indescritível ao amanhecer, mas, em vez disso, indo apressadamente para a casa de banho antes da hora de fechar — embora nenhum belo pajem tenha aparecido aquela manhã com um poema atado a um ramo de bambu —, eu me sentia como uma heroína usando 12 camadas de quimono: vista, imaginada, e desejada.

"Bárbaros." Ouvi a palavra e levantei os olhos.

— Como disse?

— É um dos nossos maiores desafios aqui. Eles não sabem a diferença entre o lascivo e o puro. Eles valorizam as coisas apenas porque são antigas, como aquelas *poetisas* da Era Heian.

O jeito como a Srta. Starkweather pronunciou a palavra, como se fosse uma doença, fez com que eu tivesse vontade de rir. Senti-me impudente e profana o dia todo, intensamente consciente do meu corpo enquanto abria a porta do meu quarto aquela noite.

Na cama, lembrei-me da confiança simples e despreocupada com a qual Yukako aceitara seu desjejum naquela manhã, como me tornei invisível no banho aquela noite enquanto ela delineava seus planos mais recentes para os banquinhos e para a mesa da Baishian. Eu saboreei a esperteza mentirosa com que ela contou a Tsuko que fora à casa de chá na noite anterior para avisar a Nao que não fizesse muito barulho e não trabalhasse até muito tarde.

— Diga-me se ele a incomodar e eu farei com que pare imediatamente — disse ela. *Ah, sim, aguarde, a qualquer hora, dia ou noite,* pensei, sorrindo por dentro.

Sozinha no meu quartinho, de repente senti tão intensamente a perda dela que quase fechei a porta para tomar fôlego e chorar um pouco, mas então Nao apareceu e eu me perdi em seu corpo, em seus beijos, em seu cheiro de madeira aplainada. Eu me senti mais sensível do que na noite anterior e me agarrei a ele quando terminamos da mesma forma que me agarrara a Inko quando eu era jovem.

Ele era tão lindo. Eu cobri o rosto dele com as minhas mãos, sentindo suas formas finas e macias. Quem fora a última pessoa cujo rosto eu tocara? Os meninos, quando eram pequenos?

— Como era ser uma criança aqui? — perguntei.

Ele riu tristemente.

— Você sabe como os alunos se revezam para limpar os banheiros?

Eu fiz que sim com a cabeça. Havia tanta demanda por excremento humano entre os fazendeiros que os alunos na verdade aguardavam ansiosos a tarefa: eles podiam ficar com o que quer que o homem *owai* pagasse.

— Na época do Xogum, você acha que aqueles principezinhos limpavam banheiros?

Lembrei-me dos alunos do Montanha da minha infância, um grupo mais delicado que os de agora, mais atentos a sua linhagem ancestral do que ao seu *temae*. Eu não me lembrava de vê-los limpando banheiros. Isso mudara, eu tinha vaga consciência, depois que sobrevivemos à nossa maior crise, quando os alunos começaram a voltar.

— Então o Sr. Matsu devia fazer isso quando eu era jovem — pensei em voz alta.

— Sem dúvida. E foi o que fiz durante dez anos, dos 8 aos 18, todas as noites. E todos os dias eu cortava o carvão vegetal da sala de chá. Matsu me batia se eu o fizesse da maneira errada.

— Errada como?

— Cortar um pedaço grosso demais. Fino demais. Comprido demais. Curto demais. Se um pedaço da casca se desprendesse. Se houvesse algum nó na madeira. Eu ganhava uma chibatada por cada pedaço ruim.

— Mas como podia ser sua culpa? Quero dizer, não é assim que a madeira vem?

Quando o homem do carvão trazia sua carga, era em forma de troncos e galhos, pretos e prateados, árvores inteiras carbonizadas no forno.

— Com certeza, mas isso não impedia Matsu. Ele dizia que se os tamanhos estivessem errados, o fogo para o chá do Mestre não iria acender e isso iria nos envergonhar a todos diante dos convidados. E havia nisso uma certa verdade: se você sempre começa um fogo com pedaços iguais de carvão vegetal, colocados exatamente da mesma forma, é bem provável que consiga ferver água todas as vezes. Mas sabe o que mais? Minha mãe fez três refeições por dia durante 45 anos e nunca teve problema para ferver água.

Eu concordei com um gesto. Em minha mente vi uma cesta sob o piso da salinha dos fundos de cada sala de chá onde era guardado o carvão vegetal para uso ritual, cada pedaço igual a todos os outros. De cima pareciam barras de sabão de Kobe ou um doce com rodelas pretas e prateadas, perfeitamente idênticas. Eu sabia que Toru e seu pai cortavam carvão vegetal, mas nunca tinha refletido sobre o que isso poderia significar.

— Até que Akio viesse, quando Hiro tinha um intervalo entre as aulas, ele e Yuka costumavam pegar serras e me ajudar — *Yuka!* Eu não ouvia ninguém chamando-a assim desde a época de Chio. — Se ele cortasse um pedaço ruim, ele me obrigava a bater *nele.* — sorriu Nao.

— É mesmo? — perguntei, surpresa.

— Bem, não com força. Yuka não deixaria.

— Espere um pouco, ela era a mais velha?

Ele sacudiu a cabeça.

— Não, ela era a mais nova. — Ele fez uma escadinha com as mãos para mostrar a ordem dos nascimentos. — Eu, Hiro, Yuka. Mas ela sempre foi... — houve uma pequena hesitação em sua voz, algo que não seria ouvido se não se estivesse esperando por isso — ...meio megera, e ele sempre foi meio frágil.

Ele desenhava círculos lentos nas minhas costas enquanto falava.

— Ainda não posso acreditar em como ela se parece com ele usando *hakama* — refletiu. Parei de respirar por um momento antes que ele continuasse. — O pó de carvão fazia Hiro tossir sem parar. Penetrava em todos os lugares e coçava. Peneirar as cinzas era ainda pior. Eu costumava cuspir nacos de uma coisa preta no fim do dia. — Ele deu outra de suas risadas tristes e ásperas. — Eu não o culpo por ter parado, mas quando Akio apareceu, era como se ele nunca tivesse me ajudado.

Nas palavras dele eu ouvi de novo uma fração do ciúme que eu sentia de Tsuko Sono.

— E agora o pequeno Toru tem que fazê-lo — concluiu. — Um menino doce. Eu realmente pensei que se o casamento com Aki não desse certo, ele encontraria uma posição melhor na vida, mas ele é ingênuo demais para saber que é um burro de carga. E mesmo se eu pudesse poupá-lo, outra pessoa teria que fazer o trabalho.

Eu queria perguntar sobre Aki, mas a voz dele tinha se tornado fraca e vaga.

— Os alunos podiam se revezar — propus, falando no mesmo tom de voz —, da mesma forma que fazem com os banheiros.

— Isso seria um começo — disse ele. — Então eles iriam reclamar a respeito, como fazem quando assentam as cinzas. Você já os ouviu.

— Sim — concordei.

Após cada sessão com o braseiro, depois que Toru peneirava as cinzas, os alunos se revezavam para moldar o fino pó preto em um formato determinado: o formato de um vale entre duas montanhas. O carvão em brasa ocupava esse vale. — O formato das cinzas não ajuda o fogo a respirar melhor?

— Ajuda. Mas existem outras formas. Podiam usar um fogareiro embutido, como fazem no inverno. Ou podiam usar uma câmara fechada, como fazemos com o vidro. Vocês fazem a mesma coisa na cozinha.

— E não usamos tamanhos especiais de carvão vegetal — concordei.

— *Un*. Então por que você acha que eles arrumavam as cinzas daquela maneira?

Pensei em Alice Starkweather reclamando mais cedo aquele dia: "Eles valorizam as coisas apenas porque são antigas."

— Porque é assim que os antigos mestres faziam? — perguntei.

— Tente de novo.

Ele começou a dar tapinhas em mim novamente, o que fez com que eu me afastasse um pouco.

— Não.

— Porque eles podem. Eles não têm que aquecer o banho de ninguém, esfregar banheiros, cavar canais ou costurar quimonos — disse ele, inclinando a cabeça na minha direção. — Eles podem ficar sentados ali empurrando cinzas de um lado para o outro com suas delicadas pazinhas durante uma hora e meia até formarem um vale perfeito com um acabamento acetinado. E então podem fazer o fogo para o chá naquelas cinzas e começar tudo de novo. Eles estão se exibindo.

Nao ficou em silêncio e, quando voltou a falar, a voz dele era suave e ríspida ao mesmo tempo:

— Depois que Hiro morreu, eles o cremaram, e quando tive que peneirar cinzas na vez seguinte, quase vomitei. "É apenas sujeira", fiquei repetindo para mim mesmo. "Não é ninguém que você conheça." E então vi o velho criticando os formatos das cinzas dos alunos e quase vomitei de novo. Era apenas sujeira, e lá estava eu transportando merda e cuspindo carvão vegetal para que eles pudessem esculpir cinzas. Ura, essas pessoas brincam com sujeira.

— Você partiu — eu disse em voz baixa.

Antes ele sempre me chamara de Srta. Ura.

— Se não fosse pela minha mãe, eu nunca teria voltado.

Era verdade, lá estava ele, o filho devotado, de volta a tempo para o Obon.

— Embora agora que esteja aqui — acrescentou — não dê para descrever a satisfação de mijar na privada da Baishian.

Eu ri com ele, mas algo chamou a minha atenção.

— Por que você disse Matsu em vez de *meu pai*?

— Eu não achei que entenderia sobre o que eu estava falando, Srta. Estrangeira — disse ele, meio provocador, meio sério.

Ele pôs as mãos sobre os meus seios e pressionou-os contra o meu torso, achatando-me contra o futon. Eu me senti tonta, envolvida e desejada, mas insisti:

— Mas você disse minha mãe em vez de o-Chio.

— Foi?

Ele me beijou; nós nos perdemos na boca um do outro e tivemos relações novamente, confusas, irregulares e agitadas. Como era estranho ter outro ser humano dentro de você e ainda assim não o conhecer. Depois, pousei meu rosto no vão do esterno dele.

— Por que você partiu? — perguntei. — Depois que Aki desapareceu?

— Eu não sabia o que era melhor para ela, por isso recuei — disse ele. — E eu tinha algumas obrigações em Tóquio. Parecia um bom momento para cuidar delas.

— Você sempre agiu como se ela nem estivesse aqui e agora ela não está — insisti, surpresa comigo mesma. — Não sente nem um pouco a falta dela?

— Eu não sinto falta de ouvir o nome de Aki o tempo todo. Eu não sinto falta de ver o rosto da mãe dela.

Ele estava escondendo algo em seu rosto fechado, da mesma forma que a palha do arroz guarda seus grãos. Mantive a voz baixa e natural.

— Quem era ela?

— Por que isso lhe interessa? — ele falou asperamente.

Quando era criança, entediada e faminta, eu costumava pegar hastes de arroz seco da decoração dos Shin e comê-las, grão por grão. O truque era esmagar lentamente a casca dura entre os dentes da frente, apenas o bastante para abrir suas fibras afiadas sem danificar o arroz no lado de dentro. Olhei para Nao e insisti cuidadosamente.

— Quando você escreveu naquele ano, disse que havia perdido um amigo.

O rosto dele, de repente, abriu-se para mim como antes se fechara.

— Roku. Ele era como um irmão mais novo para mim — disse ele. — Como Hiro antes que Akio apareceu. Nós morávamos e trabalhávamos juntos até que ele morreu em uma explosão. Houve um engano. O teto desmoronou e ele ainda estava dentro.

— O teto? Do túnel? — perguntei, confusa.

— Exatamente — disse ele, mas não antes que um olhar sobressaltado atravessasse seu rosto, como se eu o tivesse pego em uma mentira.

Eu não soube o que fazer com aquele olhar antes que desaparecesse.

— Eu sinto muito — eu disse. Quando era pequena e fugi do fogo, ouvi uma criança gritando e ainda sonho com isso às vezes. Não consigo nem imaginar se fosse um amigo.

— Obrigado — disse ele em voz baixa.

Foi quando comecei a pressionar:

— E então você conheceu a mãe de Aki?

Ele me dirigiu um olhar demorado e oblíquo. E desabafou:

— Está bem, porque você é uma estrangeira, vou lhe contar. — Ele apoiou a cabeça no meu peito e ficou em silêncio por um momento. — O nome dela era Ruri. Eu a conheci em Asaka, enquanto estava trabalhando com explosivos no canal. A família dela trabalhava removendo entulho das explosões. Ela era... — ele hesitou antes de prosseguir — os familiares dela eram trabalhadores contratados por empreitada em fazendas quando havia trabalho e passavam fome quando não havia. Os fazendeiros precisavam deles e os odiavam. Quando iam buscar o pagamento, não tinham permissão para entrar na casa e quando trabalhavam, os fazendeiros lhes serviam chá em xícaras velhas que costumavam quebrar no final da colheita para garantir que seus lábios não iriam tocar nada que a família de Ruri havia sujado. A família dela vivia com outros trabalhadores que também trabalhavam por empreitada em um pequeno povoado miserável depois das fazendas. Ura, isto é o que me irrita no mundo do chá: aquelas pessoas eram tão pobres que só tinham carvão vegetal suficiente para aquecer água para cozinhar *ou* lavar. Geralmente, eles realmente eram tão sujos quanto diziam os fazendeiros, mas não era por escolha.

Fiquei surpresa pela maneira como Nao falava, com mais sentimento e menos amargura do que quando falara de si mesmo.

— Ruri tinha 17 anos. O marido a espancava todas as noites. Quando ele quebrou o dente dela, eu disse que ela podia ficar comigo.

Toquei seu rosto enquanto ele prosseguia.

— Foi pouco depois que meu amigo morreu; eu estava tão arrasado que não me importava com o que os outros homens da minha equipe diziam, eu só queria salvar a vida de uma pessoa. Pensei que poderia levá-la para Yokohama comigo. Arranjar-lhe um trabalho de empregada com estrangeiros, pessoas que não se importariam com as origens dela. Ela ficou tão grata. Conversamos a noite toda, fazendo planos para ela. Eu também estava grato. Aquilo finalmente tirou Roku da minha mente.

E lá estava ele novamente naquela noite, falando com uma mulher até tarde, constatei indulgentemente.

— Na manhã seguinte, os homens do vilarejo nos arrancaram da cama e nos arrastaram até a choça do marido dela com cordas em volta dos nossos pescoços. O marido se divorciou dela e a única maneira de o pai dela me desamarrar era se eu me casasse com ela. Então deixei que nos casassem — disse ele com uma risada amarga. — Uma semana depois, deixei-a na pensão onde eu estava morando e fui a Yokohama, achei um trabalho para ela com uma boa família e voltei para Asaka com a notícia. Mas ela não estava na pensão. Não estava na casa do pai quando fui procurá-la. Fui à casa do marido e lá estava ela, dando de comer a ele o arroz que eu dera a ela. Com um olho roxo fresquinho.

— Ela voltou para ele — eu disse, surpresa.

— "Como pôde?", perguntei. — O rosto de Nao estava vazio enquanto ele dizia aquelas palavras. — "Eu nasci para isto", ela respondeu. "Este é meu lugar."

— Isso é tão triste.

Nao olhou para o lado e depois para mim.

— Isso não é *verdade* — ele cerrou os punhos para enfatizar. — As pessoas não *nascem* para nada. Ela não *precisava* voltar para ele daquele jeito. Ela não *precisava* largar sua filha com a minha mãe ou atirar-se no rio. Talvez pensasse que Aki teria uma vida melhor do que a que *ela* teve, mas ela podia ter tido uma vida melhor. Todas as vezes que olho para Aki, tenho vontade de dar uma bofetada na mãe dela por ter desistido.

Ele deu um suspiro curto e veemente, um som de repugnância.

— Minha mãe era igual.

Antes que eu pudesse perguntar o que ele queria dizer com aquilo, ele continuou:

— Eu concordei com aquela farsa de casamento para que todos pudessem fingir que estavam felizes por ela o estar deixando, mas nunca quis ficar com ela para mim. Fui para a cama com ela naquela semana, mas isso não significava nada. Quando voltei de Yokohama e a vi dando de comer àquele homem, senti-me tão traído como se tivesse me casado com ela a sério. Peguei a minha arma e fiquei a noite toda no túnel que estávamos explodindo. Eu não os matei. Apenas segurei a arma. Pensei em Hiroshi. Em Ruri. No irmão que eu tinha perdido.

Ele se calou. Quando olhou para mim, sua voz estava densa e melancólica.

— Tentar ajudar apenas uma pessoa pode partir um homem em dois — disse. — Foi naquela noite que resolvi que não poderia mais trabalhar naquela escala.

— Como assim? — perguntei. — O que você fez?

Os olhos dele se fecharam novamente quanto aos seus segredos.

— Tudo o que fui capaz de fazer.

— Mas e quanto a fazer janelas?

— Ora, isso eu faço pela remuneração — disse ele, relaxando. — E me ajuda. Eu me esqueço de tudo quando estou trabalhando.

Ele acariciou as minhas clavículas enquanto eu repousava em silêncio.

— Aki *teve* uma vida melhor que a da mãe dela, graças a você — eu disse. — Sabe, ela tentou fugir de um destino terrível e conseguiu. Ela tentou se matar e fracassou. Ela ficou muito pior do que apenas com um olho roxo, mas está sarando rapidamente — brinquei, persuasiva.

Ele concordou com um meio sorriso mas também estremeceu, e me dei conta de que ele partira depois que soubemos o que acontecera com o rosto dela: ele não quis ver.

— E isso sem que você sequer ajudasse — acrescentei.

Ele abaixou a cabeça com a repreensão mesmo rindo. Eu senti tanto carinho por ele. Ele se deixou envolver no meu abraço e senti seu coração batendo na palma da minha mão. Quando li Murasaki, não tinha conseguido imaginar como duas pessoas que passaram apenas três noites juntas podiam se considerar casadas, mas agora eu entendia. Eu sorri.

— Sabe, se nós fôssemos cavalheiro e dama da Era Heian e você viesse uma terceira vez, à noite, estaríamos casados. Dá para imaginar? Fácil assim.

Ele ficou tenso nos meus braços e tossiu.

— Você acha que é essa a minha intenção? Não seja presunçoso — foi a minha resposta esfarrapada.

— Nós nunca fomos cavalheiro e dama — disse ele.

A voz dele tinha uma ponta de pesar. O rosto dele me excluiu. Ele próprio o dissera: "Fui para a cama com ela, mas isso não significava nada." Abaixei os olhos, mortificada. Antes que ele pudesse se levantar para pegar suas roupas, eu disse:

— Acho que devia ir agora.

NA NOITE SEGUINTE vi Nao e Kuga dançando junto à fogueira de Obon das redondezas. Eu podia sentir Chio dançando também, com seus braços fortes, seus movimentos vigorosos mas sem ostentação, tão instintivo como um animal se sacudindo a fim de se secar. Nao e Kuga compartilhavam aquilo, levantando os braços como se o ímpeto viesse do centro do corpo deles, como se seus braços fossem secundários, tão acidentais como o pelo de um animal. Fora aquilo, refleti, incapaz de deixar o terreno do santuário, eles se assemelhavam muito pouco. No passado, Kuga parecia com a fotografia do irmão, mas agora tinha simplesmente uma aparência oprimida, que não mudava nem quando ela levantava os braços e dançava. Nao, por sua vez, parecia esperançoso; seu cabelo exuberante balançando enquanto se movia dava-lhe a aparência de um lobo. Fiquei ali, incapaz de me mover, observando-o, cheia de vergonha e desejo. Eu era orgulhosa demais para deixar a porta aberta aquela noite, mas fechá-la exigiu toda a minha força de vontade.

DEPOIS DO OBON, Gema e Jade retornaram e voltaram a ocupar os três tatames ao lado da cozinha comigo. Nao terminou o trabalho na casa de chá e recomeçou de onde havia parado no quarto dos recém-casados no andar de cima, submetido ao exame minucioso e mordaz de Yukako com maior frequência do que o justificado. Nós nos evitávamos. Prometi a mim mesma que um dia contaria a Aki a história da mãe dela, mas por ora a mantinha encerrada em meu peito, não querendo dizer como ficara sabendo de tudo. O calor de agosto cedeu e eu soube que não estava grávida.

34

1891

A BAISHIAN ESTAVA RADIANTE. Na manhã da visita do Ministro, a madeira marrom e dourada brilhava: cada superfície tinha sido esfregada até que um pano branco de seda também esfregado nela saísse branco. No chão, tatames novos e verdes. Um pergaminho antigo estava pendurado na alcova, montado para a ocasião sobre um brocado novo e suntuoso, um *kanji* nítido em um campo branco.

A caligrafia que Yukako e Tai haviam escolhido trazia o *kanji* simples para *kan* — barreira ou portão: uma pequena figura emoldurada em uma grande porta dupla. Era uma referência àquela noite, ao portão entre a lua quarto crescente e quarto minguante, e também indicava o desejo da família Shin de ensinar chá nas escolas de rapazes, ter permissão para atravessar aquele portão. Mãe e filho tinham decidido usar a venerável tigela de chá Hakama de novo, que tinha a base estreita e que se alargava em um dos lados, para fazer alusão às novas escolas para moças e, mais ressonantemente, às velhas vestimentas dos samurais, a uma época quando o chá era parte da educação de todos os homens que usavam *hakama*.

No centro do aposento, entre o tatame do anfitrião e o do convidado, o piso com seu veio de madeira, escuro e exuberante, parecia flutuar entre os dois tatames em vez de estar estendido e inerte entre eles: a mesa de Yukako ficara tão elegante quanto ela havia imaginado. Sob a mesa havia dois banquinhos redondos feitos da mesma madeira, recatados e modestos. Embora ela tivesse adaptado o ambiente para uma finalidade totalmente nova, Yukako havia feito mudanças tão sutis quanto possível, enchendo-a com mobília sem deixá-la atravancada.

As janelas ficaram exatamente como ela esperava. Nao conseguira cobrir os vãos de cada janela com dois painéis deslizantes, um atrás do outro, de forma que cada um pudesse ser deixado aberto ou coberto com vidro, ou papel *shoji*, ou ambos. Enquanto eu espiava animada o interior da sala de chá naquela manhã, desejei, para o bem do Ministro, que ele pudesse vir durante o dia também. Havia um toque de frescor de outono no ar naqueles dias; de modo que o efeito do vidro concentrando o calor do sol era um choque agradável à pele.

Para o evento, Yukako planejara cobrir todas as janelas de vidro com *shoji*, exceto uma. Na janela alta da alcova, por onde a luz da lua entrava, Nao havia incorporado *shoji* e vidro no mesmo painel: uma placa de vidro no formato de um diamante em uma moldura de papel quadrada. A luz da lua cheia do equinócio de outono, uma esfera alaranjada e majestosa, iria fluir para dentro através daquele diamante de vidro. Yukako planejara a cerimônia do chá — e ensaiara com Tai formas discretas para reduzir ou aumentar a duração do evento — dependendo do ritmo do Ministro — de forma que a luz da lua penetrasse o aposento exatamente depois do intervalo, durante a preparação do chá espesso.

EU RASTEJEI PARA dentro naquela manhã para ver todo o trabalho que Yukako e Tai haviam feito na noite anterior, para admirar as prateleiras da *mizuya*, cobertas de utensílios escolhidos cuidadosamente, para deleitar-me na Baishian em seu momento mais limpo, brilhante e puro, a portinha quadrada, uma vista de musgo viçoso, a janela em forma de diamante esperando pela lua.

— Uma casa de chá é uma rede para capturar o céu — murmurei.

— Não é mesmo? — disse uma voz de mulher atrás de mim. Tsuko!

— Eu estava ansiosa demais para dormir, então vim admirar a casa de chá antes que todos começássemos a trabalhar — disse ela.

Ela não precisava dizer aquilo. Como a Jovem Senhora, ela podia ter inventado qualquer motivo no mundo para justificar o seu direito de estar lá e o meu, a impostora, de não estar.

— Eu também — eu disse.

Levei o café da manhã para Yukako sentindo-me humilhada: Tsuko era realmente o sonho de uma família do chá realizado.

O DIA AMANHECERA brilhante e a noite prometia ser clara e sem chuva, com talvez uma ou duas nuvens decorativas para mostrar a lua em seu aspecto mais poético. A preparação da comida tinha começado tranquilamente; os *macarons* chegaram cedo de Kobe, habilmente preparados, frágeis, mas nenhum quebrado. O primeiro problema, contudo, mostrou ser a urticária de Tai.

Repentina, cheia de manchas e pústulas, a erupção cutânea aparecera naquela manhã sem nenhum motivo aparente, assustando todos os que a viam.

— Mas eu me sinto bem — insistiu ele, tentando não coçar o rosto.

Aguardando enquanto ele e a mãe conversavam, tive o cuidado de não olhar diretamente para ele. Yukako mordeu o lábio.

— Eu acho que vai ficar visível sob a luz da lua — murmurou, balançando a cabeça.

Kenji parou junto à porta antes de sair. Até mesmo ele ficara animado com a ocasião e prometera voltar para casa cedo de sua vigília, para buscar o Ministro na casa do Conselheiro Kato no jinriquixá moderno e silencioso. Ele inclinou a cabeça, sério.

— Acho que isso pode dissuadir o homem de tomar chá.

Tai riu e Yukako dirigiu-lhe um olhar aflito.

— E então?

— Eu acho que você deveria tomar o lugar dele — disse Kenji, querendo dizer que ele se recusava a fazê-lo.

Mãe e filho haviam planejado trabalhar juntos como ajudante e anfitrião, Yukako falando e passando as coisas enquanto Tai fazia o *temae*. Dessa forma, o Ministro teria a honra do chá preparado pelas mãos do próprio Mestre Professor, e Yukako estaria posicionada para introduzir o assunto da escola de rapazes.

Contudo um Mestre Professor coberto de erupções cutâneas podia ser pior que nenhum Mestre Professor. Eles decidiram que quando todos fizessem reverência ao Ministro do lado de fora do portão, Tai iria nos conduzir, cumprimentando o Ministro por trás de uma máscara de gaze e pedindo desculpas por estar doente; Yukako iria realizar o *temae* e conduzir a conversa também. Pareceu uma improvisação digna o bastante depois que todos ensaiamos algumas vezes durante a manhã. De qualquer forma, a pequena Baishian era mais adequada para um anfitrião. Tai nunca tivera um problema como aquele na vida, pensei, fazendo uma reverência no ensaio ao mesmo tempo que todos os criados e alunos. Se eu tivesse 19 anos e acreditasse que o futuro inteiro da minha família dependia da minha aparência naquele dia, eu provavelmente teria uma urticária também. Yukako aceitou o novo plano com tranquilidade e foi verificar as flores na sala de chá.

A segunda notícia ruim veio depois que Kenji saiu para pegar o Ministro, quando nos reunimos mais uma vez, dessa vez usando nossos quimonos novos. Yukako escolhera uma cor sólida para cada um de nós, como o pai dela havia feito para a visita do Ministro tantos anos antes: no total estávamos vestidos em três dúzias de tons diferentes de azul e verde; na nuca, nos ombros e nas mangas havia uma insígnia do tamanho de uma moeda grande, o grou dos Shin, bordada com variações sutis dependendo da função de cada um na casa. Quando Kuga deu um empurrão nas minhas costas para endireitar a minha *obi*, senti os nós bordados se comprimirem contra o meu corpo como uma marca em forma de grou. Nós parecíamos, alinhados na rua junto ao portão, um magnífico salgueiro, uma variedade tremeluzente de folhas. Nao, percebi, não estava presente. Ele recebera um quimono como o restante de nós, embora estivesse trabalhando para os Shin apenas em caráter temporário; ainda assim, eu podia imaginar perfeitamente ele escolhendo não participar. Yukako também não estava, mas eu sabia que ela estava na Baishian, usando um vestido ocidental, preparada para a chegada do Ministro. Tai, com a máscara no rosto e tudo, fazia um bom trabalho orientando-nos sozinho. Tsuko estava com as jovens alunas, mas não parecia mais uma menina; parecia mais séria e mais disposta, alisando seu quimono azul-real. Vi-a levar a mão à área abaixo da sua *obi* e pensei de imediato que ela podia estar esperando um filho.

Ouvimos os passos de alguém correndo e nos inclinamos na direção do som: Tai parecia preocupado. Por que Kenji estaria correndo? Entretanto, não era o Ministro, mas um mensageiro usando a insígnia do Conselheiro Kato. Ficamos imóveis enquanto Tai lia a carta elegantemente dobrada que o mensageiro lhe entregara.

O homem de Kato, observando o rosto de Tai atentamente, pareceu decepcionado com a resposta equilibrada do Mestre Professor.

— Não é problema algum — disse Tai cordialmente. — Por favor, diga-lhe que estamos aguardando ansiosamente.

Apenas quando o mensageiro fez uma profunda reverência e partiu Tai voltou-se e dirigiu-se a nós.

— Devido a circunstâncias inesperadas, o Ministro não poderá vir esta noite. A esposa dele virá em seu lugar.

Nós ficamos muito surpresos, e ouviu-se um burburinho enquanto tentávamos fofocar o mais baixo possível. Tai nos calou com uma calma admirável.

— Da minha parte — disse ele —, eu acrescento que para uma pessoa ocidentalizada como o Ministro, isso não é incomum. No Ocidente, maridos e esposas saem em público juntos, lado a lado, e na Inglaterra, de fato, eles são a mesma pessoa por lei. Portanto, por mais decepcionados que vocês estejam — disse ele, fixando os olhos em um ou dois de seus alunos — e qualquer que tenha sido o trabalho da Madame antes de casar-se... — nesse momento ele se dirigiu às moças que cochichavam — eu espero que cada um de vocês trate a esposa do Ministro como se ela fosse o próprio Ministro. Entenderam?

Nós bradamos os nossos *hai* e fizemos reverência todos juntos, mas continuamos olhando uns para os outros, atônitos. Tsuko retirou-se para informar Yukako da mudança de planos, e sem uma palavra a ninguém, Mariko Kato nos deixou e correu rua abaixo atrás do mensageiro. Em vez de correr atrás dela, Tai mandou que o restante de nós ficasse em posição.

— Madame chegará a qualquer momento.

E ela chegou. Um minuto depois Kenji contornou a esquina com o jinriquixá com rodas de borracha e nós fizemos reverência. Nós éramos uma visão impressionante, tenho certeza, um rio de seda reverente, um vento azul e verde. Uma reverência adequada é realizada contando-se até nove: três para a descida, três para a pausa e três para a subida; eu podia sentir que estávamos nos esforçando para nos levantar tão lentamente quanto tínhamos nos curvado, para não nos apressarmos e encararmos quem quer que saísse do carro. *Um, dois, três; um, dois, três.* Em um ruído lento e simultâneo de seda sobre seda, nós nos movemos com todo o autocontrole que uma vida no mundo do chá nos ensinara e quando nos levantamos finalmente olhamos.

A pessoa elegante e esguia que estava retribuindo as nossas reverências, embora ostentasse o coque de uma mulher moderna da Era Meiji, parecia em todos os aspectos uma esposa tradicional e abastada. Ela estava usando um quimono formal preto de cinco camadas com uma estampa que subia até a cintura, a *obi* atada com um modesto nó de tambor. Saber que ela era uma ex-gueixa fez com que eu examinasse seu vestido mais atentamente: a *obi* era um gradeado justo de azul suave e ouro, o quimono estampado com o fofo capim dos pampas, que, como o *hagi* planejado para a sala de chá, era uma das sete flores do outono. Usar uma estampa sazonal em uma sala de chá era uma questão delicada: podia complementar a escolha de imagens do mestre de chá de uma forma encantadora, ou poderia correr o risco de ser redundante. Se o quimono da Madame fosse estampado com *hagi*, por exemplo, teríamos que procurar outras flores no último minuto para evitar a repetição; já que esperávamos um homem usando terno, não tínhamos flores de reserva. A escolha dela indicava uma sensibilidade extrema à estética do chá — e o desejo de se arriscar — ou completa falta de sensibilidade à situação desagradável que poderia impor ao anfitrião. Eu vi tudo isso durante a contagem para levantar da reverência de boas-vindas, um segundo antes de vislumbrar o rosto de uma bela mulher de uns 40 anos. *Um, dois, três.* Era Koito.

OLHEI AO REDOR, de Kuga e das costureiras para Kenji e os alunos. Vi curiosidade em todos os olhares, mas não horror. Eu fui a única pessoa que reconheceu o rosto dela. Enquanto o aluno mais avançado de Tai passava apressadamente para colocar uma bandeja de tabaco sobre o banco de espera, eu arranquei uma página do livro de Mariko Sato e corri, sem uma palavra de explicação, pelo caminho de pedras molhado à espera do convidado, através do jardim de musgo, até os fundos da Baishian.

As únicas mulheres que eu já vira ajoelhadas no chão vestindo anquinhas e renda eram heroínas tuberculosas de ópera — e Yukako. As mãos dela estavam envolvendo em um paninho molhado três lascas de sândalo para o fogareiro, mas o rosto dela estava olhando para mim, do lado de fora da porta.

— O que houve? — disse ela, bruscamente e em pânico.

Eu estava realmente deslocada. Os convidados deveriam se sentir, ao entrar no jardim, como se estivessem descobrindo uma clareira isolada, um efeito facilmente arruinado por criados correndo por perto. Eu devia estar na cozinha, passando comida aos jovens solenes da turma de Tai que agora estavam se posicionando para levar os pratos para a casa de chá.

— Ele cancelou de vez?

— Não, não, a esposa dele acabou de chegar.

Yukako ergueu-se em um movimento, deu uma última olhada para a *mizuya*, e pegou um balde para colocar mais água na bacia de pedra para lavar as mãos no jardim: o som indicaria ao convidado que se preparasse para descer pelo caminho.

— Mas *Okusama*... — eu disse, e o tempo ficou mais lento por um instante; eu tinha plena consciência de que agora me sentia mais à vontade chamando-a de Honorável Esposa da Casa do que quando a chamava de Irmã Mais Velha.

Ela olhou para mim com olhos flamejantes, um fio de cabelo se levantando fora do lugar.

— Antes de ir vê-la, ouça — insisti.

POR UM MOMENTO Yukako ficou completamente imóvel.

— Isso parece um pesadelo — ela murmurou, piscando os olhos rapidamente. — Poderia repetir o que disse?

Eu contei a ela tudo de novo.

Yukako riu, com uma voz estranha e fina. Ela segurou o balde com as duas mãos, arfando, com o torso espartilhado ofegando contra os ossos.

— Posso levar isso? — ofereci, estendendo a mão em direção ao recipiente.

— Eu preciso dele para a bacia de pedra no jardim — disse ela, entorpecida.

— Só preciso que fique fora do jardim, fique onde está.

Foi o que fiz, embora a *miżuya* da sala de dois tatames fosse tão pequena, que eu com certeza ficaria no caminho. Enquanto procurava um cantinho fora do caminho para me instalar, meus olhos pousaram sobre o carvão vegetal de Yukako: um grande balde de madeira para a chaleira na *miżuya*, uma cesta delicada para o *temae*, cada pedaço posicionado em perfeita ordem. Carvão vegetal! Todas as salas de chá grandes guardavam seu carvão em um receptáculo de armazenamento, o painel de acesso de madeira embutido no chão da salinha dos fundos. A Baishian tinha um painel assim, grande demais para uma sala de chá daquele tamanho. Estava bem na minha frente, com um orifício do tamanho de um dedo para movê-lo, embora eu nunca tivesse visto Yukako colocar ou retirar carvão dali. Será que havia uma chance? Sim, estava vazio — e possivelmente nunca fora usado —, um buraco revestido de metal no chão, talvez com meio tatame quadrado e meio tatame de profundidade. Eu me enfiei lá dentro e fechei o painel.

Pisquei os olhos no escuro, minha visão se acostumando ao fio tênue de luz que entrava pelo orifício do tamanho de um polegar no chão da *miżuya*. Muito tempo atrás, na última noite de Jiro com os Shin, eu me escondera deitada de bruços sob a casa de chá Muin: eu havia progredido desde então. Podia me sentar com elegância no meu esconderijo, embora não pudesse ficar de joelhos sem entortar o pescoço. A minha única companhia no depósito era uma caixa de madeira com tampa, empoeirada e esquecida, contendo algumas dúzias de pedaços de carvão vegetal cortado havia muito tempo, talvez até na época de Nao: o bastante para o fogo de um fogareiro de chá.

Enquanto eu estava sentada lá, dei-me conta de algo incomum a respeito daquele espaço pequeno. Era mais ventilado do que eu esperava: entre o piso da *miżu*ya e o topo da caixa de metal dentro da qual eu estava sentada, havia uns oito centímetros de espaço aberto que deixava entrar a umidade da terra debaixo da casa de chá. Que coisa estranha: afinal, a finalidade de um depósito de metal era manter a umidade longe do carvão. Eu tateei acima da minha cabeça, todavia, e encontrei um segundo painel deslizante que fora deixado aberto, um revestimento interno destinado a manter o carvão protegido do ar. Eu o deixei aberto para poder respirar. Depois percebi que o metal no qual eu estava encostada era mais liso do que os outros lados do depósito, liso como laca ou vidro. Lentamente, desajeitadamente, virei o corpo para poder olhar:

a superfície de metal parecia ter uma estampa geométrica indistinta. Talvez, como o forro opulento do paletó de um mercador, aquilo fosse — em um grau absurdo — uma exibição secreta de riqueza, tão longe dos olhos espreitadores e das leis suntuárias do Xogum quanto uma pessoa poderia imaginar: um depósito de carvão excessivamente ornamentado. Eu quase conseguia ouvir a risada amarga de Nao.

Eu descobri tudo aquilo enquanto Yukako colocava água na bacia de pedra para lavar as mãos. O próximo gesto do anfitrião seria abrir o portão entre os jardins interno e externo, para permitir que o convidado entrasse. Ouvi Yukako colocar o balde na *miҳuya*, ouvi-a murmurar:

— *Ora,* onde ela está?

Percebi que ela estava falando de mim. Antes que eu pudesse responder, ouvi seus sapatos de salto alto caminharem solenemente sobre as pedras, talvez um pouco mais solenemente do que até a cerimônia de chá exigia. Fiquei escutando. Ouvi uma pausa. No espaço entre um passo e o próximo, vi o rosto de Akio na noite do Encontro deles, quando uma gota de saquê caiu no chão e os olhos deles se encontraram. Vi Yukako enfrentando Koito naquela noite chuvosa. Vi-a queimando a manga. Vi o Montanha levantar o braço para bater nela. Vi Jiro despedaçando tigelas de chá com uma flauta de bambu. E a cena mais clara de todas, vi Yukako, com 21 anos, lendo a caligrafia escrita pelas duas filhas de seu avô: a mãe de Koito e a sua própria. E então ouvi *o ruído* dos passos dela dirigindo-se ao jardim. Naquele momento ela estava abrindo o portão e encarando Koito.

QUANDO OUVI Yukako voltar à Baishian e abrir a portinha quadrada para sua convidada, meu estômago se encontrou em sobressalto: pensei que estivesse vivenciando um terremoto, que as paredes da casa de chá, do próprio depósito onde eu estava isolada, tinham se rompido. Não havia outra forma de explicar a repentina luminosidade. Mas então compreendi o que eu estava vendo: uma versão menos clara da sala de chá acima de mim, refletida em um espelho. Que engenhoso! A superfície lisa e vítrea do receptáculo, percebi, não formava ângulos retos com as suas vizinhas: era inclinada para refletir imagens vindas de cima. O meu ponto de observação, descobri, correspondia a uma grande abertura, a janela no alto da parede da casa de chá: então aquele era o quarto secreto na Baishian sobre o qual Yukako me falara um dia! O Montanha construíra um tubo espelhado por meio do qual um guarda-costas pudesse observar o anfitrião e o convidado sem ser visto. Em uma casa de chá construída para apenas um anfitrião e um convidado imperial, eu pensei que tais precauções faziam sentido.

NO ENTANTO, era bizarro ver as feições esguias e borradas na luz da noite — mais claras quando eu cobria o orifício para o dedo com a mão — e saber que elas não podiam me ver. Ela entrou na casa de chá, fez uma pausa para admirar o pergaminho e tomou seu lugar. Eu podia ver os contornos líquidos das duas mulheres enquanto encaravam uma à outra, separadas pela mesa, e faziam reverências, uma silhueta de quimono e outra de espartilho e anquinhas. Eu não sabia o que elas estavam sentindo, mas podia imaginar.

O que se seguiu, enquanto a luz ficava turva, foi uma refeição ritual perfeitamente coreografada, como se fosse executada por manequins. Fora as perguntas educadas de Koito e as respostas educadas de Yukako sobre a caixa de incenso e a comida, elas se movimentavam em um silêncio decoroso, a voz de Yukako flexionada de raiva, a de Koito, de desculpas. Ouvi passos lá em cima enquanto os alunos traziam cada recipiente em intervalos corretamente cronometrados: a bandeja com três pratos, as tigelas de arroz, a vasilha de saquê aquecido, a tigela extravagantemente laqueada repleta de iguarias preparadas em fogo brando, as abundantes bandejas de cerâmica, a dose de água quente para limpar a boca em um pires laqueado com uma pequena tampa, a bandeja de madeira crua com iguarias das montanhas e do mar, cada uma delas planejada para caber naquela tampa pequenina.

Era o primeiro *temae* a que eu assistia desde que Tai e Tsuko tinham feito *matcha* gelado. Quando Yukako trouxe o último prato de aperitivos — como mandava a tradição, maciços bolinhos marrons de arroz quase frito do fundo da caçarola, flutuando simplesmente em água quente — eu podia ouvir o escárnio de Nao. Como as refeições servidas nos feriados na época do Montanha incluíam apenas um prato em uma caixa *bento* seguido de doces, eu nunca tinha presenciado uma refeição completa da cerimônia do chá de dentro da sala de chá. A lembrança da risada de Nao — e algo em relação a Yukako usando babados que davam a impressão de que tinha um busto grande, enquanto oferecia solenemente a Koito uma tigela de crosta de arroz — me deixou pouco à vontade. Era uma pantomima, estabelecida por Rikyu, que dizia ao convidado: "Você significa muito para mim. Embora minha mesa seja humilde, eu lhe dou tudo o que tenho." Mas aqueles de nós cuja condição humilde determinava que comêssemos o arroz queimado da casa todos os dias só havíamos saboreado as iguarias da refeição de Koito uma ou duas vezes na vida, quando sobrava comida dos eventos de chá: pedaços aveludados de atum gordo, cogumelos raros trazidos de vilarejos remotos nas montanhas. Além disso, eu sabia que Kuga fizera três panelas de arroz a fim de conseguir os melhores pedaços de crosta: marrons, não pretos; crocantes, não duros; todos da mesma altura e tamanho. Enquanto Yukako, conforme escurecia, a própria imagem da serenidade e do autocontrole, retirava o prato de Koito e colocava um recipiente de trezentos anos diante da convidada, eu me lembrei da palavra que explicava o meu desconforto. O que ela estava fazendo era *afetado*.

No momento em que Koito saiu para o intervalo, a conduta de Yukako mudou. A sua graça calma e o seu comportamento de marionete transformaram-se em ultraje enquanto falava com Tai na *miʐuya* acima de mim.

— Todos esses planos para trajes ocidentais e a mulher vem de quimono. Eu quero esta mesa fora daqui e quero o fogareiro no chão. Ela está usando capim dos pampas, então não posso usar esta caixa de chá. Nenhuma destas vai servir. Encha uma boa caixa preta, em vez disso — uma de Rikyu, se você achar. Quando ela voltar à sala de chá, retire a almofada e a bandeja de fumar do banco de espera, salpique o caminho com mais água e limpe a latrina junto ao banco.

— A da casa de chá também?

— Não é preciso, não foi usada desde esta manhã. Ela vai usar aquela junto ao banco de espera; ela está lá agora. Antes de mais nada, preciso que o pergaminho saia, que venham as flores e que a segunda bandeja de doces esteja pronta. Pendure as flores mais baixo do que planejamos. E peça à Srta. Tsuko para me trazer um quimono.

Eu nunca a ouvira usar os verbos diretos da fala dos homens assim antes: a voz dela havia descido ao nível do rosnado do Montanha. Enquanto Tai e seus alunos, quietos como ajudantes cênicos, corriam para executar as ordens dela, Yukako fechou as janelas da casa de chá: todos os painéis estavam cobertos por *shoji* exceto a janela da lua. Mesmo quando as janelas de papel impediram a entrada da luz pálida da noite, e a figura dela no espelho se tornou um lampejo indistinto de cinza sobre cinza, pude ver sua postura suavizar-se por um momento enquanto ela colocava o engenhoso painel da lua de Nao, feito de papel e vidro, em seu lugar.

Talvez Yukako pretendesse deixar minha janela de observação aberta, para prover saída para o ar próximo ao fogo do fogareiro, ou talvez ela tenha se distraído com os passos rápidos que vinham de fora em sua direção.

— Sim? — ouvi-a dizer.

Fiquei surpresa com a inspiração tempestuosa e o gritinho triunfante que só podiam pertencer a Mariko Kato.

— *Sensei*, descobri o que aconteceu com o Ministro!

— Verdade? — perguntou Yukako, pouco calorosa.

— Acabei de correr até a minha casa e de volta para cá — anunciou Mariko, orgulhosa da sua própria ousadia. Ela tomou um pouco de ar. — Minha Mãe me contou. Ele e meu Pai estavam jogando golfe com um grande especialista em escolas americano. Eles resolveram sair para jantar juntos, então ele mandou a esposa em seu lugar.

— Você realmente se deu muito trabalho por nós, Srta. Mariko, eu aprecio muito o seu esforço — disse Yukako, e pelo seu tom de voz dava para perceber como ela estava feliz de não ter a Srta. Kato como nora. — Mas agora não é um bom momento para ouvir suas notícias.

— Ah, *Sensei* — disse Mariko, reagindo à frieza na voz de Yukako. — Peço desculpas. Que falta de tato da minha parte. Com licença.

Humilhada, mas não muito, Mariko retirou-se silenciosamente. Pelo prazer em sua voz enquanto se desculpava, acho que ela estava pensando para quem contar em seguida.

DURANTE ALGUNS segundos Yukako ficou acima de mim na salinha dos fundos.

— Golfe — murmurou para si mesma e deu um suspiro longo e trêmulo.

Um momento depois ouvi-a agradecendo a Tsuko, que devia ter trazido uma muda de roupa.

— Boa cor. Mas não há mais tempo.

YUKAKO TOCOU um sino para avisar a Koito que a sala de chá estava pronta para a sua volta e abriu a porta do convidado novamente. Uma luzinha suave atingiu o meu espelho. Dava para ouvir Yukako enchendo novamente a bacia de pedra para lavar as mãos mais claramente do que Koito entrando um minuto depois e sentando-se para examinar as flores; eu vi apenas uma linha comprida e acetinada, sombra sobre sombra, dobrando-se quando ela se ajoelhou. E então, no momento exato em que ela o fez, o espelho ficou dourado. Todas as cores retornaram à sala imediatamente quando o metal manchado mas polido revelou o verde e o violeta da cascata de flores *hagi*, o azul suave e o alaranjado da *obi* de Koito, o branco do rosto dela observando a lua.

— É lindo — disse ela enquanto Yukako entrava.

Yukako parou: o elogio era ainda mais sincero por ser inapropriado. Na luz amarela plena da lua, Koito completava o quadro emoldurado pela alcova, emoldurado por todo o trabalho de *Okusama* no papel de anfitriã: lua, *hagi*, mulher luminosa.

— Obrigada — disse ela em voz baixa.

Ela reabasteceu o carvão vegetal e começou a preparar o chá.

— Sinto muito que seja eu em vez do meu marido — disse Koito.

A voz de Yukako saiu firme e clara:

— Foi inevitável, não foi?

— Sinto muito que não soubesse que era eu — insistiu Koito. — Eu pretendia apenas ficar em segundo plano durante a visita, mas então ele me pediu para vir no último momento.

— Foi inevitável — repetiu Yukako.

— Ambas fizemos o melhor que podíamos em situações difíceis — disse Koito.

— É uma maneira de encarar as coisas.

— Eu não estou aqui para falar do passado. Pense em mim apenas como um envelope, um envelope da sorte, portador de boas notícias — disse Koito, com uma voz brincalhona e bajuladora.

Dava para ouvir o ruído do misturador enquanto Yukako preparava o chá espesso.

— Estou escutando — disse, refreando a voz.

— O que meu marido queria lhe dizer era que ele está muito impressionado com o que você tem feito nas escolas. A experiência foi um verdadeiro sucesso; seu filho é um jovem de quem deve se orgulhar. Em nome do Imperador, meu marido pede ao Mestre Professor que vá para Tóquio a fim de fazer com que o chá seja parte da educação de todas as jovens no Japão.

— Foi o que ele disse? — perguntou Yukako, atônita demais para rejeitar o elogio.

A voz dela era densa e baixa e eu pude ouvir nela os orgulhosos jovens nobres de mangas negras da época de seu pai. Ouvi o suspiro trêmulo que se seguira à palavra *golfe*. Ela ficou em silêncio por tanto tempo que a situação ficou constrangedora. As pontas do misturador de chá sibilavam na tigela.

— Eu havia falado com o Conselheiro Kato sobre a possibilidade de tocar em outro assunto com Sua Excelência — disse ela.

Koito inclinou a cabeça, e pude imaginá-la como uma *maiko* muitos anos antes, uma jovem sedutora fazendo beicinho.

— Ele não mencionou mais nada. Nem o Conselheiro Kato. Era sobre o professor que vocês deixaram em Tóquio nesta primavera? Ele está sendo tão procurado, é impressionante. Vocês certamente receberão pedidos de mais professores. Parabéns, *Sensei*.

Sensei, não *Okusama*? É claro, pensei: era assim que elas costumavam chamar uma à outra quando eram jovens e estudavam música e chá.

Yukako também percebeu a escolha de tratamento de Koito.

— Vamos tentar, como você mesma disse, não falar do passado — disse. Ela fez uma reverência para Koito, com a cabeça quase tocando o chão. — Obrigada por essa boa notícia. Por favor, diga a Sua Excelência que a nossa família espera servir o Imperador da melhor maneira possível de acordo com nossa humilde capacidade.

Um longo silêncio se seguiu. A luz amarela começou a enfraquecer enquanto a lua continuava a subir. Yukako serviu o chá espesso, pôs carvão vegetal uma terceira vez, trouxe uma vela e uma segunda bandeja de doces.

— *Macarons, quelle surprise!* — disse Koito.

Mesmo com um forte sotaque, o francês dela me espantou. Yukako aceitou os elogios dela com elegância e misturou o chá ralo.

— Qual é o nome dessa tigela de chá? — perguntou Koito.

— Hakama — respondeu Yukako.

Para alguém que a conhecia, pareceu que ela ia chorar.

35

1891

— POR FAVOR, APENAS ME DEIXE sozinha — Yukako disse a Tai, sua voz como uma madeira gasta pelo tempo. — Vou tomar um banho e depois lhe conto como foi. Diga a todos que foi um grande sucesso e que devem jantar e tomar seu saquê agora. Junte todos depois do café da manhã para um anúncio e vamos arrumar tudo juntos. Por favor.

— Mãe?

— São boas notícias — ela garantiu. — Vá.

A LUA HAVIA deixado a janela, mas Yukako permaneceu no mesmo lugar, com a vela iluminando suas longas mãos. Elas cobriram seu rosto. Caíram sobre os joelhos dela. Deslizaram sobre o vestido de seda verde. Ela colocou-as sobre o tatame e vi o corpo dela tremer enquanto chorava, ouvi-a ofegar em pequenos soluços úmidos e dissonantes. A respiração dela se acalmou, e ela levou as mãos aos olhos. Senti vergonha de estar espiando, mas sabia que ela iria ouvir qualquer som que eu fizesse ao tentar sair. De repente, o corpo dela ficou tenso. Ouvi passos acima.

— Vá embora — disse ela, olhando para a porta do anfitrião.

— Onde está ele? — perguntou uma voz de homem.

— Ah, é você — disse Yukako, indiferente, como se estivesse em um sonho. A voz dela era desprovida de medo quando perguntou:

— Isso é uma arma?

— Onde está ele? — era Nao.

— Guarde isso — disse ela. — Ele não veio.

— Eu acabei de ver uma mulher saindo — disse ele.

— Ele mandou a esposa em seu lugar.

— Ele está na casa do Conselheiro Kato?

— Eles estão jantando com o Ministro da Educação americano — disse Yukako altiva. — Onde esteve todo esse tempo?

— Esperando aqui ao lado. A latrina ornamental foi uma ideia engenhosa.

Nao fitou-a durante um longo momento. Vi apenas o seu contorno líquido e borrado, mas era o suficiente para que eu corasse e me sentisse enjoada. Ele baixou os braços.

— Triste, *Okusama*?

— O que você está fazendo aqui?

— Toda enfeitada e o figurão não veio a sua festa do chá? Que pena.

— Poderia ir embora, por favor?

— Você sofreu muito nesta vida, *Okusama*.

Ela estava sentada, ele estava de pé; o rosto estreito dela voltou-se totalmente na direção dele, o pescoço, comprido e vulnerável, inclinado para cima.

— Não zombe de mim — disse ela em voz baixa.

Era uma ordem e também um apelo.

— Não faça o quê? — disse ele, zombando apenas em parte.

O rosto dele ficou sob um clarão de luz: ele estava sorrindo. Ele se sentou ao lado dela. Ele era um contorno cinza no chão; ela era um contorno verde.

— Abaixe isso — disse Yukako.

Ouvi uma pancada pesada de metal no tatame e então os dois contornos desabaram juntos, verde e cinza. Vi lampejos de branco onde as mãos dela o tocavam. Ouvi uma luta de corpos. Ouvi a respiração afiada dela.

— O que está fazendo? — murmurou ela.

— Você não sabe nada mesmo, não é? — disse ele.

— Eu sei o bastante — disse ela.

Eu podia ouvir a respiração entrecortada dos dois, sentia a casa de madeira reagindo aos corpos em movimento acima de mim. O triunfo das minhas noites de agosto coalhou, transformando-se em cólera. Toquei a caixa de carvão vegetal aos meus pés: se chegasse àquele ponto, ao menos eu não vomitaria em mim mesma. Comprimi os joelhos contra o queixo; flutuei para fora do meu corpo como fizera na minha primeira noite com Nao, como fizera muito tempo atrás, quando ainda era criança, no colo do meu tio. Eu me afunilei através do orifício para o dedo da *miʒuya*. Fiquei diante daqueles belos corpos tomando finalmente o que desejavam. Senti-me como um fantasma faminto: voraz, vingativo e solitário.

Eu fiquei tão magoada com o que vi que desviei o olhar. Fiz com que meus olhos se concentrassem no espelho reluzente do meu orifício-visor em vez de na imagem que ele refletia. E foi então que vi os rabiscos, na lateral, seis caracteres *kana* simples, três e três. *Yu-ka-ko. Hi-ro-shi.* Eles tinham entrado ali quando crianças e deixaram seus nomes. Lembrei-me de Yukako contando-me sobre o quarto secreto na Baishian quando eu era criança, como ela e o irmão haviam prometido um ao outro que nunca o mostrariam a ninguém. *Nem mesmo a Akio. Nem mesmo a Nao.* Então senti-me superior por um momento, lembrando-me da presunção na voz de Nao quando disse que tinha se escondido na latrina. Yukako mantivera a promessa que fizera a Hiroshi e nunca me contou sobre aquele lugar. E Hiroshi mantivera a dele, compreendi, e nunca contou a Nao.

Dava para ouvi-los em cima, os rápidos grunhidos de locomotiva de Nao e os soluços abruptos de Yukako. Então ele concluiu tudo com um gemido: a casa balançou nas juntas. Tudo ficou em silêncio e depois ouvi-a suspirar.

— Acabou?

Ele riu.

— Você sempre teve tudo o que quis — disse ele carinhosamente. — É bom para você ficar com um pouco de vontade.

Ela se afastou dele e permaneceu sentada; vi as barras brancas que eram os braços dela se movendo, ouvi o farfalhar da sua roupa.

— Você está se limpando com guardanapos para chá? — perguntou Nao.

Eu nunca o ouvira dar uma risadinha antes.

— Estava à mão — explicou Yukako asperamente. Ouvi um inspirar cansado e um expirar irado e arrependido. Então ela pegou alguma coisa no chão e inspecionou-a casualmente.

— Pesada — comentou. — Então você queria matar o meu convidado?

— Isso não é brinquedo, Yuka — disse Nao.

— Eu sei — disse Yukako, mas não a soltou.

— Você acha que fiquei aqui todos esses meses depois que minha Mãe morreu para executar seus servicinhos? Depois do infortúnio da minha filha, pedi uma missão em Tóquio. Teria ficado lá feliz, misturando-me, mas quando meus irmãos ficaram sabendo da inspeção do Ministro, disseram-me para voltar a Kyoto. Essa era uma oportunidade boa demais para deixar passar.

— Uma oportunidade boa demais? — repetiu Yukako.

Do que Nao estava falando? Que tipo de "missão"? E por que ele precisava se "misturar"?

— Enquanto houver uma família imperial, nada vai mudar para o resto de nós — explicou ele.

— Você faz parte de algum grupo revolucionário?

— É uma irmandade — disse ele, conciso.

— Isso é ridículo — disse Yukako.

Ela parecia esgotada, como uma adolescente que ficara acordada até muito tarde, como se não conseguisse acreditar que estava tendo aquela conversa. Havia um tom quase despreocupado na sua maneira de segurar o pesado objeto, girando-o ocasionalmente. Eu não conseguia ver os olhos de Nao, mas todo o rosto dele parecia estar olhando para a arma.

— Uma revolução não é o bastante? — perguntou ela obstinadamente. — Tudo está diferente agora.

— Não, não está — disse Nao rispidamente. — Os ricos estão usando roupas diferentes. Isso resume tudo. O parente do Imperador se casa com uma mulher do mundo flutuante.

Yukako suspirou irritada. Quando Nao compartilhou da minha cama, eu percebia lampejos de uma amargura específica na voz dele sempre que mencionava o nome de Akio, mas agora ele a estava expressando claramente. Talvez ele nunca tenha perdoado o irmão de Yukako por escolher Akio, e com a morte de Hiroshi, ela era a única pessoa a quem ele podia punir.

— Todos esses anos se passaram e você ainda está fazendo reverência ao Ministro com a cabeça tocando o chão. Isso parece mudança para você? Exceto que agora ele nem se dá o trabalho de vir.

Yukako estremeceu visivelmente.

— Tudo realmente mudou — repetiu ela em um tom mais baixo.

— Ah, as meninas fazem chá agora? Você acha que isso faz alguma maldita diferença para todas as pessoas que exaurem os corpos até não sobrar nada para que você possa sentar em sua casinha bonita e... — nesse ponto ele fez uma pausa, tentando resumir o objetivo do chá — ...sentir-se serena? Carpinteiros, colhedores de chá, cortadores de carvão vegetal?

— O chá lhes garante trabalho — argumentou Yukako.

— O chá os mantém exatamente onde estão. O chá os mantém exatamente do jeito que fez comigo no passado.

Houve um brilho rápido e tênue de metal na luz de vela. Yukako levantou os braços e os manteve no alto. Nao recuou.

— Eu não acho que você ficou na minha "casinha bonita" só para bancar o herói para os seus "irmãos", Nao-*han*.

Nao permaneceu em silêncio.

— Eu acho que você ficou aqui porque tem um dom e é competente. Na verdade, janelas de vidro não ajudam mais as pessoas do que o chá. Acho que você sente prazer em fazer algo belo.

Ela apontou para a janela da lua com o queixo.

Por um momento, o rosto de Nao se voltou rapidamente em direção à sua obra e de volta. Ele concordou com um som relutante, que mal se ouviu.

— *Un.*

Nesse ponto Yukako aproveitou-se da situação. A voz dela assumiu uma autoridade voluptuosa e ressonante:

— E acho que permaneceu para ficar perto de mim — disse.

Parecia que ele também não perdoara Yukako por escolher Akio: houve uma repentina luta de braços e golpes e então ouvi algo pequeno e pesado cair sobre o tatame. Nao agarrou a arma e recuou.

— Aí é que você se engana — disse ele, arfando.

— Não me engano não — disse Yukako provocadoramente

— Tive mulheres em todo o Japão. Tive mulheres aqui na sua casa. Prostitutas estrangeiras em Yokohama. Esposas ricas em Tóquio. Casei-me com uma jovem *eta* em Asaka e divorciei-me dela também.

Yukako sufocou um grito.

— Ela foi infiel.

Yukako não ouviu o que ele disse; ela ainda estava chocada.

— Você *o quê?*

— Quem você acha que era a mãe de Aki?

Yukako colocou os braços em volta da barriga como se fosse vomitar.

— Por que você acha que ela deixou o bebê aqui daquele jeito? *Ela* sabia que seria desmascarada, mas uma criança?

Lembrei-me do esforço enorme que Yukako fizera para me explicar que eu não podia ser uma *eta*. Agora ela choramingava, um pequeno ruído reprimido como se estivesse sufocando.

— Você teria dado dinheiro às freiras ainda mais rapidamente se soubesse, não teria?

Eu sabia que Nao estava dizendo aquilo para magoá-la, mas eu não havia entendido essa parte da história de Ruri. "Porque você é uma estrangeira, vou te contar", dissera ele. Ele deve ter adivinhado que eu não compreenderia a não ser que ele explicasse em detalhes. Ele tinha razão.

Ouvi Yukako tomar ar para recompor-se.

— Preste atenção: não desrespeite a memória do meu irmão sendo cruel assim.

Nao fez uma pausa.

— *Un* — ouvi-o dizer de novo, em voz baixa.

Ele fez outra pausa, e então a voz dele veio áspera novamente:

— Sorte sua que ele era tão frágil, não foi? Você se tornou uma Mestra Professora melhor do que ele teria sido.

— Você é um monstro — murmurou Yukako.

— Sempre me perguntei o que teria acontecido se eu tivesse tomado o lugar dele.

Do que ele estava falando?

— Pare com isso. Chega — disse Yukako, em um alento sibilante.

— Sempre me perguntei por que Matsu parecia me odiar. Por que ele sempre me batia tanto. E então, quando Hiro morreu, logo depois do chá de cinquenta dias em sua memória para as pessoas da casa, minha Mãe me fez partir. Ela viu como o Mestre Professor olhava para mim e viu como Matsu olhava para ele. Eu sempre pareci um pouco com Hiro, mas não dava para perceber fora da sala de chá. E então, logo depois do chá, minha Mãe me deu um saco de bolas de arroz e me disse para não voltar mais. Estranho, não? E lá estava você, a última vez que a vi, vestindo seu belo quimono tão bonito e suas sandálias novas, tão lustrosas. "Gosta das minhas sandálias, Nao-*han*?" Eu não tinha ideia de onde ia dormir naquela noite, e aquilo foi a última coisa que você me disse.

— Como eu ia saber? — protestou Yukako. — Eu não sabia que o-Chio tinha mandado você partir.

Nem eu: essa não era a história que ele tinha me contado.

— Eu ia partir de qualquer jeito — resmungou ele.

Yukako estava sentada, completamente imóvel. Sua voz, quando falou novamente, estava fraca e distante:

— Não acredito no que está dizendo.

— Sabe, seu pai sempre me dava as tarefas mais sujas. Mas eram todas para o chá. Matsu me obrigava a limpar fezes humanas, mas seu pai só me dava trabalhos relacionados com o chá. Alguma vez se perguntou por quê?

Yukako inspirou.

— Você está despedido — disse ela.

— É mesmo?

— E não vai terminar o andar de cima. Entendeu?

— Eu não achei que iria — disse ele com arrogância. Então levantou-se.
— Bem, obrigado, Yuka. Eu tive uma noite ótima.

— Mas — disse Yukako entorpecida —, por que você...? Se pensava que eu era sua irmã?

Nao deu de ombros.

— Você me queria.

O rosto de Yukako se inclinou na direção dele. Os braços dela envolviam o corpo como se sentisse frio.

— Nao-*han*, eu amava você. Vocês três. Eu...

— Agora estou indo embora de verdade — disse ele, com a voz apressada e vulnerável. E partiu.

YUKAKO FICOU deitada de bruços no chão da sala de chá, respirando tenuemente.

— Nao-*han*. Meu Kenji... — murmurou.

E então escorou-se sobre os cotovelos e vomitou.

— Ah — gemeu ela.

Eu saí do depósito de carvão em um movimento rápido.

— *Okusama?*

Depois da imagem borrada e turva da sala de chá sobre o metal polido, tudo estava tão áspero, brilhante e claro. Cada franzido do vestido verde de Yukako, cada flor espumosa de *hagi* pareciam claros como uma xilogravura.

— Vá embora — gemeu Yukako. Ela se sentou, tentando se recompor.

— Calma. Calma — eu disse carinhosamente. — Perdão, *Okusama*. Eu ouvi tudo.

— Ah, o que mais pode acontecer? — perguntou Yukako, como se estivesse fazendo um apelo aos céus. Tinha sido realmente uma longa noite.

— Vamos limpá-la — eu disse.

Eu trouxe panos úmidos, limpei o rosto dela e limpei o chão.

Yukako estava frouxa como uma boneca de pano.

— Será que poderia trazer o meu quimono da *miʐuya?* — ela pediu, melancólica.

Eu o achei na salinha dos fundos e o levei para dentro enquanto Yukako, ainda sentada, lutava com seu vestido, puxando e ofegando.

— Calma — repeti.

Eu desatei o corpete e o espartilho e afaguei as costas expostas dela. Ela livrou-se do vestido e estendeu a mão em direção à túnica usada sob o quimono. Eu segurei a túnica de seda branca e ela se inclinou, estendendo os braços para dentro das mangas e caindo para trás, na minha direção. Para atar o lado esquerdo da túnica sobre o direito era preciso dobrar o meu braço sobre o peito dela.

Eu a segurei em meus braços, entre as minhas coxas. Ela suspirou, passando todo o seu peso para mim. Senti-a respirando com todo o meu corpo, longo e macio, o calor do corpo dela movendo-se através da seda pesada e fria. Então ela se contraiu e reteve a respiração; ela enfiou o pulso entre as pernas e segurou uma dobra da túnica lá por algum tempo. Ela estremeceu, contorceu-se, murmurou alguns palavrões e então encostou-se em mim com os olhos fechados. Ela sorriu um pouco, como se estivesse flutuando. Por um momento o corpo dela parecia leve como uma balsa em meus braços.

E ENTÃO FICOU pesado de novo. Ela estava chorando. Eu soltei seus cabelos e penteei-os com os dedos.

— *Irmã Mais Velha* — murmurei pela primeira vez em anos, a última.

— Ele tem razão — murmurou. — Eu joguei minha vida fora dedicando-me a pó e folhas.

— Isso não é verdade. A sua família estava definhando e você a fortaleceu. Você assumiu uma arte que podia ter morrido e a manteve viva, e o mundo é mais rico por causa disso. De alguma forma, você mudou o mundo.

— Eu *mudei o mundo* — disse Yukako asperamente. — Eu não fiz nada. O *mundo* mudou. Agora aquela *mulher* pode aparecer na minha casa e dizer que eu não tenho nenhuma chance com as escolas de meninos... — gaguejou. Ela ficou imóvel por um longo tempo.

— Sabe, pensei que podia ter as duas coisas — explicou, apontando com a cabeça para a janela da lua. — A Baishian com mesas e vidro. Mas o mundo do meu pai não existe mais. — Ela fez uma careta. — Eu devia mandar meus filhos aprenderem golfe.

— Escute — eu disse, meio impaciente. — Lembra-se do quanto você queria aprender a cerimônia do chá quando nos conhecemos? Como observava cada aula e praticava todos os dias?

Yukako resmungou, secando os olhos úmidos.

— Você queria tanto aprender porque era algo que os homens faziam ou porque era bonito?

— Porque era bonito — ela disse com uma fungada, observando a sala ao seu redor.

— E você se lembra de como tinha que ficar atrás da tela para observar seu pai ensinando o chá? E que você nunca teve uma aula só para você até que se casou?

— *Un.*

— Graças a você, nenhuma mulher terá que aprender dessa forma novamente. E isso, por si só, é um presente para o mundo. Está entendendo?

Yukako anuiu lentamente. O corpo dela relaxou completamente e ela sorriu por um momento.

Ela ficou sentada em silêncio, pensando, com a cabeça descansando no meu ombro. E então seus olhos se encheram de lágrimas de novo.

— Sabe o que me deixou triste antes?

— O quê? — eu percebi em sua voz que ela se referia ao momento em que chorou depois de tremer em meus braços.

Yukako suspirou.

— Aquela mulher simplesmente trouxe tudo de volta: o fato de que nunca mais verei Akio nesta vida.

Ah. Fora o nome dele que ela murmurara, antes de cair no sono por alguns segundos.

— Sinto muito — eu disse.

A verdade era que eu não sentia tanto assim. Ocorreu-me que a coisa que ela e Nao tinham mais em comum era a necessidade de desperdiçar paixão com Akio. Vinte e cinco anos parecia muito tempo para prantear um rapaz que lhe dissera para não fazer o *temae*, que lhe fora infiel na sua própria casa. Que a abandonara e também a Koito, para levar adiante um casamento arranjado, para então abandonar a esposa e a família e acabar morto em Satsuma. Quando Nao partiu, Yukako não dissera "Eu amava você" literalmente. Ela usou o pronome japonês que as pessoas não medem esforços para evitar, salvo quando são esposas se dirigindo aos maridos. Olhou para Nao e disse *Antahan. Você.* E então *vocês três:* Nao, o irmão dela e Akio, a quem ela guardava no coração tão indelevelmente quanto aquela parede de metal guardava seus dois nomes rabiscados, a quem amava com uma tenacidade forjada na infância.

Como parte de mim ainda a amava. Ela acabara de roubar um dos poucos momentos de puro êxtase que já me dera, e ainda assim eu a abraçava. Eu sentia tanta falta daquilo, da sensação de estar apaixonada por ela. Passei os dedos pela vasta extensão negra e sedosa do cabelo dela, desenhei a longa linha caligráfica de suas costas, acariciei seu rosto com o dorso da minha mão, mal tocando sua pele. Ela virou-se e me abraçou: isso não acontecia desde que eu era criança. Estremeci. A mão dela estava tocando a minha pele. Eu me desfiz por dentro em desejo, e então a beijei.

EU AINDA PODIA sentir o calor úmido e agradável de sua boca quando ela ficou de pé, do outro lado da sala, meu peito doendo por causa da força com que ela me empurrara para longe.

— Foi *você*. Não posso acreditar.

O que estava acontecendo? Eu estava aturdida, com os olhos arregalados, enquanto Yukako se vestia rapidamente, tremendo de ódio.

— Ele ensinou isso a você, não foi? — disse rispidamente.

Então lembrei que ela perguntara a Nao: "O que está fazendo?"

Ele deve tê-la beijado, percebi, lembrando-me de que, quando ele me beijou pela primeira vez, eu achara aquilo nojento. Mas o beijo tornou-se um prazer para mim tão rapidamente, tão inteiramente, que o fiz sem pensar.

YUKAKO SE ENFIOU em seu quimono, indignada. Vi que Tsuko escolhera um quimono tão formal quanto o de Koito para a sogra: negro, de cinco camadas, com uma estampa que ia quase até a cintura — folhas verdes de bordo, uma vermelha aqui e ali, antecipando o outono. O verde tinha um brilho quase branco sob a luz da lua; quando Yukako, de costas para mim, vestiu o quimono, estendendo os braços, parecia que ela estava atrás de uma parede de folhas reluzentes. O quimono terminava 15 centímetros abaixo do tornozelo; ela levantou o excesso, fez uma prega rápida e dobrou-a para dentro de sua *obi* como se estivesse soltando faíscas.

Ela se voltou para mim de novo.

— Todas as vezes que eu olhar para você, vou me lembrar desta noite — ela disse friamente, como se estivesse comentando que talvez fosse chover.

Olhei para ela, surpresa. Em algum lugar dentro de mim, achei gratificante pensar que eu pudesse afetá-la tanto.

Então ela recomeçou a falar:

— Esta foi a pior noite da minha vida.

Ela abaixou os olhos para enfiar um último cordão da *obi* no lugar e voltou a olhar para mim.

— Eu sei que você tem um emprego, Srta. Urako, então não me sinto constrangida em dizer isto: você deve deixar esta casa esta noite, entendeu?

— Ah — eu disse.

— Na época do meu pai, a coisa apropriada a fazer em uma situação como esta seria matar-se. Mas eu acho que isso é meio radical, não acha?

Eu a fitei, horrorizada. Mas aquela era a família dela, não era? Rikyu, seu ancestral, fora o mestre de chá e o confidente mais próximo do homem mais importante do Japão, até que desagradou seu senhor e exigiram que cometesse suicídio. No dia em que morreu, ele convidou alguns amigos para uma última cerimônia do chá, escreveu um último poema e abriu a barriga com uma espada curta.

Meu rosto ficou quente. Coloquei as mãos diante de mim e abaixei-me para esconder os olhos quando se encheram de lágrimas. Pisquei, com a cabeça abaixada, como se visse pela primeira vez as minhas mãos pequenas sobre o tatame, com a saliência esfolada de cada nó dos dedos me encarando. *Durante 25 anos*, pensei, *estas mãos foram dela.*

A coisa apropriada a fazer em uma situação como esta seria matar-se. Ainda abaixada, percebi que Yukako acabara de dizer o quanto se importava comigo: de todo o coração, como a Imperatriz de Shonagon. Éramos serva e senhora, nada menos, nada mais. Como Rikyu, eu era importante o bastante para que ela exigisse aquilo de mim, para que ela dignificasse o que estava dizendo com um epíteto tão solene. Por um momento desejei que tivesse a arma de Nao para apontar para o meu estômago e provar que eu era digna da comparação. *Estas mãos são dela*, pensei furiosa. *Este é o meu lugar.*

Mas ouvi aquelas palavras na voz de Nao; eram as palavras da mãe de Aki. E lembrei-me do que ele dissera depois de repeti-las: *Isso não é verdade.*

O MEU PEITO AINDA estava latejando onde Yukako havia me empurrado. Sentei-me, olhei para ela e disse:

— Preciso que você pague para que eu vá, como fez com Aki.

— Como é?

Tudo em mim desejava recuar, dizer "Nada, nada", enfiar uma espada curta na barriga e dizer a ela que eu lhe pertencia para sempre. Mas respirei fundo e disse:

— Você deu um dote a Aki, para as freiras. Eu quero um dote.

Yukako retraiu-se com repulsa. Eu não me movi.

Quando ela soltou o ar, seu suspiro era, em partes iguais, indignação e fadiga.

— Sua estrangeirazinha gananciosa — murmurou.

Fechei os olhos de dor. Eu tinha exaurido a minha coragem, então apenas fiquei sentada ali. Ela também. Senti tanta coisa enquanto os longos segundos passavam. O calor da minha audácia esfriou e continuei imóvel, fria, exausta e entorpecida.

E obstinada.

— Isso é tolice — disse Yukako. — A noite já foi longa o bastante sem essa bobagem. Tem dinheiro no meu travesseiro. Pegue o que precisar e vá.

Fiz outra reverência e saí.

36

1891

Q UANDO PASSEI PELA COZINHA para pegar as minhas coisas, vi Kuga sozinha, bêbada, agitando indolentemente o fundo do fogareiro com uma tenaz. Era uma de suas noites negras: eu sabia que na manhã seguinte ela estaria dolorida, rabugenta, e não se lembraria de muita coisa.

— Bem, estou indo embora — anunciei.

— *Un* — disse ela, que foi o que eu pensei que ela diria.

— *Okusama* me disse para ir embora e nunca mais voltar, então estou indo embora — repeti.

— *Un.*

Dava para ouvir as risadas dos outros nos quartos próximos. Dava para ouvir os últimos grilos chiando antes da chegada definitiva das noites frias. Dava para sentir uma onda de tristeza movendo-se em minha direção, vinda de muito longe. Antes que ela me alcançasse, perguntei:

— Você acha que existe alguma possibilidade de Nao-*han* ser irmão da *Okusama*?

Kuga agitava a sua tenaz de um lado para o outro, lentamente encobrindo o seu traçado com cinza. Por um momento, ela pareceu tanto com o pai como com a mãe: as têmporas côncavas de Matsu, os lábios cheios de Chio. Lembrei-me de Chio no final, chamando Yukako pelo nome de infância do pai dela. Lembrei-me de como ela mudou silenciosamente a fotografia de Nao da cozinha para sua casinha depois que o marido morreu. Ela devia ser muito jovem quando Nao nasceu. Será que o Montanha teria ido até ela embriagado pelo poder? Ou, como o neto, teria ficado feliz em se casar com uma criada? Eu nunca tinha pensado naquilo antes: será que ele queria verdadeiramente ser o herdeiro do seu Mestre Professor? Kuga olhou para mim lentamente.

— Cale a boca — disse, o que interpretei como um *sim*.

Percorri o corredor sobre a sala de costura com uma lanterna e achei o travesseiro laqueado de Yukako junto ao biombo. Ela havia começado a movê-lo sem ajuda todas as manhãs, e surpreendi-me ao descobrir como estava pesado. Uma busca na sua gaveta revelou apenas poemas e laços, pedaços de quimonos velhos, a concha de chá de Akio, cuidadosamente embrulhada, mas eu mal conseguia levantar a caixa-travesseiro de madeira; senti metal se mexendo na sua câmara. Despejei as lembranças de Yukako sobre um de seus panos de carregar e atei-o com cuidado para ela. E levei a caixa inteira. No escuro, com lágrimas escorrendo pelo rosto, eu não estava em condições para enfrentar uma engenhosa gaveta secreta. *Não consigo resolver esta charada,* pensei. Entretanto, um poema que não era de Akio chamou a minha atenção. *Eu sei quem pode.*

A CAMINHADA FOI interminável. Lágrimas deslizavam pelo meu rosto em camadas lentas. As minhas mãos estavam frias e sem sangue por causa dos meus panos de carregar, cheios de nós. Nada havia mudado em 25 anos: à noite as ruas pareciam não ter fim e eu não pertencia a ninguém. Era como se eu voltasse a ser criança, andando e chorando, atordoada com o fogo. Vi as botas do meu tio e os cavalos aterrorizados. Ouvi as vigas gemendo e o barulho ensurdecedor das telhas caindo. Senti o cheiro de fogo, senti o cheiro de fogo. Eu soluçava enquanto caminhava: os barulhos úmidos e vagos que eu ouvia eram os meus.

Lembrei-me de Yukako quando a vi pela primeira vez na Baishian, fosforescente, de como ela estendera a sua túnica sobre mim no escuro. Chorei por ela. Sentei-me sobre as minhas trouxas entre dois muros de casas com as venezianas fechadas e enterrei o rosto ensopado nas mãos. O resto da minha vida iria consistir em milhares de minutos, e ela não estaria em nenhum deles.

EU DISSE QUE CONHECIA Madame da época em que era gueixa, e os criados do Conselheiro Kato me deixaram esperar junto à porta. Finalmente voltaram e me deixaram entrar.

— Eu fiquei imaginando o que teria acontecido com você — disse Koito calorosamente depois que a criada trouxe chá. — Mas hoje à noite... nunca parecia o momento certo para perguntar.

A nova casa de hóspedes de Kato era ainda mais luxuosa do lado de dentro, com brocado dourado emoldurando os tatames e um robusto tronco de árvore servindo de pilar na alcova. Reconheci o trabalho de Nao na graciosa janela redonda. Parecia, dada a sua inquestionável hospitalidade, que Koito achava que eu estava lá para me desculpar pela frieza de Yukako e tinha esperança de, por meu intermédio, dar uma boa impressão.

Por isso foi com muito constrangimento que comecei:

— Há rumores de que um homem com uma arma está procurando o seu marido — eu disse cuidadosamente.

Nao tinha ligações tanto com Kato quanto com Yukako, e eu não queria prejudicar nenhum dos dois.

— Obrigada por se preocupar conosco — disse Koito. — Depois do que aconteceu ao Ministro dos Impostos neste verão, ele sempre viaja com dois guarda-costas, mas eu vou avisá-los.

Enquanto ela desaparecia no corredor, perguntei-me se Nao — ou seus "irmãos" — tivera alguma participação no assassinato daquele verão.

KOITO VOLTOU com um prato de biscoitos *sembei*. Eu contei a ela, tentando evitar que minha voz tremesse, que por motivos pessoais eu tivera uma desavença repentina com a minha senhora e que ela me pagara para ir embora.

— Ela me deu isto — eu disse. — Eu não consigo abri-lo.

— Não consegue abrir o quê? — perguntou Koito, puxando uma simples lingueta.

Uma bandeja deslizou para fora, cheia de moedas de ienes e *sen*, o suficiente para as despesas de uma cerimônia de chá ou para lidar com uma conta inesperada de um comerciante. Eu conhecera Yukako todos aqueles anos e nunca tinha visto a lingueta: envergonhada, puxei o travesseiro de madeira para perto de mim para ver como funcionava.

Eu e Koito olhamos uma para a outra. Ambas ouvimos o ruído de metal dentro da caixa e, de fato, ela não parecia mais leve sem a bandeja de moedas. Koito aproximou a lâmpada.

— *Ara!* — disse, achando um par de pinos de metal que antes estavam cobertos pela gaveta de moedas. Ela os apertou e o topo da caixa-travesseiro se separou.

A base da caixa, descobrimos, era uma bandeja profunda, cheia de *koban*, grandes moedas ovais de ouro da época dos Xoguns. Koito olhou para mim demoradamente. Eu senti calor e inquietação. Yukako não tivera intenção de que eu ficasse com aquilo.

— Eu não sei — eu disse, nervosa. O momento de perguntar o que eu mais queria tinha passado. Eu respirei com dificuldade. — Ela me deu isto — eu disse, o que não era totalmente verdade. — Eu não sei.

Exatamente naquele momento ouvi um clamor de criados e o barulho de tamancos. Ouvi a voz tempestuosa de Mariko Kato.

— Com licença — disse Koito.

Havia uma pequena caixa de madeira na penteadeira, provavelmente contendo coisas de valor; ela levou-a consigo quando saiu.

Ouvi vozes do lado de fora e alguém assoviando uma música da época em que Tai e Kenji eram crianças:

— *Não temos medo do sacrifício...*

Então o assovio parou, interrompido por um soco no rosto. Eu abri a janela e olhei. Sete ou oito homens se apinhavam no gracioso jardim da frente de Kato; todos os criados da casa seguravam lanternas. Vi Nao de pé, calmo, cercado por guardas, com o lábio sangrando. Vi um homem embrulhar cuidadosamente uma arma em uma folha de papel. Vi Kato fazendo repetidas reverências a um homem de rosto rechonchudo usando um fraque, que o dispensou com um gesto jovial.

— É só um buraquinho — disse ele, com uma risada volumosa e complacente. — Por que não o levamos ao escritório da prefeitura esta noite e descobrimos o que acontece a pessoas que atiram em jinriquixás?

Kato olhou para Não, depois para o grande homem e de volta, enquanto afrouxava seu colarinho, enquanto as palavras *vidraceiro* e *arma* corriam soltas entre os criados. A visita do Ministro fora um motivo de orgulho para ele; a última coisa que ele queria era estragá-la com um escândalo envolvendo um homem que ele contratara.

— Excelente ideia — disse ele, arrasado, fazendo outra reverência.

— Vamos, alegre-se — disse o Ministro, dando-lhe tapinhas entusiasmados nas costas. O gesto era um maneirismo ocidental para o qual Kato não estava preparado; ele se encolheu. — Faremos poemas de observação da lua a caminho de casa, que tal? E você disse que tinha uma surpresa para mim no canal Takase; vamos dar uma olhada.

— Amanhã — o Conselheiro Kato quase guinchou. — Eu disse que a surpresa estaria pronta amanhã.

Ele fez outra reverência, lúgubre e arrasada, e então Mariko Kato deu um passo à frente.

— Por favor, Pai. Deixe-me ir com você para que eu possa contar a eles sobre a Baishian — disse ela.

— Baishian? Na Casa da Nuvem? Ora, acabei de voltar de lá — disse Koito em voz baixa.

— Foi destruída — disse Mariko, desfazendo-se em lágrimas que eram pelo menos parcialmente verdadeiras.

Eu sempre achara estranho ela ter permanecido com os Shin depois da tragédia com Kenji, mas entendi quando a ouvi chorar naquela noite: ela amava o lugar.

— Houve um incêndio.

— Alguém se feriu? — interrompeu a Senhora Kato.

— Apenas a Baishian. O córrego era bem ali, por isso conseguimos apagar o fogo rapidamente. Mas ela ficou *destruída* — disse ela, abatida.

— O que aconteceu? — perguntou o pai dela.

Mariko fungou alto e se recompôs.

— Acho que é bem óbvio o que aconteceu — disse ela, voltando-se para o grupo de guardas.

Nao disse algo: acho que foi *não*. Eu não conseguia ver seu rosto enquanto ele olhava para Mariko, mas na voz dela eu ouvi a frieza de uma mulher desprezada.

A minha última imagem dele foi a máscara de seu rosto quando os guardas o levaram naquela noite. As costas dele bem eretas.

— VOCÊ ESTÁ CHORANDO — disse Koito, atrás de mim.

Eu fechei a janela e voltei-me em sua direção.

Ela olhou para o ouro intocado e de novo para mim.

— Bem, era você ou ele. Ou você queimou a casa e roubou o dinheiro, ou ele a queimou. E existem motivos para a sua senhora culpar você.

— O nosso desentendimento foi de natureza pessoal — eu disse.

— Entendo. Ele é muito bonito.

Enxuguei os olhos e não disse nada.

— Você não pode ser vista aqui, não importa o que tenha acontecido. Está muito confuso. Se ficar esta noite, tem que partir antes do amanhecer. — Eu não havia pensado sobre onde passaria a noite: fiz uma reverência de gratidão. — Verdade seja dita, eu não recomendaria que ficasse em Kyoto — acrescentou.

Ela me fitou por algum tempo, afável e penetrante. Eu queria pedir-lhe se podia ir com ela para Tóquio, mas ela desviou o olhar do meu facilmente identificável rosto estrangeiro para a caixa de *koban* e a advertência dela espantou o pedido da minha boca:

— Talvez nem mesmo no Japão.

NO DIA SEGUINTE, Koito me emprestou um vestido ocidental e prometeu me mostrar o caminho para um hotel para turistas estrangeiros. Fui até o irmão Joaquin naquela manhã e pedi-lhe que comprasse uma passagem para Nova York para mim. No passado ele havia providenciado para que eu entrasse em Miyako; talvez pudesse providenciar para que eu fosse embora. Fitamos um ao outro, a mulher adulta fazendo reverência em sua roupa emprestada e o monge idoso. Como a Srta. Starkweather, ele falava japonês muito mal: ele sabia o bastante para impressionar ao meu tio e a mim quando chegamos, mas parecia que não aprendera mais. Meu tio Charles, ele me contou, fora dado como morto depois do incêndio, mas nunca acharam seu corpo. Eu nada disse. Eu só sonhara com ele uma vez, me dei conta, naquela tarde antes da Expo, havia muito tempo.

— Que desperdício de talento — suspirou o irmão Joaquin, sacudindo a cabeça. — Que perda. E você, crescendo entre os pagãos. Se soubéssemos, poderíamos tê-la encontrado... — disse. — Sinto tanto.

Fluente ou não, o tempo que passara no Japão o havia transformado: fizemos reverências um para o outro enquanto ele se desculpava e concordava em me ajudar. Eu lhe dei o dinheiro da passagem: ele sabia de um navio que iria partir de Kobe em dois dias; iria fazer o possível para me colocar a bordo.

— É o mínimo que posso fazer.

Fiz uma reverência e sorri. Sim, de fato, era o mínimo.

QUANDO FUI AO ENCONTRO da Srta. Starkweather, ela olhou para mim, surpresa.

— Você nunca me disse que sabia se vestir — ralhou.

Quando lhe apresentei o meu pedido de demissão e perguntei se conhecia alguém em Nova York que pudesse precisar dos meus serviços, ela gaguejou, perturbada, e disse uma ou duas coisas amargas sobre eu não ter dado aviso-prévio; então escreveu alguns endereços em um papel. Fiquei tensa de surpresa quando ela e a Srta. Parmalee me abraçaram e beijaram minhas bochechas, mas amoleci por dentro também.

Parei em uma leiteria nova e cara, toda de bronze e veludo vermelho, e experimentei uma bebida. Era possível que eu estivesse mesmo indo para Nova

York? Eu não conseguia acreditar que existisse algum lugar fora do Japão, e contudo lá estava eu bebendo leite, prova da minha infância, de um mundo inteiro que bebia leite fora dali. O leite tinha um leve gosto de castanha, da mesma maneira que em Nova York tinha um gosto leve de mirtilo quando estava para coalhar. Minha garganta se contraiu com a antiga dor pela minha mãe e a nova dor do exílio. Fiquei com dor de estômago.

Parei em uma barraquinha de bolinhas de arroz e comprei algumas. Comi uma ali mesmo e a mulher me deu uma xícara de chá frio de cevada e um olhar severo.

— Fala japonês muito bem — disse.

O vestido cor de ferrugem que Koito me dera foi a primeira roupa ocidental de adulto que eu usei, feito para uma mulher com torso longo e peito pequeno. Mesmo se ajustando mal ao meu corpo, ele me deu uma sensação de invulnerabilidade quando deixei a barraca. Ninguém me reconhecera na escola de moças até que abri a boca. Senti-me diminuir aos olhos da Srta. Starkweather no momento em que percebeu que era eu. E então foi com um certo prazer audacioso e malévolo que entrei na casa de um puxador de jinriquixá próximo, peguei um par de sandálias com tiras amarelas que estava dentro da caixa de sapatos no vestíbulo e dirigi-me à casa de banho.

EU DESATEI AS botas que Koito me dera na esquina, para que ninguém pudesse me barrar na entrada. Tirei os sapatos, coloquei o dinheiro na banca da atendente, que não estava, peguei uma bolsinha de farelo de cereais e uma toalha nova e tirei o vestido antes que qualquer uma das três velhas que tomavam banho aquela tarde se desse conta do que acontecera. Eu me ensaboei e me esfreguei, reparando que ao lado do retrato do Imperador havia uma xilogravura, com uma coloração exuberante, na qual Sua Majestade estava diante de uma companhia de jovens soldados, com os fuzis verdes parecendo espinhos e os suntuosos uniformes violeta e cor-de-rosa.

— Não entre na água — disse uma das velhas senhoras.

— Não é para você.

— *Akahen* — disse a terceira. *Ruim.*

É claro que entrei, e é claro que elas saíram. Afundei na deliciosa água fumegante e olhei para elas, com toalhas na cabeça e mãos nos quadris. Banhei-me o quanto quis, enquanto as senhoras foram procurar a atendente. Ela se moveu pesadamente até a banheira e cuspiu injuriosamente em mim, puxando o tampão.

Senti um triunfo ardente, ouvindo a água escoar pelo ralo: era o som de todo o carvão vegetal que elas estavam dispostas a gastar por me odiarem. Olhei cada uma delas nos olhos. Tudo ficou parado por um momento e então elas começaram a confabular sobre chamar mais gente para me tirar de lá. Eu saí da banheira.

— Por favor, mandem lembranças à Pequena Hazu — eu disse e joguei suas bonitas sandálias amarelas na banheira atrás de mim. Elas boiaram na água que escoava, com a sujeira da banheira no seu rastro.

Então vesti-me rapidamente. Eu tinha sido audaciosa demais. Chamei o primeiro jinriquixá vazio que vi.

— Leve-me para a rua Migawa — eu disse, ainda molhada, levantando o toldo para me esconder.

— Fala japonês muito bem — disse o homem do jinriquixá.

E ENTÃO DECIDI passar pela casa dos Shin naquela tarde, excitada com minha última ida à casa de banho. O meu prazer não era menos real pelo fato de ser infantil. O meu ânimo leviano desmoronou logo que nos aproximamos da Casa da Nuvem: nas margens do pequeno Migawa, alto e cheio desde que o canal de Kato tinha sido aberto, havia baldes enfileirados e uma agitação de pessoas na rua. Eu tive náuseas: o cheiro era uma faca no ar, inevitável e penetrante. Na noite anterior, quando me lembrara do incêndio de muitos anos antes, eu estava respirando fumaça de verdade.

O cheiro foi o bastante.

— Por favor, faça a volta aqui — apontei, escondendo-me ainda mais embaixo do toldo do jinriquixá, e fomos embora. Não valia a pena ser vista, e não havia realmente nada para ver: a Baishian nunca fora visível da rua. A minha última imagem da casa dos Shin foi o muro baixo e comprido na luz amarela da tarde, interrompido pelo grande portão com telhado de colmo. Quando passamos pelo santuário, vi um grupo de atores ensaiando uma peça chamada *Nonomiya*, sobre o fantasma de uma mulher que não consegue perdoar sua inimiga, e que, consequentemente, não consegue deixar esta vida para trás e renascer. Vi o ator-fantasma junto ao portão dos espíritos levantar o pé para ir embora e baixá-lo novamente, incapaz de partir. No meu coração, parei no altar de Kannon. Dessa vez não pedi que nada acontecesse. Abaixei a cabeça duas vezes — fazendo um grande esforço para não olhar para trás e procurar Yukako entre as pessoas na rua Migawa — e fiz o pedido mais simples que eu já tinha ouvido: *ser feliz*.

FOI IMPRUDENTE ir à casa de banho e à casa dos Shin. Todos estavam me procurando, disse Aki quando parei no convento. Agora ela estava usando uma máscara de pano branco sobre metade do rosto apenas, mas fiquei muito feliz de ver seu olho bom e sua pele sem machucados.

— Não posso acreditar que esteja *aqui* — ela cochichou, preocupada. — Por que fez aquilo? *Você*, de todas as pessoas? A casa de chá? O dinheiro?

Era um alívio saber que ela não queria acreditar que eu tivesse feito tudo aquilo.

— *Okusama* me disse para levar o que eu precisasse, e eu levei tudo. Ouvi dizer que a casa de chá pegou fogo, mas é tudo o que sei. De verdade.

Seus olhos apertados se arregalaram, e ela deu um passo à frente.

— Então, parece que você já está falando com Kenji quando ele te visita, não é? — perguntei.

— Ele escreve para mim — disse ela, parecendo um pouco envergonhada. — Normalmente ele espera do lado de fora o dia inteiro e eu queimo as cartas. O que é que ele poderia escrever, sinceramente? *Um cachorro acabou de passar. A sua madre Superiora parece zangada hoje, não é? Ah, pelo cheiro, você deve estar almoçando agora.* Mas hoje ele apenas veio e deixou uma carta, então fiquei preocupada. — Ela lançou um olhar constrangido para o convento. — Foi fraqueza da minha parte, mas eu a li.

Então era assim. Incendiária e ladra. Eu sabia o que os Shin pensavam de mim.

— O que foi que ele disse sobre seu pai?

— Eles o estão detendo para interrogatório — disse, com a voz sumindo quando baixou os olhos.

— Você não vai acreditar em mim se eu disser que ele pôs fogo na casa de chá, mas ele *estava* lá ontem à noite. Ouvi-o conversando com a *Okusama* e ele disse algumas coisas sobre a sua mãe. E vim para contar o que ouvi.

Os olhos dela se levantaram lentamente enquanto eu falava; agora ela estava me encarando. Ela se inclinou na minha direção e tocou uma das barras do portão. Eu lhe contei o que sabia, mas não como ficara sabendo.

O rosto de Aki estava em atividade atrás da máscara quando terminei.

— *Un* — disse ela. — Eu imaginava algo assim. Até escrevi para Kenji como se eu *soubesse*, para fazer com que parasse de vir aqui, mas ele disse que não se importava. Bem, agora eu sei. — Ela ficou imóvel por um momento, pensando. — Ainda há tanta coisa que eu *não* sei — disse.

Eu desejei tantas coisas boas para ela naquele momento, aquela jovem perspicaz e inteligente, aquela moedinha nova que brilhava na lama.

ESPEREI KOITO na Terceira Ponte naquela noite. O rio Kamo corria veloz e transparente, com suas rochas povoadas de garças. Dava para ver claramente as montanhas orientais na última luz cor-de-rosa: o imponente e meditativo Hiei, o Daimonji, com o grande caractere *dai* esculpido no seu flanco, o humilde Maruyama, baixo e verde, adornado com as torres dos templos. Eu não fora além das montanhas que cercavam a cidade em 25 anos.

Havia tanto que *eu* não sabia também. O que acontecera na Baishian depois que parti? Será que Nao tinha voltado para incendiá-la por rancor? Eu não acreditava: deitar-se com a filha de seu senhor na sala de chá parecia triunfo suficiente para mim. E não ficou claro quando as coisas aconteceram: para que Nao pudesse pôr fogo na casa de chá *e* atirar no Ministro, ele precisaria estar em dois lugares ao mesmo tempo.

Será que Yukako adormecera na casa de chá e começara o incêndio acidentalmente? As casas de chá são construídas para permitir que duas fontes de fogo permaneçam acesas sem ninguém tomar conta, uma na sala de chá e a outra na *mizuya*, nos fundos. Tentei lembrar se houvera algum tremor de terra que pudesse ter jogado o carvão vegetal para fora ou lançado fagulhas. Eu estava perturbada; não tinha certeza, mas não me lembrava de nenhum.

E Yukako não era o tipo de pessoa que adormeceria na casa de chá ou que sairia andando por aí deixando para trás uma fonte de fogo. Eu estremeci com a minha última imagem dela; não era o que eu teria desejado. Tentei lembrar dela em meus braços ou até mesmo em seu quimono de folhas, solene e suntuoso, quando me mandou embora. Mas não, a última vez que vi minha senhora, ela estava abaixada na Baishian, com o nó da sua *obi* empinado no ar como o de uma empregada, esfregando o tatame com um pano. Vê-la limpar e enxugar era como ouvir a minha música preferida executada por um instrumento desafinado; era muito difícil ver toda aquela sagacidade e determinação esmorecendo, transformadas em energia nervosa. Deixei escapar um som ou dois na porta, para mostrar que estava partindo. Fiz uma reverência. Ela não olhou para mim.

EU NÃO CONSEGUIA imaginar a Baishian em chamas, e ainda assim eu não conseguia pensar em mais nada. O tatame queimando, o verde fresco se transformando em preto e depois em vermelho, o delicado trabalho em vime do teto despencando no chão em cachos enegrecidos. O *shoji* desaparecendo em rápidas baforadas, a treliça brilhando vermelha e desmoronando cinzenta. E o fogo não espera até que tiremos as coisas antes de engolir nossas casas: as caixas de chá certamente arderam, com suas centenas de camadas de laca polida. Os misturadores queimaram como penas. As prateleiras na sala dos fundos devem ter queimado, desmoronando, todos os seus preciosos recipientes em pedaços. Até mesmo as hastes e flores de *hagi* devem ter se enrolado, balançado e queimado, até o nível da água que ainda havia no vaso. E mais lentamente que todas as outras coisas, a madeira nobre que emoldurou todos os meus anos com Yukako: a ondulação lustrosa do assoalho, os painéis lisos da portinha quadrada e o pilar da alcova. O chão negro como a noite da alcova, com seu relâmpago branco. Ouvi o arquejo abafado e lacerado do telhado de colmo quando se espatifou no chão, o lamento e o suspiro da madeira, o estouro retinido das janelas de Nao. Tapei os ouvidos.

E então eu soube o que tinha acontecido. Chorei naquela ponte por Yukako. Não *por* Yukako, como chorei o dia inteiro, porque ela havia me mandado embora, porque estava perdida para mim. Não. Por *Yukako*. Pelo que o fogo deve ter significado para ela.

EU AINDA NÃO HAVIA perguntado a Koito o que eu mais queria saber. Quando ela veio, fez o homem do jinriquixá nos levar ao centro da cidade para uma rua que seguia ao longo do Takase, um canal alimentado pelo rio Kamo a uma quadra dali. O córrego brilhava sob a luz da lanterna; a primeira vez que eu entrara na cidade fora por aquele trajeto, em uma balsa. Antes que eu pudesse perguntar, Koito apontou para a rua adiante.

— Pontocho — disse —, onde comecei a trabalhar.

— Você conheceu seu marido lá? — perguntei educadamente. — Ou em Tóquio?

— Não poderíamos ter-nos conhecido em Pontocho — disse Koito com uma risada sonora. — Tentamos nos encontrar uma ou duas vezes, mas todos os homens do Imperador atravessaram o rio para Gion; Pontocho era para os homens do Xogum. Eu só o conheci naquele grande chá na Casa da Nuvem. Na verdade, foi na mesma noite em que conheci a sua *Okusama*. Se eu soubesse que ela e o filho do Lorde Ii estavam noivos, eu nunca teria ido. Mas você sabe o que aconteceu. Eu nunca vou me esquecer daquela jovem irada, de como ela tentou arrancar o quimono do meu corpo.

Ela olhou para fora, perdida em pensamentos. Eu queria ouvir mais, então não a interrompi com a minha pergunta. Acima de cada ponto de iluminação do rio havia uma lanterna escura; havia uma fileira alta delas ao longo do canal. Fiquei imaginando qual era o propósito delas. Koito prosseguiu:

— E então os guardas imperiais no final da quadra não queriam me deixar partir! Eu fiquei sentada no meu palanquim, com os carregadores fumando e a noite passando. Eu tinha que trabalhar em três festas naquela noite, mas sabia que iria demorar muito para ver o jovem lorde de novo. Lembra-se de como ele estava doente? Não consegui resistir à oportunidade de visitá-lo quando podia misturar-me com as outras *geiko* na Casa da Nuvem. E lá estava eu, vestindo um quimono rasgado, envergonhada, aborrecida e perdendo dinheiro. E então um jovem bonito olhou para dentro do meu palanquim e disse: "Eu não me lembro de vê-la com as outras; quem é você?" E era o sobrinho do Imperador, o meu Ministro. Ele fez com que os guardas me liberassem. Foi *amor à primeira vista* — disse ela em inglês. — Mas então a guerra complicou tudo.

Eu nunca tinha ouvido Koito falar daquela forma, descontraída, conversadora e confessional. Era prazeroso.

— Eu tinha que encontrar uma saída — disse. — As outras *geiko* ficavam cada vez mais jovens. Aprendi o chá como Rikyu ensinou, aprendi francês e troquei a pintura de chumbo do meu rosto pelo branco ocidental. Qualquer coisa para sobressair — suspirou. — E então nos encontramos de novo, acidentalmente, quando a esposa dele estava morrendo. — Ela olhou para mim, com um sorriso franco e tímido. — Eu tenho tanta sorte — disse.

Tinha mesmo.

Depois de uma pausa, acrescentou:

— Mizushi acabou de se casar também; lembra-se da minha irmãzinha? Com Kazuo, o filho do Barão Sono.

O rapaz que Sumie queria para a filha dela, surpreendi-me. Esse mundo era mesmo muito pequeno. Naquele exato momento me ocorreu que talvez o Montanha não soubesse por que seu pai adotivo quis chamar a casa de chá de Baishian, e que talvez agora eu soubesse por quê.

— Qual era o nome da sua avó? — perguntei de repente. — A mãe da sua mãe?

— Ora, era Baishi — disse Koito, um pouco constrangida enquanto o nome da casa de chá flutuava não dito entre nós.

— Foi o que pensei — eu disse.

O momento passou, e então ficou mais fácil, junto à água bruxuleante, perguntar a coisa mais importante de todas.

Entretanto, eu mal abrira a boca quando veio um som que eu nunca ouvira antes. Um tinido de metal contra metal, um estalido. O som delicado de uma era na vida da cidade terminando, e de outra começando.

E então as águas do lago em cuja margem ficava a casa de Akio em Hikone desceram pelo canal Biwa e através da turbina na zona leste de Kyoto; a força da queda energizou os fios sensíveis acima de nós, e as lanternas escuras sobre o canal se iluminaram. Foi como um som alto, uma claridade ensurdecedora, quando as luzes elétricas atrás de mim, seguidas pelas que estavam acima de mim, e finalmente as que estavam à minha frente, começaram a se acender.

O HOMEM DO jinriquixá soltou as varas e cobriu o rosto com as mãos. Eu me agarrei a Koito apavorada e ela riu.

— Essa deve ser a surpresa de Kato para o meu marido! Eu tinha calculado. Veja! É como Tóquio!

Ouvindo-a, o homem do jinriquixá acenou com a cabeça, deu uma longa olhada no canal reluzente e esfregou o suor da testa.

— *Un* — disse.

Pegou as varas novamente e nos conduziu ao longo da fileira de luzes. Eu olhava sem parar para o canal Takase, as lâminas de água iluminadas, como uma estrada ofuscante.

KOITO ME LEVOU ao hotel e sentou-se comigo no bar por alguns momentos antes de ir embora. Eu finalmente perguntei-lhe o que mais desejava saber. Entre as poucas coisas que eu trouxera da casa dos Shin estavam cinco pérolas negras de incenso e uma pequena tigela branca.

— O que aconteceu com a Srta. Inko?

— Ela realmente se encantou com você, não foi? A minha criada preferida. Você sabe que ela se casou em Tóquio?

— Um homem de uma família de confeiteiros — eu disse, meio impaciente.

— Ele morreu jovem, há uns dez anos, talvez — disse Koito. — Eles tiveram três meninos e uma menina, que se casaram recentemente. Eu a vi há não muito tempo; ela continua a mesma. Barulhenta, engraçada. Você se lembra.

Inko, mãe. Quase avó! Pousei o meu vinho de ameixa na mesa.

— Ela está feliz? — insisti.

— A vida não foi muito boa com ela, para ser sincera. O marido dela morreu. Todos aqueles filhos, e os sogros dela ainda a obrigam a dormir na entrada como uma recém-casada. Eu pensei que quando os meninos se casassem, ela teria uma casa cheia de noras para servi-la, mas parece que os pais do marido as tomaram para si. E eles têm menos de 60 anos, sabe. Vão viver para sempre.

No caso de perder, de alguma forma, o travesseiro, eu também estava levando algumas moedas de ouro na bolsa que Koito me dera. Cada uma delas valia uma fortuna, dissera ela.

— Entregue-as à Srta. Inko, quando encontrar com ela de novo — eu lhe disse. — E diga-lhe para ir me visitar em Nova York um dia.

Koito arregalou os olhos. Ela pediu um pincel ao barman e ele trouxe um tinteiro e uma caneta com pena de metal. Sob a luz elétrica que vinha da rua, eu escrevi o único endereço em Nova York que conhecia. E com esmeradas letras romanas, escrevi um nome: Aurelia Corneille.

Epílogo

1891-1929

SEGUI UM ITINERÁRIO exaustivo de três semanas, primeiro por mar até São Francisco e depois de trem até Nova York. Um muro de tijolos vermelhos, um pátio de pedras, as últimas folhas verdes dos sicômoros; eu tinha vindo tão longe por isto: um nome e duas datas. Eu tive um prazer intenso em arrancar as ervas daninhas e o capim que cobriam o nome da minha mãe. Em todo este mundo, aquilo era meu.

— Claire — sussurrei, chorando um pouco enquanto esfregava a sujeira dos entalhes toscos do nome dela. Minha mãe morrera quando eu era criança e eu sabia onde o túmulo dela ficava: surpreendi-me com o consolo que isso me dava.

Enquanto eu estivera fora, a rua Lafayette fora alargada, a ponte do Brooklyn construída, e a Broadway agora tinha luz elétrica. A igreja na rua Mott pegara fogo e fora reconstruída. Maggie Phelan morrera jovem, de cólera.

PRIMEIRO MOREI a apenas algumas portas de distância do prédio onde eu fora criada, na Residência para Mulheres Viajantes das freiras. E mais do que minha mãe jamais conseguiu ficar, eu fiquei grata pela hospitalidade delas. Logo consegui um trabalho de tradução, e à noite eu me reunia a minhas companheiras viajantes nas mesas longas do refeitório das freiras, observando minhas vizinhas para reaprender a comer como os ocidentais.

— Eu não gosto do jeito como ela fica me olhando — ouvi uma jovem dizendo a sua mãe.

Como se consegue levar sopa à boca sem levantar o prato? A língua inglesa era uma parede rígida de vidro que cada mulher erguia ao seu redor: eu conseguia ver através dela, mas não tão bem quanto conseguia antes que ela falasse.

UMA NOITE, o rosto novo no jantar era de uma mulher promíscua. No final da semana, depois de dormir com todas as jovens que a quiseram, ela me abordou. Ela falava bobagens, mas eu a segui até a cama e descobri em meu corpo um armazém de prazer. Olhei para o espelho do lavatório na manhã seguinte e vi que eu teria sido uma jovem razoavelmente bonita se tivesse crescido em Nova York, uma *gamine* — jovem — pálida e de cabelos negros. Aos 35 anos, eu era uma mulher atraente.

— Eu escrevo — prometeu a promíscua.

Ela não escreveu e nem eu esperava que escrevesse. Mas durante pelo menos uma semana depois que ela se foi, eu sorria durante a conversa fiada das Mulheres Viajantes, as paredes de cristal do inglês delas triturando-me como dentes, moendo meus pensamentos no formato da língua inglesa.

QUANDO O VELHO barbeiro da esquina morreu na primavera seguinte, eu comprei sua casa com o ouro de Yukako: do outro lado da rua, de frente para o muro de tijolos do adro, o pequeno prédio vazio abrigava um apartamento e uma loja, com um canteiro de ervas daninhas frequentado por gatos nos fundos. Eu acolhi com prazer o silêncio, embora ele me assustasse. Eu comia quando tinha fome: pão, frutas, queijo. Sozinha na casa, colocando carvão na lareira ou tirando água da torneira, eu me sentia como se fosse desaparecer a qualquer momento.

Em setembro eu ainda não havia tocado a loja vaga do barbeiro. Eu sabia que teria que alugá-la, e em uma manhã de sábado, depois que o calor do verão cedeu, eu desci para fazer uma boa faxina no lugar e afixar um cartaz. Eu tinha acabado de subir as pesadas venezianas quando um cabriolé virou a esquina, conduzido por um grupo de freiras.

Eu compreendi o que tinha acontecido antes mesmo que o condutor começasse a colocar na calçada as caixas embrulhadas em pano, antes que as freiras me alcançassem, brandido um papel com o meu nome e o endereço delas. No momento em que vi as duas figuras na carruagem fazendo reverência uma para a outra ainda sentadas, com apenas o grau de formalidade de dois estranhos cordiais se despedindo, eu soube. O meu coração saltou no meu peito. Ela deve ter feito amizade com uma pessoa que falava inglês durante a viagem, alguém que a ajudou a me encontrar.

Fiquei boquiaberta, ainda segurando o puxador da veneziana: era Inko. Os mesmos olhos próximos, o mesmo sorriso despreocupado.

— Você não mudou nada! — exclamou. Eu fiquei surpresa ao ouvir japonês e fiz uma reverência para ela na rua. — Bem, aqui estou eu — disse ela. — Se nos dermos bem, pensei que poderia ficar com você; se não der certo, vou para outro lugar.

Sem conseguir acreditar, olhei para aquela mulher, com seu rosto brejeiro como o meu, jovem apenas na aparência. Parecendo mais alta em seu vestido ocidental, ela estava magra por causa dos anos de trabalho. Vi uma mulher adulta, com décadas de dificuldades que eu desconhecia, e vi a jovem atrevida e glamourosa que eu conhecera. O puxador da veneziana estava apertado na palma da minha mão; eu estava tão feliz. Ela inclinou a cabeça como se me absorvesse com um olho de cada vez, e então o olhar dela foi um lampejo de cor passando pelas árvores da rua, o muro do adro, a vitrine da barbearia. Quando os barbeiros que cortavam cabelo e faziam a barba no estilo ocidental surgiram em Kyoto, eles instalaram postes de listras diagonais coloridas iguais aos de Nova York. O *toko* — o poste —, na palavra japonesa para barbearia, *loja do poste*, era o mesmo *toko* de *tokonama*, a alcova de exibição definida por um pilar extra. Morena e resplandecente, Inko olhou para mim e depois para o poste de barbeiro e de volta, e levantou a sobrancelha.

— Diga-me um coisa, *Tokoya-han*, posso fazer a barba?
Trêmula de alegria, eu fiz um gesto com a cabeça para o condutor.

— Pode colocar as coisas dela aqui. — Peguei as mãos pequenas e rígidas dela.

— Vou preparar um banho para você — eu disse.

EU AMAVA os braços dela. Amava suas panturrilhas. Amava a boca pequena e seus dentes tortos. Amava seus cabelos escuros e compridos. Amava seus pés ásperos e marrons e seus seios pequenos e macios. Eu a banhei e fizemos um banquete uma da outra na cama de bronze do barbeiro, dormindo, fazendo amor e comendo maçãs cobertas de mel. Conforme anoitecia, uma luz cor-de-rosa se infiltrou e cobriu as paredes brancas e eu a abracei com a cabeça sobre o meu peito, letárgica com o ar quente.

— O que são todas aquelas caixas lá embaixo? — perguntei.

— Você sabe o quanto valiam aquelas *koban*? — perguntou ela. Mais que o suficiente para vir e voltar... Então — ela respirou fundo, com os olhos iluminados —, pensei que poderia abrir uma loja de doces.

INKO DESEMPACOTOU suas panelas, moldes e peneiras na loja no andar de baixo e se tornou indispensável para os visitantes japoneses — conquistando a confiança de alguns compradores fiéis em Chinatown, também — por seu *an* de massa de feijão-vermelho finamente peneirado. Por causa das leis de imigração norte-americanas (das quais Inko se esquivara graças ao marido de Koito), havia bem mais homens do que mulheres entre os 12 mil chineses no centro da cidade; talvez Inko lhes oferecesse um sabor que, se não era de casa, era pelo menos de um lugar não tão longe. A onda nacionalista que havia me seguido para fora de Kyoto continuou crescendo depois que parti: durante a brutal guerra do Japão com a China, os compradores de Inko aceitaram os presentes e as desculpas dela com agradecimentos contidos. Eles continuaram a encomendar a pasta doce de feijão, mas os convites para os banquetes de ano-novo cessaram e nunca mais foram feitos.

Infiltrando-se nas cozinhas dos confeiteiros, Inko também aprendeu a fazer chocolate — não tão diferente, quanto à textura, da pasta de feijão, afinal

— e construiu um negócio próspero na vizinhança. Ela se tornou uma curiosidade nas redondezas, a doceira japonesa, e com o tempo as crianças locais e seus pais passaram a acrescentar alguns feriados japoneses ao seu calendário: o Dia das Meninas, no dia 3 de março, tornou-se o Dia das Bonecas de Chocolate Gratuitas; o Dia dos Meninos, no dia 5 de maio, tornou-se o Dia do Peixe de Chocolate Gratuito. Todos os filhos dela vieram nos visitar, mas nenhum resolveu ficar. Há dez anos, depois de uma última viagem ao Japão, Inko começou a treinar a sua sucessora, uma jovem viúva de rosto carinhoso cujo marido atual tem uma barraca de conserto de relógios. Todos os nossos vizinhos sicilianos estão tão surpresos com o fato de que a pobre e estéril Lucia tenha se casado de novo, e ainda mais com um conterrâneo do norte, que não parecem ter percebido que seu genovês de dedos longos não é um homem.

Eu cuido da contabilidade da loja de Inko, lido com os problemas da língua inglesa quando ela precisa de mim e faço tradução quando há trabalho. À noite, enquanto Inko vai para a cama mais cedo, como os doceiros e padeiros em geral, eu devoro livros sob a luz da lâmpada. Quando eu era criança, os romances terminavam em casamento e os poemas rimavam. A Grande Guerra transformou as pessoas aqui tanto quanto a Era Meiji as transformou no Japão: surpreendo-me e me deleito sucessivamente com as novas e duras cadências dos jovens escritores. Eles transformam as palavras suaves por meio das quais eu vejo o mundo em linhas mais severas e tensas, da mesma forma que os atuais vestidos retos como quimonos mais uma vez achatam a silhueta de anquinhas e espartilho que favorecia tanto o meu corpo quando cheguei aqui. Quando termino de ler, encolho-me na cama: Inko cheira a chocolate, aos limões que coloca na água do nosso banho.

DEMOREI QUASE quarenta anos para atribuir palavras à infelicidade da minha juventude; talvez eu tenha precisado desse tempo para que um dia eu possa tentar o grande feito de descrever a felicidade da minha maturidade. Mas qual é a forma mais adequada às minúcias da felicidade, à sua grandeza? Eu pretendo descobrir.

EM OUTUBRO PASSADO, quando fui à Embaixada Japonesa visitar um cliente, descobri, entre as brochuras e folhetos oficiais, uma edição antiga de um jornal chamado *Casa da Nuvem Mensal*. A minha pele se arrepiou: Tai tinha começado a publicar um folheto para as pessoas do chá, que incluía notícias de sua própria família.

— Vocês têm mais destes? — perguntei ao funcionário da Embaixada.

YUKAKO ESTAVA MORTA, eu soube, lendo em casa naquela noite. Ela morrera uns 12 anos antes, em 1916.

A minha primeira reação, como em relação a todas as minhas interações com japoneses, foi vergonha: que presunção da minha parte achar que ela nunca morreria! Que egoísmo! A minha segunda reação foi surpresa: como é que ela podia ter sucumbido a algo tão insignificante, tão trivial como a morte? E a terceira foi um sentimento cauterizado no qual culpa e remorso deveriam estar: eu nunca saberia se Yukako havia me perdoado. Por levar o dinheiro. Por dormir com Nao para me vingar dela. Por querê-la mais do que ela a mim.

Escrevi uma cartinha desajeitada de condolências para Tai e fui até o adro. Tentei invocar a imagem de Yukako na túnica branca de cremação na qual ela tinha se casado, os olhos fechados e o longo corpo rígido. Não consegui ver nada. Eu não sentia nada e me senti um monstro por isso. O meu rosto estava úmido apenas por causa do vento nos meus olhos. As estrelas estavam pequenas e distantes.

CHEGOU ESTA MANHÃ o engradado de madeira vindo do Japão, exatamente quando eu estava terminando *Orlando*, o novo livro de Virginia Woolf, com os ouvidos ensurdecidos pelo barulho dos aviões que a heroína elizabetana vivera tempo bastante para conhecer. Entre os *kanji* pincelados em todos os lados da caixa, encontrei meu endereço, com serifas e tudo, exatamente como estava impresso no meu papel de carta. Dentro do engradado havia uma carta de Kenji, escrita em nome do irmão, mandando lembranças tanto de Tai como de Aki. Eles haviam se casado depois da morte da mãe dele, e Aki os surpreendera, aos 40 anos, com uma filha à qual deram o nome de Shinju: Pérola. O sofrimento de Yukako, disse Kenji, fora intenso mas breve, e ela havia cuidado dos detalhes da sua morte com o mesmo cuidado e vigor com os quais vivera. Entre os pacotes que ela juntara para distribuir aos amigos e à família, havia um pacote para mim, que, a pedido dela, eles tinham guardado todos aqueles anos. Ela dera instruções para que fosse enviado com doces feitos de açúcar prensado e pó de chá, que ele incluiu. *Para mim.*

COMECEI A ABRIR o meu pacote dentro de casa, mas depois do pó de *matcha* e dos doces, quando a próxima coisa que encontrei foi um misturador, era evidente que Yukako resolvera que eu deveria receber utensílios de chá. Era um dia claro e agradável; as paulownias estavam em flor. Eu não queria lidar com o que ela escolhera para mim dentro de casa.

Paulownias são *kiri* em japonês; a sua madeira tem um veio fino e é muito valorizada pelos marceneiros; elas têm folhas em forma do naipe de espadas, do tamanho da cabeça de um homem, e uma camada magnífica de flores em maio. A árvore no adro formava um grande dossel acima de mim enquanto eu me sentava na grama junto à sepultura da minha mãe. Eu tirei uma garrafa térmica cheia de água quente, o pó de chá de Kenji e a caixa de bolinhos de açúcar prensado. Ele escolhera doces no formato de íris em uma época em que as ameixeiras certamente estavam em flor, tanto na natureza como nas lojas. Fiquei comovida com o cuidado que ele teve de prever o tempo que ia levar para que os doces chegassem até mim.

O embrulho de Yukako, guardado em uma caixa rasa de madeira com um pano atado no lugar da tampa, incluía algumas coisas novas: o misturador, nunca usado, as pontas ainda enroladas como pétalas; um pacotinho de papel de chá; um pano de enxugar novo de linho branco; um pano de chá de seda vermelha. E ela escolhera para mim os utensílios para praticar que ela havia usado quando menina: reconheci a modesta concha de chá marrom-clara, o pequeno leque de estudante, a bandeja vermelha em forma de diamante usada para servir doces, a bandeja redonda para o *temae* simples. E a caixa de chá laqueada preta, cuja parte de baixo da tampa eu me esquecera de limpar tantos anos antes. Não havia tigela para a água usada e fiquei imaginando por quê. A tigela de chá estava em uma caixa lisa e sem assinatura, bem embalada, do tamanho que se levava para piqueniques, menor que a tigela da sala de chá. Eu nunca a vira antes, mas vi, em seus lados que lembravam ondas e em sua superfície azul-acinzentada, um eco inconsciente de Hakama, a tigela do último chá realizado na Baishian. A sensação de passar por aquela tigela de chá em uma loja num lugar qualquer devia ser a mesma de ver um amigo que morreu no rosto de uma criança: senti um arrepio de reconhecimento, tantos anos mais tarde; o que será que causara a Yukako? Com um lampejo repentino, eu *soube* que ela comprara a tigela com a intenção de quebrá-la, para silenciar a mórbida semelhança, e então pensou melhor e guardou a pequena peça.

E assim ela me tornou sua confidente de novo, após todos aqueles anos. Era a mim que ela escolhera para contar a história daquele dia frustrante, de como sua cabeça virou quando ela passou pela tenda de um oleiro qualquer, e a tigela de chá saltou como um inseto no seu campo de visão. De como passou pela tenda mais duas vezes para constatar que ficava irritada todas as vezes. De como finalmente comprou a tigela para que nunca mais tivesse que passar por ela. De como caminhou melancolicamente para casa.

Eu segurei a tigela com ambas as mãos embaixo da arvore *kiri*, cujas folhas farfalhavam com o vento. Antes de encher a caixa de chá com o *matcha* em pó, eu limpei todos os utensílios com os papéis de chá e água quente. Então os arrumei diante de mim como se estivesse fazendo os preparativos para o *temae*. Eu não me surpreendi com o fato de Yukako ter decidido não me escrever, mas ainda tinha esperanças quando alisei o pedaço de papel fino que ela havia colocado na caixa de chá, apenas para descobrir que ela colocara uma moeda no fundo, envolvida em outra folha de papel. Era do tamanho de uma moeda de cinco *sen*, exatamente o que eu usara para comprar meu exótico copo de leite no dia depois do incêndio. Passei os dedos sobre suas extremidades duras através do papel e tremi de culpa e raiva defensiva. Será que ela estava me insultando com alguns *sen* depois de todos aqueles anos? Então ouvi sua voz, baixa e zombeteira: "Tem certeza de que isso é tudo de que precisa? Não tenha medo; tome, leve isto também."

E então eu desembrulhei, negro com a idade, o talismã que me colocara, havia muito tempo, sob a proteção de Santa Clara.

Tremi e chorei sob a luz verde que passava através das folhas da *kiri*. Ela me teve em grande estima por tantos anos. Eu a amava, a minha Irmã Mais Velha, a mulher que me colocara sob sua proteção, uma criança estrangeira, perdida. Apertei a medalha contra o meu pescoço e, trêmula, tomei fôlego várias vezes. Peguei um fio do cordão usado para embrulhar os doces e amarrei a medalha em volta do pescoço.

Era tão bom chorar, sentir a minha dor congelada começar a derreter, sentir o metal frio como um buraco na minha garganta, o ar entrando em meus pulmões. Enchi a caixa de chá, tremendo, pois era a próxima coisa a fazer, e então arrumei a bandeja e os doces. Eu podia fazer essa única coisa em sua memória.

Coloquei as peças que não ia usar atrás de mim: a caixa da tigela de chá, o engradado de Kenji, a caixa na qual Yukako colocara os utensílios, ainda parcialmente envolta em seu pano de carregar. E então senti os encaixes de metal através do pano de algodão e parei para olhar.

Era a base de um travesseiro de madeira. Yukako embalara os utensílios de chá em uma bandeja de madeira exatamente como aquela que no passado ela enchera de moedas de ouro.

Eu apertei a medalha contra a garganta durante um longo momento. Irmã Mais Velha, elegante e inventiva até o final. E então segurei a caixa com as duas mãos, inspecionando-a com cuidado. Nessa escolha eu não percebi sarcasmo. Assim como a minha medalha, aquilo demonstrava generosidade. Dizia: "Sim, você tomou, e agora eu lhe dou novamente de bom grado." E exprimia um pedido de desculpas: afinal, ninguém sabia melhor do que ela que eu fora acusada injustamente. No lado de baixo da caixa, pincelada com a mão firme de quem trabalha com contabilidade, vi uma inscrição. "Tigela para água feita para Shin Yukako, com madeira recuperada da Baishian." Eu sabia que ela sempre considerara sua a casa de chá. Sua para passar noites sozinha, sua para colocar janelas de vidro. Sua para pôr fogo.

Enquanto eu purificava cada utensílio sob o domo da *kiri*, senti-a ao meu lado, cutucando-me aqui e ali com seu leque: "Assim. Assim." Senti-a como a sentia quando era pequena, entrelaçando os dedos nos meus, suas mãos agora acabadas pela idade como as minhas. Juntas pegamos o cabo da concha com o pano de seda, juntas levantamos e abaixamos o misturador, assegurando-nos de que o pequeno nó do fio completasse o círculo. Quando o mergulhei na água limpa, o misturador se abriu lentamente na luz verde. Lentamente pus chá dentro da tigela, ouvindo Yukako mais com as mãos do que com os ouvidos. A voz dela era como luz atravessando uma garrafa de vidro âmbar, recitando as instruções do pai para cada gesto. *"Kotsun. Kotsun. Sara sara sara sara."* O meu corpo conhecera o dela intimamente, pensei. Quando ergui a tigela de chá em agradecimento, mantive-a erguida mais tempo que o necessário.

Eu não provava *matcha* havia tanto tempo, nem os doces que acompanham o chá. Ouvi um minúsculo ruído enquanto o líquido saturava o biscoito seco de açúcar na minha língua, um chiado de ar escapando, e então o sabor me inundou.

Acre. Doce. Capim. Verde. Aquela tigela de chá era todas as coisas em todos os lugares. Um eixo entre os vivos e os mortos. Eu bebi e ela estava lá. *Ela me disse para ir embora.* Eu bebi de novo, e ela estava lá. *Ela me mandou embora.* Eu esvaziei a tigela, e ela estava lá, com sua capacidade de me magoar intocada pelo tempo.

Eu guardei as coisas e voltei para casa, fui para a cama e chorei como se estivesse cuspindo fora meu coração.

E ENTÃO LAVEI O ROSTO, limpei o meu vestido e desci de novo, de volta para a manhã de maio. Inko dissera que faria um intervalo para o almoço e me encontraria no parque. Caminhei até o Reggio, o novo café perto da praça Washington. Entreguei ao homem no balcão as nossas garrafas térmicas para que ele enchesse e comprei sanduíches, e então esperei-a no nosso banco preferido.

Sentei-me com o meu café quente, açucarado e espumante por causa do leite, mergulhando pedacinhos de *biscotto* na xícara da minha garrafa enquanto bebia. Se Yukako me dera um presente sem segundas intenções, tinha sido este: como amar este ar suave, este banho de folhas transbordando de luz, este sol tocando os tijolos vermelhos, este dia único no mundo.

A MINHA CABEÇA se levantou abruptamente: ouvi japonês e francês. Duas jovens se sentaram com um lanche no banco junto ao meu, conversando sob os seus chapéus justos no formato de sino, mudando de um idioma para o outro como insetos dardejantes, passando manteiga e geleia no pão. Elas eram adoráveis, a jovem francesa com seus olhos cinzentos e maçãs do rosto coradas, a japonesa com o queixo de gato e a boca atrevida. Ela riu enquanto mostrava o mindinho, com o nó do dedo coberto de geleia de damasco.

— Ah, coitadinha, olhe só para você — provocou a outra, e então, rápida como uma andorinha, ela tomou a mão da outra, colocou o pequeno nó do dedo na boca e limpou-o com uma passada de língua. Eu quase deixei o café cair.

— Você vai nos matar um dia, você é tão má — disse a garota japonesa carinhosamente.

Eu observei as duas jovens ao meu lado, o simples fato da existência delas: as mãos sobrepostas, a cumplicidade nas risadas. Eu nunca perdoara Yukako por não me amar. Finalmente a perdoei.

UMA MULHER circundou o chafariz, vendendo lilases. Uma menina correu para a sua mãe, com laços vermelhos que caíam pelas costas. Um grupo de garotos passou de bicicleta. Dois estudantes jogaram um livro para o alto. Redes de pássaros cortaram o ar azul. Meus olhos se encheram de lágrimas; ouvi o clamor dos sinos na torre. Uma abelha pousou na minha boca, mas não me picou, apenas sugou o café doce do meu lábio inferior. Eu me senti feliz.

— OI, VOCÊ AÍ — disse Inko, sentando-se ao meu lado. — O que havia na caixa? Isto? — perguntou, tocando o fio em volta do meu pescoço. Então ela viu a medalha da minha mãe. — Aquela que você perdeu? — disse, surpresa, enquanto pegava a minha mão.

Eu fiz sim com a cabeça.

— Vou contar tudo para você — prometi. — Mas olhe — eu disse, apontando com a cabeça para as jovens. Cochichei o que tinha visto.

— *Ara!* — exclamou Inko, sorrindo. Espantada com o som, a garota japonesa deixou cair a bolsa de rede aos meus pés, e eu a peguei para ela.

— Obrigada.

— De nada — eu disse em japonês e em francês. — De nada.

Elas ficaram boquiabertas simultaneamente e olharam uma para a outra e então para a mão de Inko sobre a minha.

— Quanto tempo vão ficar em Nova York? — perguntei.

Este livro foi composto na tipologia
FournierMT Regular, em corpo 12/16, e impresso
em papel off-white 80g/m² no Sistema Cameron da
Divisão Gráfica da Distribuidora Record.

Seja um Leitor Preferencial Record
e receba informações sobre nossos lançamentos.
Escreva para
RP Record
Caixa Postal 23.052
Rio de Janeiro, RJ – CEP 20922-970
dando seu nome e endereço
e tenha acesso a nossas ofertas especiais.

Válido somente no Brasil.

Ou visite a nossa *home page*:
http://www.record.com.br